*O RETORNO
DE
MERLIM*

DEEPAK CHOPRA

O RETORNO DE MERLIM

Tradução de
ROBERTO GREY

Título original
THE RETURN OF MERLIN

Copyright © 1995 by Deepak Chopra, M.D.

Tradução publicada com a autorização da Harmony Books,
a division of Crown Publishers, Inc., Nova York

Direitos mundiais para a língua portuguesa
reservados com exclusividade à
EDITORA ROCCO LTDA.
Av. Presidente Wilson, 231, 8º andar
20030-021 – Rio de Janeiro – RJ
Tel.: (21) 3525-2000 – Fax: (21) 3525-2001
rocco@rocco.com.br
www.rocco.com.br

Printed in Brazil / Impresso no Brasil

preparação de originais
FRANCISCO AGUIAR

CIP-Brasil. Catalogação-na-fonte.
Sindicato Nacional dos Editores de Livros, RJ.

C476a	Chopra, Deepak
	O retorno de Merlim / Deepak Chopra; tradução de Roberto Grey. – Rio de Janeiro, Rocco, 1996.
	Tradução de: The return of Merlin
	ISBN 85-325-0624-0
	1. Romance norte-americano. I. Grey, Roberto. II. Título
95-2121	CDD-813
	CDU-820(73)-3

PRIMEIRA PARTE

*As
Ruínas
da Magia*

UM

A Torre do Mago

As velhas de Camelot tinham certeza de que o mundo ia acabar. A desdentada Megan acendeu uma vela votiva de sebo para fazer suas orações e imediatamente um vento, que parecia ter atravessado as muralhas do castelo, apagou-a.

— Dez velas não haverão de afastar o diabo esta noite — afirmou Gudrun, a cozinheira.

— Que Deus tenha piedade e não nos deixe morrer em nossas camas — respondeu trêmula a velha Megan.

Havia três pessoas sentadas na copa escura — as duas velhas e um garoto.

— Garoto — ordenou Megan — traga-me outro tijolo. Meus pés estão frios.

Ulwin pegou o tijolo frio das mãos dela e o desembrulhou de sua cobertura de aniagem. Com dois tições tirou outro tijolo do borralho e o embrulhou cuidadosamente no pano.

— Ande depressa — resmungou Megan.

— Eu *estou* me apressando — gostaria Ulwin de ter dito, estranhando a necessidade da pressa já que o mundo ia acabar. Maus presságios vinham se acumulando sinistra e rapidamente — abutres e gralhas descansando na mesma árvore ao pôr-do-sol, um porco-espinho visto a rolar em chamas pelos campos comunitários, nuvens escuras a varrer o céu como cavalos ensandecidos de pânico, e pior de tudo, um terribilíssimo eclipse comera a face da lua. Era uma noite tal que somente um mago poderia compreendê-la e, no entanto, consultar seu mago era exatamente a coisa que Artur se comprometera a evitar.

Artur estava sentado há horas em sua cadeira esculpida ao

lado da janela, no grande saguão. Seu jantar predileto, javali bem temperado, com damascos, jazia intocado numa bandeja a seu lado. Enquanto morria o dia numa claridade baça e cinzenta, seu rosto refletia as crescentes trevas.

— Ele já sabe — dissera significativamente Gudrun, de volta, depois de ter levado o jantar ao rei.

— Sabe o quê? — perguntou Ulwin, obtendo apenas como resposta um olhar malcriado.

Com leves passos pelos corredores semi-escuros, a rainha veio convencer Artur a comer, mas não obstante, mesmo sua amorosa voz que sempre o despertara de seus cismas, caíra em ouvidos moucos.

— Eu te peço que comas alguma coisa, pelo menos um pouquinho — suplicou ela.

Artur só fez dirigir-lhe seu olhar soturno. Era um olhar trágico, não mais o olhar calmo e corajoso que ela sempre conhecera.

— Por que sofres assim, meu amo? — perguntou Guinevere. Em qualquer outra oportunidade, seu coração teria se incendiado ao vê-lo em tamanha amargura; agora um novo e dilacerante temor tomou conta dela.

O rei nada disse, desviando apenas o rosto em direção à janela.

— Chame Merlim — sussurrou ele, numa voz rouquenha.
— Pressinto a noite de nossa desgraça.

A rainha deixou correndo o grande saguão, parando um instante para se ajoelhar diante do crucifixo ao lado da porta. Mandou que o menino de recados mais novo, que era por acaso Ulwin, corresse o mais depressa possível até a torre.

À luz da lua, metade devorada (naquela época acreditava-se que o eclipse fosse provocado por um dragão negro que devorava a lua), o rei distinguia o vulto escuro de Ulwin a correr pelo barbacã oriental até a torre do mago, na extremidade oposta do pátio externo. Era uma torre redonda feita de sólidos pedregulhos cinza das redondezas, tal como o resto das muralhas da fortaleza, mas revestida magicamente de obsidiana preta, que lhe dava um aspecto liso e vidrado, escuro como a boca de um poço.

Ao atingir a base do refúgio de Merlim, o resfolegante mensageiro parou. Não havia porta e a única abertura aparente consistia numa janela em fenda muito alta, dando para o lado ocidental do pátio do rei. Ulwin sabia da existência de outra janela, exatamente do mesmo tamanho, situada do lado oposto, oriental. Merlim gostava de acordar cedo e meditar diante da estrela d'alva.

— Merlim, potente mago e célebre vidente, meu senhor elrei ordena vossa imediata presença — gritou Ulwin em voz alta.

Não tinha certeza se era suficientemente alta, porque o vento uivava com uma força capaz de apagar todas as velas votivas do mundo; no entanto, a luz fraca que transparecia da janela em fenda não deu sinal de se mexer, e não houve resposta. Numa noite terrível como aquela, Ulwin não se sentia seguro fora de casa sem sua guirlanda de poção de bruxa, de poção de lobo, de poção de pulga, de poção de leopardo e todos os encantos feitos de ervas para afastar os mortíferos males.

O garoto tomou coragem e chamou de novo:
— Merlim, potente mago e célebre vidente, meu senhor elrei...

E se viu interrompido pela imagem de um rosto irascível que espiava desconfiado da janela, lá no alto. Os olhos de Merlim que, segundo a avó de Ulwin, eram capazes de transformar garotos em doninhas voadoras, estavam semicerrados, como se ele tivesse sido rudemente acordado. Ulwin transferia, nervoso, seu peso de um pé para outro, almejando estar de volta ao porão, onde ficava sua cama quente de palha.

—Ulwin, é você?— gritou o mago zangado. — Raios, o que deseja? E não me venha com aquele palavreado oco que te ensinaram. Palavras não significam inteligência, sabe?

Se não fosse por uma emergência, o garoto de recados teria se sentido magoado pela ríspida censura de Merlim. Na realidade, ele não passava de um camponiozinho de Wessex que até então cuidara dos porcos e só recentemente fora promovido a servir à mesa real.

— Sua Majestade quer que o senhor desça depressa — gaguejou o garoto. — Talvez aconteça uma desgraça.

O mago debruçou-se mais à janela. Sua longa barba dividida na ponta fora apanhada pelo vento e se desfraldava como um estandarte de batalha, antes do combate.

— Vem me dizer que o rei convoca Merlim depois destes cinco longos e tediosos invernos?

— Realmente, é verdade — respondeu o mensageiro, recuperando um pouco sua recém-adquirida dignidade.
— Sim, deveras?
— Sem dúvida — disse o garoto.
— Ah, com certeza — ripostou prontamente o mago.
— Creio que sim — gaguejou o garoto, mordendo o lábio. Não gostava que o fizessem de bobo, mas mesmo assim ansiava por levar uma boa nova ao rei. Depois de uma pequena hesitação, recomeçou esganiçado:
— Então, o senhor vem ou não vem?
— Não vou! — gritou Merlim, batendo com a janela e sumindo dentro de seus aposentos. Um raio inesperado iluminou o rosto apavorado de Ulwin, enquanto voltava a correr em direção à segurança da torre de menagem do castelo.

Dentro de sua cela na torre, Merlim afastou-se zangado da estreita janela, mas ao batê-la, levantara uma nuvem de poeira — magos são seres muito superiores para serem arrumados — apagando a enorme vela de cera de abelha que ficava sobre a mesa, no centro do cômodo.

— Raio! — resmungou Merlim. — Tentou enxergar alguma coisa em volta na escuridão. Em cima de uma estante alta, dois olhos amarelos se arregalaram, brilhando no escuro; Merlim reconheceu-os como pertencendo a seu pássaro de estimação, uma velha coruja mocha-orelhuda, cujo vulto atingia a altura de uma criança. (Os campônios chamavam corujas daquele tamanho de aves de mau agouro, culpando-as pelo sumiço de bebês durante a noite.) A coruja arrepiou as penas quase silenciosamente, como o barulho de seda roçando seda, e fitou o teto cheio de barrotes de onde pendiam vários pequenos morcegos.

— Se pelo menos aqueles camundongos não voassem — pensou desconsolada a coruja. Merlim era capaz de ler os pensamentos de pássaros e animais, porém pouco se interessava pela cabeça das corujas, já que elas geralmente só se preocupavam com camundongos e a maneira de pegá-los. O que preocupava Merlim naquele momento era Melquior.

— Onde está ele? — murmurava.— Eu te pressinto, apareça imediatamente! — vociferava, chutando o astrolábio para realçar sua impaciência. Um escaravelho verde e preto, alarmado pelo barulho, arrastou-se depressa de seu esconderijo sob um livro. Merlim, que conseguia enxergar no escuro tão bem quanto qualquer coruja, avistou o inseto e o agarrou entre o polegar e o indicador. E pôs seu nariz bulboso próximo ao besouro.

— Melquior, é você? — perguntou.

— Não, mestre, estou aqui — sussurrou uma voz nas suas costas. Merlim virou-se depressa. Uma figura acendia um bastão de aveleira em pleno ar — para o mago, o equivalente a nossos fósforos de segurança — e acendia com ele a vela sobre a mesa. Num instante uma luz suave e dourada enchia o cômodo, junto com o cheiro quente e oleoso de cera de abelha a derreter.

— Onde, diabo, estiveste? — resmungou o mago. Detestava ser surpreendido. A figura que acendia a vela não pestanejou. Apesar de a maioria dos homens sentir um pavor mortal diante do poder de Merlim, seu jovem aprendiz não sentia. Este era um dos raros casos em que a familiaridade não gerara desprezo. — Melquior fora convocado para servir ao lado de Merlim há sete anos, numa época em que era tão jovem quanto Ulwin. De onde viera a ser convocado, ninguém em Camelot conseguiria adivinhar. Os membros da corte raramente punham os olhos nele fora da torre do mago. Às vezes, durante algum dia quente de julho propício a ceifar feno, os camponeses trabalhando nos campos em volta das muralhas do castelo, deitavam-se de barriga para cima à sombra dos enormes carvalhos na fímbria da floresta. Ao olharem para cima, avistavam o vulto de Melquior contra as ameias da torre.

Esguio e alto, trajara sempre longas e folgadas túnicas que tinham um aspecto vagamente mourisco, como se fossem trajes de algum chefe berbere. Tinha a pele castanha, cor de amêndoa, embora clara demais para ser mourisca. Um albornoz branco cobria sua cabeça, que ele puxava para frente até cobrir o rosto, a não ser por um par de olhos líquidos e castanhos.

— Jamais olhe para aqueles olhos — costumavam dizer os camponeses. — Senão você nunca mais conseguirá olhar para coisa alguma. — Pois estes mesmos olhos voltaram-se agora tranqüilamente para Merlim, com tanta delicadeza quanto filhotes de codorna a espiar sob a asa da mãe.

— Você quer me ver? — perguntou Melquior.

— Quer me ver? Quer me ver? — repetia zangado o mago.

— O rei quer me ver, mas não irei. Não esta noite.

— Então que tal termos uma lição de levitação — sugeriu esperançoso Melquior. Levantou os braços como se estivesse abrindo asas, o que alarmou os morcegos dependurados, provocando um nervoso alvoroço entre eles. Merlim sacudiu a cabeça e de repente Melquior se deu conta que seu mestre estava terrivelmente cansado. Parecia um velho lobo pronto para cavar a neve e morrer. Pensamento que entristeceu Melquior. Amava seu mestre e era a única pessoa, depois da partida do jovem Artur, que compreendia as muitas camadas que recobriam o coração do mago. E um coração de mago é defendido por paredes de tripla espessura, como o castelo do rei, e somente aqueles com coragem para atravessar as fortificações conseguem descobrir o tesouro escondido lá dentro.

— Pressinto um perigo extremo — disse Melquior. — Sobreviverá o reino?

Merlim ficou espantado com o súbito presságio. Sacudiu a cabeça e se sentou na beira de sua cama baixa de ferro, tão rústica e sem conforto quanto o catre de qualquer monge.

— O reino não merece sobreviver. A magia que eu lhes dei era boa, mas eles não estavam à altura dela. — Deu um suspiro tão profundo quanto a maré a escoar por um buraco nos rochedos do litoral da Cornualha. — Rompeu-se a paz e fomos descobertos pelo mal.

Melquior tirou os chinelos do velho mago, feitos de pano gasto, colocando-os respeitosamente ao pé da cama. Merlim deitou-se, fechando suas abauladas pálpebras. Parecia afundar no sono, enquanto Melquior se ajoelhava no chão ali perto. De repente o velho se remexeu.

— Se eles querem brigar — rosnou Merlim, calando-se em seguida. O guerreiro dentro dele punha a cabeça para fora. Porém, o sono parecia pesar mais que seu espírito de luta. Deu um bocejo e um estupor pesou em seus olhos. — Vá procurá-los, meu rapaz, nas profundezas da floresta selvagem onde se escondem entre as sombras. Decifre seus augúrios — murmurou.

Melquior mal conseguiu distinguir as palavras, mas levantou-se num átimo. Bateu com os artelhos no chão e deu desengonçados passos de dança no meio do quarto, como uma cegonha cansada. No instante seguinte desaparecera, enquanto uma enorme pantera negra de olhos verdes surgia na beira da densa floresta dos druidas. O animal levantou os olhos para a lua, devorada até sobrar apenas uma mínima lasca. A pantera deu um rosnado e resfolegou com cautela, mergulhando silenciosamente na mata.

 A floresta agradável e sombreada dos dias de hoje não é nada parecida com as florestas daquela época, que eram vivas e não continham apenas árvores, esquilos, samambaias, avencas e brotos. O velho mundo verdejante estava vivo junto com sua alma folhuda. A floresta de então era uma criatura inteiriça e viva que tudo sentia. Sentia os passos nervosos do gamo real, cuja caça era proibida por decreto, sentia a maturação do ovo do cuco e os dolorosos pipilos dos filhotes dos pássaros canoros, ao serem despejados de seus ninhos pelo filhote do cuco. Sentia até o lento e rastejante crescimento do espesso musgo que atapetava todo o espaço úmido, como um manto verdejante de veludo.
 Porém, naquela noite, enquanto a pantera negra deslizava por ela, a floresta sentia um temor profundo. O medo comum era uma bênção comparado a ele. Como pode ser descrita a maior das agonias? Imaginem um pobre miserável condenado à forca; ao soar da meia-noite, mãos abrutalhadas o acordam de um sono sobressaltado.
 — Levante-se — ordena uma voz rude. Acendem uma tocha e à sua terrível luz o prisioneiro avista seu carrasco. — Sim — avalia o carrasco com experiência — acho que cinco voltas de corda darão conta perfeitamente de ti. — E o condenado, novamente sozinho no escuro, sente que suas entranhas se liquefazem. Este era o tipo de pavor que a floresta sentia, medo de que Deus se esquecera de sua existência.
 Detendo seu passo, Melquior pressentiu a agonia mortal da floresta e percebeu que não era por sua causa. Mas o que seria? Os cuidados de seu mestre o haviam mantido há tanto tempo afastado do mal que Melquior mal se lembrava de seu cheiro. O vento transportava complexos odores da primavera — folhas mofadas, campainhas de flores azuis, cicuta e lírio — mas nenhum cheiro ruim. Não obstante, havia algo no vento:
 — Que tamborilar era aquele, parecendo granizo no telhado? — indagou-se ele. No alto, distinguia o céu límpido cheio de

estrelas. Não poderia ser granizo. Eram cascos de cavalos, repercutindo à distância, muitas montarias, mais do que ele jamais vira naquelas matas. Mas quem seriam esses cavaleiros noturnos? Os cavaleiros de Artur continuavam a dormir em suas camas e, além disso, que cavaleiro arriscaria cavalgar por aquelas matas depois do escurecer?

Sem ser fruto de nenhuma decisão consciente, o aprendiz sentiu o corpo da pantera se virar, acompanhando o ruído dos cavaleiros; a vibração era tão fraca que punha em jogo os próprios limites da audição do bicho. De um salto, a pantera galgou os galhos de um velho carvalho coberto de parasitas, para esquadrinhar a paisagem.

Naquela direção lá — sim. Suas espáduas negras e musculosas quedaram imóveis; deixou-se cair ao chão e correu silenciosamente dentro das trevas. Seguindo o rastro em cima de suas acolchoadas patas, Melquior procurava no mato rasteiro, agachando-se bem baixo à medida que o tropel dos cascos se tornava mais alto. Fugazes pensamentos de pantera passaram por sua cabeça, não verbais, mas como vívidas impressões dos sentidos: o faro de uma lebre, apavorada, escondida debaixo de um monte de folhas; a umidade dos cogumelos esmagados debaixo de suas patas; o lampejo de fogo-fátuo verde de um tronco apodrecido.

E no entanto, misturadas a essas impressões animais, Melquior possuía suas impressões humanas:

— Onde está o perigo? Está todo à minha volta, mas também provém de algum lugar, e este lugar é bastante perto.

De repente um garanhão sentiu o cheiro de pantera no ar e relinchou em pânico.

— Abaixe-se ou eu te matarei — ciciou uma voz. Melquior estacou, parado como se fosse de pedra — a voz estava quase em cima dele. Afastou o arbusto mais denso com o focinho e viu o cavalo apavorado, pisoteando o solo, doido para escapar. Seu ginete, um cavaleiro de armadura, açoitava sem piedade sua montaria.

— Pare com isso, seu idiota — murmurava entre dentes o cavaleiro. Levantou a viseira para respirar melhor, e Melquior divisou seu rosto suado e zangado. Não conhecia aquele rosto do passado remoto? Antes de chegar a qualquer conclusão, mais cinco cavaleiros montados chegaram velozmente à clareira.

— Pegou-o? Serão nossas cabeças que rolarão se você não o fizer— disse um deles.

— Pare de latir para mim, cão. Minha montaria enlouqueceu — respondeu o indignado e suarento cavaleiro. Súbito ouviu-se o barulho de gravetos que se quebravam. A menos de quatro metros deles, um enorme veado branco, com uma gigantesca galhada, deixou seu esconderijo. Melquior percebeu de imediato — o gamo real.

— Pegue-o! — gritou um cavaleiro, e todo o grupo arremeteu atrás dele. No calor da caça, até o cavalo apavorado esqueceu seu medo e mergulhou intrepidamente na floresta escura. Melquior sabia agora que ninguém mais prestaria atenção a ele; só visavam o sangue da presa. Seguiu correndo o grupo em plena vista, a uma distância de menos de vinte metros à retaguarda.

O gamo real tinha alguns poderes conferidos por Merlim. Os guarda-caças reais poderiam ter pregado nas árvores quantos avisos quisessem; não seria um mero decreto que haveria de preservar o gamo, já que os caçadores ilegais arriscavam a vida para matá-lo e capturar sua enorme galhada. Em tempos idos, a fímbria da floresta real era marcada por uma série de forcas de onde pendiam os cadáveres de caçadores ilegais que haviam ousado transgredir a proibição do rei. Artur abandonara esse barbarismo, contando com os sortilégios de Merlim para proteger o gamo branco. De dia ele era invisível, e à noite, quando se alimentava de botões de rosas silvestres e de lanudo tomilho, o animal tinha uma audição tão apurada que parava absolutamente se algum camundongo cortasse uma folha de grama a cem metros de distância.

De pouco lhe adiantara o encanto de Merlim naquele momento. O infeliz gamo mergulhou na parte mais fechada da floresta, embaraçando sua galhada nos ramos de pinheiro e rasgando seus flancos nos espinhos. Brilhantes gotas de sangue manchavam as rosas silvestres que ele adorava comer. Seus enormes olhos reviravam-se em pânico; sua respiração vinha entrecortada, arfante. Sem tempo para pensar, o gamo jamais imaginou como os cavaleiros conseguiram persegui-lo com tanta habilidade numa noite sem lua.

Será que possuíam seus feitiços? O animal nunca saberia, pois ao interromper o passo para pular por cima de um enorme tronco caído, derrubado pelo último dos gigantes, o cavaleiro da frente retesou seu arco e disparou. Sua flecha partiu com certeira pontaria e perfurou o coração do delicado bicho, que tombou imediatamente morto, a primeira vítima da magia negra nas terras de Camelot. Um grito estrangulado brotara de sua garganta, tão mais deplorável porque o gamo guardara um nobre silêncio durante toda a sua vida. Porém, não haviam ali ouvidos misericordiosos para acolhê-lo.

— Um golpe certeiro! — gritaram os homens. — Deus salve nosso mestre!

— Deus salvasse nossos desgraçados pescoços se você tivesse errado — disse uma voz mais prática. Porém, este sentimento perdia-se na confusão. Um após o outro os cavaleiros desmontavam, com armas ensarilhadas. Corriam até a carcaça, ferindo sua barriga com espada, lança, punhal, ansiando matar o bicho uma segunda, terceira, quarta vez.

— Deixe Harry passar — gritou alguém —, foi ele quem o abateu.

Outro berrou:

— Se o mestre desdenha as tripas, o fígado e os miúdos são meus.

— Não, refreie vossa mão, ele não pode ser tocado — ordenou o primeiro cavaleiro. Depois de alguns minutos a respiração ofegante deles começou a se acalmar, mas mesmo assim não repararam num felino desconfiado que os espreitava de uma árvore próxima. Suas narinas fremiam para absorver o cheiro de sangue, e Melquior teve de empregar o máximo de força de vontade para não pular furioso em cima deles. Estranhos conflitos dilaceravam seu coração — a despeito da selvageria da natureza de pantera, ele sentia uma calorosa e comovida pena pelo belo gamo, agora retalhado e conspurcado. Contemplou o primeiro cavaleiro começando a içar o gamo por cima de sua sela. Os demais caçadores, já montados, faziam um círculo em volta, impacientes.

— Depressa, está bem? E não derrame mais seu sangue. Meu Deus, já tem um aspecto terrível — resmungou um robusto cavaleiro.

— Cale a boca, não fui eu quem o golpeou, não é? — disse o outro que estava amarrando a carcaça. Não custou para que o serviço terminasse e os ferozes cavaleiros partissem a galope na escuridão.

Merlim remexia-se sem parar em seu sono, ou aquilo que se fazia passar como sono aos olhos do comum dos mortais. Somente seu invólucro carnal permanecia deitado; dentro, uma viva centelha espiritual guiava, como uma chama inteligente, seu aprendiz. O velho mago sentia a agonia da floresta de modo ainda mais agudo que seu discípulo. — Tudo foi estranhamente transformado aqui — pensou ele. Não havia palavras que traduzissem aquela transformação na floresta, no entanto era inequívoco seu sentido — era como entrar em casa e saber, mesmo antes de acender a luz, que havia um criminoso lá dentro.

Merlim ficou perplexo porque não conseguia descobrir a identidade do malvado que usurpara o coração da mata. E no entanto, um refúgio sagrado fora violado; nada poderia ser mais certo. Aquela floresta de Camelot era o local onde todos os magos levavam seus discípulos para educá-los, desde a época dos gigantes, quando se dava muito mais valor aos magos, na qualidade de protetores dos humanos que se aglomeravam nas cabanas de telhado de colmo, na fímbria da floresta. Na época em que Artur conquistara seu trono, os tempos já eram outros; os magos e humanos viviam profundamente suspeitosos entre si, quase como inimigos.

— São tão descarados que acham que somos humanos como eles — rosnou Merlim mais uma vez para Melquior, durante uma aula de transformação conduzida na floresta. — Eu não posso morrer no mundo deles e eles jamais viverão no meu.

O aprendiz não alcançou o que isso significava, porque sentia-se de muitos modos tão mortal naquela hora quanto no dia em que fora posto aos cuidados de Merlim. O segredo da imortalidade, supostamente conhecido pelos magos, ainda não lhe fora revelado. Era entretanto evidente que a antiga amizade e cooperação entre os homens e os magos azedara.

Os clérigos eram os piores. Um domingo o bispo de Westminster mandara um padre gordo, chamado padre Alarico, para a aldeia. O pároco local oferecera humildemente seu púlpito.

— É uma bênção vê-lo — dissera ele.

— Não, não é não — dissera o padre Alarico, de cara amarrada; seus modos eram profundamente suspeitos. — Estou aqui para averiguar a pureza de seu rebanho.— O padre da aldeia sentiu-se humilhado, embora não tivesse a menor idéia do motivo. Do púlpito, o emissário episcopal censurara a congregação acovardada. — Correm boatos de que alguns de vocês são adoradores da magia satânica. Quem entre vós consente no mal? — Os camponeses simples tremiam nos bancos.

Quando chegou a Merlim a notícia de que ele era considerado um demônio aos olhos do padre Alarico, ele riu desdenhosamente:

— Padre? Ele é um zé-ninguém socado de banha. Pouco estou ligando se todos os mortais da Inglaterra resolverem me evitar! Todos fedem a carne podre e têm os cérebros parecidos com pudins. — Quando seu humor amainara, afirmara com mais sabedoria — O homem faz distinção, Deus não faz nenhuma.

Não obstante, os ânimos esquentaram, quando o lacaio do bispo ameaçou de danação perpétua todos que se recusassem a se levantar contra a magia e feitiçaria. O ódio fervilhava na aldeia como uma sopa cheia de espinhos. Velhinhas desdentadas que tinham a infelicidade de possuir um gato ou algum estranho sinal de nascença, viraram suspeitas de freqüentarem diabólicos sabás na floresta. Na estalagem, três pedreiros bêbados pediram aos gritos a morte do próprio Merlim.

— Vocês não imaginam por que somos desprezados e pisados? Torçamos o pescoço dele e o sol brilhará de novo.

Contudo, já que era impossível matar um mago, segundo decretava a sabedoria humana, este desejo maligno jamais veio a se tornar realidade. Brigas e desassossego se espalharam. Montes de feno pegavam fogo no meio da noite. Corriam boatos de que a igreja conquistara o apoio de poderosos barões do norte, que estavam mais do que prontos a salvar algumas almas se pudessem pôr as mãos em suas terras.

O rei foi finalmente obrigado a assegurar a paz pública ordenando que seu velho mestre ficasse sob proteção especial na reluzente torre negra. Foi o dia mais triste da vida de Artur, quando se despediu de Merlim.

— Estou sofrendo, querido velho, com meu coração doendo por exilá-lo desse modo. Mas pelo menos você permanece na minha vista. As recordações e o calor do fogo durante a noite serão nosso consolo — disse ele. — Perdoe-me.

Merlim olhara para a janela em forma de fenda lá no alto, acima de suas cabeças. O exílio nada significava para ele; os magos são pela própria natureza solitários.

— Não deveria deixar que essa cunha de medo se intrometesse desse modo — prevenira ele.

Artur teve dificuldade em sustentar o olhar de Merlim.

— Não tenho medo. Você mesmo me confiou uma tarefa, reinar pelo poder da paz. Não tenho certeza se já compreendi minha tarefa, mas pelo menos posso lhe oferecer um abrigo seguro contra a violência que ainda campeia em Camelot.

Merlim parecia orgulhoso como uma águia.

— Segurança? — exclamou. — Acha que é por isso que permaneço aqui? Estou mais do que seguro contra esses tolos com hálito de repolho. Opto por permanecer nessa torre porque ela oferece uma bela vista.

— Para ver o quê? — gostaria de perguntar Artur; ele teve seu primeiro presságio de últimos atos e cortinas que caem, mas ficou com medo de perguntar a Merlim, mais apavorado ainda de que seu mestre deixasse de se importar com o que lhe acontecesse. Esses acontecimentos ocorreram uns cinco anos antes. Desde então, Camelot respirara uma inquieta paz, enquanto Merlim permanecia alheio em sua torre.

Foram precisos os maus augúrios e um eclipse negro para abalar Artur. O rei, sabia Merlim, ficaria aturdido pelo ataque de surpresa que o mago lia no destino, e os cavaleiros de Artur com certeza haveriam de querer reagir.

— Pouco desconfiam do que os espera — especulava o mago. E continuou a dormir, aparentemente morto para o mundo, porém sentindo em seu espírito o golpe que abatera o gamo real. Sobressaltado, sentou-se na cama.

— Volte para mim — sussurrou ele. Seu aprendiz não ouviu, ou então estava por demais entregue a seus propósitos. Merlim levantou a cabeça como se estivesse experimentando o vento. Seu nariz enrugou-se e se contraiu, como um nariz de conhecedor — o cheiro de calamidade estava no ar, râncido e picante como uma tempestade prestes a se desencadear. Isso era algo presente há algum tempo, mas de outro local oculto, outro elemento secreto espiava, e ele percebeu o pior. Um poder rival do seu, uma chama negra que viera para extinguir sua chama branca, avançava sobre o castelo.

DOIS

Sangue do Gamo

No momento em que o gamo real fora abatido, um círculo de cavaleiros estava sentado ao redor de uma fogueira baixa nas entranhas da floresta. A maioria era de veteranos de guerra, ostentando longas cicatrizes vermelhas em seus rostos, causadas por cortes de espada. Davam sorrisos banguelas por causa de dentes arrancados em justas, e não poucos tinham um buraco franzido no lugar onde deveria estar o olho. Alguns falavam em voz baixa, tentando lutar contra o sono — mas ninguém dormiria antes de ser dada a ordem. Estavam por demais temerosos. Havia só um rosto livre de ansiedade no grupo, e por acaso era o único sem cicatrizes. Um jovem nobre sentava-se mais próximo da fogueira — parecia um damasco dourado no meio de uma porção de maçãs ácidas. Tinha o cabelo claro e cacheado; suas faces rosadas emprestavam a seu belo rosto certa infantilidade, redimida apenas por um queixo modelado para demonstrar bravura. Por esses detalhes de seu aspecto, era fácil distinguir um filho de Artur. Mas ao ler o próprio coração, o bastardo real chamado Mordred sabia ser a vergonha do pai.

— Onde está a presa? — perguntou delicadamente Mordred, olhando para um subalterno que punha achas na fogueira.

O soldado estremeceu.

— Já vem, meu senhor. O senhor mandou o capitão com o feitiço do olho da meia-noite. Uma dúzia de caçadores não poderá falhar.

Mordred franziu as sobrancelhas.

— Mandei palermas e rematados idiotas. Qualquer criança poderia encontrar o gamo uma vez despido de seu feitiço. Não me agrada nada. — O soldado abaixou a cabeça, os tendões de seu pescoço tremeram sob a pele. O grupo de Mordred dependia de seus caprichos, e havia dias em que salgar demais o carneiro significava a morte. — Se eles não aparecerem logo com a presa, e quero dizer logo mesmo — afirmou Mordred baixando para o tom mais grave de sua voz — haveremos de procurar augúrios nas suas vísceras. O que acha?

A resposta foi um grunhido ininteligível.

— Discorda do meu julgamento? — desafiou Mordred. O subalterno tentou esconder seu pavor; esperava que seu senhor estivesse fazendo apenas mais uma de suas cruéis brincadeiras. Jamais se poderia ter certeza.

Mordred dava pisadas fortes de impaciência, enquanto esperava pelo presságio que diria do êxito ou da derrota. A marcha contra Camelot mal levara uma semana. Seus homens conheciam a disposição do terreno — quase todos haviam servido na corte de Artur, de onde foram banidos em desonra. Corria sangue nobre sob aquelas cicatrizes. Poucos deles sabiam que sua queda — por covardia, luxúria ou trapaça — fora tramada por Mordred. Ele plantava bem fundo seus objetivos e sabia pôr o perfume embriagante da cama de determinada senhora no sonho de um cavaleiro, ou impelir uma espada de modo que ela se enterrasse nas costas de alguém.

Os invasores avançaram furtivamente a partir da costa durante a noite, sem encontrar nenhuma resistência. Isso por si só fez Mordred suspeitar de algo. Esperava enfrentar escaramuças dispersas antes do assédio ao baluarte que abrigava o rei. Seria uma boa maneira de se livrar dos fracos em seu exército, e ele não ficou nada contente em ver uma estrada após a outra aberta a seu avanço.

A marcha de Mordred a partir do mar espalhara uma peste generalizada, destruindo tudo de bom que havia pela frente, secando os botões de maçã prestes a brotar, enchendo de ferrugem o trigo armazenado, castigando os recém-nascidos com doenças, deformando bezerros, que nasciam com três pernas ou duas cabeças, semeando o desespero e o ódio nos corações das pessoas de bem. A terra ainda guarda essa recordação.

Agora estavam tão próximos do castelo que Mordred conseguia sentir os cheiros da cozinha na viração, e mesmo assim nenhum dos cavaleiros de Artur viera desafiá-lo. Seria um truque? Mordred precisava examinar algum augúrio, e por isso arriscara aquela parada de última hora antes do ataque.

— Ele parece inquieto — murmurou um cavaleiro na periferia do acampamento. — Isso é perigoso.

— O que não é? — comentou seu companheiro — O sangue *dele* é um curioso veneno, e isso é verdade.

A experiência humana não conseguira prepará-los para alguém como Mordred, chamado apenas e temerosamente por *ele*. Aprendera magia negra com sua mãe, uma feiticeira chamada Morgana Lé Fay, a Fada Morgana, cujos objetivos eram ainda mais profundos do que os de seu rebento. Há anos seduzira o rei (quantas vezes, ninguém ousava adivinhar), dando mostras de uma avassaladora paixão por ele; o fato de ele ser seu meio-irmão apenas aguçara o apetite de Morgana.

Ela não podia ocultar para sempre sua identidade e chegou o dia em que Artur teve nojo ao ver com quem compartilhara o leito. Rogou uma praga contra o apetite ilícito dela, que deu à luz o fruto dessa praga. O próprio nome *Mordred* com que ela batizou a criança, numa cerimônia realizada com urina de bode preto, em vez de água benta, inspirava medo por sua sinistra sonoridade. Mordred não foi a primeira criança nascida sob a influência de astros malignos, porém Morgana Lé Fay, raro exemplo de mãe, ficou encantada com os modos perversos de seu bebê.

— Morda o bico de meu seio — murmurava ela, gozando a dor.

A fogueira dos cavaleiros banidos diminuiu até se tornar um borralho que vez por outra lançava alguma estranha chama sobre o bando de Mordred; alguns deles arriscaram-se a dormir, embrulhados nas mantas sujas de seus cavalos. Mas todos despertaram completamente quando o barulho de cascos sacudiu a escuridão aparentemente impenetrável.

— Levantem-se depressa — ordenou Mordred, ao distinguir seus caçadores no meio da floresta. Seu coração bateu forte ao pensar que o veado lhe pertencia, e ele quase arrancou a carcaça dos seus liames, com as mãos nuas. — Dependure o animal naquela árvore — ordenou — e arranque seu coração.

Obedecendo a suas instruções, o bando de caçadores pendurou o gamo num carvalho baixo e retorcido, abriu seu ventre do pescoço ao rabo e arrancou o coração ainda quente. Ao farejá-lo, aquele cheiro enjoado e doce no meio da noite, as aves de rapina que dormiam nos galhos mais altos do carvalho sacudiram as asas em seu sono.

O capitão aproximou-se da fogueira, diante da qual se sentara agora Mordred, num banquinho de três pernas. Jogaram mais lenha sobre as brasas, fazendo com que a fogueira crepitasse e crescesse furiosamente. Mordred parecia estar absorto, em transe, murmurando estranhos feitiços na velha língua dos druidas.

— Ei-lo — sussurrou o capitão, segurando o coração do gamo em suas mãos cobertas de malha. Mordred olhou para ele com os olhos esgazeados.

— Sabe o que tens na mão? — perguntou, numa voz roufenha. — É, na verdade, meu próprio pai. Este gamo era seu espírito. Agora vamos determinar o destino do rei, se ao amanhecer ainda estará vivo ou não. — Envolvendo os pulsos do capitão com suas mãos, Mordred começou a apertar com crescente força, até que o capitão quase não agüentasse mais e se visse obrigado a soltar um grito. Um filete de líquido amarelo transparente escorreu do coração, porém ele se recusava a sangrar. O rosto de Mordred ensombreceu-se.

— Não, não — resmungou —, isto não é possível. Você me enganou. — E imediatamente sacou do nada um fino punhal de prata, cuja ponta pressionou contra a garganta do apavorado capitão. — Como ousa me trazer isto! — A ponta do punhal tirou sangue.

Fraquejando, o capitão sacudiu a cabeça.

— Meu senhor, podeis ver que o animal é exatamente este.

— E mesmo balançando repugnantemente preso à árvore, como um saco rasgado de centeio, a galhada do gamo era inigualavelmente larga e bela. A ponta do punhal de Mordred tremeu, traçando uma fina linha pelo pescoço abaixo do capitão, quando de repente outro cavaleiro afastou seu braço.

— Senhor, olhe! — exclamou ele. Ao fitar as mãos do capitão, Mordred percebeu que o presságio mudara. O coração escurecera e agora dele fluía uma bile negra. E ele perdeu o fôlego de satisfação; mergulhando os dedos nos nefastos filetes negros, provou-o ligeiramente. Seu rosto contorceu-se de macabra alegria. — O rei morrerá — sussurrou ele.

O capitão afastou-se, enxugando o ferimento no pescoço com um lenço sujo, preso de uma vertigem de alívio porque não morreria aquela noite.

Melquior mal podia se controlar. As longas garras guardadas nas bainhas emergiram como lâminas afiadas impulsionadas por molas, e seu espírito fervia. Um rosnado de predador se acumulou no seu peito. Enquanto a cerimônia sanguinária de Mordred acontecia lá em baixo, Melquior estava trepado na mesma árvore de onde pendia o corpo do gamo branco. Vagos impulsos traduzidos em palavras humanas varreram sua mente — *rei perdido, contar mestre* — mas eram abafados pela natureza irresistível de pantera, que mal podia ser contida.

Em seguida as duas vertentes de ódio se juntaram. Ele concentrou o olhar na nuca de Mordred, prevendo como o tecido macio do pescoço cederia ante suas garras. Como se tivesse ouvido o estalar de um galho se quebrando, Mordred olhou em volta. Melquior prendeu a respiração.

— Não posso matar este maldito — admitiu ele. — Seu formato humano é um disfarce que precisa ser desmascarado. Se eu o fizesse em pedaços, mesmo assim escaparia ileso.

Felizmente teve esse rasgo de juízo — era totalmente certo. Mordred lançava feitiços tão potentes quanto Merlim, e bicho nenhum, não importa quão feroz, seria capaz de matá-lo. Porém a pantera, de acordo com sua natureza, não podia ser totalmente guiada por essa voz interior, e alteou seu rosnado. Os cavalos no chão embaixo começaram a ficar inquietos, forçando os cabrestos. Melquior não tinha escolha. Com um tremendo esforço desviou sua mente do instinto predatório da pantera, querendo recuperar sua identidade, e à medida que assim o fez, transformou-se num rapaz vestido com uma túnica.

Corria agora grande perigo, já que um mago se encontra em seu ponto mais fraco no momento de transformação. Mordred poderia ter destruído o corpo de Melquior com a mesma facilidade com que esmagaria uma úmida borboleta recém-saída do casulo. O aprendiz arrastou-se silenciosamente ao longo do galho, em direção ao tronco retorcido do carvalho, e devagar fez sua descida. Mordred voltou a seu trabalho sanguinário, estando por demais compenetrado para reparar na troca de formas ocorrida em sua presença. Melquior deixou-se cair suavemente no chão e hesitou um instante antes de sair rastejando de quatro pelo mato rasteiro. Depois de algum tempo não era mais possível distinguir o brilho da fogueira do acampamento; Melquior sentiu-se bastante seguro para se levantar e correr.

Dentro de duas horas avistou as fogueiras nos contrafortes de Camelot, além da fímbria da floresta. Seu coração alegrou-se diante daquela imagem, até lembrar-se do presságio. Seria verdade que Artur não viveria para ver o raiar da aurora? Exausto como estava, Melquior apressou o passo. Seu fôlego parecia áspero e quentíssimo em sua garganta; seus pés, bigornas que ele precisava arrastar. Mesmo assim sentia esperança, a esperança de que a boa magia venceria. E emergiu no largo e verde campo comunitário do lado de fora do castelo, no exato momento em que a primeira luz do amanhecer surgia sobre a colina de Glastonbury. E mergulhou nos campos de aveia recém-brotados, campos que Artur recuperara dos pântanos e baixios que antes existiam em toda a região ocidental. As muralhas do castelo avultavam bem próximas, e Melquior deu um olhar ansioso para a janela alta em forma de fenda, em que Merlim costumava aparecer de manhã. Estava escura e vazia.

Ao olhar em direção ao fosso, Melquior avistou algo em que não podia acreditar. Parou perplexo, com as pernas tão fracas que mal podiam sustentá-lo. No lusco-fusco púrpura, um círculo de cavaleiros de viseiras abaixadas cercava o castelo inteiro. Quedavam tão silenciosos quanto sacerdotes prestes a fazer suas orações. Por um momento, Melquior manteve a esperança de que fossem os cavaleiros de Artur, erguidos na defesa do reino, mas sabia que isso não seria possível — eram homens de Mordred, que o haviam de algum modo ultrapassado e chegado primeiro ao castelo. Melquior avistou o capitão montado em seu cavalo de batalha; ao redor dele uma dúzia de arqueiros segurava seus arcos sem corda a seu lado, enquanto a fumaça da respiração dos cavalos se desprendia como neblina, por cima do bando.

— Como é possível? — pensou Melquior. Como poderiam tantos combatentes — deveriam ser uns duzentos, só os montados — chegar até lá com tamanha velocidade? Sabia que isso deveria ser resultado de algum feitiço, mas se fosse verdade, era algo muito potente, além de sua compreensão. Agachou-se bem no campo, concentrando-se no que faria em seguida.

— Não há possibilidade de alcançar a torre assim em forma humana — pensou ele. E sua cabeça disparou; sentia-se fraco como um gatinho pelas peripécias daquela noite. Precisava de um longo sono antes de ser capaz de nova transformação, e, não obstante, não havia dúvida nenhuma que só numa transformação residia sua única esperança. Cansado até a medula, interiorizou seu espírito e começou a tecer seu feitiço.

Os cavaleiros banidos que cercavam o castelo começaram a acordar. Olharam em volta surpresos, esfregando os olhos e murmurando.

— Onde estamos? — Não tinham recordação da viagem empreendida desde as entranhas da floresta até o fosso, já que Mordred os enfeitiçara no acampamento, transportando-os com a ajuda de espíritos que, se fossem vistos por homens mortais, provocariam sua morte. Fizera um pacto com Albrig, rei dos elementais, para transportar depressa todos os cavaleiros e suas montarias pelos ares até Camelot. Era uma barganha arriscada, já que feitiço dado era feitiço devido.

— Um feitiço por um feitiço — ciciara Albrig. Era essa a regra, e nenhuma quantia de dinheiro haveria de satisfazer Albrig. Os sinais dessa inglória barganha eram as marcas vivas das garras nos flancos dos cavalos, onde os demônios os haviam agarrado durante o vôo.

O capitão de Mordred remexeu-se inquieto em sua sela. Combatera muitas vezes os saxões e os selvagens e peludos galeses das montanhas verdejantes, mas jamais combatera sob efeito de feitiços.— Sinto-me estranho — pensou. Esticou a mão para pegar a longa espada de combate a seu lado, desembainhando-a. Parecia leve; rodopiou-a por cima da sua cabeça e uma intensa exaltação percorreu-lhe o braço — viu-se de repente com a força de dez homens. Mordred lhe dera esse poder, e ele estava contente. Passaram-se 12 longos anos desde seu banimento da corte de Artur. Ele amara o rei, no passado, de todo o coração, mas agora detestava-o com igual intensidade por tê-lo humilhado.

— Homens, desembainhem suas espadas! — gritou o capitão. Diante de sua ordem, os demais cavaleiros experimentaram suas armas. Ficaram tão espantados quanto ele com seu novo poder. Um murmúrio de admiração percorreu a tropa; o sangue começou a latejar alto nas veias. Mordred ergueu-se na sela, de sua posição no topo de uma colina que dominava a planície em baixo. Estranhamente, a luz do amanhecer que deveria banhar primeiro o topo da colina, deixou-a ainda na sombra.

Apoiado em seus estribos, Mordred virou o rosto na direção do castelo distante. Cravou os olhos nele como se pudesse romper suas fortificações apenas com o poder da vontade. Um surdo e grave ronco teve início em suas entranhas, como o grunhido de aviso de um porco. Mudou-se para seu estômago, ficando cada vez mais alto, e em seguida para o peito. Instintivamente, como que hipnotizados, os cavaleiros mais próximos começaram a imitar o ruído de Mordred; foi se espalhando de homem a homem até sacudir o ar com um uníssono e altissonante grito de guerra. Acumulou força primeiro como a batida de tambores tribais, em seguida como o ribombar do trovão, e por último, da garganta de Mordred veio um grito mais alto do que qualquer mortal jamais produzira. Chocou-se como ferro contra as muralhas de Camelot. Os pássaros que no momento sobrevoavam ali, caíram mortos pelo impacto. Com um tremento estrondo de trovão, a ponte levadiça rachou-se ao meio, atirando enormes pranchas que vieram atingir com estrépito o fosso e além.

Diante dessa imagem, o exército pôs-se em estado de frenética excitação, porém Mordred ainda não dera a ordem de atacar.

— Vou subir — murmurou o capitão para seu segundo em comando. Escalou a cavalo a ladeira em direção às trevas, que pareciam girar e se mexer, mais parecidas com neblina escura, do que com qualquer sombra que ele jamais vira.

Ao voltar, vinha acompanhado de Mordred. Os cavaleiros banidos fizeram silêncio, de medo e antecipação.

— Estamos aqui para darmos uma resposta a Artur — gritou Mordred —, para cumprir o presságio e recuperar o que me pertence. Cada um de vocês já sofreu uma terrível desgraça nas mãos do rei. Lembrem-se dessa injustiça e não tenham piedade, já que nenhuma lhes foi dispensada. Já se perguntaram por que nenhum dos cavaleiros da Távola Redonda ousou vir a nosso encontro? Eles estão com medo. Vocês foram banidos porque eram os combatentes mais fortes que já existiram. Vocês são o poder; são o ódio. Agora, ataquem com todo vosso poder e ódio.

Aquele que hoje não matar, eu lhe prometo, encontrará a morte pelas minhas mãos! Com a terrível ameaça, a voz de Mordred atingira um tom frenético e esganiçado. Seus olhos viraram nas órbitas, mas ele não perdera o controle de modo algum. Sabia que precisava inspirar o máximo de medo e de ódio em seus homens, porque não eram os mais fortes cavaleiros de Artur, e sim os mais fracos. Não compreendiam nada da bênção sob a qual vivia Camelot. Apesar de mau, Mordred ainda assim era filho de Artur e já tivera contato com a harmonia da verdade, do amor e da honra. Não importa quanto detestasse essas coisas, também compreendia seu poder.

Levara sete anos amealhando bastante magia negra para esperar vencer Artur e a Távola Redonda. Fizera figuras do rei, de raiz de sanguinária, espetara-as com agulhas e enterrara-as em ninhos de serpentes. Arrancara feitiços de Sicorax e Hécate, dormindo com as terríveis feiticeiras para roubar-lhes segredos e quase morrendo com o fedor de seu hálito. A morte era o único preço que Mordred não teria pago para derrotar seu pai e, no final, depois de toda a sua evolução pela magia negra, a própria morte deixara de ser uma possibilidade.

Ele acordara certa noite e vira o próprio maligno ao pé de sua cama, brilhando com uma estranha fosforescência verde, como um tubarão morto dado à praia. Era terrível contar que rituais Mordred não teria feito para merecer o último favor de seu mestre, porém quando o quarto começou a gotejar sangue e seus ouvidos quase ensurdeceram com os próprios gritos, Mordred se ajoelhou diante do diabo, que ficou muito satisfeito.

— Conceda-me uma dádiva — sussurrou Mordred com lábios ensangüentados. — Servi-o fielmente a vida inteira. — O demônio nada disse. Esticou o braço, pegou a espada de Mordred e a desembainhou. Mordred tinha a respiração presa, os olhos fixos em sua reluzente ponta.

— Você ousa me pedir uma dádiva? — crocitou o demônio, e enfiou a espada no peito de Mordred com um golpe súbito. Mordred ouviu seus ossos estalarem enquanto seu corpo era aberto pelo aço; tal como a língua de um morcego lambendo gulosamente o néctar do jasmim noturno, a ponta da espada procurou o coração de Mordred, achando-o. Foi tudo que ele recor-

dou. Duas horas mais tarde acordou em seu quarto vazio. Olhou em volta espantado. A espada jazia a seu lado, e no entanto não havia nenhum ferimento em seu peito, e o vassalo do demônio sabia que seu mestre lhe concedera o dom da imortalidade dos magos. Agora era igual a Merlim.
 Quando o grito de Mordred rompeu as defesas do castelo, ergueu-se um grande tumulto entre os cavaleiros, ao constatarem que o caminho estava livre. Os corcéis atropelavam uns aos outros para serem os primeiros a experimentarem a ponte caída, e quando o primeiro cavaleiro conseguiu atravessar o fosso e penetrar no castelo, a excitação guerreira transbordou como piche a ferver. O capitão liderou a carga com a espada erguida, e as hordas do mal começaram seu ataque. Nessa confusão toda ninguém notou um pequeno rato marrom silvestre que corria para salvar a pele sob os cascos dos cavalos, abrindo caminho desesperadamente em direção à torre do mago, na extremidade mais afastada do pátio.

Quando o grito de Mordred rompera o feitiço que protegera Camelot, Merlim remexeu-se na cama. Não queria acordar. Sabendo que aquele dia viria, mesmo assim não queria testemunhar a queda de Artur. Embora tivesse se encarregado da segurança de Artur desde que resolvera tomar conta do garoto, o mago não sentia pena de seu velho amigo. O que sentia ele? Se pudesse ter contado a Artur e ter-se feito compreender através daquela barreira espessa de mortal ignorância, ele o teria feito.
 Merlim andou até a janela estreita que dava para o barbacã oriental. O clangor de ferradura sobre as pedras do calçamento chegou a seus ouvidos. Olhando para baixo, viu mulheres e crianças fugindo apavorados, galinhas e carneiros correndo sem rumo, fugindo em pânico para salvar suas vidas. Mas, estranhamente, os cavaleiros de Artur não tinham corrido para se defender. Os homens de Mordred completavam depressa seu trabalho cruento, matando todos que estivessem a seu alcance. Merlim reparou num garoto que se jogou com um garfo de capim contra um cavaleiro montado, fincando o garfo na garupa do cavalo e fazendo com que ele relinchasse e empinasse. O cavaleiro montado tentou golpear Ulwin com a espada, errando o golpe.
 — Pirralho danado! — gritou ele. Porém, Ulwin não deu

mostras de medo. Arremeteu novamente contra o cavalo. Merlim sacudiu a cabeça e se embrulhou melhor em sua capa preta de mago com suas estrelas e letras mágicas. Três cavaleiros mais acorreram, atropelando Ulwin e impedindo que fosse visto. A terrível confusão prosseguia. Merlim não conseguiu testemunhar o momento final de Ulwin, mas teve certeza de que ele chegara.

— Então tudo está perdido — disse Merlim consigo mesmo, dando um suspiro. Sentiu pesar sobre ele o dever não cumprido. — O rei achará que eu o abandonei. Assim seja. — Em sua imaginação, lembrou-se das conversas com Artur nos anos cristalinos do passado, na caverna.

— É possível haver uma magia boa e uma magia má — dizia ele ao garoto — mas não são idênticas ao que é bom ou mau. A magia é atraída pelo que é bom ou mau e o intensifica. Ela sopra as fagulhas já existentes no caráter do homem. — E para ilustrar isso, ele jogou um punhado de palha na pequena fogueira na boca da caverna, formando assim uma pequena bola de fogo que se queimou rápida e intensamente. O garoto continuava a olhar, balançando a cabeça.

— As pessoas do povo são sempre supersticiosas — prosseguiu Merlim. — Temem encantos e feitiços, porém o verdadeiro poder, quero que se lembre disso como rei, repousa no silêncio de seu coração. — Aqui, ele deu uma batida no peito do garoto com o grosso nó de seu dedo. — Se você for digno da boa magia, ela virá sem falta em seu socorro, porém se seu valor se perder, nenhum feitiço ou encantamento lhe valerá.

Artur olhou pensativamente a fogueira, perguntando em seguida a Merlim:

— Mas o que preciso fazer para ser bom? A celebridade de um rei provém de seus feitos, e pelo que vejo a meu redor, estes representam apenas um pretexto para matar as pessoas e lhes roubar as terras.

Merlim balançou a cabeça em aprovação — o garoto era bom observador do mundo. Naqueles dias, os cavaleiros que perambulavam pelo país eram pouco melhores do que bandidos, roubando trigo dos camponeses e obrigando-os à lealdade pelo medo. Seus *feitos* consistiam em incendiar os paióis de feno de inofensivos fazendeiros e cravar espadas em homens idosos suficientemente tolos para reclamar.

— Não há nada que precise fazer para ser um bom rei — dissera Merlim, fixando os olhos em Artur. O garoto parecia perplexo, mas antes que pudesse fazer outra pergunta, o mago se inclinara para frente. — Reflita bem sobre isso, garoto: A bondade de alguém é medida, na realidade, por aquilo que ele é, e não por aquilo que faz.
Artur levara muitos anos para compreender essa frase. Jamais conseguiu que Merlim a comentasse, mas a recordava sempre e se esforçava para obter melhor compreensão dela. Finalmente, Artur fez de Camelot um grande reino, baseado nessa simples lição. Não foram as heróicas batalhas vencidas por ele, nem a coragem de seus cavaleiros, mas a certeza do bem no fundo de seu coração que fez dele um verdadeiro governante. Com essa certeza, perdeu todo medo e assim criou espaço para o amor em seu coração. Pela primeira vez na história, os homens inclinaram a cabeça diante de um governante, inspirados por amor a ele, e não pelo terror que seu poder provocava. Este era o segredo do sucesso da Távola Redonda.
Merlim afastou-se da janela estreita, farto de assistir à matança embaixo. — Preciso mandar-lhe uma palavra assim mesmo — pensou ele. — Não posso permitir que o rei morra sem extrair um significado profundo do dia de hoje.
Encaminhou-se até a mesa no meio do quarto e começou a escrever um bilhete num pedaço de pergaminho enrugado. Absorto na tarefa, não olhou em volta quando um pequenino camundongo marrom, silvestre, olhou timidamente de uma rachadura na parede a suas costas.
— De volta tão cedo? — murmurou secamente Merlim, arranhando o pergaminho com sua pena. O camundongo correu até a mesa e em menos tempo do que se leva para ler estas palavras, Melquior desfez sua transformação, deixando-se ficar ao lado de seu mestre, sem fôlego pelas notícias que trazia.
— Fui até o acampamento deles. Este exército é de Mordred, o filho perdido de Artur. Ele matou o gamo real e previu, no sangue dele, a morte do rei. Agora o castelo está sendo tomado e precisamos fazer alguma coisa — despejou depressa o aprendiz.
Sem levantar a cabeça, Merlim disse:
— Não é nada demais trazer-me a notícia de que o castelo está sendo atacado, já que este mesmo ataque se efetua sob

minha janela. E é fácil deduzir que Mordred estaria por trás de tudo isso, já que as muralhas externas foram penetradas por magia, e fora você e eu, não vejo nenhum excesso de feiticeiros nas imediações. Mas então, ao decretar a fraqueza de seu relatório, eu não deveria ser tão leviano a ponto de incluí-lo no rol dos feiticeiros, em primeiro lugar.

Esse discurso achatou bastante Melquior. Ele ficou diante do mestre, com lágrimas a brotar dos olhos. Era duro para ele suportar a imagem de tanta maldade e destruição. Correra a trazer sua mensagem a Merlim na esperança de que o mago salvasse os inocentes da carnificina. E, no entanto, o insensível velho ficava apenas ali sentado, frio como gelo, obviamente não querendo interferir.

— Eu não o compreendo — balbuciou Melquior.

— Admito que não. — Merlim levantou pela primeira vez os olhos, constatando que sua indiferença (que era, apesar de tudo, apenas uma pose, umas das muitas usadas pelos magos para testar seus iniciados) ferira realmente Melquior. Uma expressão mais branda tomou conta dos olhos de Merlim; estendeu a mão para tranqüilizar o aprendiz.

— Eu já te disse que todos os momentos da vida de um mago constituem um teste — disse Merlim. — Este é o teste da fé. Não deixe que seus olhos sejam enganados por essa demonstração de traição e carnificina. Existem mais coisas aqui do que você está percebendo. — E dobrou o bilhete que escrevera, caminhando até a janela. — Você precisa entregar esta mensagem ao rei — ordenou ele, mas antes que acabasse de dizer estas palavras, Melquior dava um gemido, agonizante. Merlim soube imediatamente o que acontecera; seu olho percebera a seta mortal no momento que ela entrara voando pela janela, passando com um zumbido a centímetros de sua cabeça.

— Mordred! — praguejou zangado, pois sabia que nenhum arqueiro comum acertaria o alvo dentro de uma torre selada. Atravessando o quarto e ajoelhando ao lado do aprendiz agonizante, Merlim sorriu.— Sabe o que é isto? — perguntou ele numa voz satisfeita.— É um golpe de sorte a nosso favor. — Antes que Melquior pudesse sequer compreender o que seu mestre dizia, Merlim tocara a seta com seu dedo indicador, transformando-a num pássaro pequeno, malhado, mas de aspecto feroz. Melquior esfregou os olhos espantado e se sentou. O ferimento em sua garganta desaparecera. Contemplou calado enquanto Merlim amarrava o pergaminho dobrado nas costas do pássaro, por meio de uma pequena tira de couro.

— Preste atenção — disse o mago, andando com um passo ligeiro até a janela, segurando o pássaro na mão. — Este é o menor de todos os falcões caçadores, um destemido predador, apesar do seu tamanho, um nativo das largas planícies, ao contrário dos seus parentes de maior porte que preferem terrenos inclinados, até montanhosos. — Com este discurso um tanto didático, o velho feiticeiro jogou o pequeno falcão na brisa, de onde ele rumou imediatamente para a torre de menagem do castelo. Os olhos agudos do mago seguiram seu mensageiro para se assegurar de que ele pousaria a salvo no peitoril externo da janela de Artur.

Virou-se para seu aprendiz.

— Espero que saiba o nome de um falcão tão extraordinário — indagou ele.

Melquior fez que sim com a cabeça e respondeu:

— Acho que o chamam de merlim.

Muitas lendas encobrem o fim de Camelot. Chegaram a acreditar que Artur morrera num combate individual com Mordred, ou que sua querida Guinevere destruíra seu coração traindo-o com Lancelot, ou que Merlim fora dormir sob Stonehenge, tendo caído numa armadilha de magia negra e acabado seus dias na terra fria. Esses mitos surgiram porque a verdade era demasiadamente profunda para que as pessoas a compreendessem. Quando Mordred lançou seu furioso ataque, Artur nada fez. Não fez nada quando aquela estrepitosa calamidade rompera as muralhas do castelo; não fez nada quando ouviu o clangor metálico e mortífero no pátio interno; não fez nada quando viu que a torre de Merlim começava, inacreditavelmente, a rachar e oscilar, presa de alguma força destrutiva invisível.

O rei permanecia sentado como um morto-vivo ao lado da janela, quando o merlim pousou no peitoril do lado de fora. Ele abriu açodadamente os batentes e esticou a mão para pegar a mensagem amarrada às costas do pássaro. Esperava ser atacado pelo falcão, porque aves de caça detestam ser tocadas, porém o mensageiro deixou-se ficar quieto e permitiu que ele removesse o pergaminho dobrado.

O bilhete, depois de aberto, dizia: *"Não acredite na ilusão. Lembre-se do ensinamento. Eu estou aqui."*

Artur leu-o espantado. Ilusão? Seu olhar pousou no falcão, que olhava fixamente para ele. O rei inclinou-se para a frente, levado a examinar o pássaro. Seus olhos tinham o brilho negro de uma conta de azeviche; de repente o rei viu uma cena refletida na superfície brilhante. Era uma imagem de combate. Mordred, seu filho, estava no meio de uma terrível carnificina, dando golpes frenéticos com sua espada, todo satisfeito, matando em todas as direções. A ira tomou conta do coração de Artur. Ansiava matar sua desgraçada prole, porém logo que teve este pensamento, Mordred deu uma gargalhada e aumentou de tamanho, como um demônio num pesadelo. Artur estremeceu, sentindo-se preso numa armadilha. Como poderia matar o próprio filho? O mal que ele faria não se igualaria ao de Mordred? Lá no fundo, o rei sabia que o combate por seu castelo se travava dentro de si mesmo.

Afastou-se da janela, espantando o falcão, que voou até os caibros do telhado. Dentro do grande saguão os cavaleiros da Távola Redonda se encontravam reunidos. Ao ver chegar o rei, Lancelot levantou-se de um pulo.

— Majestade, precisamos combater! Escute só: as pessoas estão indefesas — gritou desesperadamente. — Será que podemos ficar de braços cruzados enquanto são massacradas?

— Será que matar alguma vez aboliu a matança? — respondeu Artur.

— Meu senhor, isto não é nenhum debate — argumentou Lancelot, em grande agonia. — Estamos dolorosamente inferiorizados em armas, mas todos os homens aqui presentes morrerão pelo senhor.

— Será que algum homem terá algum dia morrido por outro? — respondeu o rei.

Lancelot olhou em volta, extremamente consternado. Sentiu-se como um navio de leme quebrado no meio de uma tempestade. Os outros cavaleiros estavam igualmente aturdidos — era para eles uma tortura ficarem inutilmente sentados no saguão, a ouvir o retinir das armas do lado de fora da porta. Artur sacudiu a cabeça.

— Esta não é a maneira de vencer.

— Que maneira o senhor sugere? — perguntou Lancelot, desconsolado. O rei fez silêncio.

— Aço por aço, digo eu — murmurou Sir Kay. Alguns cavaleiros se ergueram, prendendo as espadas à cinta, os nervos do pescoço salientes de contida emoção. Tal como semente inchada, a sensação de violência estava prestes a arrebentar sua casca. Artur ponderou. Como poderia ele dizer àqueles bravos campeões que aquela batalha não passava de uma mortal ilusão, que quem quer que combatesse a miragem tombaria vítima dela?

— Não devem combater — ordenou ele. — Os propósitos desta questão estão ocultos na sombra. Nem tudo é exatamente como o vemos. — Artur parecia calmo, mas sabia em seu coração que os cavaleiros não conseguiriam controlar seu ódio. Mordred contara sobretudo com isso.

— Merlim — sussurrou Artur. Uma luz fraca e pontilhada bruxuleou do outro lado do piso, sem que ninguém a notasse, exceto o rei. Era luz filtrada por asas acima dela, asas de sombra que tomavam conta do piso, seguidas pelo olhar do rei. Chegaram à parede mais distante, onde ficava uma comprida mesa, e sobre ela os restos da última refeição — copos de latão, prataria, vasilhas de barro contendo molho rançoso e pedaços de carne. Um cálice se encontrava precariamente equilibrado em cima da pilha. Quando a luz em forma de asa tocou-o, ele caiu estrepitosamente. Artur se levantou e atravessou a sala. Apanhou o cálice e ficou segurando-o, erguido.

— Meus cavaleiros, justos e bravos homens, depositem sua fé nisto aqui. — E apesar da loucura de suas palavras, seu rosto estava radiante.

— Por favor, majestade, não nos abandone! — gritou Lancelot. O desequilíbrio do rei destroçara seu coração, conforme indicava seu rosto contorcido pelo sofrimento.

Artur caminhou até Lancelot e pôs a mão no ombro dele.

— Você tem sido o primeiro entre meus campeões. Seja o primeiro a aceitar esta bênção. É o Santo Graal.

Lancelot baixou a cabeça. Os demais cavaleiros ficaram perplexos, os mais jovens mal podendo conter o ímpeto de pegar suas armas. Todos eles haviam ouvido falar da busca do Graal; muitos haviam arrostado perigos nela, voltando com as mãos vazias, como haviam feito todos.

— Está nos pedindo que morramos junto com o senhor? — perguntou Lancelot desesperadamente.

Artur sacudiu lentamente a cabeça, com os olhos fixos no cálice, que todos podiam observar ser apenas um cálice comum, ligeiramente amassado na borda e manchado com a borra seca do vinho da noite anterior.

Súbito ouviu-se um estrondo, enquanto a lâmina de uma acha-de-armas rachava as portas trancadas do grande saguão. Dos caibros veio um grito esganiçado do merlim.

— Eis o momento — murmurou Artur para Lancelot. Ele pressentia que os demais não seriam convencidos. — Não ponha em dúvida que este seja o Graal. Consulte seu coração. — Antes que Lancelot pudesse reagir, uma segunda acha sacudiu as grandes portas, em seguida uma terceira, e com um clangor cavo, os ferrolhos de ferro fundido saltaram do lugar.

Todas, com exceção de poucas janelas no saguão, haviam sido recobertas com tapeçarias para proteger as pessoas da friagem do início da primavera. Agora, ao serem escancaradas as portas, um raio de sol ofuscou os olhos de todos os presentes na sala, porém logo a imagem da horda de Mordred impôs-se. Os cavaleiros banidos estavam sedentos de sangue; nenhum se eximira de derramar sangue inocente. Entretanto, o capitão fez uma breve pausa de cortesia.

— Rei Artur, venho em nome de meu senhor Mordred, e de sua alegada e nobre pretensão sobre este reino. O senhor cederá?

Sir Kay deixou escapar uma irada praga, dando uma cuspidela no chão; Sir Ector, seu pai, veio ficar a seu lado, de lâmina desembainhada. Artur não disse nada, mas atravessou tranqüilamente o cômodo até onde descansava seu cetro, numa prateleira contra a parede, pegou-o e estendeu a mão com ele.

— É isto o que desejam? — O capitão se adiantou de mão estendida. Quando chegou a três passos de distância, Artur ergueu o braço e arremessou o cetro com toda a sua força. Ele atravessou o ar e foi bater no chão.

— Então vá buscar — disse o rei, com um sorriso de escárnio no rosto. Em seguida, pegou o cálice de vinho amassado e pôs na prateleira. O capitão observava perplexo. Ainda que tivesse compreendido este misterioso gesto, não poderia ter controlado seus homens. Eles encheram o saguão. Os cavaleiros da Távola Redonda dispersaram suas fileiras. Alguns, como Percival e Galahad, permaneceram como estátuas, acatando a ordem do rei de não resistir, deixando que as espadas inimigas os matassem sem resistência. Kay, Ector e Gawain não puderam deixar de sacar suas espadas, mas sem valia; cinqüenta lâminas se opunham a eles — foram feitos em pedaços antes de se darem conta da própria morte. Diante disso, os cavaleiros mais jovens entraram em pânico e fugiram, somente para serem apunhalados nas costas na escadaria de mármore.

Quando alguns inimigos subiram correndo até a galeria, podiam-se ouvir os gritos apavorados das damas de companhia da rainha. Artur ergueu a vista e pôde distingui-los a correr pela galeria forrada de tapeçarias; uma jovem dama pulou, de puro medo, por cima da balaustrada, para a morte. Súbito surgiu a rainha. Estava segura pelo capitão de Mordred, com a ponta de um punhal pressionando sua garganta.

— Observem a morte de Guinevere! — gritou ele. Naquele momento Artur esqueceu seu propósito. Seu coração encheu-se de ódio, e ninguém poderia adivinhar o que ele teria feito se não tivesse levantado os olhos e visto um sorriso no rosto de Guinevere. Os olhos dela fitavam extasiados o cálice na prateleira.

Artur não conseguia compreender. Teria Merlim lhe dado também a conhecer aquele sinal? Não havia tempo de lhe dizer nada, mesmo se ela o pudesse ter escutado com toda aquela barulheira.

— Que Deus a ajude, meu amor — pensou Artur. E com um safanão, a rainha se libertou de seu captor, correndo pela galeria até se perder de vista. Artur não podia vê-la e isto era, por algum motivo, quase pior do que vê-la ser morta diante de seus olhos. Ele estremeceu internamente de medo por ela e começou, pela segunda vez, a fraquejar. Correu até a escada, que estava entulhada de cadáveres bloqueando seu caminho.

— Guinevere! — gritou. Mas nunca mais viu sua rainha. Lá de cima, o merlim deu outro grito; desta vez claramente um aviso. Artur o sabia, antes de se virar. Mordred entrara no saguão.

O RETORNO DE MERLIM   39

Lá estava ele em sua armadura, com a viseira levantada para que seu pai pudesse testemunhar o ódio em seu rosto.
— O que deseja, meu filho? — gritou Artur. — Tome meu reino, mas deixe-me Guinevere. — Foi o único discurso pusilânime que ele jamais fizera, mas se encontrava indefeso. Com lágrimas nos olhos, correu em direção a Mordred.
— Ajoelhe-se — ordenou o malvado. Artur estava a ponto de se prostrar no chão, quando recobrou a coragem. Tremia, à beira da derrota, mas não obstante, não conseguia ceder. A dignidade tornou a voltar a suas feições, e com um olhar tranqüilo, contemplou o Graal.
— Velho, pensas que cobiço um reino? Geraste um bastardo, não um tolo — rosnou Mordred. E tirando sua luva de malha, estendeu a mão para pegar o cálice.
— Não! — gritou Artur. Naquele instante, o merlim, pousado nos caibros, mergulhou da escuridão. O rei admirou-se ao ver o falcão se transformar novamente em flecha. Numa fração de segundo ela atingiu seu alvo, atravessando e prendendo a mão de Mordred contra a parede, a centímetros do Graal. O mago perverso berrava de dor, em virtude do próprio feitiço saído de seu arco. Furioso, tentava arrancar a mão da parede; Artur podia ouvir o barulho dos tendões de Mordred se rasgarem, mas a mão não conseguia se libertar.
— Meu querido Merlim — murmurou Artur agradecido. Porém, recuou quando um jorro de sangue veio bater no seu rosto. Mordred tentava agora golpeá-lo com o braço, um braço mutilado. O rei ficou horrorizado; em sua loucura, Mordred tirara uma adaga e cortara fora a própria mão, que continuava presa à parede, a escorrer sangue.
— Morte! — berrava Mordred, derrubando Artur com um golpe extremo de seu braço mutilado. A mão do rei estendeu-se em direção a uma espada ao lado — esta era a terceira vez que esquecera seu propósito. A suas costas jazia Lancelot, derrubado, com uma ferida na garganta. O mais bravo dos cavaleiros estava em seu último alento, mas Artur ouviu-o sussurrar: — Fraquejei só um pouco. Minha fé ainda é forte. Obrigado, majestade. Viveremos pelo Graal.
Deslizando pelo chão, os dedos de Artur envolveram o cabo da espada. Ele sentiu a incrustação de brilhantes e percebeu com

certeza o que tinha à mão — Excalibur. Seu filho avultou-se sobre ele como um animal, um lobo prestes a matar. Artur entreviu-se a levantar Excalibur e enfiá-la nos tecidos moles da barriga de Mordred. Foi sua última tentação a usar de violência, porém o rei lhe resistira. Sua mão se descontraiu, deixando cair o cabo decorado com brilhantes. A arma de Mordred erguia-se no ar acima do pescoço do rei. Artur fechou os olhos e o último som de que se lembrou foi a gargalhada desdenhosa com que o filho enfiou o aço, roubando a vida que ele tanto detestava.

TRÊS

Voando com a Libélula

Melquior acordou com a cabeça zonza, atordoada. Sentia-se nebuloso — ou era apenas o dia que estava nebuloso? Em sua cabeça uma palavra penetrou insinuantemente como fumaça: *Fogo*. Remexeu-se preguiçosamente, sentindo-se por demais pesado para se levantar.

— Este é um sono que eu podia continuar por décadas — quase disse para si mesmo. Porém, a palavra fumaça abrira caminho até outro departamento de seu cérebro: *Fogo*.

De repente se encontrava totalmente desperto. Tremendo de ansiedade, o aprendiz percebeu o que significava aquela palavra. *A torre está ardendo*. Onde estivera ele? Tomou conhecimento de estar deitado sozinho num campo úmido, cheio de capim. Sentia o calor do sol da manhã a bater em suas costas. Brilhantes pontos de luz ofuscavam seus olhos, oriundos de um pequeno poço azul ali perto.

Como chegara até ali? Olhou rapidamente em volta à procura do castelo de Artur, descobrindo apenas que olhar em volta não adiantava. Sentia o pescoço duro e rígido; não conseguia virá-lo nem um centímetro em nenhuma direção e suas costas estavam imobilizadas, como se estivessem amarradas num ecúleo. Lutou contra a tendência a entrar em pânico; em vez disso, voltara o mesmo e urgente pensamento, desta vez a tilintar em sua cabeça como um sino de cobre:

A torre está ardendo!

Usando os músculos da barriga, Melquior tentou virar-se o máximo possível. Sentiu uma pontada de dor enquanto seu corpo girava talvez dez graus, mas era o bastante. Ele agora percebia, a tremeluzir na nebulosa distância, que seu insistente pensamento era verdade. Uma torre a meia légua de distância vomitava furiosamente rolos de fumaça preta contra o céu, como um dragão moribundo.

— Mestre! — pensou ele, agoniado. Foi tomado de um impulso de voar até junto ao mago. Para sua surpresa, seu desejo tornou-se realidade. Viu-se a voar pelos ares, e não aos trancos, desajeitadamente, como se acostumara a fazer durante suas aulas, o que, com bastante freqüência, o fazia aterrissar numa cerca cheia de espinhos, ou talvez de cabeça para baixo numa pocilga. Estava voando de verdade, a cerca de três metros de altura, rumando em linha reta para a torre que ardia.

Fosse lá dom de quem fosse, Melquior estava por demais agoniado para fruir a alegria de sua nova aquisição.

— Preciso chegar até ele, ou tudo estará perdido! — disse consigo mesmo. — A batalha deve ter acabado, já que não existem soldados à vista. Mas por que a torre avulta assim isolada? Deveria haver muros e prédios. Onde estão as flâmulas e os galardões para indicar que o rei se encontra presente?

E acima de tudo, cismava com o fato de se sentir tão estranho. Seus pensamentos lhe pareciam singularmente esquisitos na cabeça. — O que é isso? — perguntou-se ele, e os dois *esses* no final de seu pensamento transformaram-se num longo e zumbido *zzzz*. Começou a desejar que a vida não fosse tão repleta assim de emergências, uma em cima da outra. Nem mal conseguia compreender a última crise, quando outra já o bombardeava dentro da cabeça. Tornar-se mago requeria que se vencessem muitos testes, e ele confessava que às vezes sentia apenas o desejo de se juntar ao comum dos mortais, no mundo deles.

— E fazer o quê? — costumava resmungar Merlim, sempre que percebia Melquior preso num desses atoleiros. — Comer torrada e sujar a cara de geléia? Lembre-se que é melhor sentir medo a meu lado do que sentir-se feliz ao lado deles. — Melquior não tinha tanta certeza assim. Não tinha tempo de recordar, porém, numa imagem fugaz, lembrou-se do rosto da avó anos atrás, sorrindo e chorando ao mesmo tempo, no dia em que ela o levara escondido, em sua longa túnica azul, até o litoral.

— Essa gente não sabe o que você é, garoto mago — sussurrara ela misteriosamente. — A culpa não é de sua família.

Você é uma estranha e maravilhosa criatura, e não obstante, transformarão você num jumento, escravizado nos campos. Até mesmo sua mãe permitiria, mas não eu, jamais.

Ele recordava os longos mastros do bergantim que avultavam sobre ele no porto, as mãos trêmulas da avó ao entregá-lo ao capitão, finalmente a sós, balançando no escuro, enquanto procurava não chorar pela mãe ou pela cama macia em casa.

O capitão irlandês do navio que recebera a propina de sua avó não deixava o garoto subir ao convés, com medo de que os marinheiros, pouco melhores do que piratas, o molestassem. Melquior ficava no porão, dia após dia, abafado sob um monte de palha mofada e de juta. Uma vez o cozinheiro do navio, tendo ido procurar um barril de porco salgado, quase pisou em cima dele, e outras pessoas deviam ouvi-lo a soluçar durante o sono, porque a tripulação começou a cochichar soturnamente sobre um fantasma que trepara no mastro principal e jogava piche fervendo na cabeça dos marujos incautos.

O clandestino ficou doente e logo delirava. E o capitão colocou um pedaço de espelho diante do rosto dele.

— Olhe! — sussurrou ele, com a voz roufenha. Para desespero seu, Melquior percebeu que sua pele tomara uma cor amarela viva, até mesmo o branco dos olhos. — Você está ficando com icterícia, sob minha responsabilidade — murmurou o capitão, preocupado em perder a segunda parte da propina se o garoto morresse. Naquela noite permitiu que Melquior deixasse cambaleando o porão e tivesse acesso à brisa fresca do mar. O céu estava pintado com um banquete de estrelas, que ele já conhecia pelos seus fluentes nomes árabes — Rigel, Betelgeuse, Altazar — porém contemplar aquelas distantes luzes só o fez sentir-se mais solitário, mais solitário e com frio, na imensidão do mar.

A manhã seguinte reservou um susto para o capitão que quase o fez pôr os bofes para fora. Descera para levar a Melquior uma jarra de água salobra. O garoto estava de joelhos, olhando para cima com um sorriso esfuziante. Envolvia-o inteiramente um leve brilho de luz dourada, cor de pêssego. O capitão ficou verde como um papagaio enjoado.

— Meu Deus, é uma fada maluca — gritou ele, jogando a jarra às suas costas, enquanto subia correndo a escada. Melquior nada notara, porque sua avó lhe tinha aparecido numa visão. Ela sorriu para ele e soprou o sopro sagrado, o baraka, delicadamente sobre o rosto dele.

— Você há de aprender muitos feitiços — disse ela a sorrir — mas nenhum maior que este, o feitiço da fé. Somente os mais sábios reconhecem que não se trata de nenhum feitiço, mas da própria vida. — Daquele momento em diante a icterícia sumira e Melquior percebera que descendia de uma linhagem de feiticeiros.

Essas recordações do passado remoto lutavam para emergir lentamente dentro do cérebro de Melquior, como bolhas de ar presas no mel, quando um terrível tremor sacudiu seu corpo. Dominou-o um pavor irresistível, e numa fração de segundo, com reflexos ultra-rápidos do coelho que sente os dentes afiados da raposa em suas costas, Melquior mergulhou à esquerda, numa guinada abrupta. Foi na hora certa. Uma massa enorme e escura passou ventando por ele. Garras monstruosas arranharam seu lado direito. Melquior ficou com medo de seu coração ter deixado o peito, de tanto medo, embora por algum motivo estranho, sentisse não ter coração. Estranho.

— Segurança! Preciso encontrar segurança — pensou. E com incrível velocidade, deu um salto mortal em pleno ar, ficou suspenso por um segundo como um helicóptero hesitante, e em seguida mergulhou direto para um campo de pouso verde e redondo logo a sua direita. A sombra passou por cima. Os ouvidos dele encheram-se de um irado — Cró! — que quase o ensurdeceu. E então, tão depressa quanto surgira, desaparecera o perigo. O ar dava a impressão de silêncio, e Melquior se agarrava com toda força à verde pista de pouso.

Horrorizado como estava, o aprendiz começou a tomar consciência de que não se encontrava sob forma humana. O zumbido em sua cabeça, o pescoço duro, os feitos acrobáticos de vôo que vinham como que por instinto — não, isso não era ele. O que era ele, então? Estivessem presentes as crianças da aldeia e elas lhe diriam de imediato — ele era uma diabólica agulha de cerzir, a veloz ameaça aos pequenos mosquitos-pólvora, traças, besouros, moscas varejeiras, vespas e o restante do clã dos zumbidores.

Em outras palavras, ele era a primeira libélula de maio. Seu corpo luzidio e verde-bronze pendia com leveza de uma folha de plátano, enquanto ele se dava lentamente conta de sua estranha situação. O clã dos zumbidores não é dotado de razão, por isso não foi surpresa o fato de Melquior ter sido incapaz de lembrar que era seu aniversário, a própria manhã em que nascera. Ele se arrastara do pequeno poço azul ao caírem os primeiros raios oblíquos do amanhecer sobre ele, embrulhado em suas asas molhadas e amarfanhadas, que estendera debilmente para que secassem na brisa. (Antes disso, passara um considerável período debaixo d'água, na qualidade de feroz ninfa de libélula, um dos terrores da vida nos poços, escondida no limo entre os juncos, esperando com sua gulosa boca em pinça para engolir um barrigudinho ou um girino que passassem. Mas Melquior não se lembrava de nada disso.)

    O aprendiz não tinha condições de adivinhar que estava sob um feitiço protetor lançado por Merlim depois que a batalha pelo reino de Artur fora perdida, transformando-o num minúsculo ovo de libélula, com sua semente de vida a dormir dentro dele. Atento em destruir toda a magia e fazê-la em pedaços, Mordred derrubara o castelo até sobrarem apenas destroços, aniquilando os campos vizinhos com fogo. Entretanto, o ovo ínfimo foi carregado em segurança por uma brisa, passando por cima daquele terror, rumo ao rio Severn, que o carregou em sua correnteza por quilômetros abaixo (escapando por pouco de ser comido por uma faminta truta de queixada em gancho), até chegar aos escuros manguezais que ocupavam aquela região em todas as direções.

    E aí Melquior dormiu enquanto a história passava. Dormir é um negócio complicado: logo que você abre as pálpebras é difícil determinar há quanto tempo esteve dormindo. Pode ter sido por 12 horas, 12 minutos ou 12 anos. No caso de Melquior o feitiço durara 12 séculos completos, e mais dois ainda, até que ele acordasse num mundo diferente, onde até mesmo os destroços da magia que Mordred deixara haviam virado poeira que ninguém lembrava. Aquilo que ele tomara pela torre em chamas de Merlim, era a chaminé de uma fundição, e o motivo por que não conseguia enxergar as muralhas do castelo de Artur é que elas tinham há muito desmoronado e virado pedregulhos cobertos de musgo que os camponeses juntaram e levaram para construir seus currais de carneiros.

    No momento, agora que se encerrara seu vôo inaugural, encontrava-se ele ainda bastante confuso. A exaustão tomara conta de seu corpo, e apesar de mal se sentir seguro a balançar na parte inferior de uma folha, o delicado balanço, somado ao calor do sol, logo o fez dormir. Não tinha a menor idéia de que horas seriam quando acordou, porém longas faixas da luz da tarde atingiam a parte de baixo da vegetação onde ele se escondera. Foi tomado novamente pelo impulso de levantar vôo. *Preciso ir ter com meu mestre.* E a despeito de seu medo da sombra enorme, que era na realidade um corvo comum faminto, alçou vôo. Só que desta vez não chegou a lugar nenhum. A torre fumegante ainda estava bem à frente, a leste. Mas não importava com quanta força batesse suas asas rijas e cheias de veias, não conseguia fazer progresso. Aliás, viu-se a cair para trás, aos trambolhões, no meio do resistente ar.

— Peguei uma beleza! — gritou uma voz de trovão. Melquior lutava contra o que parecia ser uma muralha invisível de pedra. Não adiantava. Com um ruído ensurdecedor, a tampa do vidro de geléia se fechara acima de sua cabeça, e dentro de dois segundos, ele virara um inseto preso num vidro. — Quer vir para casa comigo? — O gigantesco menino que capturara Melquior começou a virar o vidro para admirar as listras negras bem definidas nas asas dele, cujos desenhos eram tão complexos quanto os vitrais de uma catedral. O rosto enorme e rosado do menino era tão apavorante que o aprendiz teve certeza de ter viajado para trás no tempo, para a era dos gigantes, que Merlim derrotara como uma dádiva aos humanos.

— Olha aqui, Tommy, o que eu peguei — gritou a ribombante voz do menino. Melquior distinguiu um segundo gigante que se inclinava em direção ao vidro.

— Legal — disse aquele que se chamava Tommy, abrindo-se um sorriso da largura de uma estrada de carruagens no seu rosto.

— Você gostaria de me ajudar a pegar mais umas? — perguntou o primeiro menino, um tanto timidamente.

— Não temos mais tempo agora, Sis — respondeu tonitruante Tommy. — Tem alguma coisa acontecendo lá na frente.

— Onde?

— Logo aí para a frente na estrada. Não ouviu as sirenes?

— Não. Posso ir junto contigo?

A voz do segundo menino já estava se afastando depressa.

— Pode ser bastante terrível se for um desastre. Mas venha, se quiser. — Melquior sentiu-se sacudido e virado de um lado para outro enquanto o garoto chamado Sis corria atrás de Tommy. Menino rechonchudo, com pernas um tanto curtas, de nove anos, não conseguia acompanhar o ritmo de seu amigo mais velho, porém sua curiosidade fora desperta. Para atravessar correndo os campos cheios de sulcos, era preciso concentração e equilíbrio; ele nem chegava a se importar com as bruscas sacudidelas sofridas pela libélula dentro do vidro. Melquior estava atordoado, quase fora de si, quando Sis deu a volta num curral de carneiros feito de pedra e chegou ao piso de uma rodovia. Luzes giratórias azuis enchiam o ar. Semiconsciente, ele escutou o ruído dos pneus dos carros no piso molhado e o barulho trepidante das carretas puxadas por tratores (pareciam-lhe os bois dos gigantes a mugirem). Atropelado por aquela confusão, ele tentava botar ordem em sua cabeça, para não cair na loucura a sua volta.

— Meu Deus — escutou exclamar uma voz tonitruante — era do segundo garoto, Tommy. — Não, não, não se aproxime, Sis.

— Por que não? O que me impede? — reclamava esganiçadamente Sis. — Tem sangue? Deixa eu ver.

Havia confusão e empurrões. Uma voz de homem berrou:

— Vocês garotos, dêem o fora. Falo sério. — Uma nova figura assomou acima da cabeça de Melquior — alguma espécie de cavaleiro com elmo — e Sis se afastou com um barulho de espanto, como se estivesse querendo controlar o riso ou o choro.

— O pescoço dele ficou terrivelmente torcido. — Sis perdera quase a respiração.

— Está bem garotos, vocês já viram. Agora façam um favor a vocês mesmos e vão embora — disse o vulto do cavaleiro. O rosto do menino mais velho estava pálido de repugnância.

— Para mim já basta. Vamos, Sis — disse ele com voz pesarosa. O pequeno menino rechonchudo virou as costas para aquela cena, girando seu vidro de coleta. Agora Melquior pôde distinguir o que eles estavam espiando, pôde ter uma breve visão do horror sob as luzes azuis giratórias no crepúsculo cinzento, cheio de retalhos de nuvens: um cadáver amassado jazia ao lado da estrada.

A torre está ardendo. Encontre Merlim. A fumaça das palavras penetrou novamente dentro de seu cérebro. Melquior gelou. Com olhos fixos de inseto olhou para o corpo arrebentado do velho, com o pescoço torcido, que os cavaleiros com elmos estavam levantando. Parecia ter surgido um buraco no estômago de Melquior à medida que se concretizara o reconhecimento. Os olhos fechados do velho não se pareciam mais com os de um mago, porém a longa barba branca embaralhada, parecia. Desesperadamente, Melquior projetou seu espírito fora, para tentar captar algum indício de magia viva, de vida. Nada. Primeiro nada, em seguida uma nauseante reverberação, o vórtice negro e devorador do mal. Ele já sentira isso antes, trepado num galho em cima de uma fogueira na floresta.

— Mestre, mestre — soluçava ele, sabendo estar sozinho.

— Minha libélula. Eu me esqueci completamente dela. — Sis reparara no zumbido fraco. Ainda abalado pela visão do cadáver, o menino enfiou o vidro numa mochila encardida de lã. Tudo ficou de repente escuro ao redor do aprendiz, e seu coração caiu em terríveis profundezas, que o levavam numa espiral descendente à mais negra noite do desespero.

QUATRO

Aliás Merlim

— Meu Deus, Artur, não podemos cumprir duas tarefas ao mesmo tempo. Será que esperam que tomemos conta dele e também mantenhamos afastados aqueles abutres? Até parece que o diabo do circo chegou à cidade. — A desesperada policial olhou furiosamente para a fileira de carros parados no acostamento da rodovia, em seguida voltou à vala onde se encontrava o cadáver. Com um gesto de mão, afastou seu cabelo ruivo que caía nos olhos. — Precisamos de um reforço. Eles devem saber disso, não é?

— Está a caminho. — O colega dela, um policial mais jovem, de seus vinte e poucos anos, saiu do carro de patrulha. Parecia relativamente tranqüilo. Caía o crepúsculo e, às luzes azuis giratórias, seu vulto parecia quase tão estranho e imaterial quanto o do cadáver. — Acabei de chamar. Disseram para agüentarmos a barra. Por enquanto, é só a gente.

A policial olhou em volta mais aborrecida ainda.

— Já está passando bastante da hora da troca de turnos, e você sabe que vai chover. Acha que teremos possibilidade de encontrar a marca de alguma coisa a essa altura? Tem cigarro?

Seu colega sacudiu a cabeça e deu alguns passos em direção à beira da vala. O cadáver do velho jazia a pouco mais da metade da encosta. Fora atirado, provavelmente depois de atingido, a uns sete metros da estrada. Os braços estavam estendidos em sinal de surpresa, como se o velho tivesse escorregado num tapete, e sua perna esquerda dobrada sob o corpo, como se fosse de um boneco de pano. O jovem policial disse:

— Não acha que deveríamos cobri-lo, Katy? É algo meio indecente.

— Devemos ter uns dois cobertores atrás, em algum lugar. E será que você poderia pegar minha capa? Quero dispersar esses curiosos. Eles é que são indecentes — Ela voltou a dar um olhar furioso para a fileira de espectadores, que se acumulava aos poucos.

— Está bem — murmurou seu colega, enquanto ela se dirigia aos carros, acenando os braços. — Olha, vou dar um pulo até ali. Avistei outra pessoa. — E ele desceu a estrada na direção oposta.

Foi pura sorte terem chegado tão depressa ao local da ocorrência. Se eles não estivessem patrulhando as estradas vicinais e ligado por acaso o rádio de polícia depois da hora de trabalho, seriam outras pessoas a estarem se ocupando daquela confusão. Sorte.

— Alguém disponível perto de Tavistock Road? — dissera o rádio, no meio da estática.

Artur olhara para Katy, que dera de ombros. Ela pegou o microfone:

— Aqui a policial Kilbride. Estou com Callum. Pode falar.

— Tivemos uma denúncia de um telefone público localizado a mais ou menos três quilômetros a leste do trevo de Tavistock Road. Alguém acredita ter visto um cadáver numa vala. Podem verificar? — Uma tempestade de primavera estava se preparando para cair, fazendo com que a voz do emissor entrasse e saísse do ar.

Com o canto dos olhos, Katy percebeu que seu colega fazia que sim com a cabeça.

— Vamos cuidar do caso. — Tinham estacionado não mais do que cinco minutos depois disso. Quando Katy chegou até o velho e levantou sua cabeça, ela estava solta e virou para o lado.

— Pescoço quebrado, provavelmente também a coluna, pelo que senti — disse ela controladamente. — Melhor deixá-lo onde está.

Artur Callum jamais vira um cadáver antes, mas morte por violência não era comum nos distritos rurais.

— Quer averiguar os bolsos dele? Talvez tenha alguma identidade — dissera Katy. Artur obedeceu, esperando sentir certa repugnância. Na realidade, sentiu mais curiosidade do que qualquer outra coisa. Ele remexeu nos bolsos laterais do casaco marrom surrado que o velho trajava, mas não havia nada, nem mesmo uma caixa de fósforos ou um maço de cigarros amassado. Para ter acesso aos bolsos internos, foi obrigado a afastar a longa

barba branca do sujeito, quase luminescente no lusco-fusco do final da tarde.
— Você reparou? Ele ainda está quente sob o casaco. Quem quer que tenha feito isso, ainda pode estar nesta estrada.
— Junto com milhares de outros motoristas barbeiros.
Ambos se levantaram, olhando fixamente para a vítima. A barba extraordinária, que progredia em ondas a partir do queixo do velho, estava manchada de sangue. Ao sair da vala, Katy avistara os primeiros espectadores curiosos parando no acostamento. Rostos pálidos se apertavam contra vidraças levantadas, mas ninguém saía do carro. Quando Artur avistou mais alguém — dois curiosos a pé, ao que parece — tratava-se apenas de dois colegiais que caminhavam por acaso entre os campos lamacentos.
— Preciso falar com vocês — disse ele. Eles hesitaram, relutantemente. O mais novo, que era baixo e rechonchudo, encostou-se imperceptivelmente, em busca de proteção, no menino mais velho, que era louro, alto, de bom esqueleto, e com cerca de 15 anos.
Artur caminhou até eles.
— Moram por aqui? — perguntou displicentemente.
Nenhum dos dois parecia muito disposto a responder. Então o mais velho deixou escapar:
— Parece um atropelamento com fuga, mas podia ser um assassinato também, não podia?
— Quem sabe? É preciso que se faça uma investigação rigorosa — respondeu cautelosamente Artur.
— Tinha muito sangue?
— Não muito, se fazem questão de saber. Não há nada para se ver agora. Qual é seu nome, a propósito?
— Tommy Ashcroft — respondeu prontamente o menino mais velho, sem medo.
Artur teve de lhe dar esse crédito. Aos 15 anos, ele mesmo tremia diante da sombra de qualquer policial que se metesse no seu caminho.
— Bem, Tommy, eu consideraria um favor se você levasse nosso jovem amigo de volta para a cidade. Ou será que precisam de uma carona? Está escurecendo muito depressa. Eu poderia telefonar do carro para seus pais virem buscá-lo.
Os dois garotos se entreolharam assustados.

— Não o deixe fazer isso — suplicou o mais novo. Tommy pôs a mão tranqüilizadora no ombro dele.
— Não se preocupe, Sis, está tudo bem. — E em seguida para Artur. — Nós não temos pais morando aqui perto. Somos alunos do St. Justin. — Ele apontou para longe, onde uma enorme massa de pedras abobadadas podia ser vista, irradiando um brilho fraco e amarelado das janelas. — Nós apreciaríamos se você não...
— Claro. — Artur se agachou para ficar da mesma altura do menino mais jovem. — Tem certeza de que pode cuidar de si mesmo? Qual o seu nome?
— Sisley.
— Mas te chamam de Sis? — O garoto abaixou a cabeça. Era óbvio que teria preferido um apelido melhor, mas as coisas já estavam estabelecidas. — Acho que você viu o que estava lá embaixo, não foi, Sis? — O garoto mordeu o lábio e apertou com mais força sua mochila contra o peito. — Bem, eu não o culpo se tiver achado aquilo meio preocupante. Eu mesmo jamais vi coisa igual. Sou novo no distrito, e apesar de ser meu trabalho, me entristece muito ver algo assim.

— Eu também — respondeu Sis, quase tão baixo que mal dava para se entender.

— Bom garoto. Agora, tente esquecê-lo, está bem?

Sis balançou a cabeça, demonstrando dúvida, enquanto Tommy puxava-o. Dentro de instantes eles haviam sumido dentro da noite que caía rápida. Artur virou-se e começou a caminhar de volta. Podia perceber que Katy fizera progressos com os abutres do trânsito, a maioria dos carros fora embora. O tempo virou, começando a chuviscar, e o vento engrossou.

— Vou descer para fazer-lhe companhia — disse Artur. Katy levantou o colarinho da sua capa para se proteger da chuva e balançou a cabeça. Ele pegou os cobertores que ela lhe estendeu. A grama estava escorregadia por causa da chuva, na descida da vala. Ao chegar ao cadáver, a barba do velho parecia molhada e com aspecto patético, emaranhada e cheia de nós e trancinhas. Artur se agachou e, sem pensar, desfez as tranças com cuidado. Fez o melhor que podia para desembaraçar a barba e não sentiu repugnância; suas mãos mexiam-se como se estivessem quase fazendo carícias. Por algum motivo, remotas memórias da infância, de histórias ouvidas ao pé da cama sobre magos e feiticeiros, varreram os recantos esquecidos da sua mente.

— Parece conhecido, não parece? — A voz de Katy vinha de cima. Artur girou o corpo, enquanto ela descia e vinha se juntar a ele.

— O quê? — gaguejou ele, espantado de terem descoberto o que estava pensando.

— Esse aí. Ele me lembra do Merlim, ou de alguém assim. Medieval. Sinto muito, não quis me intrometer. — Artur levantou os olhos, surpreso por ela ter notado sua reação. — Um dos velhos bares da redondeza se chama The Orb and Merlin. Eu preciso mostrá-lo a você um dia desses. Há um retrato em cima do bar da sala que se parece tintim por tintim com nosso camarada aqui, sem contar com aquele chapéu em forma de cone. Você não é de Gramercy, é claro.

— Não, sou, ou era. Saí há muito tempo para ir para o colégio.

Katy balançou a cabeça. A voz delicada dele, tão tipicamente de um não policial, dava-lhe prazer. Ela nada disse.

— Deveríamos chamar este caso de caso Merlim — disse ela, fantasiando um pouco. — "senhor idoso anônimo morto, aliás Merlim!"

Artur não respondeu. O vento agora estava forte, e o chuvisco dava a impressão de agulhas ao atingir seu rosto. Ele se encolheu, estendendo o cobertor por cima do cadáver e usando seu corpo para protegê-lo dos elementos. Um estranho gesto de compaixão, mas que por acaso facilitou o entendimento das palavras, quando surgiram.

Por favor —ajude —precisam de você.

O susto fê-lo levantar-se de um pulo.

— Você está bem? — perguntou Katy, achando talvez que ele fosse vomitar.

— Você não disse nada agora mesmo, disse?

— Eu? Não.

— Katy, escute só, acho que ele talvez ainda possa estar vivo. — Artur tirou o capacete e aproximou-se do rosto amarelado, parecendo de cera. Escutou com cuidado. — Poderia haver um

vestígio de respiração, não tenho certeza — disse ele ansiosamente.
Katy fez um muxoxo.
— Isso é meio maluco, sabe? O pescoço dele está quebrado.
— Shhh — alertou Artur, tentando neutralizar o barulho do vento. Ele pegou e deixou que a cabeça do velho descansasse em suas duas mãos, mas não conseguiu distinguir nenhum movimento das pálpebras ou dos lábios. A escuridão crescente bastava para encobrir o rosto. — Isto pode parecer pirado, mas acabei de escutá-lo falando. Pediu ajuda.
— Sinto muito, rapaz, mas este aqui está além de qualquer ajuda, não acha? Olha, eles estão chegando.
Ela tinha razão. Perto dali uma sirene deu um, dois uivos. Artur levantou os olhos. Pôde distinguir as ondulações e o fio que as fortes luzes da ambulância teciam entre o tráfego, ao se aproximarem deles. Katy subiu correndo a rampa até o acostamento. Dois carros de patrulha deixaram o fluxo do trânsito e encostaram junto à vala, atrás da ambulância.
— É aqui — gritou ela, acenando com o braço. Westlake, o inspetor mais velho da Scotland Yard, desceu do primeiro carro.
— O que foi? Atropelamento seguido de fuga? — Aproximou-se, parecendo amarfanhado e cansado.
— Sim, senhor, parece que sim.
— Sabemos quem é?
— Não tem documentos nem identidade no corpo. Pelo seu aspecto, diria que é um vagabundo.
Westlake apertou pensativamente os olhos.
— Não podemos ter certeza. Verifiquem a enfermaria geriátrica de Gramercy. Talvez um de seus pacientes tenha fugido. São quase três quilômetros, e não consigo imaginar como pôde ter chegado até aqui, mas poderia estar fora de seu juízo perfeito. Nunca se sabe.
— Está bem. Vou averiguar. — Katy fechou seu livro de anotações.
— Alguma coisa mais? Chamaram a perícia?
Ela fez que sim com a cabeça.
— Não tem mais nada. É claro que gostaríamos de pegar o filho da mãe que acertou nosso sujeito e o deixou aí deste modo. É rotineiro, a não ser pelo fato de que ele começou a falar depois de morto.

— O que foi isso? — Westlake não parecia ter achado engraçado.

— Bem, encontramo-lo morto como um passarinho, atirado para fora da estrada. Pescoço quebrado, e provavelmente também a coluna. Porém, meu colega aqui... Westlake virou-se em direção a Artur, que se aproximara do carro de patrulha.

— Você é novo? — perguntou abruptamente Westlake. O jovem policial sentiu-se enrubescer no escuro.

— Sim, senhor. Lotado no distrito há uma semana, terça-feira. E o escutei falar, o mais claramente possível, apesar de seu pescoço parecer quebrado. Ele disse, "me ajudem". Foi bem claro. Achei talvez que tivesse sido a policial Kilbride falando, mas não era voz de mulher. — Artur parou, percebendo estar praticamente gaguejando. Enrubesceu, com dupla intensidade, grato por ninguém poder vê-lo no escuro.

— Geralmente, constato que estar morto inibe consideravelmente a capacidade de falar — comentou secamente Westlake.

— Não digo que possa explicá-lo. Tenho certeza de que se o senhor estivesse presente também o teria escutado.

Westlake franziu a testa.

— Você não está no serviço do trânsito? — Jovens policiais usando coletes de segurança verde-fosforescentes estavam agora na rodovia controlando o trânsito congestionado.

— Não, senhor. Minha colega e eu estávamos indo para casa numa estrada vicinal quando recebemos uma mensagem pelo rádio. Sabíamos que era assunto para a Scotland Yard, logo que constatamos a natureza do delito.

— Podiam ter feito um relatório e esperado até de manhã antes de terem me chamado.

— A chuva já teria apagado muita coisa até de manhã.

Westlake deu um olhar rápido ao jovem policial. Na casa dos cinqüenta, com um corpo de lutador profissional que passara do seu auge, Westlake avultava sobre Artur, como se estivesse considerando uma chave de braço.

Artur disse:

— Sei que o estado do corpo faz a coisa parecer inviável...

— Inviável? O pescoço dele estava quebrado ou não estava? Se você está começando um trabalho de investigação, seria divertido descobrir corretamente alguns desses detalhes — disse Westlake rispidamente. Desceu desajeitadamente a vala. Ao chegar ao corpo, inclinou-se e sacudiu a cabeça do velho para lá e para cá em suas mãos pesadas. Ela se mexia com uma facilidade de dar dó. Westlake beliscou delicadamente a pele sobre o cotovelo, dobrou os dedos uma ou duas vezes.

— Dê-me suas impressões — disse ele abruptamente.

— Impressões? Foi o que eu disse ao senhor — respondeu, perplexa, Katy. — Se quer dizer se haviam marcas de pneus por perto, ou algo assim, nós não reparamos em nada.

Uma dupla de enfermeiros da ambulância, entediados e gelados em seus jalecos brancos, surgiu da escuridão e ficou fazendo hora ali perto. O inspetor levantou-se e sacudiu as gotas de chuva que escorriam pela parte de trás de seu colarinho.

— Podem levá-lo, rapazes — ordenou, virando-se e escalando com dificuldade a vala. Parou em cima. — Qual é o seu nome?

— Callum, policial Artur Callum.

Fazendo um gesto com a mão, Westlake chamou-o com autoridade. Artur subiu a rampa e foi ter com ele junto ao primeiro carro de patrulha.

— O senhor também quer que Katy — a detetive Kilbride — venha aqui?

— A detetive Kilbride também ouviu seu cadáver falar?

— Não, senhor.

— Então, não a quero aqui. Além do mais, tenho certeza que você a julga meio jeca, sendo londrino e tudo o mais. — Westlake tinha um bom ouvido para sotaques.

— Não acho nada disso, com o perdão do inspetor. Sou originariamente também um jeca local.

— Hum. — Fez-se longo silêncio, que ficou suspenso no ar. — Tem conhecimento de que o corpo estava quase frio quando o toquei? Frio o bastante para a morte ter provavelmente ocorrido há pelo menos uma hora.

O tom do comentário aborreceu Artur.

— Eu sei aquilo que escuto.

Westlake continuou imperturbavelmente.

— E a disposição do corpo não deixa dúvidas que a morte

foi instantânea. — Os dois homens se entreolharam fixamente.
— Ainda está seguro do que ouviu? — Artur mordeu o lábio.
— Bem, estamos iniciando um excelente relacionamento, não estamos? — Westlake abriu a porta e se sentou no lugar do motorista.
— O senhor não me perguntou sobre minhas impressões?
— O quê? — Westlake virou-se pesadamente.
— Lá atrás, o senhor pediu nossas impressões, e eu não dei as minhas.
— Prossiga.
— Não desejo contradizer minha colega, mas não acredito que tenha sido atropelamento seguido de fuga. A situação do corpo não leva a essa conclusão. Um carro que batesse numa pessoa com suficiente força para arremessá-la a essa distância da estrada, cerca de sete metros, teria deixado vestígios de cascalho e asfalto nos cabelos e na pele. As roupas teriam de estar rasgadas, porém o suéter e as calças da vítima não estavam. Também não vi nenhuma contusão na pele.
Depois que Artur acabara, Westlake deu um assobio. Poderia ser de ironia ou de aplauso.
— Está pronto para prosseguir ainda mais.
— Mais?
— Se não foi atropelamento, o que foi?
— Assassinato, acho.
— Ah. — Westlake ergueu as sobrancelhas. — E você estava indo tão bem. Posso concordar que não foi atropelamento, mas a hipótese de assassinato eu não aceito tão bem. Não está vendo? Pode haver fatos suficientes que neguem uma hipótese, mas que não apóiem adequadamente uma outra. Conversaremos a respeito disso amanhã. — Artur abaixou os olhos, sentindo-se achatado. A seguir Westlake murmurou, como se fosse consigo mesmo: — Assim mesmo, ótimo trabalho.
— Espero que o senhor não me julgue maluco.
— É observador e provavelmente inteligente. Eu desconsiderarei a loucura, por enquanto.
Viram Katy subir a vala, parecendo impaciente.
— O pessoal da ambulância precisa que o senhor assine um formulário para liberar o corpo para a necropsia. A não ser que o senhor queira que nós interrompamos o jantar do patologista, chamando-o aqui.

— Porcaria de formulários — resmungou Westlake. Ele se levantou do assento do motorista, como um urso ficando de pé nas pernas traseiras e caminhou junto com Katy e Artur até a ambulância, no exato momento em que os dois enfermeiros estavam batendo as portas traseiras. Westlake assinou em três vias, balançou a cabeça secamente para ninguém em especial, e foi embora.

Katy sorriu.

— Ei, você não vai me agradecer por tê-lo posto em evidência?

— Grande coisa isso me adiantou — disse Artur, mas sem rancor. Ele se sentia estranhamente satisfeito. Os acontecimentos da tarde o deixaram curioso.

O motorista da ambulância deu partida ao motor, enquanto o outro ocupante trancava as portas traseiras.

— Te vejo no bar, Katy? — perguntou ele. Artur pareceu surpreso. Katy franziu a testa e sacudiu a cabeça. — Bem, adeusinho — respondeu o enfermeiro, nem um pouco constrangido. A ambulância arrancou, penetrando no fluxo anônimo dos faróis.

— Você está namorando ele? — perguntou Artur.

— Não. Somos primos, e nem mesmo íntimos.

— Perdão. Você parece zangada.

— Não estou, não. É que simplesmente detesto estar do lado de fora na umidade. E preciso de um cigarro. — Artur reparou que seu tom de voz adoçara. Aconteceu naturalmente, apesar das tentativas dela de ser profissionalmente ríspida.

Os dois conversaram muito pouco depois de terem voltado à estrada em seu carro. Artur sentia-se grato pela trégua. O que acontecera, precisava ser elaborado. Não ficou alarmado por causa da voz que ouvira, porém as coisas tinham que ser vistas de uma maneira precisa. Se uma pessoa desesperada estivesse pedindo socorro, teria dito. — Socorro — Porém, as palavras foram diferentes. — Por favor ajude, precisam de você. — Agora que as estava recapitulando, Artur percebeu o que insinuavam as palavras — uma missão. O que mais poderia significar, "precisam de você"?

Virou-se para Katy.

— Olha, preciso te dizer uma coisa. Sinto muito, mas relatei a Westlake que não achei que fosse um atropelamento seguido de fuga.

— Hum. — Ele esperara uma reação brusca, ou mesmo uma explosão. Mas ela permanecera tranqüila.
— Quero dizer, não quero que ache que puxei o tapete sob seus pés. Minha intuição me diz que nosso Merlim não foi morto por um carro que passava. Nada assim tão simples.
As luzes de um bar surgiram entre a chuva.
— Quer entrar? Podíamos rachar uma cerveja. — A voz de Katy ficara ainda mais doce, abandonando completamente o registro oficial da polícia.
Artur olhou para ela, surpreso.
— Certo.
Estacionaram.
— Ou melhor ainda — disse ela —, talvez eu pudesse entrar e pedir para eles embrulharem uns sanduíches para a gente. Tenho cerveja em casa. — Ela estava olhando fixamente para frente.
Artur sentiu-se constrangido.
— Katy. — Ele fez um esforço desajeitado para parecer delicado.
— O quê?
— Eu realmente aprecio este convite. Mas, quero dizer, não somos colegas há muito tempo e... — Ela ligara o motor do carro novamente. Ele parou de falar, sem saber o que dizer.
Ela arregalou os olhos e desandou a rir.
— Ah, não. Você achou que eu estava dando em cima de você. Não seja convencido, estou apenas com fome. E não precisa demonstrar tanto alívio. — Mas mesmo assim ela ainda não olhara para ele.
— Não estou aliviado. Só ia dizer que estavam me esperando em casa. Minha mãe me espera para jantar.
— Que bom para ela. Eu te deixo em casa. — A voz de Katy não estava mais doce.
— Olha, deixe eu ir lá dentro um instante pegar um sanduíche. — Sentiu-se bobo apaziguando-a deste jeito, mas quando ela não respondeu, Artur desceu do carro e entrou depressa no bar.
Katy olhou para a marca macia no assento do carro onde o corpo dele estivera. Sem nenhuma timidez, colocou sua mão ali; estava quente.

— Ah, Katy, minha garota — ela quase cantou. No espelho retrovisor deu um olhar em seu rosto branco e cheinho. Era agradável, bem de uma polícia feminina. Ela pensou nos tufos de cabelo escuro e cacheado que sobravam da parte de trás do capacete de Artur e de seus olhos cinza espaçados.
— Preciso lhe dizer para cortar o cabelo; ele não está obedecendo às normas — pensou ela.

Lá dentro, o atendente do bar estava acabando de entregar uma saca marrom para Artur com dois enroladinhos de salsicha, quando Katy entrou correndo, excitada e sem fôlego.
— Pague depressa.
— Já paguei. Qual o problema?

Ela o puxou para fora do raio de audição do atendente, que tentava não parecer curioso.
— É terrivelmente estranho. Ele fugiu.
— Quem?
— Nosso Merlim. Levaram-no para o hospital, e quando abriram a traseira, ele tinha desaparecido. Puxa, uma hora você o vê, noutra não vê mais. — Katy girou sobre os saltos e dirigiu-se de volta ao carro.

Artur seguiu-a, estupefato.
— O que devemos fazer?
— Nada. Devíamos ter deixado o trabalho há três horas. A não ser que você esteja se oferecendo como voluntário. Está?

Artur gostaria de ter podido dizer sim. Deu um suspiro.
— Estamos ambos cansados. Eu vou pegar de novo de manhã. Deixe-me te deixar em casa.

Katy fez que sim com a cabeça. Sua excitação estava diminuindo, e como seqüela da adrenalina, sentia-se tremendamente fatigada. Ela queria perguntar a Artur se ele também se sentia assim, mas ele não estava obviamente com ânimo para conversa fiada. Ouvir vozes era uma coisa, mas saber que um sujeito morto escapulira por aí durante a noite, era outra coisa muito diferente. Ela começou a mastigar os enroladinhos de salsicha. Eram gordurosos e gostosos, o tipo de comida a que ela não conseguia resistir, que se danasse a culpa.

Medonhos acidentes de trânsito eram o tipo de coisa que os adultos olhavam com mórbida satisfação, pensou Tommy Ashcroft.

Mas para se sentirem respeitáveis, proíbem os garotos de fazê-lo. Se ele estivesse sozinho, teria olhado de qualquer maneira. No momento em que ele e Sis viram o cadáver, Tommy queria descer correndo aquela vala, e mesmo agora ainda estava quase excitado demais para conseguir levar o menino pequeno de volta, conforme a polícia o tinha mandado fazer.

— Não podemos contar a ninguém — disse Tommy em voz alta. — Será que você consegue guardar um segredo? Faremos um pacto. — Sis fez que sim com a cabeça, sem fôlego. Eles estavam caminhando com dificuldade de volta pelos campos arados e lamacentos, o centeio e a mostarda começando a brotar, pegando um atalho para St. Justin. Apesar da chuva ter parado, o céu ficou mais baixo com nuvens escuras vindas do norte.

— Um pacto de sangue? — perguntou Sis.

Tommy ponderou a respeito.

— Não, não acho que isso seja necessário. Você tem que jurar pela irmandade, neste caso. Embora um assassinato seja quase tão bom motivo. Deixe-me pensar.

Os dois garotos alcançaram o riacho barrento na fímbria dos campos e seguiram-no em direção ao colégio. Pneus descartados e peças enferrujadas de maquinário agrícola emporcalhavam as margens. O capim novo crescia, mas ainda não atingira a altura de tapar a feiúra brutal daquele lixo que descia quase até a água.

— Não foi um acidente, foi? — dizia Sis sem fôlego, enquanto corriam. O menino mais velho sacudiu compenetrado a cabeça. — Espero que tenha sido um sem senado..

Tommy aproximou-se dele.

— Não diga isso. Não é uma piada ou uma palhaçada qualquer, sabe?

— Que se importa você com o que eu digo? — retrucou Sis zangado. — Se for um suplício, ou um sem senado, o que tem isso a ver com você? — Garoto solitário com poucos amigos, Sis inventara uma língua própria. *Suplício*, adivinhava Tommy, deveria querer dizer suicídio, e *sem senado*, assassinato.

— Vamos embora, se é o que você quer — respondeu Tommy, prosseguindo num trote. Sentia-se culpado pelo ressentimento contra Sis, e alguns momentos depois ele confessou a si mesmo que não teria ficado para espiar curiosamente como os abutres do trânsito, mesmo se estivesse sozinho. Diminuiu o passo, para ajudar Sis a alcançá-lo, e o garoto menor sabia ter sido perdoado. Eram verdadeiros amigos, como irmãos que nenhum deles possuía, a despeito do enorme intervalo de seis anos que os separava, pelo menos segundo a ótica dos outros garotos.

As paredes pretas listradas do colégio avultaram sobre a elevação, assim que eles escalaram a margem do riacho. Sis apoiou-se nos arbustos amarfanhados de aveleira para se apoiar na subida. Quando chegou ao topo da ladeira, Tommy já desaparecera numa esquina do prédio principal.

St. Justin fora, no passado, a reitoria de uma igreja gótica, com um convento anexo. Há muito tempo, quando foi abandonada aos ratos e andorinhas, alguém teve a idéia de utilizar aquela bolorenta estrutura para objetivos educacionais. O empreendimento dera certo. Prédios menores brotaram aqui e ali, cada um tentando superar os mais antigos em feiúra, até que finalmente o prédio sacro original se viu cercado por um labirinto de dormitórios, cozinhas, latrinas, galpões de ferramentas e estruturas instáveis anexas, que não tinham verdadeira utilidade para ninguém.

Sis tinha um vago medo das janelas vazias voltadas para fora, embora passasse todo dia sob elas. Caminhos estreitos cortavam o terreno em todas as direções, usados pelos garotos, com seu instinto natural para o sigilo, como esconderijos para atos furtivos. Ao procurar por Tommy, Sis metia o nariz em recantos e entradas secretas onde sentia sempre o cheiro de cigarros ou o farfalhar das páginas de revistas proibidas. Ele era jovem demais para ser aceito nesses ambientes. Uma linha Maginot separava os garotos do primário dos garotos mais velhos — com a exceção de Tommy, é claro, e Sis não compreendia direito por que seu amigo cruzava aquela linha, correndo o risco de ser desdenhado pelos demais.

— Tommy? — chamou ele delicadamente. Acima de sua cabeça, muitas janelas com grades de ferro estavam acesas, significando que os internos estavam fazendo dever antes do jantar. Os diaristas já tinham ido todos para casa. Sis estava prestes a chamar de novo, quando uma mão quente e forte agarrou seu ombro.

— Não faça tanto barulho. — A voz de Tommy vinha tranqüilamente da escuridão. — Acho que estou escutando alguém.

Três ou quatro atalhos escuros se dividiam adiante, como num viveiro mofado de coelhos. Tommy seguiu caminho com segurança pelo mais estreito deles. Sis conseguia ouvir um barulho fraco e repetido à frente deles.

Dobraram uma esquina, e à luz fraca de uma lâmpada nua dependurada sobre o caminho, um garoto chutava uma bola de futebol contra a parede.

— Quem é? — perguntou Tommy delicadamente. O garoto debaixo da lâmpada oscilante deu um violento chute, estourando a bola contra a parede. Ela ricocheteou com força, dobrando a esquina do estreito caminho. Sis não esperou por uma resposta, mas correu até ele, sem fôlego. — Quer ver um assassinato?

— Ah, vá se catar — disse o outro garoto irritado.

— Não, é verdade. Dê-me seu pedaço de bolo de sementes amanhã, que eu o levarei até o corpo. — O garoto com a bola de futebol virou seu rosto pálido em direção a eles e fez uma careta.

Sis sentiu novamente a mão de Tommy em seu ombro.

— Fique frio, Sis. Edgerton está na geladeira.

Os olhos do garoto pequeno se arregalaram. Ele mesmo era freqüentemente ignorado pelos garotos mais velhos, e quando alguém tão legal quanto Tommy Ashcroft não estava presente, eles às vezes arremessavam torrões de barro contra ele, ou atiravam sua mochila por cima da cerca, no pátio do diretor onde ele guardava suas valiosa coleção de aves. Mas ele nunca vira nenhum garoto ser ignorado por completo, posto na geladeira, como se não existisse. Mesmo assim, a instituição da geladeira era provavelmente tão antiga quanto o colégio interno inglês.

Os olhos de Edgerton eram pretos como azeviche sob a lâmpada oscilante. Era alto e magricela, e seu cabelo liso e malcuidado escorria por cima da testa. Contra o fundo de suas faces pálidas, destacavam-se seus lábios, como um vívido lanho rosado.

— Alô, Sissy — disse ele desdenhosamente. — Sua babá deixou que você assassinasse alguém?

O garoto rechonchudo ficou vermelho.

Tommy já estava recuando. Era um garoto corajoso, mas não suficientemente corajoso para se opor à vontade de cem colegas. Sis sentiu-se estranho. Sabia que era fraqueza dele ter pena de Edgerton.

— Sis! — avisou-o Tommy num feroz sub-registro vocal. O garoto pequeno mexeu com os pés, vacilando. Sentia um desejo irreprimível de botar tudo para fora. O que, aliás, fizera Edgerton para merecer isso? Não conseguia se lembrar.

Sua emoção levou vantagem.

— Não fui eu. Só mato insetos, e isso não vale. Era um velho — disse ele — e é melhor ter cuidado se não foram seus colegas imundos que o apagaram.

Edgerton reagiu a este sarcasmo com uma risada ríspida. Tommy contraiu o queixo e se virou. — Não estamos falando com você — disse Sis, meio desajeitado, enquanto corria atrás de seu amigo.

Edgerton pegou a bola de futebol e a arremessou violentamente contra as costas deles, que batiam em retirada. Com um baque alto, ela acertou o pescoço de Sis, fazendo-o dar um grito.

— Fique quieto. Será que não pode? — sussurrou Tommy zangado, enquanto o menino mais jovem, que nunca teve muito boa forma física, tropeçava. Sua mochila de lã bateu nas pedras do calçamento com um ruído abafado de vidro se quebrando.

O queixo de Sis começou a tremer.

— Qual é o problema, agora? — perguntou Tommy. Ele pegou a mochila.

Cacos de vidro quebrado caíram dela, e ele podia sentir mais pontas agudas saindo do tecido.

— É minha. Me dá! — gritou Sis. Tentou agarrar a mochila, que Tommy levantava fora de seu alcance, tentando proteger Sis, para que não se cortasse. De repente ouviu-se um zumbido alto no ar. Tommy sentiu uma ardência na face. Ele deu um grito e deixou cair a mochila, enquanto a risada desdenhosa de Edgerton os perseguia.

— Cale a boca — sussurrou Tommy furiosamente. Ele tentou agarrar a libélula, ainda suspensa diante de seu rosto. Ela mal fugia, guinando debilmente daqui para ali. Parecia ter pouca energia para voar. Como se tivesse sido ofuscada pela lâmpada oscilante, ela voou até um lado do caminho com um clique, agarrando-se à parede de áspero reboco, agitando lentamente suas asas rígidas e curvadas para cima.

— Ela é minha, não toque nela! — gritou Sis, agora fora de si.

— Espere aí, espere aí. — Tommy ainda estava zangado, mas sabia que precisava acalmar seu apavorado companheiro.
— Como pode assassinar alguém se é incapaz de matar uma mosca? — implicava Edgerton. Ele foi buscar sua bola de futebol e gritou. — Olha, mariquinhas! — E em seguida jogou a bola no local da parede onde estava pousada a libélula. Várias coisas aconteceram simultaneamente. A bola de futebol bateu na parede. Ao mesmo tempo, saídas da escuridão, asas negras adejantes roçaram o rosto de Sis, e ele gritou de medo. Ninguém teve tempo de ver se a bola atingira o alvo.
— É um vampiro que vem morder você — implicava Edgerton. Sis berrava e segurava Tommy com toda a força.
— Vamos lá, reaja, ele não pode machucar você, é apenas um pássaro — disse Tommy.
Um grande corvo negro mergulhou de novo. Sis estava por demais apavorado para olhar, mas à luz nua da lâmpada pendente, era visível que o corvo apanhara a libélula no bico. Com um arrepio das penas das asas, o pássaro sumiu como uma seta para cima no ar. Tudo voltou ao silêncio, a não ser pelo arfar soluçante de Sis. Edgerton desaparecera na sombra, deixando Tommy a cuidar do ridículo choramingas.

CINCO

"Vivo e no entanto Morto"

Melquior ficou a imaginar se já estava morto. Não tinha certeza. Quando o corvo mergulhara, arrancando-o da parede, seu bico deveria tê-lo esmagado imediatamente, e ele ainda sentia sua pressão no meio do corpo. Asas negras batiam sem cessar acima de sua cabeça, invisíveis contra o céu negro, e quase silenciosas, a não ser pelos pequenos estalos metálicos das longas penas de vôo.

— Ele é inteligente e cruel — pensou Melquior com um tremor. — Está me mantendo vivo até decidir onde me partirá em dois ou me empurrará pela goela abaixo de seus horríveis filhotes.

Este pensamento não fez com que o pobre aprendiz desmoronasse. Ele não ligava para morrer, considerando o que vira naquela noite. Todo mundo que pertencia a seu mundo parecia estar morto, aliás. Com uma dor na alma ele viu o rosto de Merlim na sua imaginação, percebendo que jamais o veria de novo.

— Não tenha tanta certeza — disse o corvo, algo condescendentemente.

Melquior quase pulou fora do bico do corvo, de espanto.

— O quê? — exclamou.

— Eu disse, não tenha tanta certeza. Aquele por quem você perdera toda esperança está vivo, e no entanto morto — respondeu enigmaticamente o corvo. Melquior não sabia o que era mais espantoso, o fato de corvos falarem em enigmas, ou poderem ler a mente dos outros.

— *Eles* não podem ler mentes — disse o corvo. — Eu posso. — As bordas duras do bico do pássaro apertaram a libélula um pouco mais.

— Você está me apertando — protestou Melquior. Não houve resposta. Ele pensou que tudo aquilo devesse ser um terrível pesadelo, mas em seguida a pressão do bico foi ligeiramente aliviada. A premência de Melquior era por demais forte para ser inibida pelo medo.

— O que quer dizer com "vivo, e no entanto morto"? Meu mestre está perto? — insistiu ele esperançosamente.

— Seu mestre está em todo lugar, em nenhum lugar e em algum lugar. — Desta vez o pássaro pareceu inegavelmente satisfeito consigo mesmo, e Melquior teve plena consciência de que toda a conversa deles estava sendo conduzida dentro de sua cabeça. Isso fazia sentido, já que as libélulas carecem do dom da palavra, sem falar que o bico do corvo se ocupava em agarrar sua presa.

— Quem é você? — perguntou ele, num esforço de simplificar as coisas.

— Seu único amigo.

Melquior sentiu-se frustrado. Aparentemente, falar em charadas era o único meio de comunicação do pássaro.

— Solte-me — disse ele, contorcendo-se para escapar.

Este pedido não mereceu nenhuma palavra de resposta, apenas uma firme sacudidela da cabeça do pássaro. O aprendiz resolveu entregar os pontos. Ao fazê-lo, tornou-se mais consciente do ambiente em volta. A noite estava densa, e o corvo voava baixo, talvez uns vinte metros acima das copas das árvores. Seu corpo balançava com cada subida e descida das asas; Melquior sentia vagos engulhos.

De repente, com um barulho agudo das asas, pousaram em cima de um alto freixo, na periferia de um campo. Melquior não podia distinguir se a terra era devoluta ou agriculturável. Ele ficou a imaginar se haviam chegado ao ninho dele, onde os terríveis filhotes poderiam estar, quando uma voz impaciente disse:

— Averiguando. — Isso explicava aparentemente por que haviam feito aquela escala na árvore. No momento seguinte o pássaro alçou vôo e pousou num pequeno teixo. Com olhos pretos luzidios, ele esquadrinhava a noite, entortando a cabeça, como à escuta de ameaças invisíveis. Finalmente, o corvo parecia dar-se por satisfeito. Levantando vôo, planou brevemente no ar, antes de mergulhar de cabeça em direção à terra. Se Melquior tivesse disposto de tempo suficiente, teria entrado em pânico, porém o corvo arremeteu direto para a terra, entrando num buraco camuflado que o aprendiz nem sequer conseguiu ver.

— Aqui estamos nós — anunciou o corvo, enquanto deixava Melquior cair com um pequenino ruído em cima de uma macia pele empilhada de coelho.

— Onde é aqui? — indagou-se Melquior. Ele se acostumara ao fato de que o corvo podia ler sua mente, por isso não ficou alarmado quando o pássaro respondeu.

— Aqui é a casa, minha toca segura.

— Nunca ouvi dizer que corvos vivessem em tocas. — Melquior sentiu distintamente o cheiro de coelho, sem falar na pele sobre a qual estava pousado.

— Já ouviu falar de tudo? — resmungou o corvo. — Já ouviu falar, por exemplo, que os corvos são capazes de comer coelhos e adotarem suas casas como defesa contra o perigo? Espere até você ser uma águia antes de pretender conhecer tudo.

Melquior calou a boca. Fazia a mais negra escuridão dentro da toca, e por enquanto deu-se por satisfeito com não poder explorar o ambiente. Aparentemente, o corvo não tinha a intenção de comê-lo, pelo menos logo, e ele estava por demais desorientado para já planejar um modo de fugir.

— Fique à vontade — disse apaziguadoramente o corvo. — Com fome? Não tenho nenhuma mosca à mão, a não ser que se criaram larvas nos ossos do coelho, no cômodo de baixo. Poderia ir ver, se você quiser — ofereceu-se prestativamente ele.

— Não se dê ao trabalho — respondeu depressa Melquior.
— Tenho certeza de que não serei uma libélula por muito tempo. Sou um mago, sabe? Ou era um mago, quando gente igual à gente ainda existia.

— Besteira. É meramente um aprendiz, se formos nos ater à verdade literal, e poderá permanecer como libélula por mais tempo do que imagina, já que não assumiu esta forma por seu próprio poder, para começar.

Melquior ficou boquiaberto e completamente envergonhado. O velho corvo estava se revelando uma criatura muito sábia. Sabia ler a mente dos outros. Sabia tudo a seu respeito, salvando-o na quase escuridão quando estava prestes a ser morto, e para

culminar, conhecia os mistérios da magia como se tivesse existido há não sei quantos séculos.
— Podemos começar do começo? — perguntou Melquior, num tom de voz respeitoso, sentindo-se menos constrangido.
— Será que não aprendeu nada? — resmungou o corvo. — Não existe começo. E alguns começos são fins, aliás.
— É um enigma, tal como dizer que Merlim está vivo, e no entanto, morto.
— Os enigmas foram feitos para pirralhos. Estou simplesmente lhe dizendo a verdade.
Melquior ficou calado. Ele dispunha de poucas premissas sólidas para continuar, mas parecia-lhe que sobrevivera à calamidade de Camelot por meio de um feitiço; e portanto deveria estar no futuro. A paisagem, embora muito alterada, lembrava-lhe a da Inglaterra, e as pessoas pareciam inglesas. Vira o corpo de Merlim, que pertencia sem dúvida ao passado, mas através de um vidro que distorcia as coisas e, além disso, estava aborrecido e confuso.
— Aquele não era o corpo de Merlim — interrompeu o corvo, depois de seguir o fio do seu pensamento.
— Não era? — O coração de inseto de Melquior, apesar de ser apenas um orgãozinho enrugado, deu um pulo. — Na realidade ele não está morto? — perguntou timidamente.
— Garoto esperto, você chega lá — respondeu o corvo, num tom de pretenso elogio. — Mas estou com sono.
— Não, você precisa responder às minhas perguntas.
O corvo sacudiu as asas de maneira um tanto ameaçadora e levou seu bico afiado como uma navalha um centímetro mais perto da pele de coelho empilhada.
— *Precisa*, meu rapaz? Duvido muito — rosnou.
De repente a cabeça do corvo desapareceu sob a asa, o que Melquior interpretou como significando que não haveria mais respostas para perguntas aquela noite.

O policial Hamish McPhee pensava como policial, agia como policial, sentia como policial. Qualquer pessoa menos disposta a ser um estereótipo ambulante do policial inglês, teria se enchido de espanto diante do desaparecimento de um morto. O espanto deveria ter ocupado um lugarzinho na sua reação. Mas não ocupou. Hamish ficou simplesmente furioso, botando fogo pelas ventas de justa indignação, como se um criminoso malandro tivesse escapulido da cadeia.

— É um ultraje, fazer esse tipo de brincadeira — explodiu ele. — Se um dia eu botar as mãos nele...

— O que faria? — perguntou Artur. — Ele já está morto.

— Não vem ao caso.

— Não vem?

Hamish fez uma careta e não disse mais nada. Faltavam poucas horas para o amanhecer, e Artur estava trabalhando no seu segundo turno ininterrupto.

— Estamos mandando McPhee procurar indícios. Vá com ele e lhe mostre o que viu — dissera o sargento do registro de ocorrências. Os dois homens começaram refazendo o caminho da ambulância, da cena do crime ao hospital. McPhee ligara o farol de mão, apontando-o para os lados da estrada. A turma de manutenção roçara o capim e o mato uns três metros de cada lado; não havia lugar onde um corpo pudesse se esconder.

— Talvez alguém o tenha levado — sugeriu Artur.

— A noventa quilômetros por hora? Nada plausível.

— Onde acha que ele está, então?

— Como vou saber? Se ele tivesse um pingo de juízo, estaria no necrotério.

A chuva da noite fora substituída por neblina baixa, que entrava e saía do feixe do farol deles, sob a forma de manchas fantasmagóricas. Artur ficou calado. Não sentia mais espanto ou alarme, e sim algo muito mais irracional — aceitação. O desaparecimento do velho era exatamente o que tinha de acontecer em seguida.

— Não deveríamos estar procurando nas valas? — perguntou Artur.

— Isso seria muito descuido do velho Merlim. Ser jogado em duas valas numa mesma noite.

Por algum motivo, Artur achou este comentário chocho altamente engraçado. Começou a rir e não conseguia parar. Quando finalmente parou, McPhee olhava-o fixamente. Artur disse:

— Você não acha mesmo que a gente vá achá-lo, não é?

— Homem morto fugido, pode estar armado e é perigoso — brincou McPhee. — Tenha paciência. Estamos quase chegando ao hospital.

McPhee tinha um senso danado do dever; era seu lado previsível, como os cigarros e a cerveja amarga. Pararam na entrada circular do hospital. Várias ambulâncias estavam estacionadas sob a marquise na entrada, com as luzes desligadas. No entanto, Artur não avistou a equipe da noite anterior.

— É melhor ir averiguar lá dentro — disse McPhee, deixando o assento do motorista.

— Eu espero.

Passaram-se alguns momentos e McPhee estava novamente de volta.

— Que azar — disse desconsolado. — Elas trabalham em turnos alternados de 36 horas, as equipes de ambulância, e a nossa está de folga até quarta-feira. Teremos de dar um pulo onde moram ou então voltarmos. — Ele engrenou o carro e rodaram suavemente pela entrada circular, entrando no tráfego.

Vários quilômetros depois, a rodovia fazia uma curva apertada, em volta de um curral de carneiros com muros altos de pedra. A neblina se acumulava. Dois vultos escuros apareceram contra a neblina cinzenta. Artur dobrou o pescoço para frente para ver o que eram. Cavalos. Dois cavalos estavam no acostamento, a menos de dois metros de distância da janela de Artur. Um deles empinou e começou a atravessar correndo a estrada.

— Cuidado! — gritou Artur. McPhee já apertara com força o freio. Os faróis varreram erraticamente o asfalto escorregadio, enquanto o carro girava num semicírculo, parando com um cantar de pneus.

— Meu Deus, que susto — exclamou McPhee. Ele enxugou a boca com a mão; seu corpo cedeu, como se tivesse recebido um socaço nas vísceras.

— Você está bem?

— Eu? Perfeitamente. Só preciso de mais um ano ou dois para recuperar o fôlego.

Artur balançou a cabeça e saiu do carro, do seu lado. Os cavalos tinham ido embora.

— Deixe-me dar apenas um rápida olhada. — Caminhou até onde os animais haviam aparecido. A neblina enchera uma grande vala, e ele levou um tempo antes de perceber que aquele local era quase exatamente o mesmo onde o velho encontrara seu fim. A espinha de Artur pinicou um pouco, mas não obstante sentiu a mesma aceitação tranqüila de antes. Tendo-se lembrado de trazer uma lanterna, dirigiu seu facho para a vala onde o corpo estivera.

Artur sentiu que o pavor esvaziava seu peito com um jato frio de ar. Alguém, um vulto indistinto, foi apanhado pelo feixe de luz. A neblina desigual se moveu e abriu um pouco; era o velho, sentado no chão, como se estivesse à espera de Artur.

— Passei por um mau momento — disse o velho, olhando para cima. — Você nem pode imaginar. — Ele estendera seu suéter folgado no chão para sentar em cima dele, de modo a não ficar enlameado. A mão de Artur começou a tremer, fazendo com que a luz dançasse para lá e para cá. O poderoso feixe iluminou a barba do velho, ao passar por ela.

O velho sacudiu a cabeça.

— Estão todos com medo, majestade. — Ele não deu um intervalo para esperar a reação de Artur, mas continuava a murmurar, como se fosse consigo mesmo. — Parece que perdi a rainha, e ficar perambulando pelo limbo não é nenhum piquenique, se este for o destino dela. Já que foi meu discípulo, foi mais fácil achar você. Mas levou tempo, levou tempo.

Ah, meu Deus. Artur tentou gritar. Mas sua boca secara — tinha a impressão de que asas de traça enchiam sua boca.

— Você está vivo — sussurrou ele.

— Bem, sim e não — disse o velho pensativamente. — Será que temos tempo para discutir isso neste exato momento? — Os pés de Artur pareciam insensíveis e pesados. Ele não conseguia se afastar; não encontrava em si o desejo de se mexer, em absoluto. O velho parecia cansado.

— É muito chato, devo dizer, vê-lo aí me olhando boquiaberto. Você sabia que voltaria; sabia que eu estaria lá. O plano funcionou bem. Por que encenar um melodrama? — Ele levantou a mão, num gesto de chamamento.

Como uma marionete bem-comportada, as pernas de Artur começaram a carregá-lo ladeira abaixo. Sentiu um punho que apertava seu coração, e os sons só chegavam a seu cérebro como se tivessem que atravessar uma peluda espessura. *Tem gente que morre assim de choque*, pensou ele.

— Agora está melhor — disse o velho com maior delicade-

za. — A rede do tempo nos puxou novamente. Eu jamais duvidei, majestade, apesar de tudo. — Ele parecia presumir uma relação íntima com Artur. Era espantoso, além de esquisito.
— Deixe-me ir — conseguiu falar Artur.
A tristeza coloriu a expressão do velho.
— Ir aonde? Quer dizer, de volta a seu colega? Não tenha nenhum receio. Esse caipira achará seu cochilo muito repousante. — Artur lembrou-se que Westlake empregara a palavra *caipira* há apenas algumas horas.
— Só quero dizer que me deixe ir — disse Artur, embora continuasse a avançar, até ficar diretamente em frente do velho, que permanecia sentado.
— Não sou nenhum hipnotizador barato de espetáculo. Você está livre para ir embora a qualquer momento que queira. Não está demonstrando sua celebrada cortesia, é preciso que lhe diga. Desculpe-me por não me levantar. Depois de dar vida aos mortos, é melhor deixá-los receber energia do solo. Uma hora ou duas basta. Já recebi mais ou menos uma hora e meia. Muito estimulante.
— Dar vida aos mortos? Quem é você?
— Merlim. Você sabe. Andou me chamando pelo nome a noite inteira. Acontece que estava certo.
Artur ouviu-se a rir. Num mau filme ele deveria dizer:
— Você é apenas um fragmento da minha imaginação, não é? Irá embora logo assim que eu acordar. — Ninguém jamais diz isso realmente, pensou Artur. Continuam tranqüilamente a acreditar em suas alucinações até que suas vidas se desmoronem e sejam encerrados em lugares onde todo mundo come com colheres de plástico.
— Você está delirando — frisou displicentemente Merlim.
— Obrigado — disse Artur, surpreso de ver que seu autocontrole voltava. — Isto é a coisa mais ajuizada que ouço em muito tempo. — Ficou espantado que pudesse tentar uma brincadeira quando sentia sua mente prestes a se desintegrar.
— Não quero dizer inteiramente delirante. Só por um segundo. Ajudarei. — Merlim levantou-se e apertou sua mão direita no peito de Artur, bem em cima do esterno. Com uma inspiração estertorosa, Artur voltou completamente a si. O punho que agarrara seu coração, desfizera sua pressão, substituindo-a

por uma sensação fluida, calorosa. Era um líquido delicioso, como se seu coração conseguisse provar da doçura.
— Isso é o néctar — comentou displicentemente Merlim.
— É maravilhoso — murmurou Artur, envolvido pela deliciosa sensação. Gostaria que ela continuasse para sempre.
— Não me agradeça. É feito pelos deuses.
Artur não compreendia por que o solo não balançava. Sem aviso, a realidade varria-o com tremenda velocidade, como se estivesse amarrado na proa de um navio em meio a um mar proceloso. A calamidade poderia cair a qualquer momento sobre sua cabeça, mas sua única opção era se manter seguro.
— Quer fazer o favor de responder às minhas perguntas? — O velho balançou a cabeça. — Você estava morto. Vi o cadáver, com o pescoço quebrado e tudo. Em seguida ouvi uma voz dizendo que precisavam de mim, eu não sabia para quê. Era sua voz? Se assim for, o que você quer, e como conseguiu ressuscitar os mortos, conforme afirmou, e por quê, sobretudo, por que eu?
— Uma porção de perguntas.
— Só parei porque me faltou fôlego. — Artur sentiu o impacto absurdo de toda aquela noite maluca. Merlim estendeu a mão para tocar no seu peito. — Não, obrigado, não de novo. Quero dizer, foi ótimo, mas eu gostaria de abordar este assunto sem o líquido de brinquedinho, se não se importa.
Merlim examinou-o de perto.
— Você mudou. Mas está bem. — Seu olhar aprofundou-se, e antes que Artur pudesse reagir, o ânimo do velho sofreu uma alteração momentânea. A máscara do cavalheiro ligeiramente excêntrico desapareceu. Em seu lugar, desceu um manto de sabedoria e autoridade.
— Falarei com você a este respeito uma vez, e só uma única vez. Você não imagina em que perigo mortal me meti. Este não é meu corpo, mas o corpo de um pobre coitado, assassinado porque teve o infortúnio de ser muito curioso. Sua morte não foi natural, e fui capaz de intervir no sentido de ocupar durante certo tempo seu invólucro mortal. Deus permita que nós possamos devolvê-lo a ele algum dia. É por isso que estou vivo, e no entanto morto.
Artur soube de repente que precisava fugir correndo, ou então se perder. O vórtice de irracionalidade estava puxando-o, e

seu poder racional falhava, como uma vela bruxuleante exposta ao vento.
— Não — ordenou Merlim. — Fique e escute. Depois decida. — Artur viu-se incapaz de resistir. Em todo o inacreditável negócio que se seguiu, esta foi a única vez em que Merlim despojou-o de seu livre arbítrio. Ele estava paralisado, congelado numa atenção cativa. Seu medo foi afastado durante os próximos minutos; sua mente jamais esteve tão lúcida antes, em toda sua vida.

Merlim prosseguiu:
— Há uma batalha sendo travada que diz respeito a seu destino e o de todos que você ama. Não é certo que lado vencerá. Você certa vez deteve grande poder em favor de um lado, que é o da luz. É por isso que precisam de você. O exército das trevas sabe que você é a chave. Que outro motivo me faria levar tanto tempo para achá-lo? Mordred, o comandante deles, possui a capacidade desumana de romper o tecido do tempo. Ele assim o fez e te jogou longe, muito longe. E em sua malícia deve ter jogado Guinevere por um caminho muito mais tortuoso; preciso ainda resgatá-la.

— Mas farei, com sua ajuda. Você não sabe quem é, mas eu sei. Não é fruto de uma simples compulsão ter-me revelado a você, ou a qualquer outra pessoa, mas assumi uma responsabilidade e preciso dar conta dela. Uns poucos que me são caros se encontram perdidos nesta terrível época e neste terrível lugar. Estamos presos na pior, na mais cruel das épocas. Pensei muito e com muito cuidado antes de me aventurar por aqui.

— Toda a situação está repleta de perigo. A qualquer momento *ele* poderia te riscar da existência. A partir da opressão no ar, consigo sentir sua presença. Precisaremos de toda nossa inteligência para sobrevivermos. Não posso transmitir com segurança mais do que transmito. Todo pedacinho de loucura que você possa achar que digo serve para protegê-lo. Cada pedaço de sentido que você possa compreender, só o expõe a um perigo mais grave. Mordred conhece os rebeldes por seus pensamentos, por isso devemos agradecer a Deus por enquanto, pelo fato de você ainda ser ingênuo.

O velho terminara. Tão depressa quanto assumira o ar de autoridade, este se dissolvera. O velho parecia diminuir, e o fogo

de seu olhar se extinguiu. Artur, liberto de sua paralisia, estendeu o braço, como à procura de alguma coisa em que se apoiar. Ele se deixou lentamente cair por terra, ficando de joelhos ao lado de Merlim. Poderia ter sido o gesto de alguém dominado pela reverência ou pela confusão. Artur inclinou-se mais em direção à orelha de Merlim e cochichou, como conspiradores conspirando:
— Fui melhor discípulo do que você pensa. O ingênuo sobreviveu muito tempo, a se esconder do inimigo. Não pode imaginar há quanto tempo espero por você.

Os dois se entreolharam com uma nova compreensão, com lágrimas brotando em seus olhos. Por um breve momento, se encontravam fora do tumulto da história, cada um sabendo que seria chamado dentro de instantes de volta ao palco do tempo. Relutavam em voltar a vestir seus figurinos, o que é sempre o caso quando o puro espírito brilha através do disfarce da carne. Artur deu um suspiro.

— Segurança acima de tudo — disse gravemente. — Teça o feitiço do esquecimento novamente a minha volta. — Merlim balançou a cabeça.

Levou apenas um segundo. Artur levantou-se, parecendo perplexo. Um branco momentâneo parecia estar se dissolvendo na sua cabeça. Sabia que vira alguém na vala e descera para investigar. Ele levantou sua lanterna, cujo feixe de luz recaiu sobre um estranho todo enlameado.

— Você não deveria estar aqui, sabe? — disse Artur. — Está frio.

— Eu sei. Obrigado por sua ajuda. Eu devia estar andando por aí. — O velho se levantou, mal saindo da luz da lanterna.

Artur avistou alguma coisa no chão; inclinou-se e apanhou uma luva macia de pelica marrom caída na lama.

— É sua? — O outro homem já estava se afastando.

— Não, guarde para você — disse ele displicentemente. — Acho que precisará dela.

— Verdade? Por quê?

O homem já escalara a subida da vala e estava prestes a sumir de vista. Virou-se por cima do seu ombro.

— Porque houve um assassinato, e isto aí, meu amigo, é sua única pista.

SEIS

Uma Corja de Corvos

— Café da manhã? — perguntou o corvo num tom persuasivo de voz. — Algumas larvas enchem bem a barriga.
— Não, por favor. — Melquior estremeceu, recusando da maneira mais delicada possível.
— Uma pequena centopéia, então? Vejo que você está querendo alguma coisa. — Tal como um mordomo a passar uma bandeja de canapés, o corvo empurrou com o pé um pequeno ser que se contorcia pelo piso da toca.
— Não devo — suplicou Melquior, porém notou que, ao mesmo tempo, suas mandíbulas de libélula se abriam e fechavam avidamente e seu saco estomacal tremia. Esta era de longe a forma mais desagradável que ele jamais assumira. O corvo notou suas reações e começou a rir. Melquior mexeu as asas, à medida que um raio do sol da manhã infiltrou-se vindo de cima. — Posso lhe interromper agora? — perguntou com cautela. — Você me deixou perplexo ontem à noite sobre uma porção de coisas.
— Te deixei perplexo? Em relação a quê? — perguntou o corvo, entortando a cabeça. Esta era a primeira vez em que Melquior o via durante o dia e percebeu então que o pássaro devia ser muito velho. As penas na cabeça haviam ficado quase completamente grisalhas e, aqui e ali, sob as manchas de calvície, brilhava a rara plumagem do pescoço.
— Não posso compreender por que não quer dizer se meu mestre está vivo ou não. Isso não pode ser tão confuso assim. Quem era aquele corpo ao lado da estrada? Bem que parecia com meu mestre.
— Semelhança superficial — murmurou dolorosamente o

corvo — com conseqüências funestas. Não foste o único a imaginar que Merlim estivesse presente entre nós.
O coração de Melquior deu um pulo.
— Então ele não está? Ou está? — gaguejou.
— Não é muito saudável demorar-se nesse assunto. Digamos que você esteja na pista certa — respondeu sentenciosamente o corvo. A carapaça segmentada de Melquior rangeu de impaciência, e não fosse o pássaro grisalho sessenta vezes maior, ele o teria mordido de frustração. A sabedoria aconselhou-o, entretanto, a ficar calado e esperar. — Não sou um mistificador — prosseguiu devagar o corvo — mas seu amigo carente, por enquanto seu único amigo aqui.
— Eu sei — admitiu apologeticamente Melquior. — Sou muito grato por me ter salvo do aniquilamento certo.
— Não se trata bem disso. Quem diz que você morreria ou sofreria outra transformação? Muitas coisas desse gênero ainda podem te esperar no futuro. Mas eu sou, como disse, seu único amigo aqui. Isso não o faz perguntar *por que* sou seu amigo e *como* sabia que você haveria de chegar? — Sem dar tempo de uma resposta, o próprio pássaro respondeu a suas perguntas. — Para ajudá-lo a entender, minha família não é simplesmente a dos corvos comuns, mas a do castelo de Dolbadarn, de emissários reais. Vivemos nestas ilhas há dois mil anos. Você nunca viu nosso castelo, dentro de seu vale cheio de lagos, cercado de picos nevados. Fica a muitas léguas a oeste de Camelot.
— No País de Gales, certa vez Merlim me levou a essa terra.
— Não importa — disse o corvo irritado. — Apenas escute. Sou um mensageiro, não uma tola ave de rapina, e minha mensagem é capaz de salvar muitas vidas, inclusive a sua, senão todo o reino. — Espantado com a admoestação, Melquior ficou calado.
— Na época em que a torre de nosso castelo foi erguida por Llywelyn o Grande — recomeçou o corvo —, o reino do País de Gales se encontrava em perigo. Os invasores ingleses encontraram uma feroz resistência por parte dos rebeldes; correu sangue pelos verdes vales, desde o Severn até Holyhead, e os galeses, inferiorizados em quantidade, precisavam muito de trabalhos de magia para auxiliá-los em sua causa.
— Isto foi na época de Merlim?

— Nada disso. Foi no século XIII, no reinado de Eduardo Canelacomprida, uns bons sete séculos depois da queda de Camelot. Você perdeu isso tudo, acredito. Porém, o nome de Merlim tinha grande prestígio no País de Gales, e quando Llywelyn reuniu suas forças exaustas no topo do desfiladeiro de Llanberis, chamaram-lhe atenção dois corvos que circulavam e crocitavam acima de sua cabeça. "É aqui que nossa fortaleza deve ser construída. Merlim mandou um augúrio", disse ele. E assim, meus antepassados fizeram lá seu ninho, no dia em que terminaram a torre do castelo.

— Foi Merlim que mandou os pássaros? Ele ainda estava vivo sete séculos depois?

O corvo sacudiu a cabeça.

— Estou vendo que Merlim deixou muita coisa incompleta em sua educação. — Melquior sentiu-se constrangido, porém a voz roufenha do corvo tomou um tom mais simpático. — Eu estava apenas frisando que certos assuntos não lhe foram ainda revelados — disse ele. — Em primeiro lugar, minha família é de mensageiros por direito e obrigação. Antes de meus antepassados no País de Gales, havia os corveaus franceses do Valois e, antes deles, gerações e mais gerações cuja tarefa fora sempre a mesma — saber. Aquilo que Merlim queria transmitir como sabedoria vital, nós preservamos até que o momento esteja maduro.

Melquior refletiu um segundo.

— Então Merlim previu o futuro e transmitiu aquele augúrio especial por meio de sua família — aventou ele. O corvo fez que sim com a cabeça. — Mas se for o caso, então seus antepassados tinham que viver setecentos anos. Pensando bem, se lhe mandaram me salvar, você deve ser... — Aqui o aprendiz hesitou em seus cálculos. Teve a súbita noção de que não sabia há quantos séculos vira Merlim pela última vez. Ele desejou de repente que o sentencioso corvo simplesmente lhe dissesse logo onde estava seu mestre.

— *Estou* lhe dizendo, da maneira mais direta possível — retrucou o corvo, com as penas arrepiadas. Melquior vivia esquecendo que seu único amigo conseguia ler a mente. — O fato é — prosseguiu o corvo — que os pássaros não sofrem o incômodo da identidade individual. Talvez tenha reparado que não me apresentei com um nome, porque não preciso de um. Não se trata de falta de delicadeza. Já se caluniaram os corvos como sendo pássaros grosseiros e cruéis, simplesmente porque matamos para comer, porém o delfim da França fez o mesmo, não fez? Os papas Médici eram conhecidos por apreciar pratos de pombos novos assados. Ostentando esta bela cor negra em nossas costas, somos vítimas da mais hedionda suspeita, e enquanto vocês dizem um bando de gansos, uma revoada de cotovias, uma nuvem de pombos, como falam a nosso respeito? *Uma corja de corvos!* Que ultraje!

A voz enojada do velho pássaro se alteara até virar um guincho rouco, mas Melquior não ousava lembrar-lhe que ele estava fazendo uma digressão. O corvo sacudiu a cabeça.

— Onde estava eu? Ah, sim. Não é necessário que minha mente viva centenas de anos. Todos nós carregamos as mesmas memórias ancestrais, e quando um de nós passa por sua última muda, a totalidade de sua sabedoria penetra no fluxo da memória dos corvos. O fluxo flui para sempre, razão pela qual eu te disse na noite passada que não existe começo nem fim, e que alguns fins são começos disfarçados. Eu mesmo nem chego a ter meio século, e no entanto posso contar exatamente o que aconteceu no dia da queda de Camelot.

Melquior zuniu freneticamente.

— Conte-me — implorou.

O corvo ficou calado e cravou um olhar arrasador em Melquior.

— Meu Deus, como posso ser tão tolo. Estou falando com uma libélula.

— Mas sou uma libélula muito inteligente — protestou Melquior, sentindo imediatamente quão ridículo fora seu comentário. Sentiu que o pássaro estava prestes a entrar num outro longo período de silêncio, mantendo-o para sempre quase no alcance de coisas que ele tão ansiosamente precisava saber.

— Sem querer insultá-lo — disse o corvo secamente —, mas a libélula mais inteligente é mais burra do que um besouro de esterco, que não chega a ser exatamente mais esperto do que o próprio esterco. — E com este insulto, ele pegou o estupefato aprendiz com seu bico, saiu da toca com dois pulos rápidos, e alçou vôo.

— Não consigo agüentar mais! — gritou a mente de Melquior. — Onde está ele? Onde está meu mestre?
— Não seja tão idiota — crocitou o corvo. — Sinta a presença dele.
— O que acha que andei fazendo, seu velho e pomposo farsante! — gritou Melquior. — Ele não está aqui, não existe nenhum mago nesta terra, nossa magia está destroçada e seu bico está quase me esmagando!

Aparentemente, o corvo não apreciava receber insultos, já que deu um apertão especialmente forte no meio esguio, quase uma agulha, Melquior, antes de aliviar a pressão.

— Pare de entrar em pânico — ordenou ele — e sinta novamente, não em busca do Merlim que você conheceu, mas daquele que você precisa encontrar.

O aprendiz não tinha a mínima idéia do que falava o pássaro. Ele se contorcia e se mexia, mas depois de alguns minutos de inútil esforço, obedeceu. Seu pânico diminuía e, num estado de espírito mais calmo, mandou seu espírito sutil esquadrinhar a colcha de retalhos marrom e verde que passava voando sob eles. Nada.

Ele dirigiu sua consciência em direção aos morros dos arredores, sedes de fazenda, até mesmo para a chaminé que ainda vomitava fumaça como um dragão moribundo. Não teve como resposta nenhuma vibração; seu corpo tremia no vazio. Com uma sacudida da libélula, o corvo apontou-lhe a cidade cinzenta e desinteressante a alguns quilômetros de distância.

— Sinta! — sibilava ele insistentemente.

Um ligeiro tremor de reconhecimento percorreu Melquior.

— Você está certo — sussurrou ele. — Há alguma coisa. Está muito fraco e vago, não é meu Merlim, mas é, é... — Faltaram-lhe as palavras.

— Cheira ligeiramente a magia — concluiu o corvo em seu lugar. — Sem dúvida — repetia ele, satisfeito com sua expressão — há algo que cheira a magia no ar. É por isso que ele te chama.

— No instante seguinte ele mergulhou em direção a uma estrada de asfalto de duas pistas, seguiu-a por quase um quilômetro, e foi pousar num surrado poste de cerca. Melquior estava por demais agitado para prestar atenção.

— Mas a sensação veio daquela triste cidade cinzenta. É

uma terra arrasada, um túmulo de magia, como conseguirei encontrar alguma coisa ali? Com a segurança de um Houdini emplumado, o corvo só murmurou:

— Tudo será revelado.

Depois de Tommy ter deixado Sis chorando na escuridão, Edgerton trilhara sozinho os caminhos de St. Justin. A noite ficou fria. Edgerton estava com raiva e se sentindo sozinho. Se ele tivesse ido novamente para casa com aqueles diaristas, talvez o problema não tivesse começado — não, não teria. Ele era por demais detestado, para início de conversa.

O incidente que causara seu isolamento era uma coisa bastante bizarra. Certa manhã, o mascote do colégio, um velho spaniel chamado Chips, foi ouvido a uivar e correr desesperadamente em círculos em seu canil. Seu rabo havia sido incendiado, reduzido a um doloroso tecido nu e rosado. O bicho entrou em estado de choque e foi salvo por pouco, depois de ter sido levado às pressas para o hospital veterinário. O Sr. Phelps, o diretor, ficara uma fúria.

— Descubram quem fez esta coisa hedionda; usem a vara, se for preciso — disse ele aos professores na sala de estar aquela tarde.

Os professores transmitiram a palavra de ordem aos bedéis, que fizeram grande pressão sobre os outros garotos para espionarem, confessarem ou delatarem alguém. O desfecho de virar pelo avesso todo escaninho e colchão no colégio não revelara nada: nada de fósforos, nada de trapos embebidos em óleo, nenhuma lata de combustível, apesar do cheiro de querosene perdurar durante dias no infeliz Chips.

Embora ninguém tivesse visto mesmo Edgerton fazê-lo, os boatos sussurrados visavam-no principalmente, e seu hábito de brincar com fósforos, que datava da infância. Ele já o encrencara antes.

— Ele é um verdadeiro coroinha — diziam a respeito de Edgerton. Coroinhas estavam um furo abaixo do estigma social. Ou eles haviam se encrencado tantas vezes com a polícia que o juiz queria guardá-los na detenção e jogar fora a chave, ou então seus pais os haviam simplesmente abandonado para que pudessem ficar perambulando pelas ruas. O motivo por que acabavam em St. Justin era a igreja. Em alguns casos extremos, se o tribunal de menores achasse que o garoto era recuperável, a igreja exerceria seu dever cristão e tomaria conta do infrator. Depois de um banho para eliminar os piolhos, e um novo uniforme de calças de flanela cinza e camisa branca, lá entraria ele para as fileiras de St. Justin.

Na noite em que encontrou Sis e Tommy, Edgerton estivera horas do lado de fora na chuva, sozinho. Oficialmente, morava em casa, mas também se sentia como um estranho ali. Seu cabelo escuro estava emplastado na testa; frias gotículas escorriam pela parte de trás de seu pescoço, empapando o colarinho de sua camisa branca do colégio.

Edgerton se recusara a acreditar que Sis e Tommy haviam testemunhado realmente um assassinato, porém enquanto chutava sua bola de futebol no caminho, cismava sobre aquelas notícias. Imaginou um cadáver ensangüentado ao lado da estrada, e durante algum tempo essa imagem o distraiu das cenas de vingança que geralmente enchiam sua cabeça.

— Merda — murmurou ele —, eu devia ter fugido deste inferno e deixado tudo se danar. — Deu um violento chute na bola de futebol. Rolou por uma parede, em seguida ele ouviu o barulho de vidro quebrado. Edgerton olhou nas sombras. Uma janela quebrada, mais baixa do que sua cintura, mostrava-lhe seus dentes irregulares. A bola sumira.

Ele praguejou de novo. Não fora fácil roubar aquela bola da loja de artigos esportivos. Ao olhar para dentro da janela, conseguiu ver muito pouco. O colégio colocara lâmpadas fracas aqui e ali entre os prédios, e à luz delas mal dava para ele distinguir o depósito de lenha no porão. Pedaços de madeira jaziam apodrecendo, como se estivessem ali há mil anos. Uma fornalha asmática pulsava em algum lugar não muito distante.

Tentou pular a janela, mas não adiantou — havia muitos cacos de vidro quebrado. Se ele conseguia ouvir uma fornalha, raciocinou o garoto, deveria haver uma porta, ou pelo menos um despejadouro de carvão ali perto. Ele hesitou, perguntando-se o que faria em seguida, quando o brilho de uma luz se espalhou pelo recinto.

— Joey? — sussurrou ele, achando que o jamaicano que trabalhava na fornalha talvez tivesse entrado. Nenhuma resposta. A luz brilhou novamente, mais forte, expandindo-se em suaves ondas pelas achas de lenha. O brilho não poderia ter vindo da fornalha, já que mudava de cor; de ondas rosa-douradas a opalescentes verdes e azuis. Era como uma chama submarina, como dourado de fada numa gruta marinha.

Porém, não importa quão maravilhoso, não era a cor que parecia extraordinária, e sim a *sensação* transmitida pela cor. Chamava; era como braços amorosos e macios que queriam abraçar o menino e protegê-lo.

Eu te ajudarei a vencer o fogo.

A luz falava? Edgerton recuou, sentindo o ar frio na nuca. Tremeu e sacudiu seu longo cabelo úmido. Há quanto tempo ele estivera ali? Levantou o colarinho da jaqueta de lona. Uma janela do segundo andar se acendeu do outro lado do caminho, e um interno botou a cabeça para fora.

— Quem está aí? — chamou ele, num tom inamistoso de voz.

Edgerton se escondeu na sombra.

— Bedel, venha aqui, tem um fugitivo — gritou ironicamente a voz da janela.

Alguns outros meninos riram com estardalhaço. Eles estariam acordando os seguranças numa fração de segundo, se Edgerton não tomasse cuidado. Uma rápida olhadela mostrou-lhe que a luz diminuía no depósito de lenha. Deveria ir ou ficar? Quanto tempo levaria para encontrar uma porta?

Com todo aquele lixo jogado por ali e a confusão de caminhos inúteis e becos sem saída de St. Justin, é possível que ele tivesse que procurar durante horas, porém encontrou instintivamente os caminhos que precisava. Uma maçaneta enferrujada surgiu sob sua mão, e com um rápido empurrão ele abriu uma porta que dava para uma escada que descia nas trevas. Atrás dele havia agora mais vozes falando; parecia que o alarme do primeiro garoto não estava sendo levado a sério. Edgerton deslizou escada abaixo, deixando a porta aberta para que um simulacro de luz pudesse entrar.

Avançava mais pelo tato do que pelos olhos. Seus dedos deslizavam por um corrimão estragado de madeira até que ele terminara abruptamente, quase fazendo-o cair. Estendeu a outra mão e tocou uma parede fria e musguenta. Apoiando-se nela, prosseguiu pela escada até um patamar, que acabava num chão de terra.

— Merda — disse. Ratos e insetos corriam no escuro, perturbados pela primeira vez em cem anos, imaginava ele. Ultrapassar as pilhas de lenha não seria fácil, e não tinha a menor idéia em que direção olhava. Depois de um instante seus olhos se adaptaram. Ouviu o barulho de uma fornalha crescendo — ficava atrás dele num cômodo anexo, não na direção em que ele queria ir. Do lado oposto, distinguiu a janela que sua bola quebrara.

Algo acontecia. Desta vez a luz ficou duplamente mais intensa do que antes. Ondas de dourado, azul e verde desciam pelas paredes como uma cascata. Edgerton olhou para baixo e viu uma iridescência ondulante brincando sedutoramente por cima de suas roupas. Virou as palmas das mãos para cima e elas pareciam ter pegado fogo, mas sempre delicadamente. Ele queria seguir a luz, mas não havia nenhum lugar para onde ir, porque distinguiu na luminescência que o porão estava empilhado até em cima de carteiras quebradas, armários, espelhos partidos, e mobiliário que só um miserável louco pensaria em guardar, em vez de jogá-los no fogo. Então ele parou de olhar em volta. A luz absorveu-o por completo — a luz o *amava*.

Depois de alguns instantes que o menino desejava intermináveis, a luz começou a girar, bastante lentamente. Formou um vórtice e, sem pensar, Edgerton esticou os braços em direção ao teto, como se esperasse ser sugado para fora deste mundo. O vórtice brilhava com mais intensidade, como madrepérola exposta à lua cheia. Gradativamente, percebeu que o vórtice estava centrado num ponto a cerca de sete metros adiante. Caminhou até lá, querendo ficar dentro dele. Inexplicavelmente, isso era de grande importância. A cada passo a velocidade do movimento giratório aumentava e também a intensidade da luz, como uma fogueira de opalas.

— Aqui estou eu — pensou ele —, você me achou. — Essas palavras não eram algo que lhe ocorresse voluntariamente; exprimiam seus sentimentos mais íntimos quanto — quanto a? — a não mais se sentir perdido, a não mais ter que se preocupar, nunca mais. Talvez a luz pulsasse em resposta, não ficou claro.

Agora ele estava escalando a lenha escura, cujas farpas entravam nas palmas das mãos. Uma hora depois, suas mãos haveriam de doer, mas naquele momento ele não sentiu nada. Algumas achas a mais jogadas de lado, e lá estava ele no centro do vórtice.

Ele se alarmou ao perceber a coisa com seu coração. A luz mudara novamente. Empalidecendo! Não, por favor, não podia se apagar. Desesperado, agitou os braços, como se quisesse colher mais luz antes que ela se extinguisse. Sentiu-se como um vazio cuja vida se esvaía; suas vísceras consistiam numa caverna cheia de ar gelado. Quis entrar em pânico. Seria intolerável ser tão vazio assim; seria melhor ser cheio de queixas e ressentimento, como ele era antes, do que vazio. A luz compreendeu e parou brevemente de se extinguir.

Edgerton flagrou-se com a respiração parada e soltando um trêmulo suspiro. Passara. A luz em extinção já não existia mais. Ele teve vontade de chorar, sem se importar com quem pudesse testemunhar sua vergonha. O vazio perdurava nele; era agora felizmente mais tolerável. A errante bola de futebol rolou até encontrar seu pé, empurrada por uma acha deslocada.

— Aí dentro. Tenho certeza de que escutei uns barulhos aí.
— As vozes de alguns garotos gritavam da janela. Devem ter sido atraídas por todo o barulho que ele fizera. Ele recuou até a sombra, no exato momento que um feixe de lanterna vasculhou o cômodo.

— O que você está vendo? — Posso olhar? — Está me empurrando — recomeçaram as vozes dos garotos.

— Não, é apenas o depósito de lenha. Verdadeira armadilha para incêndios, como o resto deste lugar — disse, irritada, uma voz de professor. — Vocês garotos, voltem para dentro. Vamos mandar Jenkins esvaziar todo esse lixo mais tarde. Façam o que eu mando. — A lanterna penetrou pela última vez no porão, em seguida os passos se retiraram pelo caminho calçado de pedras, diminuindo ao longe.

Então, Edgerton percebeu que ele se enganara. O que estivera lhe acontecendo não acabara, não de todo. A luz sumira, mas sua mão se apoiara no escuro numa outra coisa. Ele sentiu a lâmina afiada crescer tal como uma sedosa morte e o cabo recoberto de couro, e na sua imaginação viu diamantes no guarda-mão. Mas este detalhe era difícil de dizer. Somente à luz do dia poderia ter certeza sobre os diamantes. Eram secundários, porque a coisa importante era inequívoca, jubilosamente inequívoca. Havia uma lâmina, um punho, um guarda-mão. Ele encontrara sua espada.

SETE

A Fonte do Cálice

Ao pousarem depois de seu vôo, o velho corvo depositou Melquior num poste gasto de cerca e olhou em volta.
— Bastantes melhoramentos por aqui — comentou ele, não de todo elogiosamente. — Mas acredito que aquilo que buscamos ainda esteja aqui. — Melquior não sabia o que era pior, a perplexidade em que o mantiveram por tanto tempo, ou a fome que fazia doer suas entranhas.
— Desça agora. Siga-me — ordenou o corvo. Com uma rápida batida de asas, ele cruzou uma curta extensão de gramado bem aparado, ladeado de rosas e pequenas árvores. As rosas ainda não estavam dando flor, mas uma tenra folhagem verde cobria seus espinhos. Os pés do corvo pousaram num piso de pedra em volta de uma fonte de jardim, ou uma fonte natural de algum tipo. Melquior seguiu-o voando e pousou ao lado d'água, que brotava num jato transparente, cascateando sobre três fileiras de pedra marrom.
— Onde estamos?
— Na Fonte do Cálice — respondeu o corvo, como se estivesse transmitindo a mais comum das informações.
— A Fonte do Cálice? — repetiu o aprendiz sem acreditar.
— Parece um lugar lógico para se ir, se você está precisando de um milagre — disse o corvo tranqüilamente. Melquior virou-se, percebendo os prédios baixos de pedra, o jardim suburbano, o barulho do tráfego na rodovia de duas pistas além da cerca.
— Se precisarmos de um milagre? — Ele repetia novamente as palavras do corvo como um idiota.

— Foi o que descobri. Se você tivesse o poder de se transformar numa forma decente, em vez de permanecer uma libélula ridícula, teríamos nos entendido com muito mais rapidez. — O corvo fez um intervalo momentâneo. — Libélulas rezam?
— Não.
— Por que tive de perguntar? — disse o corvo secamente.
— Bem, até onde sei, se você não for rezar, deveria simplesmente pular dentro d'água. — Melquior sentiu que seu corpo resistia instintivamente.
— Eu me afogarei — protestou.
— Está certo. Acho que sim. — O corvo parou. — Bem? Vamos lá. — Ele arregalou um olho luzidio como uma conta, à espera.

Que tipo de loucura era aquela?

— Eu não acredito que exista nenhum cálice nesta fonte — falou Melquior atabalhoadamente, tentando ganhar tempo. — Merlim me levou a esse lugar. Era a fonte mais funda de Camelot, cercada de impenetráveis florestas. Um círculo de poder das fadas o protegia da descrença, quatro espadas angelicais estavam cravadas nos pontos cardeais. A luz sacra dançava perpetuamente acima dela, meu mestre me ensinou ali a ver a luz. E me afogar é a última coisa...

— As coisas mudam com o tempo — retrucou maliciosamente o corvo, e antes que Melquior pudesse protestar de novo, o pássaro pegou-o sumariamente, apertando-o com força em suas garras, e o mergulhou na água que se represava em torno do jato.

— Não, por favor não! — suplicava em vão Melquior.

A fonte era muito fria, mesmo na luz do sol quente da primavera, e ele podia sentir a água penetrar, sufocante e pesada, em sua carapaça, à medida que as garras do corvo a rompiam, abrindo caminho até suas moles vísceras. Dominou-o o pânico, uma pressão intolerável sufocava seu espírito. Com um terrível estalo, sentiu seu corpo todo se romper, percebendo finalmente o que o corvo tencionara o tempo todo fazer com ele.

Estranho que naquele momento mortal, ele não tenha pensado em Merlim, nem em sua avó, nem no próprio Deus, mas em Mordred. O belo rosto com brincos de ouro do bastardo estava pousado sobre ele, com um olhar triunfante de ódio. A imagem era extraordinariamente nítida. Melquior respirava com dificuldade e lutava, mas enquanto seu corpo resistia violentamente à morte, sua espantosa lucidez de visão continuava. Viu Mordred passar suas mãos em macabros feitiços. As quatro espadas angelicais em torno da fonte — por que não as notara antes? — transformaram-se em olaias, que murcharam diante de seus olhos. O rosto de Mordred demonstrava um agudo prazer. Rosnou uma ordem e seus lugar-tenentes, vestidos de malha ensangüentada, acenderam uma roda de fogueiras além do perímetro do círculo das fadas.

— Ai, ai! — gritavam os soldados. Estavam tocando cavalos para dentro das fogueiras, e os cavalos relinchavam. Espadas cortavam suas garupas — não tinham escolha a não ser trocar a morte a suas costas pela morte que jazia à frente. Um a um mergulharam no fogo, e Melquior viu naquela luz terrível quem eram eles — as montarias de Lancelot, Galahad, Kay, Percival. Ele desviou os olhos, apavorado demais para procurar pelos cavalos do rei.

— Mais! — gritava a voz de Mordred. Uma multidão de anões corcundas se materializara do solo, arrastando enormes pedregulhos cinzentos pela terra sólida. Melquior reconheceu-os como elementais, súditos de Albrig. Com rostos monstruosos, como toupeiras glabras de focinho achatado, arrastavam suas pedras até o poço e as atiravam lá dentro. De início, as pedras desapareciam num silêncio sem fundo, mas dentro em breve Melquior passou a ouvir um ligeiro chapinhar d'água. Aos poucos a sacra luz foi se apagando em cima.

Mordred chamou um anão especialmente gordo e medonho.

— Vá ver se o trabalho de vocês está andando conforme minhas ordens — disse ele. O anão hesitou e olhou em seguida pela borda. — Está indo bem, meu senhor — tentou dizer, mas antes de as palavras deixarem sua boca, Mordred cortara sua cabeça, arremessando-a violentamente nas trevas. Duplamente temerosos, os remanescentes traziam pedregulhos ainda maiores.

Melquior estava por demais enojado para esperar pelo fim.

— Obrigado, meu Deus — rezou ele —, por me deixar morrer, em vez de sobreviver num mundo feito esse.

— Bobagem — disse a voz do corvo. — Tudo que você viu veio do passado. No presente, temos compromissos muito prementes.

Num instante, Melquior estava em pé ao lado do poço, sacudindo gotículas de água de suas penas. Ele estava totalmente molhado, e sua reação natural a esse desconforto foi abrir as asas e arrepiar suas penas. Isto lhe indicou que não estava morto e que, na verdade, não era mais uma libélula mas sim algum tipo de pássaro. Ele olhou para sua imagem refletida no poço — um corvo.

— Bastante satisfatório para um milagre de rápida encomenda — disse o velho corvo. — Está revestido de uma forma muito mais agradável, mas na realidade, sou suspeito para falar.

— Ele riu roufenhamente, enquanto Melquior tornava a abrir as asas.

Que alívio! Sentiu a força de seu novo corpo, muito mais simpático do que o de um inseto. Seu pescoço funcionava! Sua mente não zumbia mais. Na realidade, quando parou para pensar a respeito, quando empurrou delicadamente sua consciência naquela mente de corvo...

— Ah, sei coisas — disse, prendendo a respiração.

— Deixe-as serem absorvidas — ordenou o velho corvo.

Melquior jamais sentira semelhante sensação. Sua consciência flutuava no fluxo da sabedoria dos corvos; ele absorveu suas informações, e certos véus começaram a se afastar. Tal como prometera o velho corvo, ele agora sabia tudo sobre o dia da queda de Camelot. Viu Mordred aniquilando a terra. O Graal lhe escapara, levando-o a excessos de ódio como nem ele mesmo jamais experimentara. Sabendo que Merlim achara o cálice para Artur na Fonte do Cálice — assim corria a história desde aquele tempo — Mordred profanara o lugar além de toda redenção. Ou assim achara.

A mente dos corvos continha séculos comprimidos em momentos reveladores. Melquior testemunhou uma época de destruição, quando a Fonte do Cálice permaneceu seca, aparentemente para sempre. Então um dia, a mais ligeira umidade surgiu entre os destroços de pedra espalhados no chão: um pequeno filete d'água se juntou, e lentamente a fonte começou a brotar de novo, mas sem a doçura de sua antiga profundeza, mas também sem ter sido vencido. Viu os camponeses espantados achando o filete de água clara, viu que ele pouco a pouco ganhava força, enquanto os fiéis faziam suas orações a seu lado.

Seguiram-se curas e a aprovação da Igreja. Em seguida o fluxo de sabedoria dos corvos lhe transmitiu outra coisa, algo muito mais premente.

— O que estou fazendo pousado aqui? — crocitou agudamente Melquior. — O rei não está morto e o negócio com Mordred vai recomeçar. Tenho que ir até meu mestre, antes que seja tarde demais. Não sabe disso?

— Todos nós sabemos disso — respondeu o velho corvo. Melquior alçou vôo por cima das árvores, e seu tutor foi atrás. Embora com a forma de um corvo, ele também ainda era Melquior: com os traços de uma consciência de mago abrigados dentro de seu corpo emplumado. Mas estava abafada, como um bebê enrolado em grossas mantas para o batizado. Sua vontade individual era fraca, comparada à poderosa corrente mental dos corvos, que jogava sua individualidade de lado, como se fosse uma rolha numa enxurrada.

— Preciso recuperar a mim mesmo — pensou desesperadamente. Se ele pudesse desembaraçar sua mente do resto, seria capaz de pensar, de calcular uma maneira de sair de sua dificuldade. Ocorreu-lhe uma idéia. Se se transformar num corvo era resultado de um milagre, talvez devesse rezar por um contra milagre. Será que existia algo assim? Suas palavras começaram agora a surgir suavemente. — Ó Deus, amantíssimo Pai Celestial, salve este penitente que humildemente suplica Vossa infinita misericórdia, de sua humilde posição aos pés de Vosso trono. — (Se isto parece uma prece floreada, é preciso lembrar que a origem medieval de Melquior permitia-lhe inventar facilmente uma formidável oração.)

No entanto, assim que Melquior recuperou a si mesmo suficientemente, a ponto de poder fazer sua súplica, esqueceu como fazer funcionar seu corpo de pássaro. O poder mental dos corvos se enfraqueceu, e ele começou a cair do céu como uma pedra.

Não resista. Confie.

A mente dos corvos trouxe-lhe esta útil admoestação bem na hora — ou talvez, fosse na realidade a resposta de Deus a sua oração. De qualquer maneira, Melquior quase morreu numa queda livre, o que fez com que seu coração se sentisse apertado por um nó de pavor. Somente segundos antes do impacto é que ele esqueceu onde estava, o que felizmente deu à mente dos corvos oportunidade de assumir novamente o controle. Com um golpe hábil de suas penas de vôo, endireitou-se, e pelo restante do seu vôo, Melquior convenceu sua mente a não resistir. Era realmente muito agradável não resistir. Ele flutuava num silêncio gradativamente mais profundo, e enquanto o vento de maio corria por entre suas penas, algo quente dentro dele começava a se avolumar e se transformar em sabedoria. A corrente de consciência dos corvos não lhe arrastava apenas como uma folha solta; estava sendo conduzido à presença misteriosa que o velho corvo entendia tão profundamente. Os pássaros haviam entrelaçado suas vidas ao sofrimento e confusão da humanidade. Devoraram os olhos de saxões vencidos que jaziam nos campos de centeio a queimar, séculos atrás. Um esganiçado crocitar de alarme salvou um rei celta que se esquecera de olhar para trás ao levar numa caçada seus ambiciosos nobres. Numa memória feita de cochichos, os corvos absorveram palavras mágicas impressas por magos e mensagens transmitidas por reis.

No desenrolar do pergaminho do tempo, Merlim e Artur surgiram como clarões, e por um instante Melquior tentou pular atrás deles — mas eles eram apenas bolhas, imagens que se dissolviam como espuma na crista das ondas. Ele acumulou tanta emoção dentro dele que a alegria e a tristeza brigavam entre si e se cancelavam. As épocas se extinguiam como curtas velas; grandes domínios feudais desmoronaram e foram dispersos como pedaços de palha.

Enquanto tudo isso acontecia em sua mente, os verdes campos de Somerset que deslizavam embaixo deram lugar a uma paisagem urbana. Colinas cobertas de grama se transformaram em prédios de pedra com janelas meio cobertas por venezianas. Ele estava voando por cima da rua principal de Gramercy, e os telhados sujos de St. Justin avultavam depois da elevação sobre o riacho. A rua principal estava cheia de gente e de carros. Pareciam comuns e ao mesmo tempo diferentes. Como se tivesse olhos atrás dos olhos, a lenta multidão tomou o aspecto de nuvens de energia ambulantes. Neblinas de sensações, vapores emocionais. Gêiseres de ódio e lama borbulhante e fervente de ressentimento. Uma terrível paisagem feita de vidas fervendo em fogo baixo sob a agradável rotina de passear e fazer compras.

— Aquela mulher acabou de perder seu bebê na multidão e

está agoniada para achá-lo — pensou Melquior. — Aquele homem cercado de cinza está doente com um tumor dentro de seu peito. A senhora idosa a seu lado não quer admitir que ele está morrendo, mas sabe.

Essas impressões ocupavam-lhe a mente, não tanto na qualidade de pensamentos, mas como intuições diretas. Que maneira curiosa de ver gente, como se tivessem tirado as máscaras. Todas as emoções encapsuladas pela culpa estavam expostas para que ele as examinasse como se fossem órgãos, dispostos para o exame independente do cirurgião.

Melquior estava fascinado com a lição que lhe era transmitida pela mente dos corvos, mas ao mesmo tempo não queria olhar. Qualquer pessoa na rua teria apenas notado que Gramercy é uma tediosa cidade comercial a cerca de 50 quilômetros da fronteira do País de Gales, cheia de lojas de alimentos, sapatarias, papelarias e um posto do correio. Ruas cheias de buracos se irradiam a partir de uma praça sombria entupida de ônibus e táxis. Para o aprendiz de mago, a população de Gramercy perambulava num estado letárgico de sono, mal emitindo suficiente energia para permanecer viva.

Algo novo surgiu, uma energia que não era doentiamente cinzenta, mas uma tímida réstia de luz coral. Melquior achou rapidamente sua fonte. — Um jovem casal enamorado. — Então não era tão desesperador. O jovem casal irradiava vida, mas só uma centelha naquela paisagem cinza.

Melquior ficou abalado com a cena.

— Camelot, Camelot — lamentou ele. Porém, a mente dos corvos era mais sábia. Tendo testemunhado tanta miséria, durante tantos séculos desde que Mordred conquistara sua desumana vitória, ela não vergava.

Olhe, se lembre. Pense por que está aqui.

Melquior queria dar ouvidos à lição, mas ela deixava-o confuso.

— Não sei por que estou aqui — pensou ele, tentando se dirigir à mente dos corvos. — Que adianta olhar para este horror e não poder fazer nada a respeito? — Ele sofreu de repente a dor de um espírito amoroso que não consegue se fechar aos estragos presentes nos outros.

Tua dor é a chave de tua cura, sussurrou misteriosamente a mente dos corvos. Antes de poder aceitar a idéia, sentiu que suas asas se aceleravam, levando-o para cima e para fora da rua principal, e dentro de um instante ele se encontrava muito alto acima da cidade, voando em círculos. Naquela altura o ar era fresco, lavado da miséria humana; pela primeira vez, sentiu-se satisfeito por estar sendo guiado por uma vontade superior; a letargia humana quase o anestesiara.

— Está bem, observarei e aprenderei — disse ele à mente dos corvos, e ao olhar para trás, percebeu que não estava só: conduzia toda uma formação negra rumo ao centro da cidade, uma verdadeira corja de corvos.

— Três de Espadas, Ás de Copas, o Mundo, o Bobo invertido. — Uma voz masculina anunciava as cartas à medida que apareciam. Vinda do outro lado do quarto meio escurecido, uma voz de mulher interrompeu-o:
— Não importa o que fizer, não me dê o Enforcado.

O obsequioso cavalheiro que se intitulava Mestre Ambrosius, levantou os olhos irritado.
— Você sabe que não tenho escolha das cartas que surgem.
— Ele não gostava de ser interrompido pelos clientes.
— Sim, mas o Enforcado é por demais perturbador. Às vezes acho que eu deveria escondê-lo antes de começarmos. — A mulher sentada no assento da janela, virou-se para olhar para fora. Ela ficava nervosa quando as cartas estavam sendo dispostas, mesmo depois de tantos anos.
— Esconder uma carta? Isso é extremamente errado. Além do mais, acho que hoje você não receberá um Enforcado. A vibração indica inteiramente o contrário. Está vendo o que eu te disse? A Imperatriz. Venha ver você mesma. — Mestre Ambrosius estava sentado numa pequena mesa de dobrar, com os utensílios do chá afastados para um lado. Relaxou languidamente seu corpo na cadeira. Seu cabelo preto retinto estava cuidadosamente alisado para trás por cima da cabeça. A expressão no rosto era de quem acabara com o creme e surrupiara metade dos cubinhos de açúcar, pondo-os nos bolsos.

Peg Callum continuava a olhar para a cena de rua embaixo. Realmente, era um dia bonito demais para se ler, um daqueles dias de primavera quando a promessa do verão fez brotar milhões de flores, em desafio ao frio vento do norte.

— Parece estar esperando por alguém — comentou Mestre Ambrosius. Ele estava ficando impaciente.

— Não, ninguém. Apenas um pouco de sol. E aqui está ele. O desejo é pai da realidade. — Uma mancha de luz do sol movia-se pela rua principal, impelido por um bando de nuvens algodoadas. Mulher de meia-idade, com o cabelo escuro não muito bem preso, Peg Callum estava sentada no segundo andar de sua casa de tijolos em Fellgate Lane, em Gramercy. Trajava um vestido azul simples e doméstico, e um avental que ela invariavelmente se esquecia de tirar ao chegar seu convidado. Seu rosto revelava rugas de preocupação, ainda pouco pronunciadas para a idade dela, mas mesmo assim devendo ser apagadas. Suas feições compunham uma expressão perpetuamente meiga, como se pertencer aos humildes desta terra fosse coisa que viesse espontaneamente. Porém, uma vivacidade brilhava em seus olhos, uma alegria que ainda era capaz de fazê-la parecer uma criança.

— Bem, vire as costas, se quiser — disse Mestre Ambrosius rabugentamente. — Acho que ninguém gosta desta primeira, o Três de Espadas.

Peg não se mexeu; ela adorava o sol, embora, Deus sabe, ele a visitasse com grande parcimônia. Hoje, ele era a própria generosidade, aliás. Uma grande mancha de luz do sol apareceu, e as ruas de Gramercy se iluminaram de repente, se fosse possível dizer que aquelas pedras de rua tão encardidas, tão manchadas de fuligem, pudessem algum dia se iluminar.

Esgotara-se a paciência de Mestre Ambrosius. Ele olhou para as cinco cartas arrumadas no formato de uma pirâmide gordinha, em cima do guardanapo de bolinhas cor de damasco.

— O Três de Espadas significa conflito, sofrimento, problemas vindouros. — Ele pôs um dedo rechonchudo em cima da carta, que jazia na base da pirâmide. Representava um coração escarlate, apunhalado pelas três espadas. — Cuidado com dificuldades nos relacionamentos.

Peg finalmente se levantou e foi até a mesa.

— Relacionamentos? Coisa estranha para se dizer a uma viúva. Ou você quer dizer Artur?

— Poderia ser ele. Aconteceu alguma coisa entre vocês?

O RETORNO DE MERLIM

Peg sacudiu a cabeça.
— É uma carta tão horrível. Será que você não pode continuar? Mestre Ambrosius mudou seu dedo uma casa para a direita, na fileira de baixo.
— Ah, Ás de Copas, a emergência de emoções, novos relacionamentos vindos de uma direção inesperada. O padrão está se revelando. — Ele indicou a próxima carta. — Força na posição do desejo. Apesar de sabê-lo conscientemente, ou não, você deseja um homem forte. Vejo-o surgir. Pode não ser alguém que você conheça, ou pode ser alguém que conheça mas cuja natureza íntima lhe esteja oculta.
— Não gostarei dele se ele parecer assim. Demasiadamente brutal. — Peg pegara a carta da Força. Mostrava um gigante musculoso a lutar com as mãos nuas contra um leão. Estava nu da cintura para cima; embaixo, estava envolto em peles de animais. Seu cabelo era longo e emaranhado. — Não quero um Hércules. Estou acostumada à gentileza. Ou melhor, estava. — Peg parou desconcertada; sentiu uma onda de solidão. Mestre Ambrosius olhou-a intensamente. A questão da gentileza não lhe evocou nenhuma palavra.

Peg virou-se e voltou para seu assento na janela.
— Muito obrigado por ter vindo, mas não estou me sentindo a mesma, hoje. — Não havia mais manchas de luz do sol viajando pela rua principal. Ela olhou por cima dos telhados, para a torre que vomitava fumaça à distância. Como tudo aquilo parecia feio e comum, mesmo depois de vinte anos.

Mestre Ambrosius disse:
— Não precisamos acabar. Mas dá má sorte deixar a coroa da pirâmide vazia. Deixe-me pôr a carta mestra, aha!

Não importa que floreio dramático ele estivesse preparando, foi interrompido por uma batida na porta. Artur Callum entrou no quarto, vestido em seu uniforme de policial.
— Alô, mãe, vim só dar uma olhadinha. Fui até a cozinha para almoçar um pouco.
— Você se lembra de Mestre Ambrosius, não se lembra, querido?

Artur balançou a cabeça secamente; seu rápido olhar à mesa de chá revelou sua contrariedade.

— Eu não sabia que ele atendia em casa.
— Ah, já está de saída.
Desmentindo as palavras de Peg, o cartomante manteve-se sentado.
— Você não é estudante do tarô? — perguntou ele delicadamente. Artur não deu resposta alguma. — O tarô é o maior dos mistérios ocultos, um dom do próprio Hermes. Ele magnetiza a energia de acordo com as vibrações anímicas de quem o toca. Jogadores já foram levados à beira do inferno, os puros de coração às portas do paraíso. Exaltação, destruição, desejo, capricho. O tarô nada mais é que o mundo do destino. O chá ainda está quente?
— Ah, sim, perdoe-me, deixe-me servi-lo — disse Peg, apressada.
— Só um pouquinho.
Sorrindo, Mestre Ambrosius deixou-a servir-lhe um pouquinho de Earl Grey. Ele deu um gole e em seguida pôs a xícara em cima da carta que acabara de pôr no ápice da pirâmide. Levantou-se lentamente, com um rasgo de arrogância em seus movimentos estudados.
— Ambrosius, se mal pergunto, como alguém como você arranjou um nome assim?
— Artur, você está sendo mal-educado — advertiu sua mãe.
— Não, não, está tudo bem — disse Mestre Ambrosius. — Meu nome tem um profundo significado para mim. Você o reconhece? — Artur sacudiu a cabeça. — Ah, que pena. Se compreendesse meu nome, saberia muita coisa a meu respeito.
— Não tenho certeza se quero — retrucou Artur, com enorme tranqüilidade.
Constrangida, sua mãe começou a fazer breves gestos adejantes com as mãos. Mestre Ambrosius entortou a cabeça, em pretensa cortesia.
— Vou agora — disse ele.
— Não por minha causa, espero — respondeu Artur. Porém, o mestre encontrara seu casaco, um sobrecasaco de lã de carneiro, belamente talhado, e absurdamente quente para o tempo que fazia. Ele se embrulhou no casaco e virou a gola, o que criou um enquadramento dramático para suas maçãs de rosto altas e descarnadas.

— Deixe-me levá-lo — disse Peg, indicando timidamente o caminho.
— Espero que isso não o deixe nervoso, mas a polícia está esperando lá embaixo — disse Artur.
Mestre Ambrosius parecia meio nervoso, sim, ou pelo menos perplexo.
— Isso realmente está passando dos limites — protestou Peg.
Artur riu.
— Desculpe, mãe, eu só estava implicando. Através das finas tábuas do assoalho, podiam-se ouvir ruídos vindos da cozinha. — Katy almoçou comigo; ela está só lavando a louça.
Mestre Ambrosius recomeçara a deslizar pela escada atapetada abaixo, seguido de Artur e sua mãe. Na cozinha, Katy Kilbride estava na pia, secando as mãos num pano de prato.
— Acabei — afirmou ela. O surgimento do estranho agasalhado demais pegou-a desprevenida.
— Esta é minha colega — disse Artur — policial Kilbride.
— Você parece conhecido — comentou Katy.
Mestre Ambrosius ignorou-a, marchando direto para a porta da frente, com Peg atrás.
— Sujeito esquisito — comentou Katy.
— Sujeito escorregadio, você quer dizer. Mamãe é solitária, mas atrair um tipo assim é mau sinal.
— Não sei. Ele é um tanto vistoso.
Artur sacudiu a cabeça.
— Ele precisa ser investigado. Fico pensando se não tem uma ficha. Talvez eu averigüe.
— Estamos desconfiados, não estamos? Ou um pouquinho ciumentos? — Katy parecia se divertir com o constrangimento de Artur.
Depois de um instante, sua mãe voltou sozinha à cozinha.
— Não compreendo por que você o detesta tanto — disse ela a Artur.
— Preciso sair correndo — respondeu ele evasivamente, dando-lhe um beijo.
— Bem, se não se importa, vou subir correndo de novo. Esqueci de trazer as coisas do chá. — Eles ouviram os passos macios de Peg voltando para seu quarto e a porta se fechando.

Artur disse:
— Olha, Katy, vou pedir a Westlake para me entregar o caso em tempo integral, se ele quiser.
Katy pareceu surpresa.
— O caso Merlim? Mas ninguém jamais o encontrou, a não ser que eu tenha perdido qualquer informação de última hora. Não existe caso quando não existe um presunto e nenhuma prova de ter havido um delito.
— Um pescoço quebrado poderia servir de prova de delito.
— Você pode aparecer com o pescoço no tribunal?
— Nesse caso o desaparecimento do corpo é nossa maior prova.
— Não é material. Aliás, é muitíssimo imaterial, já que não tem nada para mostrar.
— Você é uma auxiliar da defesa, estou vendo — disse Artur, tendo cessado de brincar. Katy pôs sua mão ameaçadoramente sobre a pia, pronta para espirrar água nele. — Não, não — disse ele. — Eu mesmo passei esta camisa.
— Muito impressionante.
— Mas, para dizer a verdade, há aquela luva que encontrei no fundo da vala.
— Será isso realmente importante?
— Bem, presumindo-se que pertencia ao velho, onde está a outra? Ele não a estava usando e, além do mais, vestia-se muito pobremente para combinar com uma luva assim.
— Talvez ele a tenha perdido no caminho do baile.
Artur ficou inesperadamente sério.
— Se for atropelamento com fuga, precisamos achar o culpado; se for um crime, mais um motivo para insistirmos. Eu tenho uma intuição sobre esse caso.
— Acho que Westlake não é muito de engolir intuições.
Artur sacudiu a cabeça.
— Não exatamente, mas o desaparecimento de um cadáver de uma ambulância não pode ser oculto. Os jornais locais já deram a notícia, e agora creio que os de Londres estão explorando o assunto. Na realidade, sou uma pequena celebridade.
— Por quê? — Ela sorriu. — Por ajudar a perder o sujeito?
Artur estremeceu.
— Isso não é justo.

Katy tirou seu avental.
— Bem, estou pronta, se você estiver.
— Certo. De volta ao trabalho.
Alguns instantes mais tarde, eles saíram para o alpendre.
— Olhe só para aqueles pássaros — comentou Katy distraída. — São corvos, não são?
Artur olhou para cima, protegendo os olhos com as mãos.
— Nunca sei ao certo. Corvos ou gralhas. Eu deveria saber, mas não sei por quê, os pássaros nunca me interessaram muito. Parece haver uma porção.
Katy concordou com a cabeça.
— Vá seguindo um instante, está bem? Eu me esqueci de ir ao banheiro.
Artur olhou para ela.
— Tem certeza?
Katy fez que sim com a cabeça e voltou a entrar na casa. Fechou a porta e se encostou nela pelo lado de dentro. Um sentimento de desgraça atingira-a abruptamente, como se tivesse recebido um telegrama dando notícias de morte em sua família. Ela respirou devagarinho, sem se mexer. Lá em cima, ouvia os passos da mãe dele, em seguida uma cadeira sendo empurrada.
— Controle-se — disse ela, abrindo a porta de novo. Artur já descera caminhando a rua; ela o seguiu, uns 12 metros atrás, esperando que sua estranha emoção passasse.
Os pássaros engrossaram no céu cinzento, continuando a circular à distância, exceto dois, excepcionalmente grandes, que se aproximaram da casa, pousando diretamente no patamar externo da janela do quarto no segundo andar. Olharam para dentro. A janela estava fechada, porém as cortinas abertas. Peg estava inclinada sobre a mesa de chá, olhando fixamente. Ela limpara o guardanapo de bolinhas cor de damasco e guardara quase todas as coisas do chá na bandeja, exceto uma xícara. Ao levantá-la, viu uma carta. "O Enforcado", escrito em letras góticas pretas. Retratava o cadáver torto de um homem nu, pendurado de cabeça para baixo de um alto penhasco. Uma grande ave de rapina sobrevoava-o com seu bico afiado.
Peg levou a mão à boca. O que dissera Mestre Ambrosius? *Dá má sorte deixar a coroa da pirâmide vazia.* Ela olhou para a ave que mergulhava; a carta era pequena demais para retratar a expressão do rosto do enforcado. Preocupada, Peg não levantou os

olhos e deixou de ver os dois corvos do lado de fora da janela. Os dois não saíram voando, nem sequer se mexeram — para todos os efeitos, poder-se-ia pensar que também eram estudiosos do tarô.

Quando Artur e Katy chegaram à delegacia, ele a deixou na sala de patrulha e se dirigiu diretamente à sala do inspetor-chefe Westlake.
— Ah, Callum, entre — saudou-o o inspetor. — Terrivelmente tolo, este negócio nos tablóides. "Onde está Merlim? Mago Some num Passe de Mágica." Sem dúvida, a equipe da ambulância tinha lhes dado a dica daquele nome ridículo. Mas fizemos por onde, acho eu — e deu um suspiro.
— Na realidade, acho que há alguma coisa por trás deste assunto Merlim.
Westlake olhou com irritação para Artur.
— Você teve um lampejo, Callum? — perguntou ironicamente.
— Não tenho certeza. Fiz uma suposição de que o aparecimento do nosso sujeito talvez não se devesse apenas a uma excentricidade. Já ouviu falar dos druidas? — Westlake levantou as sobrancelhas. — Uma porção deles se parece com nosso fugitivo. Quer dizer, os que vemos na televisão.
— Você é um espectador contumaz dos druidas na televisão? — murmurou Westlake.
— Perdão, deixe-me explicar ao senhor. Todo ano na véspera do solstício de verão, as pessoas que se chamam de druidas aparecem em Stonehenge. É uma espécie de culto. Usam túnicas brancas e muitos deles longas barbas brancas. Ninguém sabe como os druidas — quero dizer, os verdadeiros druidas — se pareciam, mas na sabedoria popular, as pessoas os imaginam como Merlim. Ou vice-versa, acredito; Merlim é considerado com freqüência um druida. Nosso morto podia possivelmente estar envolvido com essa gente. Com sua permissão, eu gostaria de investigar.
Westlake recebeu essa falação sem nenhum comentário. Segurava seu queixo na mão, de olhos abertos, como se fosse um cientista examinando um espécime raro.
— Tem mais? — perguntou secamente.
Artur tomou fôlego.

— Minha mãe tem um parente chamado Derek Rees — Sir Derek Rees, para dizer a verdade — que conhece muita coisa desse assunto dos druidas. Não seria nada difícil contatá-lo, em caráter extra-oficial, se o senhor preferir... — Artur interrompeu abruptamente, quando Westlake se levantou.

— Passar bem, Callum — disse ele, virando-se para a janela e dando as costas ao jovem policial.

— Hum, o senhor quer que eu prossiga com essa linha de investigação? — perguntou Artur desconfortavelmente.

Westlake olhou para trás por cima de seu ombro.

— Até onde compreendo, tudo que você disse não passou de uma conjetura individual. O que você faz com seu tempo livre é assunto seu. — Ele pegou um grande binóculo e começou a examinar com interesse a fauna num grande teixo do outro lado do gramado. Como se estivesse completando o raciocínio, disse:

— Você provou não ser totalmente burro. Eu lhe disse na cena do crime que não achava que fosse assassinato, mas não lhe disse por quê. Exotismo. O negócio todo é exótico demais. Quando um detetive está começando do zero como você, é atraente aparecer com explicações complicadas para ocorrências inexplicadas. Mas essas hipóteses tortas raramente conferem. Nosso sujeito, garanto, foi atingido por um carro, e apesar de ter parado longe demais da estrada, o que impediria um motorista apavorado de empurrar o cadáver para o fundo da vala? Teria sido cruel, covarde e um pouco fora do comum, admito, mas também seria simples. Você compreende?

Artur balançou a cabeça dubiamente. Westlake examinou-o por um instante, percebendo a frustração do rapaz e decidindo como reagir a ela.

— Olha, se descobrir uma linha viável de investigação, estarei aqui. Mas não espere que eu o acompanhe em cada curva do caminho. — Ergueu seu binóculo de novo para examinar um citelo com manto. A entrevista terminara.

OITO

Um Menino e sua Espada

Quando Edgerton acordou na manhã seguinte, sabia que a espada devia ter sido um sonho. Curvou-se de lado, fechando de propósito os olhos para fingir que o sol não se levantara. Parecia ter dormido muito tempo. Houve uma enérgica pancada na porta.

— Verme — disse uma voz alegre vinda de fora. Edgerton esperou que ela fosse embora. — Vamos, verme, venha se juntar à raça humana, são quase nove horas. — Sua irmã Winnie irrompeu no quarto. — Por que ainda não se levantou? Hoje é dia de colégio. — Ela tinha 22 anos e achava que podia tratá-lo como sua mãe.

— Este é a porra do meu quarto, e você não tem direito de entrar nele — disse Edgerton de modo hostil.

Winnie não pareceu se preocupar.

— Isso ainda não explica por que você está na cama até tão tarde.

— Estou doente.

— Está com íngua ou algo assim? — Sua irmã parecia incrédula. — Ande depressa. Antes tarde do que nunca. — Edgerton mergulhou sob as cobertas e gemeu. — Olha, preciso ir à papelaria um instante. Quer alguma coisa? — Edgerton sacudiu a cabeça sob o cobertor. — Vamos lá, hoje Hamish tem a manhã de folga. Nós podíamos acompanhá-lo até uma parte do caminho para o colégio.

Com um safanão, Winnie arrancou as cobertas da cama, atirando-as contra a porta do armário. Edgerton estava prestes a gritar, quando avistou o brilho de aço sob as molas do colchão. *É verdade!* Ficou sem fôlego, e sabia que Winnie não devia ver a espada.

— Está bem, irei. Espere só até eu me lavar. — Caminhou sem firmeza até a pia no canto do quarto. — Sozinho — acrescentou com um olhar zangado.

— Ah, o pudor das virgens — ridicularizou Winnie, batendo a porta atrás dela. Edgerton ouviu-a descer pesadamente as escadas. Podiam-se ouvir vozes abafadas, seguidas de risos. Ele pulou da cama e vestiu umas roupas amassadas. Diante da pia suja, com o trincado familiar que ia da borda até o ralo, o garoto jogou um pouco de água fria no rosto, secou-o com um suéter sujo apanhado do chão e correu de volta à cama.

Lá estava ela. A lâmina dava a impressão de um puro-sangue nervoso, inquieto para disparar por aí. Edgerton puxou-a debaixo da cama. Onde estava a bainha? Ao procurá-la com seus dedos, achou-a também sob o colchão, exatamente onde sonhara tê-la deixado. Pérolas de luz solar se desprendiam do fio da lâmina — era tão belo. Ele podia matar qualquer pessoa com ela. Impetuosamente, agarrou o cabo, seu braço girou alto e o peso da espada fê-lo cair de lado. Com um esforço, conseguiu se endireitar sem largar a arma. Envergonhado, pensou se ele não seria pequeno demais para manejar a lâmina.

Era apenas uma questão de equilíbrio, pensou. Agarrou o cabo com ambas as mãos e a ergueu sobre a cabeça. Sim, agora estava melhor.

— Querido? — disse uma voz do outro lado da porta. Ele nem ouvira a mãe subir. Apavorado, deixou cair a arma, que se enfiou 15 centímetros no colchão, fazendo um corte no lençol de baixo e no edredom. Um punhado de pequenas penas flutuou no ar. — Você está aí? — perguntou a mãe deles um pouco mais alto, mas ainda timidamente. — Estou com uma bela xícara de café aqui para você. — Ela não era do tipo que entrava sem bater. Com um puxão, Edgerton arrancou a espada do colchão, espalhando mais penas em volta, e a empurrou para debaixo da cama.

— Entre? Não me ouviu dizer para entrar?

— Não, perdão — disse Edie Edgerton, pondo a xícara pesada de porcelana na mesinha-de-cabeceira. Ela a enchera demais; manchas marrons de café se formaram na mesinha e derramaram pela borda. Ignorando isso, ela notou as penas e pegou um punhado. — Penas — murmurou distraída. Olhou para elas

como se tivessem entrado pela janela. Às vezes era difícil saber o que se passava na cabeça da mãe.
 Ela deixou as penas caírem de sua mão, limpando seu vestido.
 — Ah, que bom, você já está vestido para o colégio. Estão te tratando melhor lá? Sei que às vezes é uma grande tentação se esconder, mas seu pai e eu achamos que é importante. Só queríamos ter tido a oportunidade que você está tendo. — Ele lançou um olhar furioso e não respondeu. — Dê tempo ao tempo — disse ela, tranqüilizando-o sem ênfase. — Os meninos gostam de implicar, mas esquecerão isso, você vai ver. Sei que a vida não é fácil para você; nunca foi para os Edgertons.
 Edie sacudiu a cabeça com expressão de tristeza, tocou no rosto dele e se retirou pisando macio. Os dedos dela pareciam ter deixado uma queimadura.
 — Me deixe sozinho — pensou. Ele acabou de pôr a gravata do colégio e desceu correndo. O escocesão estava no final da escada. Seu verdadeiro nome, Hamish McPhee, era um nome escocês. Era um tira, vários anos mais velho que Winnie.
 — Alô — disse o escocesão alegremente. — Ela está a nossa espera. — Edgerton passou rente a ele sem fazer nenhum comentário.
 Winnie estava sentada no alpendre, olhando para o céu. A casa deles, numa das ruas mais pobres, Mogg Street, ficava a três quarteirões de distância da casa dos Callums, em Fellgate Lane. De um lado do alpendre, Edie Edgerton estava absorta numa moita de crisântemos cheios de sementes, que ela hibernara sob um grande cesto.
 — Quase novos — disse ela alegremente, futucando a moita de caules mortos e marrons. — *Bem-vindo ao Pinel*, pensou Edgerton.
 Sua irmã e o namorado começaram a caminhar em direção a Wink Hill, no rumo do colégio. Ele ia atrás.
 — Escuta — disse Edgerton —, houve um assassinato ontem na rodovia, ou não? — Winnie estremeceu e o escocesão pareceu aborrecido.
 — Ah, então Tommy Ashcroft fofocou com você — respondeu o policial, com os lábios bem apertados. — Até agora, rapaz, temos apenas um corpo, e não um assassinato.

— Seu cérebro estava pingando do nariz e tudo mais? — perguntou Edgerton.
O escocesão ignorou esta provocação.
— Isso é que foi estranho — disse ele, dirigindo sua resposta a Winnie. — Não havia um arranhão no cadáver, apesar do pescoço quebrado. Os patologistas provavelmente não acreditaram no relatório. Felizmente, o chefe estava lá e viu com os próprios olhos. — A imprensa tinha coberto o assunto tão extensivamente, que Hamish McPhee se sentiu com liberdade de abrir alguma coisa, dentro de certos limites. — Não sabemos ainda quem era o pobre sujeito. Achei que fosse talvez um velhinho que fugira da enfermaria geriátrica local e começou a perambular pela estrada, mas eles disseram que ele não era de lá. E Deus sabe onde está.
— Queimando no inferno, se depender de mim — murmurou Edgerton.
O escocesão virou-se para ele.
— O que está roendo suas entranhas?
— Ele está apenas naquela idade — disse Winnie.
Edgerton ignorou-a.
— O dinheiro dele sumiu?
O escocesão sacudiu a cabeça.
— Agora chega — disse com firmeza. — É aqui onde você toma o desvio para o colégio.
— Se não o encontrarem, você será rebaixado de posto? — insistiu Edgerton. — Já que você o perdeu.
— Eu disse chega. E não fui eu quem o perdeu.
— Está certo. Um guardador de estacionamento não teria essa responsabilidade.
— Você já passou dos limites — explodiu Winnie. — Não é de estranhar que ninguém queira nada com você. Eu nunca vi uma pestinha tão... — Ela ficou tão aborrecida que parecia prestes a chorar.
— Peça desculpas — ordenou McPhee, num tom de voz frio.
— Ela é uma vaca.
— Agora peça duplamente desculpas — exigiu McPhee. Estava ficando vermelho.
— Obrigue-me.
— Você é uma criaturazinha torta de Deus — respondeu

McPhee. Edgerton se afastou e começou a correr na direção oposta. — Ei — gritou McPhee para ele. — O colégio é na direção oposta. — Mas Edgerton continuou a entrar no parque. Passou voando por dois pequeninos gêmeos de macacões, que estavam molhando suas mãos num poço sujo cercado por uma parede de retenção de concreto. A mãe deles tentou afastá-los e eles gritaram. *Eu poderia matá-la agora se quisesse*, era tudo que ele conseguia pensar. *Você não deveria viver junto de papai, mamãe e eu. Se alguém quisesse casar com você, você não moraria lá em casa.* Ele saiu correndo do parque, dobrou a esquina e entrou na rua principal, dando a volta no quarteirão antes de voltar depressa para Mogg Street. Não queria que ninguém o seguisse até seu destino, embora não soubesse dizer por quê.

A porta da frente estava aberta e a mãe deles estava sacudindo um pano imundo no alpendre.

— Esqueceu alguma coisa? — murmurou ela, enquanto ele passava depressa por ela. Correu para cima, bateu a porta e se deixou ficar ali, ofegante no meio do quarto. A casa inteira estava silenciosa. Ele não conseguia ouvir nenhum sinal de seu pai, que sempre dormia tarde. O pai e o filho compartilhavam aquela mania. Só que o pai tinha mais chances de dormir até tarde, desde aquele acidente em que esmagara seu pé.

— O rei é o último a se levantar — gostava de dizer, embora a perda do emprego tivesse sido um negócio triste, que quase relegara sua família à pobreza.

Winnie detesta o fato de meu pai ser mais parecido comigo, pensou Edgerton. A família deles parecia descentrada, e há três anos que era mesmo. O pai deles se recusava a fazer uma reciclagem para arranjar outro emprego e se endireitar um pouco na vida; estava esperando seus direitos, dizia, esperando que a gráfica que o empregara lhe pagasse uma enorme indenização. Um advogado de porta de cadeia mantinha viva essa fantasia, enquanto ele passava seus dias cismando por que os tribunais não lhe faziam justiça.

Edgerton sentiu a ira dominá-lo novamente, neutralizando seu medo íntimo. O pai deles sentia desprezo pelo colégio que seu filho freqüentava.

— Nós não éramos caso de caridade antes disso acontecer, e não deveríamos ser agora — insistia ele.

Edgerton atravessou seu quarto e tirou a espada debaixo da cama. Soprou algumas penas grudadas nela. De algum modo ela parecia desta vez mais leve e mais adequada a sua empunhadura. Tinha mãos grandes para um garoto de 13 anos, suficientemente grandes para agarrar bem firme uma bola de futebol. Ele examinou sua presa. Sim, havia pedras preciosas no punho; topázios esfumaçados entrelaçados em curvas francesas, e entre eles grandes turmalinas que garantiam uma empunhadura segura. Ele gostava da maneira pesada como a lâmina desferia seus golpes; seu corpo oscilava, enquanto ele aprendia seu ritmo, fazendo com que a espada golpeasse à esquerda e à direita, no limite certo, não bastando para desequilibrá-lo, mas sim sacudir muito os quadris.

Ele ficou absorto em si mesmo e sorriu por causa de seu poder. *Eu agora poderia matá-los todos.* Este pensamento fê-lo parar no meio de um golpe; percebeu que era a terceira vez naquele dia que ele pensara em matar. Por que a voz teimava em voltar ao assunto? E no entanto, como parecia natural a voz, com que facilidade se entregava ele à violência em resposta a seu chamado.

As mãos de Edgerton ficaram quentes de tanto pegar no cabo, e ele sentiu um agudo latejamento nos punhos; os tendões se destacavam em relevo nos antebraços. O peso da lâmina estava fazendo seus dedos doerem, e ele sabia que teria de treinar assim sozinho, antes de atacar. Se resolvesse atacar. Agora a decisão lhe pertencia; eles não tinham mais poder.

Isso mesmo. Tem muito tempo. Há muitas maneiras de castigá-los.

A voz era como um estranho que aparecesse em sua sala de visita no domingo, informando-lhe ser seu amigo. Você não se lembrava de ter amigo assim, mas já que ele não ia embora, você não tinha escolha — o estranho tornava-se um amigo.

E o estranho dizia a Edgerton aquilo que ele desejava ouvir, que ele não era a única pessoa má. Durante tanto tempo esse fora seu medo mais profundo, que no mundo todo ele carregasse a praga de ser o mau. Eles são tão maus quanto você. *São sujos por dentro. Os melhores deles são imundos, você não sabia? Não querem admiti-lo; são fracos demais. Por isso te escolheram para castigar. Fira-os e eles não poderão mais feri-lo. Mostre-lhes como você pode ser mau.*

Então a voz do estranho disse a coisa mais sedutora de todas: *Fira-os bastante, aí saberá que eles não são capazes de te ferir.* Agora a voz do estranho parecia estar fora de sua cabeça. A espada caiu de sua mão; seu peito arfava com força, em seguida com mais força ainda. Somente gente maluca ouvia vozes. Ah, Deus, ele não podia começar a chorar. Se estivesse maluco... *Não está maluco. Eles querem apenas torná-lo maluco. Seja forte. É esta a razão por que precisa castigá-los, de modo a não ser mais maluco.*

Seus joelhos começaram a tremer, e ele se virou para se ver no espelho. Uma aura escura e sombria circundava seu corpo. Não conseguia vê-la diretamente, mas podia flagrá-la de soslaio ao virar-se para o espelho. A aura era evasiva. Fugia de seu campo de visão no momento em que ele sabia tê-la visto. Preta e transparente, de cor suja, como uma pele rendada de asa de morcego, agarrava-se a sua cabeça e caía por seu corpo. Ver isso era demais. Edgerton saiu correndo do quarto e desceu correndo a escada. Emergiu abruptamente das portas de vaivém da sala de jantar, vendo seu pai meio levantado na cadeira de rodas, estendendo a mão. Estava guardando uma garrafa de uísque na prateleira.

— Quem está com você? — resmungou seu pai. Ele enxugou a boca com as costas da mão, enquanto o cheiro de uísque chegava ao menino do outro lado da sala. Edgerton se encolheu.

— Que diabo é esse negócio em sua mão? Onde está o desfile? — zombou seu pai. O garoto abaixou a cabeça. Ele tinha arrastado a espada com ele lá para baixo.

— Eh, eu achei lá no colégio — murmurou Edgerton. E começou a sair de costas da sala.

Seu pai afundou-se novamente na cadeira de rodas e estendeu um cobertor sobre suas pernas.

— Por que não está no colégio? — perguntou irritadamente. — Se a gente pagou três libras por essa gravata embonecada, não precisa ficar brincando com ela em casa. Ninguém vai ficar impressionado, eu lhe garanto. — Começou a empurrar a cadeira na direção do menino. Edgerton recuou para a sala de jantar.

— Venha aqui — disse o pai dele ameaçadoramente. — Quero mostrar-lhe uma coisa. — O menino hesitou, não sabendo se agüentava firme ou fugia correndo para cima.

Agora é a hora. Mate-o, ordenou a voz do estranho. O menino se viu refletido no espelho de parede, dependurado no vestíbulo, do lado oposto à escada. A aura escura ainda se encontrava presente; ele tremeu agoniado. A voz nunca ordenara que ele fizesse alguma coisa antes.

— Dê-me isso aí. — Seu pai estava agora na frente do menino, de mãos estendidas. Edgerton olhou para baixo, para a espada. Sacudiu a cabeça e lenta e cuidadosamente ergueu a lâmina. Era espantosamente leve, como se seus braços jamais tivessem sentido cansaço. Sentia-os duplamente mais fortes do que jamais os sentira. Como os de um homem. E tudo que queria era ser um homem. Seu pai arregalou os olhos, vacilando entre o espanto e o medo. Os dois permaneceram congelados por um segundo. — Dê-me isso — murmurou seu pai, erguendo a mão para bater no menino.

A seqüência seguinte dos acontecimentos ficou confusa. A porta se abriu.

— Paddy, você devia estar descansando — disse uma voz; era a mãe dele. — Descansar o quê! — respondeu o pai, fazendo uma careta para ela. Ele dera as costas e o menino ergueu ainda mais a lâmina.

Golpeie!

Edgerton não estava mais sob controle. Sentindo um breve pavor, queria avisar seu pai, mas as palavras não saíam e sentiu-se levantar a espada para golpear seu pai na coluna, quando um velho tocou sua mão.

— Não faça isso — disse o velho delicadamente. Edgerton arregalou os olhos. Ele virou de repente em direção ao espelho — a aura escura sumira.

— Qual o problema? — perguntou a mãe.

— Deixe-o. Está treinando para um desfile ridículo — disse o pai dele. Não pareciam ver o velho na sala. Um calafrio passou pelo corpo do menino, a espada caiu com estardalhaço, e os braços do velho se estenderam para impedi-lo de cair.

— Lembre-se disso — sussurrou ele. — Este é o mal e você nasceu para resistir a ele. Não me encontrará de novo facilmente, mas tente, deve tentar. — E em seguida ele disse a coisa mais espantosa de todas: — Eu o ajudarei a vencer o fogo. — Uma descarga de luz amorosa brilhou em volta do menino, tremeluzente, verde e azul como o mar, e a última coisa de que se lembrou ao ser envolvido pela luz foi a barba branca do mago, exuberante contra o fundo de sua túnica cheia de luas e estrelas.

O carro de Artur entrou na alameda que levava à casa de seu tio. Ele jamais pusera de fato os olhos em Emrys Hall. A julgar pela entrada, era um lugar intimidante por seu luxo. Fileiras após fileiras de faias ancestrais ladeavam o caminho como uma silenciosa guarda de honra. A própria mansão ficava escondida, atrás de uma volta. Quem quer que tivesse plantado a alameda há mais de dois séculos, deve ter planejado esse efeito de lento descortinar, e valia a pena esperar pelo resultado. Quando o Ford compacto preto de Artur virou a curva, a vegetação se abriu, descortinando uma magnífica mansão de três andares, construída com enormes blocos de dourada pedra de Bath.

— O que estou fazendo aqui? — perguntou a si mesmo Artur. Ele não tinha certeza absoluta de ser bem recebido, e gostaria de não ter sido tão impulsivo ao contar a Westlake que o dono da mansão, Sir Derek Rees, era seu parente. Num tribunal, essa alegação teria se sustentado. Há quarenta anos, a meia-irmã de sua mãe, Penelope, saíra de casa para casar com a jovem celebridade em ascensão, Derek Rees, mas depois disso não houve mais contato com o lado da família de Artur. As duas irmãs nasceram com 15 anos de diferença e mal viviam no mesmo mundo, mesmo antes de Penelope sair de casa.

— Vamos lá, até a porta da frente — animava-se o jovem policial. Ele não podia deixar de notar que o cascalho que os pneus do carro esmagavam, também era dourado, combinando perfeitamente com as paredes de pedra da casa. Mas, na realidade, era feito de propósito para ser notado. Seu casaco amarrotado e a gravata com uma mancha de café deram-lhe uma súbita impressão de miséria. Seu carro há 15 dias não era lavado e o pequeno Ford tinha vários amassados do lado, pois ele não tinha levado ao lanterneiro para consertar. Ah, bem, primos pobres.

Artur tinha dez anos quando soube dessa relação familiar entre sua mãe e uma das famílias mais ricas do país.

— Você não deveria ter casado por amor, Peg — dissera seu pai uma manhã, saboreando bolinhos dominicais com geléia. —

Me envergonho em confessar que eu te pus em desvantagem doméstica.
A mãe dele estava desfazendo a mesa.
— O que quer dizer, querido? — perguntou ela com meiguice.
Ele empurrou um exemplar do *Observer* por cima do oleado quadriculado.
— Olhe só como sua irmã melhorou sua sorte. A seção de rotogravura trazia um artigo efusivo sobre a nobreza rural, e estampada no centro uma foto colorida de Emrys Hall. Diante da casa havia um batalhão de narcisos amarelos berrantes que pareciam tomar a primavera de assalto.
— Que espantoso — dissera sua mãe com admiração. — Deve ser a maior casa em Somerset, não acha?
— Não simpatize muito com ela. Não posso lhe dar uma — respondera Frederick Callum. Ele era um escritor de romances de vanguarda, que, descobrira Artur mesmo aos sete anos, significava romances que não vendiam. Ser extremamente malsucedido parecia combinar com seu pai. Ele era o tipo de sujeito que preferia se manter num orgulhoso anonimato, do que ceder sequer um milímetro ao gosto do público.

Sentado à mesa do café da manhã, Artur olhara com curiosidade o retrato da presunçosa casa e do casal de meia-idade, bem no estilo *tweeds*, posando diante dela.

— Eis seu tio, tecnicamente falando — dissera seu pai. — Tio Derek e tia Penelope.

— Costumavam nos chamar de Peg e Pen — dissera sua mãe. — Quando eu tinha quatro anos e vi uma pocilga* numa fazenda, minha irmã disse que nosso nome vinha dali. — Ela riu, mas Artur lembrava um toque de tristeza distante na voz dela.

— Tecnicamente falando? O que quer dizer isso? — perguntou Artur.

— Quer dizer que eles não falam conosco, mas seremos obrigados a vestir roupas desconfortáveis e assistir ao enterro deles — respondeu seu pai. Peg lançou-lhe um olhar significativo. Sem se importar, ele apontou para a dupla no retrato. — Tal-

---

* Trocadilho entre *pigpen* (pocilga) e *Peg and Pen*. (N. do T.)

vez sobreviveremos a todos eles e herdaremos este lugar magnífico. A nobreza tem uma notória tendência a apodrecer; lordes bêbados caindo pela escada abaixo e isso tudo. Se tiver sorte, poderá ficar com a casa por algumas centenas de milhares, como pagamento de herança. Mas deixe eu lhe avisar, é preciso muito dinheiro para sustentar esses elefantes brancos. Aí é que pesa. Manutenção. — Artur e sua mãe se divertiram ambos com esse trecho de retórica à mesa do café, porém o menino nunca mais ouvira falar de tio Derek e tia Penelope.

Pensando a respeito desses vagos parentes, Artur parou o carro na agigantada fachada da casa, que brilhava ao sol como um sorriso de banqueiro, e saltou. Manutenção. Não havia dúvida de que alguém cuidava bem dela aqui. As janelas mais altas do sótão dos empregados brilhavam tanto quanto as portas envidraçadas do andar térreo; as enormes portas de carvalho avultavam diante dele. Artur pôs o dedo na campainha de bronze polido, que parecia feita de ouro, e ficou à espera. O mordomo, ao abrir lentamente a porta, revelou atrás de si uma interminável extensão de mármore.

— Polícia — anunciou Artur, um tanto rispidamente demais. — Estou aqui numa missão extra-oficial. Sir Derek está em casa?

Por algum motivo, o mordomo pareceu se encolher.

— O Sr. é esperado? — perguntou, mexendo com o corpo de tal maneira a dar a entender que visitas policiais, mesmo não sendo oficiais, não eram bem-vindas. Artur ficou a imaginar por quê.

— Houve um crime nos arredores, e eu gostaria de fazer algumas perguntas a seu patrão. — A expressão do mordomo era vazia como o mármore que cobria as paredes, os pisos e os tetos atrás dele.

— Por favor, entre. Eu avisarei sobre sua presença, se fizer o favor de se identificar.

— O Duque de Windsor — disse Artur, mas somente em sua imaginação. Remexeu na carteira e entregou um de seus novos cartões. — Precisarei que me devolva depois — comentou, enquanto o mordomo punha o cartão numa pequena salva de prata e se ia embora.

O pai de Artur certa vez comentara.

— A extinção do mordomo inglês — o verdadeiro artigo, não esses improvisados que fingem ser pingüins empalhados — ocorreu mais depressa que a do dodo. Havia três mil mordomos em empregos particulares neste país, na década anterior à Segunda Guerra, e não mais de oitenta na década seguinte. Interessante, ao menos.

— É verdade? — perguntara sua mãe, impressionada.

— As estatísticas são sempre verdade, a não ser que você tenha conhecido pessoalmente quem as fez — respondeu Frederick Callum. O pai de Artur desaprovava intensamente a existência de qualquer classe servil. Artur nunca o viu ir a um engraxate, e não era permitida a entrada de nenhuma lavadeira na casa deles.

— Você não tem cara de polícia. É jovem demais.

Artur virou-se para dar de cara com uma mulher, provavelmente Penelope Rees, que descia uma escada curva a meia distância. Ela tinha os olhos furiosamente entrecerrados, postos no seu cartão de policial, como se pretendesse furá-lo.

— Sou o detetive Callum — disse Artur pouco à vontade.

— Bobagem. Você é Artur. O garoto de Peg. Peg e Pen. Não tenho tanta idade para esquecer isso.

Lady Penelope devia estar perto dos sessenta. Era alta e graciosa, não emaciada, porém um pouquinho magra demais para ser considerada elegante. Trajava um robe preto de brocado de seda e chinelos combinando, com dragões verdes bordados. Seu cabelo era preto e preso num coque, a não ser por uma mecha branca rebelde no meio. Rebelava-se, recusando ser domesticada. Tinha os olhos escuros e enfeitiçadores.

— Muito prazer em finalmente lhe conhecer. A mãe, mamãe, adoraria estar com a senhora também — disse Artur, à guisa de ensaio. — Estou incomodando?

O rosto de Penelope Rees permaneceu como uma máscara, enquanto avaliava seu sobrinho.

— Você deve ser tremendamente novato na polícia. Eu nunca ouvi uma apresentação tão tranqüilizante. Não estou sendo presa por 85 bilhetes de estacionamento que deixei de pagar, estou?

— Não.

O olhar enfeitiçador desapareceu de seus olhos.

— Se a cidade não consegue prover estacionamentos nos locais em que preciso, será culpa minha? — Lady Penelope sorriu e a súbita mudança espantou-o. Era como assistir a um busto romano rachar. Artur estendeu a mão, que foi apertada calorosamente. — Desculpe meus trajes. Estive estudando os livros dos mistérios a manhã toda. Um tanto na sua linha de trabalho, detetive. Chá?

Artur sacudiu a cabeça.

— Estou aqui numa missão oficial. — Não foi uma resposta inteligente.

— Pensei que Jasper houvesse dito que sua visita era extra-oficial. E desde quando assuntos policiais excluem o chá?

Artur olhou em volta.

— Tem razão. A visita é extra-oficial, porém o assunto é oficial.

— Que estranho. Vamos tomar chá assim mesmo. É um excelente Assam e acalmará seus nervos. — A voz de sua tia parecia agora extremamente tolerante.

Artur relaxou. Não precisava ser tão defensivo, disse consigo mesmo. Não havia motivo para acreditar que Penelope Rees, a despeito de não ter escrito ou feito uma visita durante trinta anos, se revelaria uma ameaça. Ele a seguiu até a sala de estar principal, onde Jasper, o mordomo, já arrumara o chá. Diante de um canapé cheio de borlas, bules de prata empurravam xícaras de porcelana de Limoges, finas como casca de ovo. A bandeja de chá ficava na frente de enormes jardins. Eram modelos de boa manutenção, também, mas na tradição do paisagismo inglês, em que se toma um cuidado infinito para que tudo pareça espontâneo. O primeiro plano estava cheio de cercas vivas meio desgrenhadas em forma de tapeçaria, que deveriam ter duzentos anos.

— Devo te avisar que estou biruta — comentou Lady Penelope, enquanto despejava um jato transparente de chá, com um cheiro delicioso, em sua xícara.

— Perdão?

— Biruta. Pinel. Foi uma experiência interessante, e a única coisa que pude fazer a respeito foi mergulhar nos livros de mistérios. A loucura sagrada e a loucura propriamente dita estão intimamente ligadas, como sabe. Você saberia, quero dizer, como dedicado leitor dos livros de meu marido. — Artur não sabia se ela estava brincando ou sondando. Ele sempre soubera, desde criança, que Derek Rees era um famoso entendido nos costumes da antiga Inglaterra. Durante muitos anos, desde que Artur se lembrava, assim que saía um novo livro de Rees, chegava um exemplar pelo correio com "os cumprimentos do autor". Os volumes de capa brilhante sobre magia celta e sacrifícios dos druidas permaneciam numa prateleira na casa dos Callum, sem jamais serem manuseados.

— Eles nos deram como uma esmola dada a órfãos, enfiada no buraco da caixa de coleta — costumava resmungar seu pai. Artur tinha que tirar os livros escondidos toda vez que quisesse olhar para as maravilhosas e terríveis ilustrações. Eram puro melodrama. Numa delas, um sacerdote de olhar esgazeado, empunhava uma adaga de obsidiana, enquanto uma donzela apavorada (seu colo leitoso exposto através de uma camisa fina) se encolhia diante do golpe fatal. Quando tinha dez anos, Artur chegara a rasgar aquela ilustração, guardando-a sob o travesseiro. Ele sabia ser doloroso para seu pai o fato de Derek Rees ser tremendamente popular. — História? São conjeturas e histórias da carochinha, elaboradas até parecerem besteira. — Quando Rees recebeu o título de Sir, a família Callum deixou passar o acontecimento sem nenhum comentário.

Artur mudou de assunto.

— Por que diz que está biruta?

—Porque andaram acontecendo coisas extraordinárias comigo por último. A única explicação racional é que perdi minha sanidade. A não ser, é claro, que se opte por dispensar totalmente a racionalidade. Estou considerando essa linha de ação, se tudo mais não der certo.

— Que tipo de coisas extraordinárias?

— Estranhamente, as coisas não são muito diferentes da situação de vocês. Leio os jornais, sabe? O caso Merlim, e tudo mais. Poder-se-ia pensar que os druidas estejam de volta.

— É exatamente sobre isso que vim lhe falar. Que espantoso.

Sua tia fez que sim com a cabeça.

— Mais uma novidade de estar biruta. Eu sabia que você viria e por quê. Nunca nos conhecemos, mas tive uma intuição de que você viria atrás do conselho de meu marido.

Artur descansou sua xícara.
— Como sabia?
Ela sacudiu a cabeça.
— É muito esquisito. Como também o desaparecimento de meu marido anteontem, sem falar no objeto inexplicável que ele deixou para trás. É tudo tão esquisito que às vezes acordo no meio da noite quase com um ataque histérico.
Penelope Rees se levantou e atravessou a sala; ao voltar tinha uma bolsa de veludo preto nas mãos.
— Estou disposta a conversar com você com a maior sinceridade sobre absolutamente tudo, mas primeiro preciso lhe mostrar isto aqui. — Ela descansou a bolsa na bandeja de chá e tirou lentamente o que tinha dentro. — O que acha disso?
O olhar de Artur foi atraído por uma pedra redonda e chata na mesa. Mal se diria que a imagem era extraordinária, à primeira vista. Ele olhou obtusamente para sua tia, em seguida olhou de novo para a pedra redonda, bastante grande para que ele não pudesse empalmá-la só com uma mão. Pegou-a, descobrindo que a pedra era quase um disco perfeito, alisada e gasta por séculos de água corrente sobre ela.
— Não achei nada a respeito. Deveria? — perguntou.
Uma expressão coloriu o rosto de Lady Penelope, sua excentricidade sendo substituída pela seriedade.
— Esta pedra me foi entregue quando meu marido desapareceu. Num dia absolutamente normal, ele saiu pela porta afora, dizendo que ia comprar fumo de cachimbo na cidade. E como sempre, foi a pé. Meu marido gostava de caminhar. Não o vimos desde então. Naquela noite, prestes a chamar a polícia, eu me aventurei lá fora, depois de ter visto uma sombra, que eu não podia distinguir direito, perto do labirinto.
Artur parecia confuso.
— Temos um labirinto, sabe, plantado antes da construção desta casa. Quando vi aquela figura, deveria ter gritado; deveria ter ficado amedrontada. Não fiquei. A figura entrou no labirinto e resolvi segui-la. Nosso labirinto ainda é o original, feito de teixos e tão denso que você não consegue enfiar três dedos através dele. Por mais que tentasse, não encontrei ninguém lá dentro. Tudo que achei foi isso. — Ela apontou para a pedra, agora novamente em cima da mesa.

— Está insinuando que seu marido talvez lhe tenha entregue isso? Era ele então o vulto?
— Você sabe escutar bem. Concordo. Sim, tive apenas uma intuição, porque estava escuro demais para ver que ele tinha voltado.
— Por que ele não ficou, ou pelo menos falou com a senhora?
— Pode pôr na conta de outro momento esquisito. Sei que está imaginando por que nunca dei queixa do desaparecimento de meu marido. Se você tiver paciência, posso explicá-lo e várias outras coisas também. O que você precisa aceitar agora, se puder, é que essa pedra é uma pista mais importante para seu caso Merlim do que os druidas, embora eles também possam vir a desempenhar a sua parte, antes do final.

Durante este inesperado e espantoso relato, nem Artur nem Penelope olharam pelas janelas que davam para o jardim. Assim, perderam o ajuntamento de corvos pousados silenciosamente numa das antiqüíssimas faias cobreadas, tão abundantes que pareciam uma figueira gigante, preta de tanta fruta. Lady Penelope fez um gesto em direção à pedra.

— Vire-a. Está vendo alguma coisa?

De início Artur não conseguia. A pedra era comum. Minúsculas rachaduras riscavam aqui e ali sua superfície. Parecia apenas um pouco estranho que um lado da pedra não fosse tão liso quanto o outro. Artur se levantou e foi até a janela, procurando mais luz.

— Ah, estou vendo o que quer dizer. Existe uma escrita em cima e no meio das rachaduras. Alguém riscou um nome ou palavras nela. Não consigo distingui-las muito bem. Vamos lá — "Clas Myrddin". Sim, é isso o que está escrito.

Ele voltou a olhar para sua tia, que sofrera uma mudança dramática. Seu rosto estava lívido e quando conseguiu articular, disse:

— Então você viu as palavras? Graças a Deus. Fico tremendamente contente, meu caro, mas tenho más notícias. Você também é biruta. — Artur sentiu uma onda de premonição formigar na pele. A mulher alta com os olhos de feiticeira também pareceu senti-la ao mesmo tempo. Estava à beira das lágrimas; disse baixinho: — É possível que tenhamos de passar por muita coisa juntos. É melhor começar a me chamar de Pen.

NOVE

Clas Myrddin

— Você está acordado? — perguntou o velho corvo.
— Sim — respondeu Melquior. — Estou inquieto demais para cochilar.
— Inquieto? Eu também estou me sentindo um pouco assim. Talvez você tenha me contagiado. Eu nunca me senti inquieto antes — disse o velho corvo pensativamente. — Segure no galho com mais força, por favor.
Melquior pegou-se quase a cair numa rajada de vento. A faia em que estavam pousados vergou para um lado como uma dançarina bêbada. Embora o bando estivesse quase a dormir no sol quente da tarde, todos os outros corvos instintivamente apertaram mais suas garras; era um reflexo. Melquior teria que treinar. Mas como se treina alguma coisa dormindo?
— A verdade é que estou me sentindo bastante esquisito, — confessou o velho corvo. Olhou em volta nervoso. — Desconfio que ando supondo coisas. E sinceramente, aqui entre nós, não acho que os demais estejam. — Os pássaros que cochilavam ali perto, dormiam tranqüilamente, sem serem perturbados por pesadelos.
— Acho que deve ser o lado negativo de compartilhar a mente com todo mundo — disse Melquior. — É impossível ter pensamentos próprios sem se sentir um traidor.
— Sim, é por aí — disse o velho corvo apressadamente. — Não fale tão alto, por favor. — Alguns corvos se remexeram inquietos; ouviram-se alguns a crocitar agoniados no alto das árvores. Um ataque de livre-arbítrio jamais ocorrera entre a espécie deles, e a mera insinuação disso já perturbava.

— Que tipo de coisas supunha? — perguntou delicadamente Melquior.
— Não ria, mas não posso me impedir de ver as criaturas humanas como anjos depenados.
— Depenados?
— Sem penas. Sem asas também. Jamais assisti a uma criatura humana sair do ovo — talvez nasçam com peninhas. Mas certamente são nus. Se os puserem ao sol, morrem de insolação; jogue-os na neve e morrem de frio. É fácil enfiar uma das minhas garras no couro macio deles, e a idéia que eles têm de voar é se apertarem todos dentro de gigantescos tubos metálicos, morrendo de medo de cair. Que coisa patética.
Melquior queria protestar, porém o velho corvo interrompeu-o.
— É quase ridículo que uma raça superior como os corvos tenha que cuidar deles. E precisam de muitos cuidados, digo-lhe eu. Olhe só para aquela dupla equivocada. — O velho corvo fez um gesto da cabeça em direção a Artur e sua tia, que podiam ser vistos através das portas envidraçadas, do lado voltado para o jardim de Emrys Hall. — Indesculpável. Na beira do precipício e mal suspeitando que as garras do predador podem a qualquer momento se enfiar em suas costas. Não é de espantar que precisem de augúrios.
— Garras haverá e não demoram — concordou Melquior. Ele olhou para as folhas escuras que farfalhavam em cima. De repente, seu tom púrpura meio amarronzado, fê-las todas parecerem estar manchadas de sangue que secara.
O velho corvo assumiu uma expressão de sabedoria e disse:
— É melhor desejar ficar livre de toda essa cambada. Chego a ficar espantado de ter começado a pensar neles.
— Mas para dizer a verdade, pensou. E eu também.
— Ah, talvez tenha sido você que me contagiou. Neste caso, prefiro muito mais voltar a dormir. — O velho corvo se arrepiou, tomando a forma de uma bola preta, e fechou os olhos.
— Não durma. Não deve ignorar suas suposições. Podem ser valiosas. — O velho pássaro emitiu um falso ronco. — Meu destino está entrelaçado a esses humanos. Será que são anjos, mesmo depenados?

O velho corvo, que arrastava uma asa para a metafísica, abriu uma pálpebra e disse:

— Qualquer criatura em seu juízo perfeito os chamaria de demônios. Pavões de vaidade, quando não se entregam à violência; miseravelmente infelizes em seus calabouços mentais e teimosos demais para abrirem a porta e fugirem. São um desperdício total do espírito, de modo geral. — Melquior ficou especulando sobre esse triste juízo. — O problema contigo é que você é meigo de coração — prosseguiu o velho corvo. — Você os salvaria se pudesse, não salvaria? Bem, se tentar, eles te farão em pedaços. Que grande consideração tiveram eles por você, para início de conversa. Os melhores magos foram banalizados e excluídos. Vocês são uma raça extinta, no que toca a *eles*. Quase extinta, suponho, já que você apareceu. Não imagino por quê.

O pássaro grisalho cravou seu olho acusador e parecido com uma conta no aprendiz. Melquior, dando mostras de ansiedade, disse:

— Sinto um grande mal a se concentrar. Uma batalha inacabada será recomeçada. Você o sente?

— É claro. E também todos nós. Há uma exuberante escolha nesses combates, falando como ave de rapina — comentou tranqüilamente o velho corvo. Usando seu bico preto como um fórceps cirúrgico, ele pegou delicadamente uma pulga na plumagem de seu peito e a saboreou.

Melquior teve o sentimento mais estranho. Desejava ajudar Artur no combate vindouro, no entanto a perspectiva de cadáveres frescos para se alimentar — cérebros rachados e globos oculares para serem degustados com cuidado, juntas dos dedos para serem quebradas como pinças de lagostas — deu-lhe uma tremenda fome.

— Não deveríamos avisar alguém? — desabafou ele.

— E perder um banquete? Estamos aqui para esperar. Podem aparecer mensagens para carregarmos. Talvez precisem de nós como presságios da catástrofe. Nosso papel é, como sempre, aceitar nosso papel.

Melquior cedeu; o ataque de livre-arbítrio do velho corvo passara obviamente. De sua parte, Melquior estava ficando insatisfeito com o bando de corvos. Vinham seguindo Artur pacientemente há horas, firmes em seu rastro, da cidade para o campo. O clã dos corvos não gostava de pressa. Tinham um ditado — Saberemos na hora que tivermos de saber. — Contrastando com isso, Melquior sentia uma curiosidade compulsiva, um impulso para romper o véu do futuro. Esse impulso parecia ser tão inútil à mente dos corvos, quanto a compaixão.

Melquior teve a noção que um mesmo fio percorria sua vida. Não importa se como aprendiz numa torre, ou como corvo numa árvore, ele vivia sendo mal compreendido. Mas por quê? Por que sua mente não sossegava nos trilhos que faziam com que as demais vidas corressem tão azeitadamente? Por quê, para início de conversa, fora ele posto de lado como não sendo exatamente humano, e no entanto sem chegar a ser mago?

Estava prestes a sucumbir na melancolia quando notou algo novo. O ângulo do sol poente fazia com que fosse difícil divisar a sala onde Artur se encontrava no momento; agora, ele não passava de uma silhueta mais ou menos familiar. No momento a luz mudara, revelando os recessos mais profundos da sala, e um choque de reconhecimento perpassou Melquior.

— A pedra! Eles a têm — exclamou surpreso. A impaciência dominou-o, como um cavalo em disparada. — Vou lá embaixo — anunciou em bom som. — Virá comigo? — Deu uma olhada para o velho corvo, que parecia sonolento demais para se mexer. Um teto sombreado de folhas o protegia do calor e de ataques por parte de Sua Senhoria a Águia (esses ataques eram a mania do velho corvo, apesar de as águias terem há muito tempo desertado da Inglaterra e voado alhures).

— Por favor, venha comigo — implorou mais uma vez Melquior — Você disse que era meu único amigo. Precisam de nós lá embaixo. — Sabia que estava sendo propositalmente ignorado, por isso levantou-se em suas pernas pretas e finas, pronto para alçar vôo.

— Lá embaixo? Para que se incomodar? — murmurou o velho corvo. — Vá dormir. Os acontecimentos nos chamarão quando for preciso. Ultrapasse correndo um carro, e ele poderá esmagar você sob as rodas. — Nesse exato momento Artur se aproximou mais da janela, erguendo a pedra redonda e chata contra a luz.

— Está vendo aquilo? — exclamou Melquior, quase fora de si.

— A pedra, você quer dizer? Nada nos foi comunicado sobre ela.
— É a Alkahest, não está vendo? O objeto mais precioso do mundo — exclamou Melquior.
— Duvido — respondeu friamente o velho pássaro. — É uma dessas pedras de rio, um pouco maior do que a média. — Fez-se um brilho em seu olho. — Alkahest? Eu me lembro, deixe-me ver. — Ele pensou profundamente. — Sim, agora tenho certeza absoluta. Havia uma velha palavra do tipo a que você se refere — não tenho certeza se você a está falando corretamente — porém a pedra não tem valor. Nós viajamos na esteira dos reis. Se bem me lembro, nenhum *diamante*, safira ou esmeralda respondem por esse nome.
— Ah, então você não está vendo — disse Melquior pesarosamente. — Talvez seja eu o único a ver. Você disse que esses humanos são um desperdício de espírito. Quase acreditei, porém a pedra prova que você estava errado. Preciso ir até lá embaixo.
— Não seja louco. O que encontrará que não saberemos logo todos juntos?
— Tenho uma pista. Se meu mestre não estiver aqui, ou se não conseguir achá-lo, então a Alkahest é o máximo que conseguirei — disse Melquior sem fôlego.
— Seu meigo coração será assado num espeto.
Melquior não deu ouvidos ao velho corvo — ele já mergulhara e pousara numa cornija dourada acima da sala de estar. Um impulso incontrolável fê-lo desejar entrar correndo e tocar a pedra ou, se ele conseguisse, libertar seus poderes.

O barulho forte das batidas das asas contra a vidraça assustou Artur.
— Que extraordinário — disse ele. — Viu isso?
— Está voltando — disse Pen. O grande corvo afastou-se por um segundo da porta envidraçada, arremessando em seguida seu corpo com toda força contra ela.
— Vai se machucar.
— Chamarei Jasper. — Pen foi até um cordão antiquado com uma borla e deu um puxão. O pássaro impetuoso insistia em entrar. Não era suficientemente pesado para quebrar, no entanto,

cada vez que batia com o bico contra a vidraça, uma rachadura fininha espalhava-se por ela como o serrilhado de um raio. Artur sabia que o vidro era basicamente invisível para os pássaros. Quando criança, encontrara pardais mortos entre os arbustos, depois de terem se esborrachado contra uma vidraça. Da primeira vez que acontecera, ele carregara aquele montinho amarrotado de penas no seu bolso, querendo desesperadamente convencê-lo a voltar à vida.

Porém, aquele corvo não era uma pobre vítima. Parecia estar tentando forçar de propósito sua entrada, e quando sua tia agitou os braços para espantá-lo, o pássaro apenas bateu com mais força as asas. Um momento depois despacharam Jasper para resolver o problema. Inesperadamente, o corvo parou seu embate e sumiu de vista; deve ter ficado exausto.

— Não o vejo mais. Você não é supersticioso, é? — perguntou Pen. Artur sacudiu a cabeça. — Que pena — murmurou Pen.

— Fui obrigada a depender da superstição só para continuar viva. Este acontecimento significa alguma coisa. É outro pedaço do quebra-cabeça, uma pista para o mistério que estamos atravessando. — Artur deu sinal de perplexidade. — Ah, sim, nós não somos detetives — prosseguiu Pen. — A despeito de seu uniforme, que graças a Deus não está usando hoje, nossa tarefa não é resolver mistérios. E sim vivê-los. Só espero não sermos burros e ignorarmos as pistas vitais. — Ela parou de repente, recolhendo-se a um espaço particular, impenetrável. Depois de um silêncio desconfortável, Artur resolveu retomar o fio da conversa onde eles o deixaram.

— Ainda estou terrivelmente confuso. Essas palavras gravadas na pedra não me dizem nada. Por que disse que eu estava biruta?

— Porque, meu caro, ninguém além de mim parece poder distingui-las. Para a vista normal, trata-se apenas de rachaduras e acidentes a esmo na pedra.

— Perdão, mas acho difícil acreditar nisso.

— Eu te asseguro que nos dois últimos dias em que este curioso objeto entrou em minha posse, procurei vários colegas de Derek. Sem contar que ele desaparecera, pedi-lhes que interpretassem a pedra. Fiquei tão espantada quanto você, quando nenhum deles conseguia decifrar letras gravadas. Na realidade,

olharam-me de soslaio só por insinuar que eu encontrara Clas Myrddin, que há muito tempo fora relegado a um mito, puro mito.
— As palavras são assim tão significantes?
— Imensamente. São a primeira pista. A primeira coisa a notar é a segunda palavra — *Myrddin* — que é a palavra galesa para Merlim. O *d* duplo é suave, pronunciado como *de* em soledade. Por isso soa mais ou menos como *mêrden*.
— Mêr-den — repetiu delicadamente Artur.
— Exatamente. Mas o que tem Myrddin? Isto é revelado pela primeira palavra. *Clas* é um recinto; portanto o significado da expressão é "Recinto de Merlim". Toda a Inglaterra já esteve sob a proteção de Merlim, por isso recinto de Merlim é um nome antiqüíssimo da própria Inglaterra.
— Ah.
— Espere. Isto é apenas o significado óbvio. Há na realidade algo importante aqui. Veja só...
A tia de Artur parou de falar, com o olhar atraído pelo que acontecia lá fora. Sem que eles notassem, o corvo deve ter voltado, porque Jasper estava fazendo mais do que meramente espantá-lo — derrubara-o e estava posicionado, com uma pá de carvão, pronto para esmagar o pássaro.
— Não, pare.
Pen dera um grito. Tarde demais. O mordomo golpeou com a pá, fazendo um clangor. Artur e sua tia foram correndo até as portas envidraçadas, escancarando-as.
— O que está acontecendo? O que acha que está fazendo? — perguntou zangada Pen.
— Batendo nele — respondeu emburrado Jasper. — Só que errei. — Semiconsciente, o pássaro conseguira se arrastar a alguns centímetros de distância, longe do perigo imediato. O mordomo ergueu a pá para golpear de novo. Artur saiu depressa para o terraço e agarrou a ferramenta pela alça. Jasper deu-lhe um olhar furioso e disse:
— Largue!
Pen virou-se iradamente para Jasper.
— O que deu em você? Está agindo como um brutamontes. — Em seguida virou-se para Artur. — Jasper aqui é normalmente o mais manso dos homens. Não consigo entender seu comportamento.

Esta censura teve um efeito imediato e dramático no mordomo, seus braços relaxaram e foi dominado por uma expressão passiva.
— Sinto muito, madame — murmurou apologeticamente.
— Eu me excedi. — O sujeito parecia estar num transe, reparou Artur.
— Volte para dentro e leve este implemento mortífero — disse Pen, ainda zangada. Ela se inclinou para examinar o pássaro, que jazia inerte no chão. — Acho que está em estado de choque. O que devemos fazer?
Artur disse:
— Ele precisa de calor. Podíamos embrulhá-lo numa coberta. — Sua tia concordou. Ela levantou delicadamente o pássaro com as duas mãos e o levou até a sala de estar. Em seu quimono preto de seda, ela mesma parecia um corvo. Pen embrulhou o pássaro machucado num cobertor oriental desbotado; ele permanecia consciente, tremendo um pouco.
— Que estranho — disse Pen. — Eu estava no processo de desatar um mistério quando aconteceu essa interrupção bizarra. Tivemos nosso augúrio, disso tenho certeza. — Embora semiconsciente, os olhos pretos luzidios do corvo pareciam observá-la com uma atenção toda especial.
— Você precisa saber mais sobre a pedra — disse Pen depois de um instante. — A coisa é muito mais profunda do que você suspeita. Existe um mistério ligado à expressão *Clas Myrddin*, tal como costuma acontecer com palavras arcaicas e hieroglifos. Para os antigos, as palavras eram coisas concretas, e não abstrações. As palavras eram capazes de comportar poderes mágicos. Uma palavra especialmente poderosa podia derrubar uma árvore ou matar seu inimigo de medo.
— E como se desatavam estes poderes?
Pen sacudiu a cabeça.
— Ainda não aprendi como. As palavras recobrem segredos, tal como alçapões sobre passagens subterrâneas. Para descobrir sua verdadeira importância, é preciso que você se disponha a explorar. — Ela se calou.
— Você acredita que Merlim tenha existido mesmo?
— Durante muito tempo, não. Ele estava além da minha capacidade pessoal de crença. Até que achei esta pedra. — Pen

passou a mão sobre a pedra gravada. — Se pudermos encontrar Merlim, tenho certeza de que encontraremos meu marido. Você compreende minha relutância em pedir auxílio à polícia, não compreende? — Artur olhou para a pedra, e por um instante não conseguiu ver nada. Linhas erráticas fluíam numa provocante confusão e, então, como uma recordação que emergisse de um esquecimento nebuloso, as palavras reapareceram. Pen pôs a pedra de volta na bolsinha de veludo. — Tivemos um notável encontro — disse ela — mas esqueci completamente por que veio falar comigo.

— Era sobre os druidas. Mas agora prefiro fazer uma pergunta diferente. Seu marido possuía um par de luvas de pelica marrons?

— Nunca notei. É possível que sim.

— Estava frio na noite de anteontem, não estava, na noite em que Sir Derek não voltou? É provável, não é, que ele estivesse usando luvas?

— Sinto muito, não sei. Não o vi sair. Você encontrou luvas na cena do crime?

— Uma luva, sim.

Pen ficou pensativa.

— Não vejo como isso vai nos levar a Derek. Posso lhe assegurar que meu marido não tinha barba, muito menos uma longa barba branca.

— Sim, é claro. — Artur se levantou. — Está ficando tarde, e já tomei muito de seu tempo. — Os dois foram caminhando até o corredor de mármore que levava ao vestíbulo. Jasper não estava em nenhum lugar à vista, e a própria Pen abriu a enorme porta de carvalho.

— Conversaremos de novo, tenho certeza — disse ela. Artur balançou grato a cabeça e entrou no carro.

O cascalho dourado de Emrys Hall fazia barulho ao ser esmagado pelo Ford preto. Artur dirigia devagar. Réstias de luz do final da tarde iluminavam a casa com um fulgurante lustro; ele tinha a sensação de estar deixando um castelo encantado. De cada lado, as fileiras de faias, que deveriam ser árvores novas no reinado de Jorge III, avultavam com suas imponentes copas no ar do crepúsculo. De uma árvore exemplar, alçou vôo um bando de pássaros, girando como uma nuvem viva. Corvos. Artur tinha uma vaga impressão de ter passado o dia inteiro com a presença de corvos a meia distância. A nuvem negra girou diante do sol, deu uma inesperada guinada em pleno ar e se voltou em sua direção. Ele freou o carro para observar. De repente, lembrou-se do corvo machucado na sala de estar de Penelope Rees.

Artur olhou pelo espelho retrovisor. A entrada de Emrys Hall estava enquadrada nele; as portas maciças se entreabriram, e apareceu sua tia acenando os braços. Parecia estar chamando, embora a voz dela não chegasse até aquela distância toda. Olhando para trás, Artur pôs o carro em marcha à ré. Ao alcançar a casa, Pen correu até ele, agitada.

— Depressa, venha ver — disse ela sem fôlego, e, sem outra palavra, voltou correndo para dentro.

Quando Artur entrou, ouviu passos correndo perto do corredor do vestíbulo. Sua tia não esperara por ele; Artur seguiu os passos até a sala de estar. Estava escuro. Desde sua saída, as grossas cortinas de brocado foram fechadas. Pen estava agachada num canto, quase invisível na sombra. Estava hipnotizada por alguma coisa. Artur aproximou-se, com os olhos se adaptando à escuridão.

— O que é?

Pen se afastou para revelar uma imagem inacreditável. Duas longas mãos pálidas pareciam estendidas na direção dele, suplicantes, numa misteriosa carência. Estavam suspensas perto do chão, logo diante de sua tia. Não havia corpo ou braços ligados a elas. Na primeira imagem espantada que teve delas, imaginou que fossem mãos amputadas, evidência de algum pavoroso crime. Sua cabeça disparou em busca de explicações. Que tipo de violência ocorrera nos poucos minutos desde que se afastara dali?

Mas em seguida ele percebeu que as mãos não estavam absolutamente mortas. Tremiam. Artur recuou.

— Firme — avisou Pen. As mãos agarravam o ar como se suplicassem ou orassem. Eram dotadas quase de uma voz, e Artur viu que não tinham sido amputadas de nenhum corpo, nem estavam soltas no ar como o fantasma de Marley. Encontravam-se ligadas a um negror sólido, cuja forma mal se podia distinguir na pouca luz da sala de estar. O corvo. Duas mãos se estendiam das asas abertas do corvo.

— Acenda uma luz, mas fique quieto — disse Pen, quase num sussurro. Artur acendeu a luz de um abajur montado sobre um vidro, ali perto. Voltou e ajoelhou-se perto de sua tia. As mãos tremiam mais violentamente, como se estivessem chamando. Agora começaram a surgir pulsos, lentamente. Alguém estava nascendo do corvo. Seguiram-se antebraços. Com um grande esforço, Artur controlou uma onda de pânico. Palavras cruzaram sua mente, palavras familiares, que no entanto não tinham raiz em sua memória: *Por favor — ajude — precisam de você.*

Era a segunda vez que fora chamado. Com uma certeza absoluta, Artur percebeu que aquela criatura que lutava para nascer diante de seus olhos falava com ele.

— Precisamos ajudar — disse ele em voz alta.

Pen pareceu perplexa.

— Como?

Artur ainda estava por demais abalado para pensar com lucidez e, no entanto, na estranheza além da estranheza, precisava fazer alguma coisa pela criatura.

O corpo do corvo estremeceu e suas asas se voltaram para o teto. As dores do parto deveriam tê-lo rompido de cima a baixo, porém mesmo assim o processo prosseguia. Artur estava agora ao lado do pássaro. Ele estendeu as mãos para firmar as asas que tremiam; no momento que as tocou, sua sensação era outra. O pavor desapareceu, substituído por algo seguro, sem tremores nem medo. Era um amor solícito. Sim, ele era o parteiro, a mãe deste parto no escuro. Jamais sentira algo parecido antes. Nasceu um calor em seu peito, e ele sabia que queria muito ver a cara daquela criatura quando finalmente viesse ao mundo. O pássaro sentiu que ele se encontrava ali; estava totalmente entregue.

— Está com medo? — perguntou Artur.

Sua tia se mudara para uma poltrona e escondera o rosto nas mãos. Ela sacudiu a cabeça.

— Foi um susto no início, mas estou recuperando o autocontrole. Ainda bem que você ainda estava aqui. — Ela se levantou e chegou mais perto.

Agora estavam de ambos os lados do corvo. Estranhamente, as mãos sabiam disso; elas se estenderam. Um sentimento de carinho dominou Artur. Ele pegou a mão que se oferecia na sua;

com mais timidez, Lady Penelope seguiu seu exemplo. As mãos pálidas seguravam com uma força tenaz.
— Não, espere — exclamou Pen. Mas não havia espera. O processo se acelerara por cem. Mais depressa do que seus olhos podiam acompanhar, as partes superiores dos braços, a cabeça, os ombros, foram dados à luz. A cabeça estava prostrada e no escuro, e eles ainda não podiam distinguir o rosto — uma película brilhante cobria tudo, como um redenho. Mesmo se pudessem ter distinguido um rosto, o processo era muito rápido. Dentro de segundos, o corpo nu de um rapaz jazia enroscado no chão. Ele era elegante e tinha a pele cor de amêndoa; seus cabelos compridos caíam pelas costas.
— O que devemos fazer? Devemos tocá-lo? — perguntou Pen. Artur sacudiu a cabeça. Esperaram um segundo enquanto a membrana brilhante se dissolvia sozinha. Agora revelava-se o rosto. Mesmo exausto, era um rosto notável, como talhado de uma matéria-prima imortal. Pen tirou seu robe para cobrir o jovem; em sua indefesa nudez, ele parecia um órfão do tempo. O coração dela estava profundamente comovido, e pela primeira vez em dois dias, suas dolorosas saudades do marido passaram.
— Está consciente, eu acho — murmurou ela. Artur balançou a cabeça. Ao olhar para trás, percebeu que havia alguém à porta. Era Jasper.
— Rápido, traga cobertores e umas roupas — mandou Artur. Ele parou, percebendo sua presunção. Era um estranho na casa, embora sentisse que estivera ali para sempre. Sua tia levantou a voz: — Faça o que ele disse. — Jasper deixou correndo o vestíbulo, encaminhando-se para a escada. Dentro de poucos minutos, voltara com as coisas pedidas. As cortinas tinham sido abertas para admitir mais luz. O rapaz estava calado, sentado numa cadeira, olhando em volta.
— Somos amigos. Pode nos dizer quem é você? — perguntou Artur. O rapaz entortou a cabeça sem dizer nada. Seus gestos tinham uma qualidade residual de pássaro. Totalmente inexpressivo, mais parecendo um mudo do que uma pessoa normal, ele parecia estar inaugurando a língua. Tinha olhos castanhos extraordinariamente grandes, que combinavam inocência com grande profundidade; no momento, entretanto, pareciam espantados e exaustos. Ele obviamente precisava comer e beber. Artur

falou baixo com sua tia. — Acho melhor eu mesmo ir à despensa pegar a comida. Você talvez queira manter Jasper afastado.
— Por quê?
— Não viu a expressão em seu rosto da primeira vez que apareceu na porta?
Pen sacudiu a cabeça.
— Tenho certeza de que tinha uma expressão de espanto, como nós dois.
— Não. Era uma coisa negra, e não posso ter certeza absoluta, mas acho que Jasper não ficou nada espantado. Ele me passou algo muito diferente, muito menos benigno.
— Está bem. Vá dizer-lhe para tirar folga pelo resto do dia. Já é tarde, aliás.
Artur fez que sim com a cabeça e foi. Voltou com chá e bolinhos e pôs na frente do rapaz.
— Foi só isso que consegui arranjar. Não consegui encontrar a cozinheira, ou uma empregada.
— Só estávamos Jasper e eu. Dei folga aos outros, para evitar a boataria local. Preferi enfrentar isso tudo sozinha. Até você chegar. — Artur pôs sua mão na de Pen e a deixou ficar ali.
O rapaz os olhava, ignorando a comida a sua frente. Pareceu tão espantado quanto eles, quando falou:
— Mestre.
Pen olhou para Artur, perguntando em seguida:
— Pode nos dizer o nome de seu mestre? Pode nos dizer seu nome?
O rapaz olhou para ela mudo, em seguida apontou para a pedra, que tinha sido deixada do lado de fora, ao lado de sua bolsinha de veludo. Ele não voltou a falar, mas apenas desenhou com o dedo as letras que apenas dois mortais haviam conseguido ler antes.
— Ele sabe — disse Artur, e Pen aquiesceu com a cabeça. — O que faremos agora?
O rapaz tinha se afundado na cadeira, sem prestar mais atenção a eles; seus olhos estavam cravados na pedra, como se hipnotizados.
— Acho que isso está bastante claro — respondeu Pen. — Vamos nos pôr à espera de um novo susto.

DEZ

Fada Fay

Logo que voltou para seu quarto e se deitou, Jasper começou a sentir náuseas no estômago. Ele não sabia exatamente aquilo que vira lá embaixo na sala de estar. A luz estava fraca, e era contra seus princípios olhar. Ser discreto é uma regra inflexível entre os bons mordomos.
— Não importa o que eu vi. Vi demais — pensou ele. Ela haveria de querer saber tudo agora; ele não tinha escolha.
— Quem está aí?— perguntou ele alarmado.
As tábuas do assoalho de seu quarto rangeram ligeiramente. Jasper sentou-se na cama. Era uma bela cama antiga feita de mogno, pesada como ferro e com pés em garra. Uma mesinha-de-cabeceira simples e resistente ficava a seu lado, com uma Bíblia aberta em cima.
— Vá embora. Não preciso de nada. É verdade — gritou ele. Gritou para quem? Sua voz parecia cava e amedrontada.
Quando o jovem policial entrara na copa para pegar comida, mandara Jasper subir imediatamente.
— Como se tivesse algum direito de ficar me dando ordens — pensou aborrecido o mordomo. Porém Jasper não subira. E sim permanecera no patamar de cima. Esperara bastante tempo, seus joelhos começando a ficarem duros, sua cabeça a doer.
Finalmente sua patroa saíra da sala de estar e entrara no saguão da entrada. Estava junto com o jovem policial, mas sem aquele pássaro-coisa que aparecera. Talvez o pássaro-coisa se fora. Não, estavam conversando a seu respeito. Ele adormecera numa cadeira junto à lareira.
— Vamos meramente deixá-lo ali — dissera sua patroa. —

Será mais bondoso do que levá-lo para cama. Está absolutamente exausto.
Artur disse:
— Eu gostaria de poder ficar, isso me tranqüilizaria, mas infelizmente minha mãe está sozinha.
— Não, não, eu não pensaria em pedir que ficasse. Estamos bastante seguros aqui. Temos Jasper para olhar por nós, afinal.
O jovem policial franzira a testa e comentara alguma coisa. Jasper perdera as palavras exatas, enquanto suas vozes abafadas passavam sob a escadaria. Ele arriscou sair da sombra e se inclinar sobre a balaustrada de mármore. Eles se encontravam por demais absortos para notarem.
A porta da frente se abriu; Artur parou meio irresoluto no portal.
— Olha, eu não me sentirei bem se não me ligar bem cedo pela manhã. Para casa, e não para a delegacia. Promete?
Sua patroa fez que sim com a cabeça, de uma maneira meio ausente, e em seguida colocou a mão no braço dele.
— Há uma coisa que ainda não lhe contei — disse ela, com um tom ansioso na voz. — Nosso estranho amigo parece muito perdido, e acho que ele concentrou suas esperanças em achar novamente seu mestre.
Ela olhou pela porta, para a escuridão.
— Meu coração me diz que suas esperanças serão frustradas. Sabe, há outra coisa sobre a pedra; a última camada do enigma de Clas Myrddin.
A voz dela abaixou. Eles devem ter saído da casa. Jasper inclinou-se mais sobre o vazio, arriscando ser descoberto.
Sua patroa disse:
— Dizem as velhas histórias que Merlim possuía uma fraqueza habitual. Não é surpresa que fosse o amor — o romantismo era a rosa envenenada no buquê de Camelot. Ele causou a desgraça de muitos nobres cavaleiros. Em sua paixão por Lancelot, desgraçou a rainha Guinevere, e finalmente desgraçou o próprio rei. A traição e o assassinato eram cometidos em nome do amor. Mas deixarei isso de lado. Estamos nos referindo a Merlim, no momento.
— O velho mago se encontrava numa viagem ao estrangeiro, a mando do rei Artur, quando ficou fascinado por uma senho-

ra chamada Vivian. Não por ela ser bonita. Merlim, é preciso lembrar, poderia ter convocado Cleópatra para cerzir suas meias, se assim quisesse. Precisava haver algo especial para vencer sua resistência, e Vivian o possuía. Ela era uma poderosa feiticeira de pleno direito e tinha uma curiosidade enorme de conhecer os mais caros segredos de Merlim. Sua magia negra deu-lhe os meios de extraí-los dele. O velho tolo e amoroso provavelmente queria que eles lhe fossem mesmo extraídos.

— Por quê?

Uma expressão tristonha coloriu o rosto de Pen. Recordações tristes pareceram atuar por um instante num palco escurecido em sua mente.

— Não se importe com isso. Uma noite, enquanto Merlim dormia a sono solto na cama deles, Vivian virou um dos feitiços do velho contra ele mesmo. Soubera que um mago não pode ser morto; a única maneira de vencer Merlim era prendê-lo entre quatro paredes de pedra e enterrar profundamente esse calabouço. Merlim revelara-lhe tolamente essa informação, e Vivian não perdeu tempo em encerrá-lo num cômodo secreto chamado Recinto de Merlim.

— Clas Myrddin.

— Exatamente. Foi por isso que todo mundo fez pouco caso quando eu disse que o havia achado.

— E essa pedra pode ser, para todos os efeitos, uma espécie de pedra mortuária?

— Não sei. Um poderoso feitiço pode estar encerrado nela, que certamente nem você nem eu haveremos de desfazer. Talvez nosso jovem amigo possa fazê-lo. Se fôssemos supersticiosos, haveria ocasião para temermos ser afundados pelo feitiço.

— Está com medo?

Pen sacudiu a cabeça.

— Estamos vivendo um tremendo mistério, porém estou cansada demais para pensar lucidamente. Quase não dormi desde que Derek partiu.

Jasper se retirara depressa de seu posto de escuta. Sua patroa haveria de subir agora a qualquer momento. Ele ouviu alguns murmúrios de despedida, em seguida o clangor cavo das portas se fechando como uma ponte levadiça durante a noite.

Deitado em sua cama, Jasper sentia-se exausto e ao mesmo tempo alerta. Sua garganta se estreitara de medo. Água. Estendeu a mão para pegar a jarra branca de porcelana na mesa. As tábuas do assoalho rangeram de novo. Ele começou a despejar a água, porém sua mão foi empurrada violentamente. A jarra foi jogada longe do outro lado do quarto, acertando a parede oposta e se quebrando. Jasper estirou-se na cama e fechou os olhos no escuro.

— Querido, que sujeira é essa? Você não passa de um cachorrinho porco. Deixe-me ajudá-lo.

Ela estava de volta; cumpria sempre suas promessas. Jasper abriu os olhos. A luz fora acesa. Uma moça se encontrava no quarto, com o corpo inclinado para apanhar os cacos de porcelana. Mesmo sem ver seu rosto, era visível que ela era jovem e bela.

— Não precisa fazer isso — disse Jasper. — Cuidarei mais tarde dos estragos.

A sorrir, respondeu a moça:

— Não tem importância, levará só um instante. — Jasper virou-se para o outro lado. Fingir que estavam jogando aquele jogo não tinha o menor sentido; ambos sabiam muito bem que fora ela quem arrancara a jarra das mãos dele. — Você parece cansado demais, querido. Eles não precisavam fazê-lo trabalhar tanto assim, querido. Você já faz o trabalho de três empregados, do jeito que é. Afinal, o que aconteceu com a noção de cavalheirismo? Sir Derek devia ter mais consideração quanto a seus sentimentos. — Ela gostava desse bate-papo fácil, doméstico, de quem cuidava dele. Era de meter medo.

As palavras de Lady Penelope sobre a maldição do amor — a rosa envenenada de Camelot — voltaram à recordação de Jasper. As náuseas em seu estômago pioraram; ele começou a chorar, baixinho, consigo mesmo. Há duas semanas que o amor fora seu precioso segredo.

Conseguira se apaixonar sem que as duas arrumadeiras, que moravam no sótão, em quartos próximos ao seu, suspeitassem de alguma coisa. As paredes eram espessas e, de qualquer maneira, Ivy e Vi estavam namorando. Você poderia atirar em coelhos no corredor, que elas nunca ouviriam. Quando ele encontrou a garota na venda da aldeia, foi amor à primeira vista. Milagrosamente,

quando percebera o olhar dele, ela o devolvera. Pedira para ajudá-la a carregar sua cesta de compras até em casa, e as coisas evoluíram daí.
O nome dela era Fay.
Da primeira vez, ele se sentiu culpado por trazer a garota para passar a noite em seu quarto.
— Não fique tão preocupado. Se você me amar, eles também me amarão — tranqüilizara-o Fay. Em seu colete riscado de mordomo e seu colarinho duro, Jasper parecia maduro, mas na realidade, ainda era um homem jovem, e com muito pouca experiência.
Ela fez sua timidez desaparecer depressa. Pela primeira vez na vida, ele gozou o tempo da paixão para o qual os jovens foram feitos. Seu desejo por ela amadurecia toda noite como pêssegos dourados, abrindo-se em pura doçura.
Quando ela olhou em volta de seu quarto, reparou imediatamente na prateleira estreita cheia de livros de capa dura, por cima de seu armário, todos obras de Derek Rees.
— Ah, você precisa ler para mim — exclamou ela e ele o fez, horas sem fim. Jasper amava seu patrão e devorava apaixonadamente seus livros.
Fay começou a abrir os livros e contemplar as ilustrações sozinha. *Albion dos Encantos* era seu predileto, com seus pastéis de Titania enamorada de Traseiro, em sua cabeça de asno, e Robin Goodfellow a espionar por baixo do vestido da donzela.
— É tudo meio tolice — dizia Jasper — mas o patrão sabe injetar vida no assunto.
Foi nos livros que Jasper lera pela primeira vez sobre o mundo invisível das fadas e elfos, magos e feiticeiros. Jasper sempre fora uma pessoa prática. Sua vida era chata como a de um bacalhau, mas ele sabia das coisas: como guardar a porcelana Spode entre camadas de papel higiênico e polir a prata sempre na mesma direção, para disfarçar os arranhões. Coisas certas e úteis de conhecer, e não aquela terrível — como se chamava? "Arcana", lhe dissera Fay. Ah, sim, *arcana*. Fay ficava entusiasmada por todo aquele negócio de fadas desenterrarem os ossos de seus amantes e fantasmas irradiando luz verde dos olhos.
Emrys Hall era o lugar mais tranqüilo de se viver com que Jasper sonhara. Ele fora verdadeiramente feliz ali, e depois que

trouxera Fay — que importa com que nome ela agora se apresentava, no inferno ou fora dele? — era delicioso sonhar em apresentá-la a Sir Derek e sua esposa. Inesperadamente, ela teve uma reação de timidez diante dessa apresentação.

— Vamos guardar isso entre nós durante algum tempo — sugeriu ela — até termos certeza.

Fay ia e vinha algumas vezes por semana, mas preferia que ele nunca a procurasse em casa. Senhoria chata, dizia ela. Estar separado dela dilacerava Jasper; estar com ela era o paraíso reconquistado. Certa vez ele a seguira até sua moradia, uma grande pensão perto da rua principal. Era no final da tarde e depois de ela ter entrado, ele espiou por cima do muro para ver se uma luz qualquer se acendia numa janela do andar de cima.

— Posso lhe ajudar? — perguntara bruscamente uma voz a suas costas. Jasper virara-se depressa, para dar de cara com um homem de cabelos escuros num sobretudo de lã grande demais para ele.

Jasper não sabia o que dizer.

— Tenho uma pessoa amiga que mora aqui — gaguejou.

O homem olhou-o desconfiado.

— Amiga? Como se chama?

— Como sabia que era mulher? — murmurou Jasper.

— Porque sou o proprietário do lugar. Meu nome é Amberside. Vamos entrar, meu bom camarada, e achar sua amiga? — O homem se aproximou um passo, e o fato de manter as mãos nos bolsos do sobretudo, só fazia aumentar a ameaça. Jasper já tinha saído de fininho rua abaixo, só tendo coragem de olhar para trás para ver se o homem o seguia, uns cem metros depois. Para seu alívio, a calçada estava vazia. Depois de parar para tomar um uísque para acalmar seus nervos, o mordomo ficou a imaginar por que Fay dissera ter uma senhoria. Talvez Amberside fosse casado.

Esse incidente constrangedor foi logo esquecido, embora Jasper tenha se flagrado evitando os arredores. Depois Sir Derek desaparecera; Fay não viera ter com Jasper naquela noite. A casa estivera silenciosa durante todo o dia seguinte; sua patroa pedira a Jasper para não comentar com ninguém. Foi só na próxima noite que Fay aparecera de novo. Depois de terem se amado, ela se levantou e foi até a janela aberta. Sem ligar para vestir nada, ela

se inclinou para fora e estendeu as palmas da mão para o luar, para todos os efeitos como uma fada adorando a deusa. Fada Fay.
— Eu poderia ficar te espiando para sempre assim — disse Jasper da cama. Ela pareceu corar e tapou os seios com as mãos.
— Não olharei para você, se não quiser — acrescentou ele timidamente.
Ela sacudiu a cabeça.
— Não, é bom. Só que estou ficando um pouco com frio.
— Ele se levantou e pôs um de seus casacos de mordomo em volta dos ombros dela. — O que é aquilo? — perguntou ela, apontando para o jardim. Uma fragrância de erva-cidreira subia até eles.
— Aquilo? O labirinto. É da época da rainha Ana. Era a concepção que tinham de um *playground*, ninfas a perseguir sátiros, toda essa bobagem.
Ela não escutava. Seus olhos fixaram-se com atenção no labirinto.
— Quero ir até lá embaixo — disse ela repentinamente.
Ele ficou espantado.
— O quê? A essa hora da noite, é impossível. — Sentiu-se rejeitado, mas percebeu o sentimento e deu uma risada. Talvez fosse apenas um capricho dela; talvez quisesse ser perseguida pelo labirinto. Desceram na pontinha dos pés, quase sem roupas. A casa estava escura, a não ser por uma luz no escritório onde sua patroa estava lendo, e uma sobre o pórtico, no caso de Sir Derek resolver voltar a pé. Não se preocupavam ainda seriamente a respeito dele, ou pelo menos os empregados não tinham sido avisados.
Uma vez lá fora, a excitação de Fay tornou-se frenética.
— Depressa — sussurrou ela, agarrando ferozmente seu braço.
As paredes verdes do labirinto eram como barricadas negras, mesmo sob o luar. Ele tropeçou, mas ela o arrastou para a frente. Era extraordinário como ela conseguia encontrar o caminho. A entrada do norte estava mais próxima. Correram até ela; Jasper ficou mais inquieto.
— Vamos — insistia ela. De algum modo, não parecia mais uma brincadeira. A suas costas, Jasper percebeu de soslaio a luz de uma lanterna oscilando no escuro. Ele recuou.

— Acho que é minha patroa, é melhor esperarmos.
— Não.
— Então vamos voltar. — Ao estender a mão no escuro para achar o rosto de Fay, ela deu um rosnado, grave e ameaçador. O coração de Jasper quase deixou seu peito. O rosnado parecia sobrenatural, amedrontador. Com toda a sua energia, fingiu não tê-lo ouvido. — Está escuro. Deixe-me tocá-la — cochichou ele, enquanto estendia de novo a mão na direção dela. Foi, percebeu ele, o gesto mais corajoso que jamais fizera. O que tocara ele naquela pavorosa escuridão? Pêlos? Escamas? Desaparecera tão rápido, que poderia ter sido fruto de sua imaginação. Ela sumira silenciosamente nas entranhas do labirinto.

Jasper tentou se arrastar para fora pelo caminho que usaram para entrar. Num buraco entre a vegetação, acreditou ter visto passar a lanterna. Depois de um instante, ficou aparente que estava perdido. Entrou em pânico. Tropeçou em todo canto afoitamente, arranhando bastante o rosto e as mãos. Foi só a graça de Deus que o fez escapar dali. Ao ver o gramado aberto diante dele, correra desordenadamente em direção ao pórtico iluminado. Desabara na cama, mal conseguindo recuperar o fôlego; entretanto, sentiu-se estranhamente lúcido, como se fosse espectador do erro de outra pessoa.

Quando ela voltou, ele não sentia mais nada.

— Ainda está acordado — comentou ela displicentemente. Era impossível decifrar seu ânimo. Teria sido bem-sucedida em seus propósitos, quaisquer que fossem? — Pode me ajudar com isso? — perguntou ela; estava com os braços em volta do pescoço, tentando tirar o gancho da blusa que ela jogara em cima dela.

Fay permanecia diante do espelho quando ele veio por trás dela, mexendo no ganchinho em sua nuca. De alguma maneira, sabia que não deveria olhar para o reflexo dela.

— Seu bobo — disse ela, rindo soturnamente. — Acha que verá o quê, que eu tenho o rosto de um porco-espinho — isso seria bonito — ou que tenho serpentes no lugar do cabelo? Talvez uma língua bipartida? — Ela botou a língua para fora. Continuava rosada e bonita como sempre. Seus olhos brilhavam.

— Eu, ei... — Ele não conseguia falar. Ela afastou os dedos dele e ela mesma abriu o fecho. Olhando no espelho, deu um suspiro. — Nossa combinação terá de mudar um pouco, querido.

Perdemos algo precioso, a despeito de meus melhores esforços.
— Então ela fracassara. Fay apontou. — Olha, dê uma olhada.
Era uma ordem. Jasper olhou por cima do ombro dela para o espelho de parede, mas o rosto de Fay não estava ali. Ele viu através do corpo dela, como se ela fosse uma sombra. Em seguida ela deu um sibilo gutural (ele se lembrou dos livros de Sir Derek que diziam que os feitiços eram pronunciados em latim, de trás para frente), mas o som chegou a ele de milhões de quilômetros de distância. Com um estrondo o espelho explodiu, arremessando vidro em todas as direções. Ele não teve tempo de se abaixar. Um caco atingiu sua testa bem acima do nariz. Seus olhos se viraram e ele desmaiou.

Ao acordar, estava na cama, com a forte luz da manhã a entrar pela janela.

— Quem está aí? — perguntou.

— Só nós. Não se mexa, está tudo bem — disse uma voz. Era Lady Penelope. Jasper estava zonzo, mas quando ouviu a voz de Fay, sentiu um aperto no coração.

— Ele parece muito fraco. Devo trocar a atadura? — perguntou Fay. As duas mulheres se consultaram. Ele podia ouvir o barulho das tesouras; mãos frias tocaram sua testa. Sentiu sua atadura rígida e pegajosa sendo desenrolada. — Me deixem — protestou ele.

— Por favor, fique quieto — disse Fay. — O acidente não foi tão sério quanto parecia. Sangrou muito, mas não acho que tenha ficado seriamente ferido. — Ela parecia preocupada e carinhosa. Ele queria vomitar.

— Eu só queria dizer para você não se preocupar pelo fato de ter trazido Fay aqui — disse Lady Penelope. — Tenho certeza de que não demoraria em nos contar. Estou muito feliz por sua causa. Ela é linda. — Uma mão macia apertou sua mão. Aos poucos o quarto foi entrando em foco, e ele viu uma jarra de vidro defronte seu rosto. Sua patroa flutuava acima da jarra. — Tome um pouco. É só água quente com uísque e mel. Você se sentirá melhor — disse ela. Jasper sabia que seu sonho de felicidade se perdera para sempre. Ele virou a cabeça para a parede, pronto para morrer.

Desde então, sua patroa parecia encantada toda vez que Fay ia até a casa. Ela não tinha aparecido hoje, quando acontecera aquela coisa com o pássaro, mas na realidade, a hora dela era de noite, e já estava escurecendo. Jasper sabia agora por que teve aquele impulso de parar na escadaria e espionar. Não se tratava de um erro grave em sua discrição de mordomo. Ficou com medo de voltar a seu quarto.

Esses pensamentos duraram apenas um instante, embora Jasper sentisse ter voado longe, arrastado por eles. Ele abriu os olhos na esperança, contra toda probabilidade, de que Fay tivesse ido embora. Em vez disso, ela estava sentada ao lado de sua cama, com as mãos cheias dos cacos de porcelana quebrada.

— Sei que prefere ficar sozinho, mas eu não podia simplesmente ficar longe. Pensei que haveria de me querer — disse ela, botando os cacos de porcelana de lado. Ele sacudiu a cabeça e ela deu uma risada. — Não? Bem, eu o conheço melhor do que você conhece a si mesmo. Isso é que significa ser amado. — Ela correu uma unha de leve pelo seu peito, e ele sentiu a linha traçada por ela a queimar. — Você não tem direito de fazer isso — murmurou ele.

— Fazer o quê? Aquilo que você sempre desejou? — disse ela, com um pouco de malícia na voz. Sua boca era linda, seus olhos meigos e inocentes.

Ele jamais pudera imaginar uma pele assim, como um lírio guardado sob vidro, macia e cheirosa. Mesmo agora, Jasper não pôde se impedir de ficar fascinado por ela. Ela começou a desatar sua gravata; ele levantou a mão para impedi-la:

— Hoje à noite não. — Ela sorriu com mais simpatia e começou a enrolar devagar suas meias. Parecia antiquado usá-las. Mas autênticas meias de náilon era exatamente o que ele desejara, como tudo mais a respeito dela.

— Você tem o corpo bastante bonito para um mordomo. E eu, também não sou bonita? — murmurou ela. Pegando suas orelhas com as mãos, Fay fê-lo balançar a cabeça como uma marionete. Ela estava se sentindo jovial. Metia-lhe medo. — Você viu alguma coisa hoje, não foi, querido? — perguntou ela. — Mas não a matou, e ainda não conseguiu pegar a pedra, não é? Seu levado. — Ela torceu suas orelhas com mais força. — Agora preste atenção.

— Pegue a pedra você mesma — exclamou ele, encolhendo-se de dor.

— Ah, eu poderia, só que é muito mais divertido usá-lo. Faz com que fiquemos semelhantes, da maneira como deveria ser, da maneira como são os amantes. — Jasper estremeceu. Ela estava excitada, e ele começara a notar que emoções fortes faziam com que ela cheirasse a cogumelos estragados e excrementos de camundongo.

— Conte-me o que viu. — Ela cochichava e mordiscava sua orelha.

— Só um pássaro desorientado. Tentei matá-lo. Você pôs essa idéia na minha cabeça, presumo.

Ela não respondeu; não precisava responder. Fazia parte do pesadelo o fato de ela poder estar dentro e fora da cabeça dele, do mesmo modo que ela podia passar por portas trancadas e entrar no quarto dele quando quisesse.

— Você me faria um pequeno favor? — perguntou Fay.

— Meter uma bala em minha cabeça?

— Não, bobo. Só fique de olho no estranho. — Ele sabia que ela estava se referindo ao pássaro-coisa. — Não seria delicado me intrometer, mas tenho tanta curiosidade.

— Você tem medo dele.

Ela riu ligeiramente.

— Nós não conhecemos o que é ter medo. Mas é bom ter um pouco de cautela. Quando ele sair, pegue a pedra. É tudo.

— Só o farei se você prometer que me deixará em paz.

— Eu jamais poderia te deixar em paz — murmurou Fay. Ela o beijou bem na boca. Jasper se sentiu esmorecer. O cheiro de coisa estragada que ela exalava ligeiramente deixou de ter importância. Enfeitiçado como estava, ela representava tudo que Jasper jamais sonhara.

— Sim — murmurou ele, desejando-a. Ela parecia derreter em seus braços, gemendo de prazer. Porém, a investida da paixão não conseguira esconder uma dúvida persistente. Por que ele precisava ser seduzido? Por que ela simplesmente não invadia sua mente, transformando-o em seu escravo? Valia a pena pensar a respeito.

ONZE
A Floresta da Procura

— Tommy, acorde. Vi-o de novo. — Sis precisava sussurrar; seu rosto estava colado à porta envidraçada que separava o dormitório dos mais novos do dormitório dos mais velhos. — Tommy? Nenhuma resposta. Sis não ousava experimentar a maçaneta que rangia. Acordar todo mundo estragaria tudo. Pelo menos a cama de Tommy Ashcroft era a mais próxima da porta, do outro lado. Sis se agachou até poder olhar pelo buraco da fechadura, através do qual podia enxergar quase o cômodo inteiro. Ele dispunha de oito camas. Naquela que pertencia a Tommy, havia uma pilha de roupas de cama retorcidas, sob as quais jazia um monte imóvel.
— *Psst*. É o assassinado. Dou-lhe três segundos para acordar, senão irei eu mesmo atrás dele — sussurrou Sis, desta vez um pouquinho mais alto. Ele agora conseguia discernir braços e pernas compridas que saíam de baixo de uma confusão de lençóis. Tommy parecia um Houdini encerrado numa camisa-de-força especialmente difícil de se escapar.
O monte mexeu um pouco, à medida que Tommy se espreguiçava e sentava.
— *Psst* — sibilou Sis. Tommy olhou na direção oposta e cambaleou fora da cama, dirigindo-se lentamente para o aquecedor. — Não é a porra do aquecedor. Sou eu, Sis, na porta — disse ele em voz alta. Não podia saber se Tommy o ouvira ou não. Numa das outras camas, um garoto se sentou.
— Qual é o problema? — resmungou ele.— São quatro da madrugada, porra.
— Não vá fazer no pijama, Giles. Estou apenas abaixando o

aquecedor — murmurou Tommy, estendendo a mão na direção do controle do aquecedor.
— Aquecedor? Poderiam usar este lugar como uma câmara frigorífica para guardar bacalhau. Acho que você vai dar uma voltinha.
Tommy fitou friamente o garoto.
— Não seja mauzinho. Volte a dormir como um bom menino.
— E se eu dedurar?
Tommy deu de ombros.
— Eu porei pedaços de gilete no seu mingau e você morrerá. — O outro garoto deu um sorriso, misto de careta, e a tremer, mergulhou como uma toupeira debaixo de suas cobertas.
Vamos, insistiu mentalmente Sis. Ele estava prestes a ter um ataque de desespero. Porém, Tommy só estava agindo com cautela. Ele esperou que o outro garoto emitisse um ronco forte, antes de atravessar o quarto e sumir de vista junto a um velho e gasto armário na extremidade oposta. Sis ouviu o rumor abafado de gavetas sendo abertas; as roupas deixavam seus cabides. Dentro de 15 segundos, Tommy abria a janela, cujas dobradiças azeitara antes para essa finalidade.
— Giles tinha razão. São quatro da madrugada — disse Tommy ao se juntar a Sis no pátio embaixo. — Não acredito que você esteja acordado.
— A lua me acordou. Deve ter sido a lua, porque acordei de repente sem nenhum motivo. Olhei para fora e o vi.
— Quem?
— O assassinado, aquele que fugiu. Ele entrou no pátio, exatamente onde estamos, e olhou para cima, para mim.
— Tem certeza?
— Queria que eu o seguisse, queria que nós, quero dizer. — Tommy deu um bocejo e esticou bem os braços. — Bem, não foi a lua que me acordou. Eu dormia que nem uma pedra. Solte uma bomba da próxima vez. — Sis riu baixinho. — Eu não tenho vontade de dar um passeio pelos campos de novo. Está úmido demais.
— Eu não ligo. Poderíamos vir a ser aqueles que descobriram a pista do assassinado, mas agora ele já está fugindo — O

rosto de Sis olhou para cima esperançosamente. — Você não precisa vir.
Tommy olhou em volta para o pátio vazio.
— Aposto que era só um fantasma. Estava flutuando?
— Não implique. Vamos lá, senão a gente o perde. — Sis não tinha certeza se o menino mais velho acreditava nele, porém mesmo assim atravessou o pátio e entrou no labirinto de caminhos que ficavam além dele. As paredes empenadas de St. Justin's pareciam inclinar-se para dentro em censura severa. Sis olhou para trás, e com alívio viu que Tommy o vinha seguindo. Ouviram-se ruídos adiante, e o menino pequeno parou.
— Qual é o problema? — perguntou Tommy, ao alcançá-lo.
— Tenho uma intuição de que ele está aqui.
Tommy olhou com cuidado para a escuridão que nada revelava.
— Você quer dizer o homem assassinado? — Tommy pensou um instante. Este era o território de Edgerton, onde os coroinhas jaziam à espreita, efetuando suas reuniões secretas, ou arrastando meninos mais novos para torturá-los com brincadeiras. — Olha, é melhor eu dar uma olhada. Se achar o velho, volto para te pegar.— Sis pareceu desconfiar, mas ficou aliviado.— Fique firme aqui ou então volte, o que preferir. — O menino pequeno achou um barril de água da chuva tombado e sentou-se em cima dele. — Não vou voltar sem você. As portas estão trancadas.
Tommy fez que sim com a cabeça e partiu. Decorridos dois minutos, ficou na dúvida onde se encontrava. Os caminhos infindáveis a ranger sob seus pés não levavam a lugar nenhum, conduzindo a becos sem saída e muros desmoronados. O ar estava esquisito e úmido. Estava prestes a voltar, desanimado, quando ouviu um assobio fraco. Levantou os olhos sem decifrar o que era. Em seguida localizou a coisa, a uns 15 metros adiante, uma luz estranha que piscava atravessando o caminho. Parecia vir de uma janela baixa.
O garoto avançou. A janela, podia discernir agora, fora recém-quebrada. Cacos de vidro jaziam espalhados sob seus pés, e um pedaço de papelão grosso fora posto na abertura desigual.
Tommy olhou em volta para ter certeza de não estar sendo espionado, embora ninguém, a não ser um gato, se arriscaria tão

longe nas entranhas do labirinto. Ele botou os dedos em volta do pedaço de papelão, e olhou pela fresta. A janela dava para um porão embaixo, escuro demais para que se pudesse distingui-lo. Ele entortou mais o papelão para ampliar a fresta.
— Seja bem-vindo de volta — disse uma voz.
Tommy se endireitou amedrontado.
— Quem está aí? — perguntou ele, antes de perceber que a voz viera do porão; ele devia ter sido visto do outro lado.

Passos pesados subiram a escada e então Joey Jenkins, o encarregado da fornalha, apareceu na porta segurando uma braçada de lenha.
— Estou perdido.
Joey riu, pondo isso em dúvida.
— Você não está perdido. Está fazendo um reconhecimento.
— Por ser jamaicano, e o único negro no colégio, Joey intimidava muitos garotos. Raramente falava, e quase todo mundo, inclusive os professores, se comportavam como se ele fosse invisível.

Ele permaneceu ali, olhando fixamente para Tommy, equilibrando uma pilha de tampos de carteira manchadas, espelhos partidos e molduras de vidraças em seus musculosos braços. Mesmo no fresco da madrugada, ele começava a suar.
— Estou ocupado, limpando este lixo aqui. Procura alguma coisa?
— Não... bem, talvez. — Tommy estava por demais nervoso para entender por que alguém carregava lenha às quatro da madrugada.
— Seja lá o que estiver procurando, não se perdeu ao quebrar esta sacrossanta janela, se perdeu?

Tommy sacudiu a cabeça. Joey deu um suspiro.
— Bem, não há motivos por que mentiria à toa. — Ele atirou a braçada de lixo numa caixa de lixo e, inesperadamente, apareceu com a bola de futebol, jogando-a com um pesado arremesso ao garoto. Pegou Tommy no estômago, tão surpreso que não teve tempo de contrair seus músculos relaxados. Ele fez um esforço supremo para não se contorcer.
— Você é um garoto forte — comentou Joey, parecendo divertir-se. Ele próprio ergueu seu sujo suéter vermelho e expôs músculos bem definidos no estômago, sob uma pele luzidia cor

de ébano. — Será que um dia você vai ficar tão forte quanto Joey? — O encarregado da fornalha sorriu, mostrando uma dentadura banguela.

Tommy olhou espantado para a bola, lembrando-se em seguida de ter visto uma igual a ela. *Edgerton, ele acha que sou Edgerton voltando para pegar sua bola.*

— Obrigado, cara — disse em voz alta. — Olha eu não queria dar o fora, mas...

O negro franziu a testa.

— Mas você não tem certeza se pode confiar em Joey? Ele não é tão confiável quanto dar no pé, isso é certo.

— Eu não estou fugindo — protestou Tommy debilmente.

— Como é seu nome?

— Tommy.

— Tenho um amigo lá em casa na ilha que se chama Tommy. É um bom pescador de peixe-espada, rápido no arpão. Pega muito peixe. — O negro dobrou os dedos imitando anzóis e os puxou a poucos centímetros do rosto do garoto. — Conhece alguém chamado Artur? Estou procurando por ele em todo canto.

— Tommy sacudiu a cabeça. — Ouvi dizer que Artur foi um rei por aqui, sabe? — prosseguiu Joey, dirigindo-se a ninguém em especial. — Os reis interessam a Joey, interessam sim. Eu me pergunto onde é que os reis cheios de pérolas conseguem suas pérolas. Será que o martim-pescador consegue pescar os grandes peixes, quando vai pescar? Joey também é de Kingston, sabe? Lá de onde Joey veio, ouvimos falar de Artur, sim senhor.

Ao ouvir Joey tagarelar, Tommy se perguntou se Joey não era um pouco maluco.

— Olha, vai ter, se eu não voltar. — Ele podia escutar o tom de pânico em sua voz. Sem aviso prévio, o responsável pela fornalha estendeu o braço e agarrou a mão de Tommy.

— Solte-me! — disse o garoto, espantado. Mas estava seguro num aperto inquebrantável.

— Não lute assim, Joey não vai te machucar — disse o negro; sua voz soava lúcida e delicada. Ele abriu a palma da mão de Tommy e fez um risco nela com a unha de seu indicador. Deixou um risco de pigmento azul-celeste. — Aí está, para você se lembrar. — E Joey soltou a mão do garoto.

— Não posso ficar, simplesmente não posso — gaguejou

O RETORNO DE MERLIM

Tommy. Ao recuar, ele quase tropeçou; recuperou o equilíbrio, virou-se e desceu correndo o caminho. A suas costas ouviu as seguintes palavras ligeiramente divertidas antes de dobrar a esquina:

— Joey não se importa, todo mundo foge dele.

Contando com a sorte, o garoto conseguiu sair do labirinto sem pegar desvios errados. Parou de correr e recuperou o fôlego. Se estivesse certo, o barril com Sis deveria estar logo adiante. Mas quando Tommy chegou, o menino pequeno não estava mais lá.

— Sis — chamou.

Como num passe de mágica, seu amigo apareceu correndo, da extremidade do pátio. Estava pálido e nervoso.

— Você voltou. Rápido. Localizei-o de novo — exclamou Sis.

— Mas eu achei que você disse que ele fora naquela direção — e Tommy apontou para o labirinto. — Lá só tem becos sem saída. Como foi que ele conseguiu sair?

— Não sei, mas são quase cinco horas. O time de corrida costuma sair a esta hora. Se não formos agora, jamais o pegaremos.

Tommy deixou-se ser arrastado com relutância para o pátio. Tinha sérias dúvidas se queria pegar alguém. Ele olhou para além do recinto fechado. O calçamento rachado prosseguia até que sua beira desmoronada se misturasse à grama e ao mato, onde descia a inclinação da colina de St. Justin. O ar estava frio aos primeiros raios fracos da manhã; até mesmo os grilos sentiam frio demais para cantarem.

— Poxa — murmurou ele. Sis agarrou sua manga. — Certo — disse Tommy. Havia algo certamente se mexendo ali; ele o vira.

Os dois garotos partiram, andando depressa. O movimento evasivo entrava e saía do campo de visão deles. Um risco de luz laranja se alargava agora no horizonte. Tommy percebeu que eles não estavam no encalço de alguma forma indistinta; era um homem. Ele seguia adiante, como se estivesse atraindo os meninos. A lama pegajosa dos campos grudou nos sapatos deles; precisavam parar a cada cem metros, para raspar uma camada dela, de modo a aliviar o peso. A figura de homem, ainda indistinta, não parava para fazer isso, mas também não aumentava a distância entre eles.

O disco solar arriscou uma olhadela mais audaciosa sobre a linha do horizonte, como se a decidir se o dia seria seguro.
— Você tem razão — disse Tommy, quando a luz já era suficientemente clara. — É ele.
Os garotos reconheceram o casaco folgado e o suéter marrom de duas noites antes, e sobretudo o penacho de barba branca. Excitados como estavam, não havia muito o que dizer. O jogo pertencia ao velho, seja lá onde ele os estivesse levando. Os campos estavam chegando à mata agora. O velho hesitou, sem saber se se misturava ao paredão de árvores. Tendo apenas recém-recuperado sua folhagem, os finos e novos bordos e plátanos ofereciam pouca proteção. O maquinário agrícola derrubara muita coisa do mato mais baixo, porém a 15 metros adiante, onde o maquinário não chegava, o mato era mais pesado.
— Talvez ele esteja deixando a gente pegá-lo — disse Sis, ofegante pelo esforço.
— Será que realmente queremos pegá-lo? — perguntou Tommy. — Não estou com medo, mas supõe-se que esteja morto.
— Vamos perguntar-lhe.
— Não se pode perguntar nada a um morto, se ele estiver realmente morto — disse Tommy, algo redundantemente.
— Você também não pode perseguir uma pessoa morta pela lama, e estou ficando cansado demais para continuar. — Sis parou onde estava e botou as mãos em volta da boca. — Ei, meu senhor — gritou ele. — O senhor está morto?
O velho mexeu com a boca. *Por que perguntam se não vão gostar da resposta?*
Os dois garotos deram um pulo. Embora o velho estivesse a trinta metros de distância, a voz dele estava bem ali entre eles.
— Isto está ficando esquisito — disse Sis.
— As notícias correm rápido, hem? — respondeu Tommy.
— Meu voto é para darmos no pé. — O velho também deve ter ouvido aquilo.
Não vão, e não tenham medo.
De novo, sua voz estava bem entre eles. Virando-se em direção à mata, o velho entrou nela com um passo decidido.
— Por que ele não espera pela gente? — perguntou Sis.
— Acho que ele quer conduzir-nos — disse Tommy pensativamente — mas ao mesmo tempo está nos dando uma escolha.

Não tenta nos amedrontar, nem nos impor nada. Vamos dar-lhe uma oportunidade.

Não tiveram tempo para mais nenhum debate; o velho praticamente desaparecera no meio do mato pesado. Atravessando o último campo, os garotos entraram atrás dele, deixando-se ser engolidos pelo mato. Durante os próximos 15 minutos a caminhada ficou difícil. As sarças se enredavam nas calças deles, urtigas deixavam vestígios ardentes nos braços.

— Mantenha as mãos erguidas na frente de seus olhos — alertou Tommy. Sis balançou gravemente a cabeça. Ao levantar as próprias mãos, Tommy reparou que o risco de pigmento azul desaparecera.

Foram entrando. As copas das árvores tornaram-se mais fechadas no alto, projetando um espesso tapete de sombras em todos os lugares. Tommy parou e deu uma olhada em volta.

— Espere um segundo. Preciso escutar. — Não se via o velho, o que não era nada extraordinário; ele entrara e saíra do campo de visão deles várias vezes. Porém, sempre fizera algum ruído para mantê-los em seu encalço, e agora isso também cessara.

— Onde está ele? — perguntou Sis, com uma ponta de medo na voz.

— Não sei. Consegue ouvir alguma coisa?

Sis sacudiu a cabeça.

— Estamos perdidos?

Tommy olhou em volta. Essa era a mesma mata que ele trilhara muitas vezes, mas ao mesmo tempo não era. Parecia mais selvagem e pesada do que ele se lembrava, e não havia clareiras. Mesmo sem um mapa, Tommy sabia que a mata não podia ter mais de oitocentos metros de largura.

— Não, não estamos perdidos — respondeu ele lentamente.— A estrada fica bem perto, acho. Vamos em frente. Parece que ouço carros.

— Eu não ouço nada — disse Sis com teimosia. Ele estava começando a ficar agitado de fome e exaustão.

— Bem, é só porque estamos num local baixo. Não se preocupe. — Tommy afastou uma moita pesada de sarças e instou Sis a passar.

Melhor prosseguir do que entrar em pânico. Caminharam por mais meia hora. As árvores pareciam mais velhas e mais altas, quanto mais avançavam. Um silêncio baixara sobre o mundo; os gaios e outros pássaros canoros soavam muito distantes em cima, como se estivessem pousados em penhascos, em vez dos galhos.

— Não consigo ver o sol. Estamos perdidos e eu quero ir para casa. Sis parou ali mesmo, sentando-se num gigantesco tronco caído. — Diga-me a verdade. Você sabe o caminho? — perguntou ele desconsolado.

Tommy olhou para ele.

— Está com sede? — perguntou, fugindo do problema. Sis balançou a cabeça com ar sofredor.— Bem, este terreno desce, o que significa que deve haver um riacho no fundo. Temos apenas que obedecer à topografia. E onde há um riacho, geralmente há frutinhas.

Sis pareceu um pouquinho mais animado. Tommy estendeu a mão e o puxou para que ele se levantasse. Desceram a inclinação íngreme da colina. Exaustos como estavam, era bom deixar que a gravidade e seus pés os levassem. Às vezes pedras e raízes faziam com que tropeçassem, porém os garotos já tinham passado do ponto de ligar.

— Não desista — murmurou Tommy; ele sabia que na próxima vez que parassem seria a última. Sis simplesmente desmaiaria.

Que horas seriam, de qualquer maneira? As copas das árvores eram tão encostadas umas nas outras que formavam uma espécie de teto. Não se podia calcular a posição do sol e a diferença entre o dia e a noite era só questão de uma pequena gradação da luz. Melhor não pensar sobre a noite. A perspectiva de dormir no frio fazia com que Tommy tremesse. Lembrou-se das duas barras de chocolate guardadas sob seu travesseiro no colégio e pensou que burro fora em não trazê-las. *Pare de se torturar.* Era difícil não pensar no doce, entretanto. Sis murmurou alguma coisa.

— O que há? — perguntou Tommy.

— Nada. Eu apenas odeio aquele velho — resmungou Sis. — Vamos morrer por causa dele.

— Não fale besteira. Sua cabeça está apenas confusa. Depois de arranjarmos água você se sentirá melhor. Aí traçaremos um plano.

— Que plano? Ninguém vai nos achar. Não temos fósforos

para fazer fogo; além disso, acho que não existe nenhum riacho — disse Sis desesperadamente.

Tommy olhou em volta; o suave silêncio da mata teria sido belo se eles não estivessem numa enrascada. As pedras musguentas pareciam convidativamente feitas de pelúcia e a própria mata era uma catedral de paz, cheia de pilastras arbóreas. *Só não diga que é um belo lugar para se morrer*, pensou Tommy.

— Um lugar melhor do que o que eu tive — comentou uma voz nítida. — A porcaria da estrada.

O velho! Tommy virou rapidamente a cabeça, e lá estava ele sentado numa pedra ao lado de um riacho de água clara, que eles de algum modo deixaram de ver. Tommy sentiu seu coração dar um pulo no peito. Com um grito, Sis cobriu aos tropeços os últimos passos da margem e acabou nos braços do velho. Ele rompeu a chorar.

— Pronto, pronto — disse o velho, tranqüilizando-o. — Eu estava observando. Você só achou que estava perdido. — Ele fez um gesto chamando Tommy, que permanecia firme no alto da margem.

Tommy olhou desconfiado para o velho.

— Você pode dizer que morreu ao lado da estrada, mas obviamente não morreu. Por que andou nos enganando? Onde estamos?

— Ora, ora, vamos descansar um pouco — disse o velho brandamente. Ele levantou o rosto de Sis. — Como se sente, rapaz? — perguntou, fazendo festa no garoto, que se esforçava ao máximo para pôr um paradeiro nas lágrimas, embora tivesse ficado muito mais amedrontado do que deixara transparecer, mesmo para si mesmo. — Você tem um hábito de fazer perguntas que são mais difíceis do que você pensa — disse o velho para Tommy. — Primeiro, me pergunta se estou morto. Caso queira mesmo saber, estou tão morto quanto necessito estar. Geralmente, prefiro não estar morto — limita meu prazer na hora das refeições — mas tem que haver exceções. E por falar em refeições, será que vocês não estão nem um pouquinho com fome?

— Sabe que estamos famintos. Há horas que o seguimos — disse Tommy. — Graças a Deus que nos achou, este crédito não podemos lhe negar, porém a polícia está atrás de seu cadáver. Você pode estar numa enrascada danada.

— Obrigado por levar em consideração meu bem-estar, mas as pessoas interessadas em mim que fiquem entregues a seus próprios recursos. Agora, quanto ao lugar onde estamos, bem-vindos à minha floresta. — O velho fez um gesto que abarcava tudo em volta.

— Venho há anos a esta floresta, e nunca ouvi dizer que fosse sua — disse Tommy.

— Verdade, mas sejamos francos. Você já percebeu que esta não é a floresta que conhece tão bem. A minha é o coração do mundo verde original que já existiu, e sempre existirá, embora tenha sido destruído pelos homens. Isso é de alguma ajuda?

Aquelas respostas notavelmente imprestáveis encantaram o velho, que se recostou, sacudindo-se com uma tranqüila jocosidade. Tommy sentiu as orelhas queimarem.

— Deixe-me fazer uma pergunta mais fácil, então. Qual é o seu nome?

— Isso depende de acontecimentos que ainda não se desdobraram. Posso vir a ser tanto isso quanto aquilo.

— Os jornais o chamam de Merlim.

— Serve. É um nome fantasioso e, no entanto, é tão improvável que Merlim estivesse vivo quanto eu. Tudo é uma questão de crença. Porém, minha crença é que ambos precisam agora ser reanimados. — O velho apontou para o cristalino riacho, como se fosse realmente o dono.

Sis, que escutara de olhos arregalados tudo que fora dito, percebeu que estava seco por água. Correu até a margem e bebeu água no copo formado por suas mãos.

— Tommy, é tão doce. — O garoto mais velho hesitava.

— Vamos, hem? — encorajava o velho. — Somente não atravesse o riacho a não ser que eu lhes diga para fazê-lo, porque o outro lado é muito diferente. É lá que fica a Floresta da Procura.

— Parece igual à daqui. — Tommy não podia negar sua sede, por isso, passando cautelosamente pelo velho, tomou um gole do riacho frio e cristalino. Talvez por ele estar tão cansado, achou o gosto incrivelmente bom. Ao olhar para cima, viu arbustos carregados de framboesas silvestres (ele não se perguntou como era possível haver framboesas maduras em maio).

— Com a graça de Deus eu consegui sair daquela vala infeliz com uma porção de queijo de Cheshire e bolachas d'água embrulhados nos bolsos do meu sobretudo. — Enquanto o velho falava, estendia essas coisas em cima de um grande guardanapo. Dentro de mais algum tempo, os garotos estavam deitados de costas, sonolentos e bem alimentados. Para um homem morto, admitiu Tommy, aquele ali era tremendamente hospitaleiro.

— O que acontece quando alguém atravessa o riacho? — perguntou curiosamente Sis.

— Na floresta? Se ele estiver buscando de verdade, então encontrará o que busca ou perderá tudo — disse o velho com certa gravidade.

— Não queremos uma coisa nem outra — exclamou depressa Tommy. — Se esta floresta é realmente sua, pode nos conduzir até a saída, não pode? Eu gostaria de voltar assim que fosse possível.

— Você parece um tanto pusilânime.

Tommy sentou-se.

— Não realmente. Preciso cuidar de Sis, e dentro em breve darão falta de nós, se já não o fizeram. E, além disso, não temos nada para procurar.

O velho parara de prestar atenção.

— Seu pai morreu num acidente de carro há cinco anos, não foi? — afirmou ele pensativamente.

Tommy lançou-lhe um olhar furioso.

— E daí?

O velho ergueu sua mão.

— Não estou o acusando de nada. Não é sua culpa, eu sei. Em minha época, já fui testemunha de muitas tragédias que aconteceram a muitas pessoas de bem. Você jamais se indagou por quê?

— Precisa haver um motivo? — disse Tommy constrangido.

— Bem, sim. Tudo que acontece modela nossa vida. A verdadeira questão é: quem está encarregado da modelagem? Em seu caso um único acontecimento o tornou diferente dos demais garotos. Por exemplo, você acabou como um aluno admitido por caridade no colégio, não acabou?

— Eu não sabia — exclamou Sis, surpreso.

O velho prosseguiu:

— E posso ver você mergulhando a cara num travesseiro para abafar o choro noturno de sua mãe. Por que o destino pode ser tão cruel quando deseja pôr alguém tão jovem em contato com a dor? Havia um motivo? Você resolveu se tornar forte daquele momento em diante, não foi?
Tommy levantou-se de um salto.
— Vamos, Sis, voltaremos sozinhos.
— Não quero. Acabaremos nos perdendo de novo — protestou Sis, com a voz trêmula.
Tommy parecia zangado.
— Levante-se e me siga.
Sis olhou do velho para Tommy com um olhar perturbado.
— Merlim — suplicou ele —, Tommy não gosta quando você fala assim.
— Não gosta? Eu preciso de alguém forte como você, Tommy, mas precisa ser forte mesmo, e não apenas um simulacro para esconder uma mágoa secreta.
— Você está passando dos limites — avisou Tommy, dando um puxão no braço de Sis para fazê-lo levantar-se.
— Ai — gritou o menino pequeno.
O velho prosseguiu, imperturbável:
— Um garoto como você é jovem demais para possuir segredos, mas aí está você. Os segredos acontecem tão cedo hoje em dia. Se minha mãe fosse obrigada a receber hóspedes pagos para sustentar sua família...
Diante disso Tommy ergueu seu punho.
— Como ousa me humilhar assim? — berrou.
O velho olhou-o fixamente. — O que tem de humilhante o amor? Sua mãe o ama e deseja que você freqüente aquele colégio porque seus dias estão pouco a pouco acabando. A vida de você representa a esperança que ela daria qualquer coisa para realizar. Tenho certeza de que você sabe disso.
A raiva que fizera Tommy corar, se esvaziara; ele ficou pálido, e parecia instável sobre as pernas.
— O que você tem, Tommy? — gritou Sis.
— A verdade — respondeu o velho. — Jamais os mortais se sentem tão humilhados quanto quando sua casca de segredos se rompe e a doce verdade ganha entrada. — Um ruído grave e

murmurante partiu do peito do velho, divertido, porém compreensivo. — Tommy, que estava quase em estado de choque, sentiu lágrimas brotarem em seus olhos.
— Não faça isso comigo, velho — sussurrou ele.
— Chame-me de Merlim, como os jornais. Se você é tão forte, por que dói ser amado? — Com um olhar desconsolado, Tommy abaixou a cabeça. — Você não sabe, não é? Quando souber, será forte de verdade, e não à custa da tristeza. Gostaria disto, Tommy Ashcroft?

O murmúrio surgiu de novo no peito de Merlim, como um arrulho de rola, a se transformar numa casquinada, em seguida (ao chegar a sua garganta) num risinho de contentamento, finalmente vindo à tona como um som indescritível. O riso sábio é impossível de descrever ou imitar, porém quando provém de uma fonte genuína, a aceitação e o amor se misturam a uma simpatia por tudo aquilo que é humano. Os meninos jamais haviam ouvido um riso assim; absorveram-no em seus corações.
— Você está bem, Tommy? — perguntou Sis.
— Ele está bem, rapaz. Estamos apenas começando a ser amigos. Preciso de amigos que possam suportar a verdade. — O velho se erguera. — Os acontecimentos estão prestes a nos ultrapassar. Preciso me aprontar. — E despiu seu sobretudo gasto e o atirou com um floreio dramático dentro do riacho, seguido de seu suéter marrom. As vestes incharam como manchas marrons na água e desceram rapidamente com a correnteza. — Agora, se vocês recuarem um pouco, acredito que estarão a salvo do perigo.

Levantando o braço, Merlim mostrou aos garotos que eles deveriam ficar atrás de duas árvores.
— Seja lá o que virem, não se deixem ser vistos. — Ele ocupou seu posto atrás de um velho carvalho inglês, a alguns metros de distância. Seus galhos baixos e pendentes eram tão densos, que até mesmo o brilho da barba dele não transparecia. — Acredito que estamos exatamente no lugar certo, na hora certa — gritou ele. — Estejam prontos. A imprevisibilidade é algo com que se pode sempre contar.

Tommy, que saíra de seu estado de desânimo, perguntou-se como poderia alguém fazer planos baseados na imprevisibilidade, mas aquilo que aconteceu em seguida roubou-lhe o tempo para pensar. À distância podia-se ouvir um barulho estrepitoso misturado a um pisoteio abafado. Sis se agarrou com ambas as mãos a sua árvore. O pisoteio fez a terra tremer com mais força, cada vez com mais força. Os dois garotos colaram nas árvores, fora de vista.

— Merlim, devemos correr, não é? — gritou Tommy.

O velho sacudiu a cabeça.

— Correr? Para onde? Não estamos exatamente aqui. É claro que também não estamos exatamente lá. Silêncio.

O ruído estrepitoso se aproximara ensurdecedoramente. Os garotos prenderam a respiração, enquanto um enorme gamo branco, sangrando dos lados, pulou da vegetação rasteira, passou voando acima de suas cabeças e transpôs o riacho com um salto. Imediatamente o pisoteio ficou ainda mais alto, e uma dúzia de cavaleiros surgiu a galope da floresta. Correndo a toda, os cavalos passaram voando, suas garupas tão próximas a ponto de se poder tocá-las, espirrando uma cortina de água enlameada do riacho. Em três segundos a aparição terminara, deixando para trás apenas o odor rançoso de suor e medo, suspenso no ar úmido da floresta.

— O que foi isso? — exclamou Sis.

Porém, o velho pulara dentro do riacho e estava atravessando ofegante, ele mesmo espirrando seus jatos de água enlameada.

— Isso? É algo que nenhum menino em seu juízo perfeito agüentaria não acompanhar — gritou ele.

— Vamos — instou Tommy, mais excitado do que jamais estivera em sua vida. — É o gamo branco do rei, e se não nos apressarmos, ele será morto.

Sis ficou espantado.

— O que aconteceu com você? Como sabe isso?

Tommy olhou fixamente para ele.

— Não sei. Precisamos apenas salvá-lo. Além do mais, não me faça perguntas tolas. Você mesmo sabe o que é o gamo real.

Sis hesitou. Ele não se sentia o mesmo menino que se esgueirara do dormitório naquela manhã fria. Aquele menino era pequeno, amedrontado e não tinha nenhuma idéia do que estava acontecendo. Seu novo ser, seja lá quem fosse, tinha sangue nas veias, que corria mais depressa diante da perspectiva do heroísmo, da elegância, do amor e da esperança. Que estranho.

Tommy e Merlim já haviam atravessado o riacho.
— Decida! — gritou Tommy.
Sis não precisava. Pulou na água com o nariz apontado para o futuro, jogando fora sua velha identidade como se fosse mais um casaco marrom, inchando para ser carregado pelo riacho.

DOZE

Ziguezague

Tommy e Merlim não esperaram que Sis conseguisse atravessar o riacho, enlameado e revolto pelo atropelo dos cavaleiros. O menino pequeno hesitara apenas alguns segundos, mas esses poucos provaram ser demasiados. A caça e os caçadores já haviam se embrenhado no meio da densa floresta, dissolvendo-se diante dos olhos deles como se fossem um sonho.

— Ande logo! — gritou Tommy. E saiu correndo atrás do grupo de caçadores, seguindo em sua esteira feita de arbustos de sarça e amieiro amassados. Seu cérebro ardia e uma energia incrível movia suas pernas.

A despeito da idade, Merlim acompanhava Tommy passo a passo, e Sis seguia a apenas algumas passadas atrás. O mais ligeiro homem a pé não consegue ultrapassar um cavalo a galope, mas de alguma maneira pareciam ganhar terreno. O tropel dos cascos parecia mais alto. Uma visão fugaz do dorso branco do gamo transpareceu por uma brecha entre as árvores.

— Olha! — apontou Tommy numa extrema excitação. Mantivera seus olhos grudados na trilha. Tropeçar e quebrar uma perna seria um desastre naquela floresta. Havia um grupo de pedras meio enterradas nas folhas caídas adiante. Tommy contraiu-se, prestes a saltar por cima delas, quando de repente sentiu-se agarrado por trás.

— Não! — gritou, desequilibrando-se, certo de que um dos caçadores se atrasara para pegá-los numa armadilha. Mas ao virar-se, a mão que segurava seu colarinho pertencia a Merlim. O peito de Tommy arfava como um fole de couro, e ele lutou até se libertar das garras do velho.

— O que foi? Solte-me.

Merlim lançou-lhe um olhar de aviso, pondo um dedo nos seus lábios. Sis sentiu-o e parou, espantado. Curvou-se, ofegante, estremecendo com as pontadas que sentia nos lados. Assistiu, em desespero, o gamo desaparecer. Os ruídos da perseguição foram sumindo até darem lugar ao sussurro abafado das folhas.

O velho mago soltou Tommy, levantando o nariz contra o vento. Mal respirava e parecia num estado de alerta sobrenatural. Fosse lá o que procurava detectar, parecia não obstante escapar-lhe. Depois de alguns instantes partiu novamente.

— Espere. Por que parou? — gritou Tommy. Merlim não olhou para trás; os garotos não tinham outra escolha senão segui-lo.

Tommy nunca vira ninguém correr de maneira tão esquisita, às vezes aos pulos como um coelho, outras vezes estacando sem aviso, para escutar o vento. A terra pisada e galhos quebrados marcavam a rota da perseguição ao gamo em pânico, porém o velho, ignorando aqueles indícios óbvios, se desviava em outra direção.

— Não, eles estão ali à nossa frente — gritara várias vezes Tommy. Merlim sacudia veementemente a cabeça e, tal como antes, punha o dedo nos lábios. Que brincadeira esquisita! Toda vez que o mago avistava uma marca de casco ou um galho quebrado, dava meia-volta e corria exatamente na direção errada. Isso prosseguiu durante 15 minutos, até que Tommy perdeu toda esperança de salvar o gamo, o que, afinal de contas, era aquilo que Merlim provavelmente desejara.

— Não está ele nos levando a correr apenas em círculos? — murmurou Sis. Desconsolado, Tommy reparou nas pegadas feitas por sapatos de tênis na terra macia. Eram suas pegadas, por isso o velho deve ter voltado sobre terreno já coberto por eles.

Tommy tinha certeza de estarem completamente perdidos. Merlim abalou em direção a um enorme carvalho coberto de erva-de-passarinho. Merlim inclinou-se para a frente, como se consultasse um conselheiro mais velho. Fez um gesto para que os garotos viessem juntar-se a ele. Agachado, ele os fez chegar bem perto.

— Esta árvore concordou em nos proteger por algum tempo, sob grande risco para ela mesma. Vocês não imaginam como

é horrível ser queimado vivo quando não se tem pernas para fugir correndo.
— Contra quem estamos sendo protegidos? Os cavaleiros estão lá adiante — disse Tommy, imitando o cauteloso cochicho de Merlim.
— Não se preocupe a respeito disso. Apenas diga-me: estará ele escutando?

Tommy e Sis se entreolharam espantados.
— Estará ele? — repetiu Merlim, dessa vez tão intensamente que sua voz saiu num sibilo.

Sem saber como, Tommy tentou ouvir atentamente, num estado de atenção total, tal como fizera Merlim; e sacudiu a cabeça.
— Não, não acho que *ele* esteja escutando — respondeu suavemente.

Rápido como um raio, o velho pôs-se de pé.
— Muito bem — disse ele a meia voz, porém um tanto forte. — Agora não pensem, não falem. Apenas me acompanhem.
— Sem mais preâmbulos, Merlim enfiou a barba dentro da camisa (barba já adornada com sarças, urtigas, espinhos, acúleos, sem falar na quantidade de sementes trazidas pelo vento, suficientes para começar um pequeno jardim), recomeçando a pleno vapor a correria.

Tommy ficou um pouco para trás. Era o máximo que ele podia fazer para não correr até onde o levavam as trilhas cheias de lama. Possuía o instinto de um caçador nato; não sabia que transformação lhe ocorrera ao saltar o riacho, porém ganhara um sexto sentido a indicar para onde se dirigia o gamo. Ele era capaz de sentir o coração do bicho bater no seu peito. Tinha os sentidos aguçados pela proximidade da morte, do mesmo modo que o nobre animal.

— Ele disse para que o acompanhássemos — sussurrou ferozmente Sis ao passar na carreira por Tommy, dando uma guinada para acompanhar o velho, que agora ziguezagueava pela trilha como um confuso spaniel. Tommy resolveu relutantemente entrar na linha.

As manchas de luz tornaram-se mais fracas. A floresta cheia de pilares rareara um pouco, e não obstante, Merlim desaparecera nas sombras. Os garotos haviam perdido seu guia. Olharam em volta por alguns nervosos minutos, sem ousar chamá-lo em voz alta. Merlim parecia ter sumido em pleno ar. Um raio fúlgido do sol coou através do verdejante teto acima deles. Sis correu em sua direção.

— Ah! — Quase caiu com um grito de espanto. Não fora possível avistar Merlim, agachado no meio das sarças e samambaias, senão no último instante.

— Vamos com calma, rapaz — sussurrou ele, estendendo uma mão nodosa para impedi-lo de cair. Tommy avistou-os e veio juntar-se a eles. Merlim colara a orelha ao tapete de folhas de pinheiro que cobria o chão da floresta.

Estará ele escutando?

As palavras pareciam não vir de lugar algum. Merlim projetava sua voz da maneira estranha com que antes fizera. Desta vez os garotos não se surpreenderam; chegaram até a ficar estranhamente à espera da pergunta, e a despeito de ainda não terem nenhuma idéia de quem *ele* era, uma resposta brotara-lhes automaticamente dos lábios:

— Não, ninguém está escutando.

Agachado no meio das samambaias baixas, a mão de Tommy roçou uma moita de madressilvas brancas, fazendo-as exalar seu doce perfume na brisa. Alguns brotos estavam manchados de vermelho de um lado, e ele sentiu a palma da mão molhada.

— Olha, é sangue — cochichou. — Molhou o lado direito da moita. Se quisermos pegá-los, deveríamos virar aqui.

Merlim pegou a mão do garoto e cheirou o sangue. Ele sorriu.

— Ótimo trabalho — declarou ele num tom de voz espantosamente alto —, creio que agora podemos parar. — Os garotos não poderiam ter ficado mais surpresos se um raio caísse ali agora.

— Acho que você é maluco — exclamou Sis.

Merlim sentou-se em cima de uma grande pedra coberta de limo.

— Bem, isso é melhor do que me odiar, tal como você fez há apenas uma hora — disse ele amigavelmente. — Eu não tive intenção de bisbilhotar, porém a floresta me conta coisas. — O constrangimento dos garotos pareceu diverti-lo intensamente.

Tommy e Sis sentaram-se, exaustos, numa espessa camada de folhas de pinheiro, levadas, como neve, para junto de uma árvore. Os raios vermelhos do pôr-do-sol penetravam agora quase horizontalmente na floresta. E os garotos estavam com uma tremenda fome, sendo que a perspectiva de não voltar para casa começou a corroer-lhes os estômagos.

— Tentarei tirar-nos daqui — murmurou Tommy, falando com as mãos em concha perto da orelha de Sis. Ao tirar a mão, viu uma novidade, um risco azul em torno de seu punho, exatamente onde o mago o agarrara ao cheirar o sangue do gamo. Parecia exatamente com o pigmento azul que Joey deixara aquela manhã.

— Merlim!

O grito vindo do velho fez os garotos darem um pulo. Ele estava de pé, olhando atentamente a sua volta.

— Merlim!— gritou ele de novo, desta vez dando uma pequena virada à direita, como um soldado em desfile. Seu grito pareceu ter ido longe; Tommy imaginou ouvir seu eco voltando de invisíveis desfiladeiros e penhascos. Por duas vezes mais, repetiu-se o ritual, até que "Merlim!" fosse gritado na direção dos quatro pontos cardeais.

Tão rápido quanto entrara em ação, o velho relaxou como um gato, recostando-se em sua pedra.

— Desculpem interromper — disse ele com naturalidade.

— Prossigam assustando-se.

— Estou duplamente assustado agora — disse Tommy. — Por que gritava? Você não é Merlim?

— É isso que quero que *ele* pergunte. Ouvir meu nome se revelará como irresistível, imagino, especialmente porque ele já acha que sabe onde me encontro. Estamos praticando um jogo muito arriscado, basta que sua atenção falhe um só instante. O gamo tem excelentes instintos. Escapará por qualquer passagem, não importa quão pequena.

Tommy estava totalmente agitado. Ele estendeu a mão na frente do rosto do mago.

— E o que é esse risco azul?

O guia deles examinou a marca.

— É uma pista. Positivamente uma pista. Vocês se importam se eu me puser mais à vontade? — E sem mais cerimônia, o velho começou a tirar sua barba branca. O efeito teria sido menos perturbador se ele o tivesse feito com maior lentidão, dando à mente aturdida um segundo ou dois para absorvê-lo. Mas não houve tempo para adaptações. De um puxão, arrancara ele todo o lado direito da barba, começando a tirar cola cosmética de sua face.

— Grudento — murmurou ele.

Os garotos estavam além de qualquer espanto possível.

— Você não pode fazer isso, supõe-se que seja um mago — exclamou Sis.

Tommy deixou-se cair por terra, segurando a cabeça entre as mãos.

— Andamos seguindo um farsante — gemia ele. A essa altura o velho arrancara também o lado esquerdo da barba, e segurava aquela coisa amarrotada para que a vissem.

— Vocês não iam me querer mal se tivessem de usar essa coisa imunda e piniquenta.

Sis deixou-se também cair por terra ao lado de Tommy.

— Que quebra-cabeça é esse pelo qual nos fez passar? — perguntou zangado Tommy.

— Não é quebra-cabeça, rapaz. É uma caçada, e estou tentando me assegurar de que seremos nós a caça.

— Caça? Está pretendendo que a gente morra? — gritou Sis.

O velho sacudiu a cabeça.

— Estou tentando apresentar a *ele* um engodo, porém palavra de honra que farei todo o possível para não morrermos. *Ele* não trata muito bem suas vítimas.

— Pelo amor de Deus, quem é *ele*? — perguntou Tommy.

— Um mago, que atende pelo nome de Mordred. Está profundamente interessado no desfecho dessa caçada, e precisa desesperadamente que a presa morra. Esses palermas a cavalo jamais conseguiriam pegar o gamo real, que é capaz de passar por uma brecha com mais facilidade do que o mercúrio, se Mordred não estivesse a guiá-los. Conseguem sentir a presença dele? Sua atenção é onipresente na floresta. É dela que o gamo não consegue fugir. Por isso estamos empregando um pouco de interferência, atravessando a trilha, refazendo os passos, deixando pistas que não levam a lugar nenhum. É a única coisa que *ele* talvez não suspeite.

O longo discurso deixou Sis de olhos arregalados, e pela primeira vez no decorrer de algumas horas, ele voltou a se parecer com um menininho tímido.

— E foi por isso que você veio para a floresta, para enganá-*lo*. Mas por que precisa da gente? Você também não é um mago?

— De certa maneira, sim. Não voltei completamente igual a mim mesmo. É difícil explicar. Havia esse homem chamado Derek Rees, de quem vocês sem dúvida jamais ouviram falar. Ele cometeu o erro de chamar a atenção de Mordred. Esta barba falsa e o pigmento azul deixado em sua mão eram duas coisas relacionadas com isso. Esse sujeito Rees topou com um objeto que constituía uma preciosidade para Mordred — e também para Merlim. Se ele tivesse escapado com o objeto, estaria vivo hoje. Porém, Mordred apanhou-o em flagrante e o assassinou. Infelizmente, cheguei uma fração de segundo tarde demais para impedi-lo.

— Isto não parece muito tranqüilizador — disse ansiosamente Tommy.

— Eu gostaria realmente que você tivesse mantido a barba — acrescentou Sis. — Confiava em você com ela.

— Tenho consciência de como tudo isso parece esquisito, mas vocês ainda precisam confiar em mim. Vocês garotos fazem falta, muito mais do que possam imaginar. As coisas deverão acontecer muito depressa, no caso de Mordred ter escutado o que falamos. Corremos o risco de ele estar ouvindo agora nossas palavras, a despeito de eu ter tomado a precaução de nos dirigir a um arvoredo sagrado. Aqui ele não tem poder. Se acontecer de nos separarmos, procurem encontrar de novo este arvoredo. Marquem-no mentalmente.

Os dois garotos olharam em volta. No início, tudo parecia igual. O calor avermelhado do pôr-de-sol definhava num pós-fulgor cor de púrpura, escurecendo as árvores ancestrais, que dentro em breve se confundiram com as trevas da noite. Mas num exame mais atento, Tommy foi capaz de distinguir que aquelas árvores não se espalhavam a esmo. Formavam um círculo de troncos a intervalos iguais, como sentinelas. E a atmosfera não era exatamente a mesma de todo o resto da Floresta da Procura. Reinava aqui uma paz mais profunda; todo o local transmitia uma sensação de santuário.

— Ótimo — disse o velho. — Agora preciso avisá-los sobre algo que pode ou não acontecer. É possível que eu comece a agir de modo estranho — bem estranho — e se eu cessar de ser eu mesmo, vocês estarão sozinhos. Procurem não se preocupar, pois quando disse que era um mago só de certa maneira, estava dizendo a verdade.

Tommy estava à beira de fazer centenas de perguntas preocupadas, quando determinada faculdade que ele nunca suspeitara possuir — um olho ou ouvido interno — captou uma impressão fugaz. Ele olhou para Sis, que parecia estar prendendo a respiração. Uma transformação marcante ocorrera; uma mudança gelada da atmosfera atingiu suas veias.

Alguém está escutando.

Contra todo bom senso, ele sabia que estavam sendo ouvidos. Mas como? Estavam cercados pelo vazio em todas as direções.

— Ah, vocês pegaram a coisa — disse o mago imberbe. Tommy fez que sim com a cabeça. — Agora precisam ficar sentados no maior silêncio — avisou Merlim.

Os garotos obedeceram, à espera. Nada pareceu acontecer. O silêncio no arvoredo era tão profundo quanto antes, a não ser pela própria respiração irregular deles. Talvez um ruído mais leve e distante fez-se ouvir contra o fundo daquela trama silenciosa.

Merlim franziu a testa.

— Eu não contava com isso — murmurou. — Mordred ficou desconcertado, aqui tivemos êxito, porém o gamo está voltando. Acha que vou protegê-lo, pobre animal. A única maneira de Mordred conseguir penetrar neste lugar seria através dele.

Confirmando suas palavras, o tropel de cascos aumentou e, dentro de segundos, o barulho dos ramos esmagados anunciava a chegada do gamo, que deu um pulo para o arvoredo e empinou, como a suplicar que Merlim o salvasse. Exausto, com o tórax a se movimentar violentamente, o animal estacou, hipnotizado. Merlim sacudiu a cabeça.

— Se apenas ele tivesse se mantido longe. Vir aqui estragou o engodo.

— O que podemos fazer? — perguntou Sis.

Ao ouvir vozes, o gamo deu um gemido; seus olhos se arregalaram de pânico diante do barulho dos caçadores que se aproximavam.

— O que podíamos fazer, já fizemos. Escondam-se. Agora só podemos observar — disse Merlim pesarosamente.

Tommy deu um pulo.

— Isso não basta — disse ele, caminhando em direção ao gamo. Ao avistá-lo, o bicho espantado deu um salto para a esquerda. Suas pernas cansadas só tinham força para carregá-lo mais ou menos um metro adiante, mas foi o suficiente. Uma flecha, saída de não se sabe onde, num átimo veio cravar-se no peito do gamo.

— Ah, meu Deus, matei-o! — pensou Tommy. Ele correu em direção ao gamo, porém os caçadores não davam quartel à presa. Gritavam no entusiasmo de derramar sangue, desembainhando as espadas para golpearem o animal caído. Um grito de agonia escapou da garganta dele, congelando Tommy na posição em que estava. O cavaleiro da frente irrompeu do mato. Pulando de sua montaria, correu e agarrou o gamo real pela garganta. Tommy começou a correr.

— Não! — gritou Merlim.

— Quem diabo é esse? — disse o caçador, porém o garoto já se encontrava dependurado nas costas dele, golpeando sua cabeça. Por estar vestido de malha, o cavaleiro era desajeitado, mostrando-se incapaz de usar sua força maior para arrancar o garoto de suas costas. Mais três caçadores chegaram ao local.

— Ajudem-me, seus palermas! — gritou o líder deles. Com uma forte sacudidela dos ombros, conseguiu desalojar Tommy, porém, ao cair, o garoto agarrara em desespero a aljava dependurada nos ombros do cavaleiro.

— Agh — gorgolejou o sujeito em agonia, quando Tommy tirou uma flecha, enterrando-a no pescoço proeminente, exposto sob o capacete de seu inimigo.

Merlim pôs-se de pé, aproximando-se da confusão.

— Volte — gritou ele. O sangue espirrava do ferimento do gamo. Entrando em pânico por causa do cheiro, vários cavalos quase derrubaram seus cavaleiros. Tommy e o líder dos cavaleiros sumiram na confusão de homens e animais. A mão do garoto estava erguida, pronta para mergulhar a flecha novamente no pescoço do cavaleiro, quando tudo parou.

Numa onírica câmera lenta, o garoto levantou os olhos e encontrou o olhar do mago.
— O que está acontecendo? — perguntou ele. Merlim ainda avançava em sua direção, mas ninguém mais fazia o menor movimento. Tanto homens quanto animais compunham uma imagem congelada de caótica violência. Os olhos do gamo estavam revirados, sem vida, opacos. Tommy reparou nisso com pesar no coração. Ele queria correr em direção ao animal, mas não conseguia sequer mexer uma pestana.
Merlim estava agora a seu lado.
— Você não tem noção do que fez — disse ele severamente. — Eu te disse para ficar invisível. Agora não conseguirá deixar a floresta, nem com minha ajuda. Você se enredou na trama dos acontecimentos.
Tommy ainda não conseguia se mexer, porém o mago parecia compreender o aturdimento na cabeça dele. Merlim avisou num tom de voz mais brando:
— Não salvamos o gamo. Mordred ganhou neste ponto, mas precisamos fazer todo o possível para disfarçar nossa presença. — Com um gesto rápido, ele roçou com os dedos o pescoço do líder dos cavaleiros. O sangue que jorrava estancou e a ferida causada pela flecha sarou.
— Isso terá de ser suficiente. Agora, ouçam só. Só posso segurar a passagem do tempo por alguns segundos. Quando eu acenar com a cabeça, corram atrás de mim por amor a sua vida, e lembre-se de trazer a flecha com você.
Tommy fez que sim com a cabeça, e naquele instante viu que era capaz de se mexer, e aquela cena caótica voltou a explodir. O líder dos cavaleiros estava de pé, a gritar. Os demais caçadores tinham pulado para junto da carcaça do gamo, perfurando-a em júbilo, com punhais e espadas.
Corra!
Mais rápido do que o pensamento, Tommy fugia às carreiras. Sabia agora ser imperioso não ser visto por ninguém. A paixão cega dos caçadores pela carnificina constituía sua melhor esperança. Merlim já penetrara na floresta. Tommy avistou Sis à frente, uma ágil sombra entre as árvores, e puxou furiosamente por suas pernas. Esperava sentir a qualquer momento o aço mor-

der suas costas, mas não tinha tempo para olhar para trás. A única coisa que contava era correr.
Galhos baixos açoitavam o rosto do garoto, infligindo-lhe cortes. Seus pulmões pegando fogo queriam explodir, mas mesmo assim sua força de vontade obrigava suas pernas a carregá-lo adiante. Estava sozinho agora — Merlim e Sis devem ter ziguezagueado para enganá-*lo*. Tommy decidiu fazer o mesmo. Seu medo fazia-o querer fugir em linha reta, para criar a maior distância possível entre ele e os caçadores. Porém, seu raciocínio dizia não serem eles os verdadeiros inimigos. Obrigou-se a guinar daqui para ali, voltando sobre os próprios passos, tal como fora ensinado.
Esse despistamento levou tempo, mas depois de alguns instantes, sentiu-se suficientemente seguro para parar. Os caçadores não vinham atrás dele, até onde podia perceber. Então correra bastante. Fora milagre não ter tropeçado no escuro. Inesperadamente, avistou a imagem de fogo. Uma fogueira. Por um instante foi dominado pelo medo — talvez tivesse corrido para trás, em direção aos caçadores, que acamparam para passar a noite. O garoto deixou-se cair lentamente de rastros. Rastejou cautelosamente para longe da fogueira. Teve a impressão de que se passaram horas antes que aquele fulgor sumisse, e certa vez imaginou ter sentido a presença de um enorme animal que passara perambulando por ele.
Então, muito próxima a ele, uma voz disse:
— Enterre a flecha. — Tommy levantou os olhos e avistou Merlim a não mais de três metros de distância; Sis estava a seu lado, no luar pálido, calado e com uma expressão séria. Tommy fechou o punho, a flecha roubada ainda segura firmemente na mão. Ele enterrou sua mão no solo da floresta, afastando camadas de folhas decompostas, atingindo a terra preta.
Merlim fez um gesto giratório com as mãos e Tommy balançou a cabeça. Prendendo a respiração, quebrou em duas a flecha. O barulho ribombou como um tiro pela floresta deserta. Com todo cuidado, ele pôs no buraco os dois pedaços do mesmo tamanho da flecha e começou a tapá-los. Levou apenas alguns segundos. A última imagem que teve da ponta da flecha foi de um brilho fulgurante, como uma piscadela secreta entre conspira-

dores. Não havia vestígios de sangue. O sujeito que ele atacara não deveria se lembrar de nenhuma violência. Por outro lado, havia *ele* para levar em consideração. Mordred tinha uma sensibilidade além de toda medida humana, e embora seus cavaleiros tivessem de retornar com a presa, o odiento júbilo do senhor deles não haveria de durar para sempre. Depois que Mordred se acalmasse, poderia perceber que uma única coisa — uma flecha perdida — fora subtraída do tecido do tempo. Se descobrisse isso, ele viria atrás deles. Ah, sim, era certo como a morte, mesmo isenta de impostos.

Deve ter sido o risco de azul que deflagrou sua memória. Derek Rees via uma imagem apagada de seu corpo atravessar correndo a floresta, como se assistisse a um filme num projetor com luz bruxuleante. De início o filme era silencioso.

— Som, som — sentiu-se querendo gritar, impaciente com a projeção.

Em seguida começou a ter uma sensação de que seus pés pisavam as folhas de pinheiro que acolchoavam o solo. Ele sempre adorara a sensação de folhas de pinheiro e cascas de madeira de curtume; aquela recordação deve ter sido a segunda coisa que trouxe Derek a si mesmo. Atingiu-o de imediato.

— Não estou morto.

Um garoto pequeno que corria a seu lado olhou para cima, surpreso.

— O que foi que você disse?

Derek Rees olhou espantado para a floresta fantasmagórica, vazia e descolorida sob o escasso luar. Ele entortou a cabeça para ver onde estava a lua e, como um tolo completo, colidiu com uma árvore. O impacto fê-lo cair ao chão.

— Merlim, você está bem? Estamos perto da caverna? — perguntava-lhe o garoto. Derek sentiu o calor da respiração perto de seu rosto; ele deve ter desmaiado um instante. Dois pares de mãos se estenderam e o ajudaram a se pôr sentado.

— Muito obrigado — murmurou ele, com a vista turva. — Vocês são escoteiros? — Havia definitivamente dois garotos agora, que o fitavam com interesse. — A tropa de vocês está acam-

pada nessa caverna de que falava? Eu gostaria de falar com seu, como se chama, seu chefe. — Derek parou, ciente de estar falando quase besteira.
— Merlim? — disse o garoto mais jovem.
— Desculpe, dê-me um minuto, sim? Parece que estou meio desorientado. — Derek respirou várias vezes fundo, e à medida que o fez, as coisas tornaram-se mais claras. Ele devia ainda estar no meio de seu passeio perto de casa. Dissera a Pen que iria à tabacaria, mas alguma outra coisa acontecera.
— Merlim nos disse que isso poderia acontecer — comentou o garoto mais velho.
— Isso o quê? Por que insistem em ficar me chamando de Merlim?
Os garotos pareciam constrangidos e insistiam em ficar olhando fixamente para ele. Ah, sim, deve ter sido aquela barba idiota e a tinta facial azul. Ele pôs a mão no queixo; a barba não estava lá. Quando ia enfiar suas mãos nos bolsos do casaco, Derek teve outra surpresa.
— Não estou com meu casaco. Onde está ele?
— Você o jogou dentro do riacho, não se lembra? — perguntou o garotinho.
O mais velho sacudiu a cabeça.
— Não tem importância. Merlim disse que se isso acontecesse estaríamos entregues a nós mesmos. Vamos dar o fora. Acho que Mordred o pegou.
Ele obrigou o garotinho a se levantar, mas este resistiu.
— Ele não parece assim tão perigoso. Acho que Mordred não chegou a pegá-lo.
Derek levantou-se instavelmente.
— Perigoso? É claro que não sou perigoso. Se vocês pudessem fazer a gentileza de encontrar seu chefe...
— Não temos nenhum chefe de escoteiros. Você é Merlim, ou não é? — perguntou o garoto mais velho, com um tom de desespero a crescer na voz. Derek sacudiu a cabeça. — Então presumo que você também não saiba onde fica a caverna para onde Merlim nos conduzia?
— Sinceramente, não tenho mais condições de responder a nada. É muito esquisito vocês ficarem me chamando de Merlim. Meu nome é Derek Rees.

— Sim, Merlim disse que este seria seu nome — comentou o garoto mais velho. A coisa estava tão complicada que Derek deixou isso passar.
— Saí de minha casa há algumas horas. Moro em Emrys Hall, que fica naquela direção. — Ele apontou bem em frente. — Não, talvez não esteja certo. A lua nasce ao leste, e... — Ele interrompeu-se de novo, perplexo. — Para falar a verdade, vocês terão de me orientar.
— Não podemos. Também estamos perdidos — disse soturnamente o garoto mais velho.
— Eu sabia que ele não deveria ter tirado a barba — lamentou o menorzinho.
O garoto mais velho prosseguiu.
— Sabe que esta é a Floresta da Procura? — Derek fez que sim com a cabeça. — Sabe?
— Sim, já li a respeito em livros, enquanto pesquisava, sabe? A floresta desapareceu há pelo menos quinhentos anos.
O garoto mais velho sacudiu a cabeça.
— Não desapareceu não. É onde nos encontramos neste exato momento. Esta é a floresta de Merlim, e até alguns minutos atrás você era Merlim e estava nos conduzindo para uma caverna onde nos abrigaríamos durante a noite. Como parece totalmente surpreso, imagino que tenha deixado de ser alguma espécie de mago. Um mago já saberia isso tudo.
Derek não achou o longo falatório muito instrutivo.
— Você disse algumas coisas espantosas, mas se não se importa, seria útil se eu soubesse seus nomes.
— Sou Tommy e este é Sis. Somos de St. Justin. — O garoto, frustrado, deu um chute numa pedra e se deixou ficar ali, à espera de que alguma coisa acontecesse. Sis começou a rodar lentamente em torno de si mesmo, pensando em que direção deveria rumar.
Derek aparentava muito mais calma do que sentia.
— Muito prazer em conhecer os dois. Não tenho muita clareza sobre o que faremos, mas um dos sinais mais otimistas, e falo de maneira estritamente pessoal, é que eu não esteja morto.
— Parabéns, porém essa não é uma das nossas grandes preocupações — retrucou Tommy.

Sis parara de andar em círculos a esmo e ficara alerta.
— Vocês estão notando alguma coisa? Tommy estava prestes a responder que não, quando alguma coisa também prendeu sua atenção.
— Tem razão. *Ele* não está mais escutando. — O garotinho balançou a cabeça.
Derek entortou a cabeça, pondo seu ouvido na direção do vento, exatamente como Merlim costumava fazer.
— Se quer se referir a Mordred, acho que é apenas temporariamente. Sua atenção foi distraída.
O queixo de Tommy quase caiu.
— Quer dizer que você sabe sobre Mordred?
— Sim. Foi desse modo que tudo começou. Encontrei-o, embora o porquê deste fato esteja muito além de minha compreensão. Ele não está apenas nesta floresta; tem planos numa escala muito maior.
— Mas e nós, onde ficamos nisso tudo? — perguntou Tommy.
Derek pensou.
— Não sei — disse ponderadamente. — Vocês dizem que Merlim queria que encontrassem uma caverna? Talvez eu saiba onde se encontra. Fui criado nesta região e ando por aqui desde que eu era menor do que ambos. A própria topografia pode nos levar à caverna. Eu me lembro de algumas formações de pedra calcária ladeando o riacho, embaixo da colina de St. Justin.
— Então este deve ser o riacho na beira onde Merlim parou, aquele que delimita a Floresta da Procura — disse Tommy. — Não acho que o possamos achar à noite.
— Talvez não, mas consigo distinguir a crista de uma colina lá — disse Derek, apontando. — A lua está se pondo, e falta um pedaço embaixo. Encontrou uma colina, está vendo, e a única colina de algum tamanho a oeste é a de St. Justin. — Os dois garotos olhavam para ele admirados. — Bem, vamos fazer uma tentativa? Não gosto muito da idéia de sair a céu aberto de modo que *ele* nos apague.
— Não temos muita escolha, não é? — respondeu Tommy.
— Você ainda voltará a se transformar alguma vez em Merlim? — perguntou melancolicamente Sis. Os três já haviam partido em direção à lua que mordia a colina.

Derek sacudiu a cabeça.
— Sinceramente, não sei dizer. Infelizmente, até que Merlim volte, sou tudo aquilo com que vocês podem contar, e vocês, tudo com que posso contar. Aliás, considerando tudo aquilo por que passaram, vocês devem ser garotos excepcionalmente corajosos. Acho que saí ganhando nessa troca.

TREZE

Uma Noite Insone

A lua deixou um rastro de luz azulada no piso empedrado, como uma lesma fantasmagórica. Pen estivera sentada na cama contemplando sua aproximação. Mas o quarto principal de Emrys Hall era enorme ("Poderíamos até criar gado aqui, se não fosse pelo cheiro", costumava dizer Derek) e ela teve a impressão de que passaram horas até o luar atingir de mansinho, como os movimentos de um sacristão na igreja, o pé de sua cama.
 Pen sentia-se profundamente preocupada. Quando havia problemas, consultara sempre o marido, mas naquela noite, ao estender a mão em direção ao outro lado da cama para se certificar da presença dele, sua mão encontrara apenas o lençol frio. *Meu Deus, onde estará ele?* Poderia estar morto, ou perambulando sozinho e perdido por aí. Cuidar de si seria difícil. Derek jamais fora um homem com vocação para lidar com o mundo. Ter nascido nele já era quase insuportável.
 — Você não gostaria se a gente pudesse ser puxado para cima por um raio de luar? — dissera ele certa vez. — Retirados deste lugar?
 O quarto começava a esfriar. Sabendo que o sono não viria mesmo, Pen levantou-se e vestiu um velho robe de flanela desbotado. Foi até as janelas para fechar as venezianas, desejando suprimir toda luz. A vidraça era algo esquisita, especialmente projetada por Derek, incrustada de vidro azul e cor de rubi, formando o desenho de um animal mítico. Ao passar os dedos sobre ela, Pen teve dificuldade em conter o choro.
 Ela reparou num cheiro acre que vinha de fora. Olhou em direção à cidade. Um olho vermelho, de fulgor mortiço, parecia

estar fitando-a da linha do horizonte. No instante seguinte ela percebeu o que era; um incêndio ardia durante a noite, em algum lugar em Gramercy. O vento trouxera o cheiro de fumaça, mas Pen não conseguia distinguir aquilo que ardia. Tinha tamanho suficiente para ser uma casa; as chamas dançavam e tremeluziam como estandartes malucos na brisa. Podia-se ouvir o som fraco de sirenes, uivos distantes que lhe deram um calafrio.

— Patroa? — uma voz abafada chamava do lado de fora da porta. Pen virou a cabeça. Era Jasper. Ele jamais a acordara no meio da noite. Pen embrulhou-se mais no robe e abriu a porta. Deu com uma estranha imagem. Jasper vestia colete e suas calças cinza bem vincadas, com uma gravata preta bem amarrada no pescoço, como se estivesse chamando para o jantar.

— O incêndio o acordou? — Era uma pergunta tola, percebeu ela, já que até mesmo a extrema dedicação de Jasper não o faria sair da cama e vestir seu uniforme.

— Não, senhora — murmurou Jasper. — Só queria dizer que estou deixando o emprego.

— Deixando o emprego? Agora? O que quer dizer?

— Estou pedindo demissão, madame. Não tenho mais condições de trabalhar.

— Por que não? Aconteceu algo?

O rosto de Jasper estava contorcido e seus olhos se recusavam a olhar nos olhos dela. — Não foi o corvo, madame, se é isso que a senhora quer dizer. Eu vi coisas, mas já foram esquecidas.

— Está bem. — Ela manteve sua voz firme, a despeito do ligeiro absurdo das palavras dele.

— Planejara dar um aviso prévio de duas semanas, como é comum neste tipo de trabalho, mas, hum, as coisas mudaram além do meu controle. — Nesse momento o evidente esforço de Jasper para manter sua compostura cedeu; sua voz mudou de registro diante de toda aquela angústia.

Ao constatar seu sofrimento, Pen disse:

— Será que não poderíamos pelo menos esperar até amanhã, Bert? Isso é tão apressado. Poderíamos conversar a respeito.

Ele pareceu espantado pelo emprego de seu prenome. Durante uma fração de segundo, pareceu vacilar, mas em seguida sacudiu a cabeça, deu meia-volta sem dizer palavra e fugiu pelo corredor abaixo. Pen ouviu o bater de sua pesada mala de viagem nas escadas. Já que Jasper não tinha carro, pensou ela, teria uma longa caminhada pela frente até a estrada, talvez até a cidade.

Dando um suspiro, voltou a seu quarto. Do lado de fora da janela o estandarte das chamas ainda tremulava. Ela não conseguia pensar a respeito de Jasper, seu olho ficou grudado no incêndio. Devia ser uma casa, pensou. Somado a tudo que já acontecera, o incêndio a perturbara profundamente. Agora estava sozinha, a não ser pelo estranho que dormia lá embaixo. Isso não a amedrontava; pensando bem, gostaria de lhe fazer confidências e pedir seu auxílio.

Quando fora vê-lo antes de se recolher ao leito, ele a chamara perto de sua cadeira diante do fogo.

— Eu não lhe disse meu nome, Melquior.

— Você é um mago? Ela não esperou por seu gesto de assentimento com a cabeça, nem por sua distinção entre um aprendiz e um mago completo. Uma onda de alívio fez com que desejasse dar risadas, grata por não estar maluca, afinal de contas. Não era coincidência, a última coisa que Derek lhe falara antes de sumir fora sobre magos.

Pen encontrara Derek perambulando na copa, olhando para os enormes caldeirões pretos que ficariam bem num mosteiro ou num castelo. Estava num estado de ânimo filosófico, do tipo apto a gerar um novo livro.

— Não importa se sabemos seus nomes ou não — especulou ele — se Merlim foi o primeiro ou o último, ou apenas um dos mais famosos, os magos sempre existiram em nosso meio. Não constituem um luxo, e sim uma necessidade.

— Por quê? — perguntara Pen.

— Porque nós, humanos, achamos a vida muito traiçoeira e de difícil compreensão. Nossa pusilânime fraqueza é intolerável. Precisa haver um poder que possa nos resgatar da calamidade.

— Eu não sinto ter sido resgatada.

— Eis aí uma pessoa moderna a falar. Você está acostumada a presumir a inexistência de monstros do lado de fora de sua porta, de demônios, dragões ou espíritos malignos ali à espreita. Até muito recentemente, entretanto, essas ameaças povoavam a paisagem, infestando cada bosque ou pequeno vale. Você não podia sair para arrancar cenouras da horta sem correr o perigo de virar alimento de um grifo ou ser despedaçada viva pela alabarda de um ogro. — Derek fez uma pausa, encantado com o vocabulário exótico que seus leitores esperavam.

— Porém, as fadas se foram, e os magos com elas, acho eu. Por quê?

— O tempo, meu caro, a tragédia do tempo. Todo o mundo se lembra de uma época em que era protegido do mal pela magia onipotente, a infância. É então que recebemos a impressão de seres que detêm todo o poder do mundo. Nós os chamamos de pai e mãe. Sua proteção mágica só durou o tempo de nós crescermos e superá-la. Lembre-se, aos dez ou 11 anos, você já tinha superado seus deuses familiares, que haviam sido reduzidos a pai e mãe, com contas a pagar e sem a competência de responder a determinadas perguntas. Pobres deuses destronados. Perdê-los constitui um abalo terrível.

— O que, segundo você, seria o motivo de nós não possuirmos mais magia?

— O mundo inteiro superou-a, ou está prestes a fazê-lo. Os magos não chegaram propriamente a nos deixar, mas murcharam. — Pen parecia pesarosa. — Gostaria que voltassem. A vida não se tornou mais suportável com o seu desaparecimento.

Junto a sua janela, Pen reparou agora em algo que não acontecera. As enormes portas de Emrys Hall não tinham batido quando Jasper fora embora. Sem parar para pensar, ela saiu até o corredor e foi até o hall da escada.

— Jasper? — chamou sobre a balaustrada. Quando não houve resposta, ela desceu correndo. A luz de cima do vestíbulo estava apagada. O recinto de mármore abobadado se encontrava mal iluminado por duas luminárias de mesa feitas de ferro batido. Ela chamou de novo e pensou ouvir um barulho farfalhante vindo da sala de estar. Não havia lâmpada nenhuma acesa lá, apesar de a porta estar aberta. Ela se adiantou em sua direção.

O fogo na lareira diminuíra, porém, à luz das brasas, ela mal conseguia discernir uma figura em pé. O volume da mala indicou tratar-se de Jasper, olhando para o local onde ela deixara o jovem estranho a dormir. O mordomo descansou sua mala, oscilando de um lado para outro, embriagado ou meio maluco, era difícil dizer. Pen aproximou-se mais um passo; ele não levantou os olhos. Ela agora reparou que as cortinas estavam abertas e um par das portas envidraçadas entreaberto.

Jasper deu um súbito pulo à esquerda. Suas mãos se estenderam como se tentassem agarrar uma garganta que não estivesse ali; gemeu de frustração e deu uma volta completa.

— Ah, você não vai, não — rosnou ele, dirigindo-se ao ar vazio. — Brincando de gato e rato, não é? Vou encontrá-lo. — De repente ela sabia o que estava acontecendo — o mordomo lutava contra um oponente invisível. Ela olhou para a poltrona onde deixara Melquior; estava vazia. Houve um barulho tremendo quando Jasper derrubou uma mesinha ao lado, com seu próximo golpe, e enquanto continuava a golpear às cegas, um grande vaso chinês se desequilibrou e caiu, reduzindo-se a cacos.

— Pare, ou chamarei a polícia. — Pen lançou sua ameaça da maneira mais alta e firme possível. Jasper virou-se rapidamente, quando ela acendeu uma lâmpada. — Você não tem nenhum direito de estar aqui. Não estou lhe fazendo perguntas. Apenas vá embora. — O coração dela batia na garganta, mas não devido a Jasper. À luz da lâmpada ela viu algo. Melquior, caso fosse ele o oponente de Jasper, não estava mais invisível. Lá estava ele, encostado no consolo da lareira, a não mais de 30 centímetros de Jasper.

— Cuidado! — gritara ela.

Naquele momento, Jasper avistara Melquior e dera um terrível golpe com o lado da mão em direção à sua cabeça.

— Ai! — gritou ele, quando sua mão fora se arrebentar no consolo. Errara o rosto de Melquior por uns bons centímetros — e como poderia ser possível? Seu oponente permanecia exatamente onde estivera. Não se mexera, pelo menos ostensivamente.

Jasper estava por demais enfurecido para dar o fora, apesar da ameaça da polícia.

— Enfrente-me, seu covarde de merda — disse ele soturnamente. Afastou um punho e o socou contra o peito de Melquior. O barulho de osso batendo no mármore, provocou uma careta em Pen. Jasper deu um grito, levando seu punho à boca — errara novamente seu oponente, somente por alguns centímetros. Pen espiava calada e admirada. Melquior não se esquivava dos golpes; ele simplesmente não se encontrava onde parecia estar.

A briga acabou rápido. Machucado e humilhado, Jasper perdeu a ira de combatente.

— Quem é você? — murmurou.

Em vez de responder, Melquior apontou para as portas envidraçadas abertas.
— Você não pertence a este lugar — afirmou numa voz tranqüila. — Eu não lhe farei mal desde que você vá embora com sua ira. E diga a *ele* para não mandá-lo de novo.
— Ele? — repetiu Jasper num tom de voz confuso. E balançou sonolentamente a cabeça, como se fosse sonâmbulo, dirigindo-se para a porta. Pen notou que a mala permanecia no chão.
— Espere — disse ela, e Jasper parou, até que a mala lhe fosse entregue em mãos. Agarrou-a distraidamente e caminhou em silêncio para dentro da noite.
— O que ele estava tentando fazer?
— Roubar a pedra. Mas eu a estava guardando. — Melquior deu um tapinha na almofada da poltrona.
— Tinha algum motivo?
— Recebera ordens. Estava sob a influência de um poder demasiadamente poderoso para que resistisse.

Pen olhou para o aprendiz, tomando ciência de que seus poderes iam além do transformismo. A despeito de Melquior ser muito mais fraco do que o mordomo, a luta deles não o deixara nem um pouco sem fôlego. Antes que ela pudesse comentar, contudo, ele disse:
— Eu não conseguia dormir. Estava insone, pensando a respeito dos humanos.
Ela ficou espantada.
— Mas você é humano, não é?
— De certa maneira, sim. Mas de outra, sou estranho a sua espécie. Tenho um amigo que chama vocês de anjos depenados, e alega que são um desperdício total de espírito. Jamais pensou em algo assim?
— Claro, em momentos de sinceridade. Mas, num espírito igualmente sincero, sou capaz de achar que não somos um desperdício espiritual, e sim um potencial de espírito à espera de se desenvolver.
Nenhum deles disse mais nada durante algum tempo.
— Preciso de sua ajuda — retomou o aprendiz — mas tenho medo de você. Não quero ser severo, mas se dependesse de mim, você não teria testemunhado nada. É muito humilhante

para nós quando um mortal é testemunha das nossas transformações. Mas essa foi minha única fraqueza.
— Não quero que tenha medo. Gostaria de compreendê-lo, — afirmou Pen com simplicidade.
Melquior balançou a cabeça.
— Presumi que sim. Senão a pedra não teria caído em suas mãos. É parte do ensinamento.
— Do ensinamento de Merlim? — Era a primeira vez que tinham consentido em falar aquele nome que estivera envolvido em todas as estranhas ocorrências dos últimos três dias. — Foi Merlim quem disse que os humanos eram um desperdício de espírito?
— Não — admitiu Melquior, rindo de alívio. — O Mestre jamais seria tão cínico. Ele disse apenas que as pessoas vivem todas as suas vidas encerradas dentro de muros. A realidade está diante delas, porém elas não a vêem, porque aquilo que vocês chamam de realidade é apenas o reflexo de suas expectativas. Vocês projetam as mesmas imagens em todos os lugares que vão. Elas os cegam; mantêm-nos acorrentados ao passado, mas seu maior medo é que o espelho um dia possa mostrar a realidade. O Mestre tinha a maior compaixão quanto a isso.
— Acho que compreendo. Mas como descobrirmos aquilo que é real?
Melquior olhou para ela.
— A realidade é simplesmente aquilo que é; a realidade é aquilo que está diante de seu nariz, tão próximo dele que não há como não distingui-la. E, no entanto, vocês não a distinguem, porque enxergam apenas aquilo que acham que deveria estar ali.
De repente Pen deu um sorriso.
— Foi assim que você lutou, logo agora. Estava bem em frente do nariz de seu oponente, mas ele não conseguia encontrá-lo. Achei que você fosse invisível.
Melquior sacudiu a cabeça.
— É preciso uma dose extraordinária de concentração para ficar invisível. Ainda não estou pronto para isso. — Pareceu um pouco constrangido. — Porém, há uma maneira mais fácil. Eu simplesmente permaneci onde ele não esperava que eu estivesse. Se você sabe onde seu oponente imagina que você estará, então basta se colocar num lugar diferente.

— Então você adivinhava seus pensamentos?
— Não, também não sou muito bom nisso. Seus olhos me contaram o suficiente. — Melquior enfiou a mão debaixo da almofada e tirou a bolsa preta de veludo, que o mordomo não conseguira roubar. Ele tirou a pedra de Merlim e a ergueu diante do rosto de Pen. — Sente alguma coisa? — perguntou ele suavemente.

Ela não tinha certeza. A pedra parecia a mesma; as mesmas palavras apagadas continuavam talhadas em sua superfície. Melquior sacudiu a cabeça, como para dirigir a atenção dela alhures. Mas onde?

— Tive uma sensação de rodopio — respondeu hesitante Pen. — Uma espécie de energia rodopiante. É muito fraca.

Melquior disse, aquiescendo:

— Você foi destinada a aprender com a pedra de Merlim. Sabe qual é a sensação?

— Tenho a impressão de que a pedra está me puxando para dentro dela.

Ele balançou a cabeça.

— De início também era assim comigo. Porém, o Mestre me disse que a pedra não fazia nada. Nada está fazendo nada, porque só existe uma paz e ordem perfeitas. No entanto, o Mestre me disse que leva muitas vidas até se compreender isso. No momento, essa energia é apenas sua mente começando a prestar atenção. Quando a atenção é perfeita, é um ponto, como um diamante.

— E o que isso provoca?

— Algo simples e no entanto muito difícil, permite que você veja o que jaz a sua frente durante todo o percurso. A viagem em direção ao ponto parece um rodopio porque você está recolhendo sua mente da confusão, dirigindo-a para a claridade, caminhando sempre em direção ao ponto.

— Ainda não sei o que você quer que eu faça — murmurou Pen. — Você está perdido. Minha intuição me diz isso. É por isso que precisa de minha ajuda?

— Não sei. Venho procurando pistas, foi por isso que a pedra me fez vir até aqui. Fiquei surpreso de ela estar em seu poder, mas depois fiquei pensando. O espantoso mesmo é o fato de *ele* não estar com ela.

— Aquele que deseja agora roubá-la?
— Sim. Seu nome é Mordred. Ele não é nenhum inimigo habitual. Até para chegar a ele, é preciso que você o procure em lugares secretos que já se encontram sob seu domínio. No coração de você se encontram as cinzas das casas que ele já queimou.
— Pen reparou que os olhos do aprendiz se encheram de lágrimas. Melquior caminhou até as portas envidraçadas e contemplou o incêndio distante. Ela se esquecera dele, e agora ele quase se apagara, reduzido a um fulgor mortiço, que não brilhava mais do que as brasas da lareira.
— Está vendo aquilo? — disse ele. — Imagine alguém capaz de incendiar todas as casas nesta cidade apenas com um gesto de sua mão e com a mesma facilidade fazer arder a esperança e a felicidade. Estaria preparada para o confronto com um mal de tamanha dimensão? O sofrimento que ele infligiu já está a seu redor; você o chama de vida cotidiana. — Pen reparou numa expressão de doçura matizada de dor colorir o rosto do jovem estranho, e nos recessos de sua mente uma voz disse, *Lembre-se dessa expressão. É de compaixão.*

Em seguida, inesperadamente em seu coração teve início um choro delicado e silencioso; cresceu rápido, forçando os portões da dor. Ela abaixou a cabeça, e a voz de Melquior disse perto de seu ouvido.

— Vamos começar. Chore por aquilo que ele lhe fez.

Os portões das águas se abriram. Toda a dor de ser humana pareceu extravasar de imediato. Pen não sentia apenas por si. Ela era mãe de filhos que perdera na guerra, mas também os filhos; ela era o bebê morrendo de fome, mas também a cobiça que gerava a fome. Uma ira nascida do medo irracional ardia dentro dela, e no entanto a luz que apaziguaria a ira era detestada e mantida à distância. Sacudida por soluços, ainda assim conseguia ouvir a voz de Melquior.

— Ótimo, você é bastante forte para aprender.

Depois de alguns momentos a dor se extinguiu. Ela sabia ter experimentado apenas a crista de uma única onda, e isso a amedrontou.

— O que aconteceu? Por que parou?
— É-lhe oferecida uma escolha. Não é justo pedir que me

acompanhe se não for por livre escolha. Por isso você teve um gostinho. — Ela lhe dirigiu um olhar de medo e antecipação. — Existe mais do que aquilo que acabou de sentir — disse Melquior, querendo reconfortá-la. — Eu tive muito medo no início, até que o Mestre me disse que a dor não é a verdade; é aquilo por que você precisa passar para atingir a verdade. Aquelas esmagadoras sensações haviam quase desaparecido do coração dela.
— Está bem. Quero compreender.
Ele respondeu, sem olhar para cima:
— Seria intolerável machucá-la, e onde iremos é muito diferente deste meio aqui. — Seus olhos varreram a sala de estar e seus dourados. Quando ele olhou de novo para ela, seu rosto traía aquela expressão de doçura e sofrimento. — Se você quiser, contarei para você uma história que o Mestre certa vez me contou.
— Sim, por favor.
— Havia certa vez um rei da Índia que foi visitado por um homem santo errante. Para demonstrar seu respeito, o rei ofereceu ao homem santo todo tipo de comida e bebida, das mais preciosas. Seu cajado e tigela de mendicante lhe foram retirados, e túnicas novas de seda trazidas para cobrir seu corpo. Deram-lhe uma cama com colchão de penas para dormir e numerosos criados para atenderem a seu menor desejo. Um dia, durante um banquete com toda a corte reunida, o rei anunciou que nomearia o homem santo seu primeiro-ministro.
"— Ah, mas não posso aceitar — disse o homem santo.
"— Por que não? — perguntou o rei. — Será o homem mais poderoso do reino, salvo eu mesmo.
"— O homem santo respondeu: 'Mas já sou mais poderoso do que você?' E diante dessa afronta o zunzunzum da corte parecia uma casa de vespas. 'Não tenho intenção de ofender Vossa Alteza', continuou o homem santo. 'Para demonstrar-lhe como fiquei comovido por sua oferta, eu lhe darei satisfeito todo o meu poder. Siga-me.' O homem santo pediu seu cajado e tigela de mendicante. E sem outra palavra, afastou-se da corte.
"— O rei não conseguia chegar à conclusão se estava mais curioso ou zangado com a audácia do velho mendicante, porém no fim, a curiosidade levou vantagem. Ele vestiu roupas de viagem e seguiu a pé o homem santo. Era uma bela manhã, e o rei

sentia prazer na viagem, que durou até o cair da noite. Os dois viajantes cansados dormiram ao lado de um riacho, debaixo da lua cheia, e de manhãzinha já estavam acordados.

"— Falta muito para chegarmos? — perguntou o rei, um tanto ansiosamente. Sentia-se cansado e durante a noite começara a pensar em seus inimigos lá na corte. O homem santo não disse nada e continuou a caminhar. Assim, prosseguiram durante dois dias. No terceiro dia alcançaram a fronteira do reino.

"— Pare — ordenou o rei. — Preciso voltar.

"— Por quê? — perguntou o homem santo. — Aquilo que desejo lhe mostrar se encontra apenas a um passo de distância.

"— O rei retrucou: 'Não posso prosseguir. Se eu cruzar minha fronteira, meu trono será usurpado por meus inimigos.'

"— O homem santo aquiesceu com a cabeça. 'Eu lhe disse que tinha um poder com que você nem sequer sonhava, e ei-lo aqui: posso abandonar este reino, enquanto você, seu monarca, não pode.' Se quiser meu poder, siga-me.

"— Mas o rei não podia. Com um sorriso o homem santo cruzou a fronteira, um espírito livre, deixando o rei abatido voltar a seu palácio."

À medida que a voz de Melquior foi decrescendo, Pen deixou-se ficar um tempo calada. Sentia-se muito tranqüila por dentro, e notou a existência de um espaço vazio no peito. O aprendiz inclinou-se para a frente e tocou delicadamente o local onde ficava o esterno sob a pele.

— Aqui — disse ele — fica a fronteira.

Pen tremia. Se seu coração tivesse explodido ou desabrochado como uma rosa, nada disso a teria surpreendido. Mas em vez disso, uma sensação calorosa e fluida de alegria começou a inundar seu peito. Chegava em ondas, cada uma cascateando sobre a outra. Aquela doçura foi substituída pelo êxtase à medida que ela imaginou flechas de luz dourada prestes a penetrá-la. A intensidade daquela experiência não lhe deixava palavras para descrever o tamanho de sua bem-aventurança. E em seguida, ela deve ter partido, pela fronteira invisível.

Quando voltou, encontrava-se coberta pela colcha afegã. Estava sentada na poltrona perto da lareira, com os olhos semicerrados diante da luz de um claro amanhecer.

— Está pronta? — perguntou Melquior.

Ele estava agachado no chão, como um guia africano de safári. Pen endireitou-se na poltrona, sonolenta e confusa. Sua cabeça zunia. Não estava claro o que acontecera naquela noite, se realmente algo acontecera.

— Perdão — murmurou ela. — Pronta para quê?

— Precisamos deixar esta casa, e devemos deixá-la como estranhos que não esperam jamais retornar. Seu empregado...

— Jasper.

— Sim. Ele vai nos delatar. Não deseja fazê-lo, sendo este o motivo por que fugiu, mas Mordred não lhe dará alternativa. É apenas uma questão de tempo antes que um acidente possa acontecer. Você poderia ser morta e desaparecer. — Pen absorvia isso tudo com uma expressão insegura. Melquior deu-lhe um olhar de avaliação clínica. — Você experimentou um momento de abertura. Foi verdade, aconteceu, mas para sobreviver daqui para a frente, precisa esquecer tudo e antecipar nada. O Mestre quer que saiba isso.

— Mestre? — Pen olhou em volta, confusa. Não havia mais ninguém na sala e, no entanto, *havia* mais alguém. Ela podia sentir uma presença perto dela.

Melquior falou, mas dessa vez as palavras não eram suas:

— Bem-vinda, filha. Você é a primeira pessoa de coração aberto que encontrei. Deixe que isso constitua nosso segredo e venha. Deixe o círculo do medo e entre no círculo do amor. — Parecia terem se passado séculos desde que Pen ouvira essas palavras. Mas tinha certeza, à medida que as eras se sucediam umas às outras, de tê-las ouvido antes, representando isso apenas uma recordação. Ela se levantou e disse a Melquior:

— Estou pronta.

QUATORZE

Às Cinzas Retornarás

Quando os bombeiros locais chegaram à cena do incêndio, a casa em chamas já não podia mais ser salva. Línguas de fogo haviam reduzido as paredes e o teto, ripas e tabuinhas de madeira, a um negro e oco esqueleto.

— Foi criminoso, Tom. Tenho certeza — foi a primeira coisa que saiu da boca do chefe. O capitão Cochran não falou alto no meio da confusão, porém o tenente Hopkins ouviu-o e concordou com a cabeça. Parecia com qualquer outro incêndio provocado por uma panela virada de banha de bacon derretida, ou por fiação velha roída por algum camundongo. Mas havia algo maligno nas chamas: os bombeiros veteranos eram capazes de senti-lo no próprio sangue.

Aquele era um terrível e guloso incêndio, pronto para engolir a vizinhança de uma bocada. Com uma fúria controlada, Cochran berrava suas ordens:

— Simpson! Vamos levar duas unidades pela esquerda e pela direita para tentar combatê-lo pelos lados. O que está atrapalhando o controle da multidão, Tom? Empurre aquele pessoal para trás do isolamento, temos que jogar água naquele teto em dois segundos, senão o perderemos. — Agia com a consciência de que os prédios baratos e meio isolados, mais para cima e para baixo na rua, poderiam arder como lenha, criando uma tempestade de chamas dentro de poucos minutos.

— Todo mundo salvo, Tom? Tiramos a família? — gritou ele.

O tenente Hopkins passou a pergunta para um bombeiro todo sujo de fuligem que acabara de sair cambaleando por onde costumava ser a porta da frente. O bombeiro tirou seu capacete de lona e o visor. Filetes de fuligem e de suor cobriam seu rosto; estava ofegante devido ao calor insuportável.

— Não sei dizer quantos havia aí de início, mas se ficou alguém, foi ver a face de Deus.

Hopkins balançou a cabeça e pôs suas mãos em concha.

— Chefe, salvamos todos que podíamos salvar. — Cochran deu o sinal e dois jatos curvos de água atingiram o telhado. O fogo sibilava de raiva, cuspindo vapor e fumaça.

Alguém disse:

— Conheço a família. O nome dela é Edgerton. Posso reuni-la para uma contagem.

Cochran virou-se e sacudiu a cabeça.

— É melhor esperar pela polícia, que deve estar levando aquele seu tempinho preguiçoso para chegar. — Deu de cara com um rapaz em sapatos esportivos e jeans, que vestira sua camiseta ao contrário, na pressa de chegar ao local.

— Eu *sou* a polícia — disse o rapaz, aproximando-se do cordão de isolamento.

O chefe dos bombeiros puxou-o para trás.

— Onde está sua identidade?

— Deixei meu distintivo em casa, mas sou mesmo da polícia. Meu nome é Callum. Você pode ligar para o inspetor-chefe Westlake, da Scotland Yard. É meu patrão.

Naquele momento uma explosão fez ir pelos ares todo um lado da casa. O impacto abalou Cochran, quase desequilibrando-o.

— Eu não disse para fechar a porra dos registros? — gritou ele. E correu em direção à fonte da explosão.

A seu lado o tenente Hopkins gritou:

— Nós os fechamos, chefe. Acho que é resíduo de gás nos canos, ou então no aquecedor.

Artur Callum, o rapaz de jeans, não esperou mais a autoridade de ninguém. Passou pelo cordão de isolamento feito com cavaletes e começou a procurar rostos na multidão. Imaginou que Winnie e sua mãe — e Paddy Edgerton, se conseguira sair em sua cadeira de rodas — estariam juntos. A multidão fitava espantada as chamas, como se assistisse a um ritual pagão, seus rostos refletindo as tonalidades tremeluzentes de laranja e preto.

— Winnie! — gritou Artur. — Winnie! — E correu de pessoa a pessoa, surpreso diante da dificuldade de reconhecer gente que ele conhecia bem à luz do dia. De repente, achou ter visto o garoto dos Edgerton numa brecha entre três ou quatro corpos que se apertavam. Vestia pijama e um sobretudo de homem jogado por cima dele, com os braços abraçando o próprio peito. Artur acenou e gritou, porém sua voz foi engolida pela barulhada infernal de caibros caindo, pelo desmoronar da alvenaria e pelo rugido do fogo. O garoto não parecia nem um pouco comovido pela imagem de sua casa destruída. Artur encaminhou-se na direção dele, abrindo caminho aos empurrões entre os espectadores.

Como era o nome do garoto de Paddy Edgerton? Artur não conhecia a família tão bem assim; sua mãe lia augúrios nas folhas de chá principalmente para Winnie, a filha gordinha deles. Gerald. Era isso.

— Jerry — gritou ele. Ao ouvir seu nome, o garoto olhou para trás. — Onde está todo mundo? Sua família conseguiu sair? — gritou Artur.

— O incêndio levará um mas salvará muitos — disse uma mulher ali perto. Ignorando-a, Artur tropeçou no escuro. Suas canelas esbarraram em alguns pacotes no chão.

— Deixe o garoto ir embora — disse uma voz de mulher.

— O quê? — respondeu Artur, tentando não perder de vista Jerry Edgerton.

— Você não está escutando. Preciso ir ajudar a apagar o fogo, mas é importante que ouça.

— Olha, não posso, estou em função oficial da polícia. Eles não precisam de sua ajuda para apagar o fogo. Mantenha-se afastada e não se meta em encrencas.

A mulher riu com uma estranha certeza.

— Os bombeiros não estão conseguindo muita coisa. Sou eu e outras pessoas que estamos impedindo que o incêndio se espalhe. Nós pediríamos sua ajuda, mas você está muito verde por enquanto.

Impaciente como estava para fugir dali, Artur parou para olhar para ela. Com olho clínico, juntou rapidamente os detalhes relevantes — pequena estatura, atarracada, uns quarenta anos, chapéu de feltro verde cobrindo uma massa de cabelos pretos e casaco combinando. Tudo a respeito dela era de uma elegância meio surrada. Os pacotes no chão aparentemente também lhe pertenciam. Provavelmente não tinha um teto, ou talvez fosse uma solteirona meio pinel com uma atração especial por catástrofes.

— Acho melhor você não ficar por aí assistindo a incêndios — disse ele severamente.

— Ah, o Sire acha?

Artur ficou espantado. Embora a palavra arcaica soasse maluca, tocou numa corda profunda. A mulher do chapéu de feltro riu de novo. Ele tentou contorná-la, mas ela bloqueou habilmente sua passagem com o volume do próprio corpo.

— Estaremos na corte, basta perguntar pela corte dos milagres. Lembra-se? Ah, parece tão distraído — murmurou ela.

— Preciso passar, afaste-se por favor — insistiu Artur.

Ela lhe deu passagem e disse:

— Se for capaz de escutar alguma coisa, lembre-se só disso. Quando procurar nas cinzas, procure bem.

— Está bem, está bem, eu o farei — respondeu, nervoso de impaciência. Ele olhou por cima da cabeça dela e ficou aliviado ao ver que Jerry Edgerton não saíra do lugar; permanecia embasbacado diante das chamas, no mesmo lugar de antes. — Ei, Jerry! — gritou Artur, finalmente chamando a atenção do menino. Não esperava que Jerry saísse correndo, mas ele o fez, espremendo-se entre dois espectadores, com uma torção furtiva de seu corpo.

— Espere — gritou Artur, empurrando a mulher maluca. Jerry Edgerton olhou para trás, traindo um toque de amargo ressentimento, captado pelo brilho das chamas. Em seguida, sumira.

Sentindo-se desanimado e cansado, Artur olhou em volta e viu um carro da polícia estacionando. A figura corpulenta de Hamish McPhee saiu de dentro dele. Artur apressou o passo até ele.

— Viu Winnie? — perguntou preocupado McPhee.

Artur sacudiu a cabeça.

— Tem algo errado. Não consigo encontrar a família, exceto pelo garoto, Jerry, que fugiu assim que me viu.

— Provavelmente foi ele que começou o incêndio — comentou soturnamente McPhee. Ao ver a expressão do rosto de Artur, acrescentou — Desculpe, é que o conheço muito bem e a sua laia. Não são anjinhos, sabe? — Ele esquadrinhou a multidão. — Usarei o alto-falante — Pegou o microfone do carro e ligou o interruptor. Sua voz ribombante fez-se ouvir pela multidão: — Se tiverem alguma informação sobre os sobreviventes, por favor venham até o carro da polícia. Ajudem-nos a encontrar os sobreviventes, por favor. — De início não houve reação. A multidão se apertava a esmo, os bombeiros corriam dali para aqui com disciplinada pressa, totalmente absortos em sua tarefa. Então, Artur viu um homem se aproximando com uma mulher segura pelo braço; ela estava curvada, quase desmaiada.

— Acredito ter alguém para vocês — disse o homem. Viu-se obrigado a levantar o rosto da mulher; era a mãe, Edie. Suas feições estavam descompostas, de choque e de dor.

Artur pôs a mão no ombro dela.

— Sra. Edgerton, consegue falar? Está todo mundo bem?

— Ela tremeu, incapaz de compreender. — Precisamos deitá-la na traseira do carro. Tem um casaco ou coberta para cobri-la?

McPhee fez que sim com a cabeça e com a ajuda do homem que a estava segurando, pôs a mulher amedrontada dentro do carro de patrulha. Ela se esticou no assento traseiro, permitindo apaticamente que fosse coberta por um cobertor azul da polícia, retirado da maleta de emergência.

— Sra. Edgerton, sabemos que teve um baque. Há uma ambulância que deve chegar logo, mas será que pode me contar alguma coisa sobre os outros? — perguntou Artur. Edie sacudiu a cabeça. — Vi Jerry. — Ela olhou para Artur com um olhar esgazeado. — Ele está bem. Não posso ainda trazê-lo para a senhora, mas juro que está bem.

— Bem? — murmurou ela. — Deveria estar.

Era um estranho comentário, mesmo naquela situação. McPhee franziu a testa.

— É melhor que o peguemos o quanto antes — disse ele dramaticamente.

Artur levantou-se.

— Examinarei novamente a multidão. — Ao falar isso, viram outra figura saindo meio cambaleante da multidão. McPhee reconheceu Winnie e correu para ajudá-la. Quando chegou a seu lado, ela se debulhou em lágrimas, soluçando no ombro dele. — Vamos, vamos — disse ele —, você está salva. Achamos quase todo mundo da família.

Ela olhou para cima com olhos condoídos.

— É papai, Hamish, tenho certeza de que ele ficou preso.

Ele a abraçou com mais força e olhou para Artur por cima do ombro dela, que sacudiu a cabeça.

— Viu a cadeira dele?

Enterrando a cabeça no peito do casaco de McPhee, Winnie sacudiu a cabeça.

— Você sabe que ele não consegue andar, Hamish, você sabe que não — disse ela, chorando.

A essa altura Artur estava circulando por trás dos cordões de isolamento. As chamas pareciam quase tão ferozes quanto antes, porém os bombeiros haviam vencido a luta, e grande parte da tensão nos espectadores se esgotara. Os telhados vizinhos tinham sido encharcados pelas mangueiras, e não havia outros prédios em perigo. Espectadores sonolentos começaram a se dispersar, passando por Artur no escuro.

— Jerry — chamava ele. Havia alguns garotos no meio da multidão, mas não responderam. Era estranho, pensou ele, que nenhum dos vizinhos ajudasse a família Edgerton a se salvar ou oferecesse qualquer apoio. Algo lhe disse que os Edgerton haviam se colocado numa posição de isolamento, por sua hostilidade, ou então pela estranheza. A rua isolada estava entupida de carros de bombeiros e da polícia. Ao passarem por eles, as pessoas a pé pareciam exaustas e esgotadas, enquanto se dispersavam em direção às casas da cidade à espera deles.

Contra esse fundo em câmera lenta, uma súbita explosão de atividade sob um poste a uns 15 metros de distância atraiu a atenção de Artur. Distinguiu duas figuras, uma alta, a outra baixa, que pareciam discutir. Ao se aproximar delas, a figura mais baixa gritou com voz de menino. Agora ele podia ver que a figura mais alta era um homem magro, de cabelo escuro, que pegara o garoto pelo colarinho e o sacudia com força; o garoto desferia chutes a esmo contra ele, tentando escapar.

— Polícia — gritou Artur, começando a correr. Ele agora conseguia distinguir o rosto pálido do menino, era de Jerry Edgerton, porém o homem que o segurava estava de costas e não podia ser reconhecido. O menino redobrou seus esforços, em seguida conseguiu se libertar e fugiu correndo, deixando o homem com um colarinho rasgado na mão. Artur se aproximou.

— Quem é você? O que está fazendo? — abordou ele irritadamente o sujeito.

— Estou tentando ajudar. Vocês não disseram que queriam aquele garoto por ter provocado o incêndio? Artur sacudiu a cabeça.

— Nada disso. Eu queria que ele se reunisse a sua família. Além do mais, como sabe alguma coisa a respeito?

O homem deu um sorriso constrangido.

— É possível constatar o quanto deseja ele estar com sua família.

— Não tem direito de tratar o menino dessa maneira. Ele está em estado de choque.

— Duvido muito — disse o homem suavemente. Apesar de suas maneiras contidas, Artur intuiu uma frustração animal no sujeito. Como um gato que perdera sua presa. Artur já se acalmara o suficiente para reconhecer que aquele homem era o mesmo que levara Edie Edgerton para o carro de polícia, quando ela estava prestes a perder os sentidos. Artur hesitou ao ver que mais uma associação se encaixava. — Se não se importa, qual é o seu nome?

— Sabe muito bem meu nome. É Ambrosius — retrucou friamente o sujeito.

Artur ficou desconcertado. Por que deixara de reconhecer logo o "mestre" de tarô de sua mãe? Avistara-o duas vezes naquela noite, e no entanto aquelas feições conhecidas — cabelo preto liso, sobrancelhas grossas, pescoço comprido e sorriso arrogante — só então haviam entrado em foco. — Ainda não sei por que você está aqui — disse Artur asperamente.

Ambrosius deu um sorriso sereno.

— Pelo mesmo motivo que você está, curiosidade. Devo dizer que tenho amplos motivos para estar presente, visto que minha casa se encontra no final da rua. Estava preocupado com sua segurança — E apontou languidamente para uma grande construção de tijolos a cerca de trinta metros de distância.

— Eu não estava aqui devido à curiosidade. Acho que não preciso lembrar-lhe que a polícia precisa estar presente numa emergência como esta. — Na realidade, a ronda noturna bastava perfeitamente para representar a polícia. Fora uma forte premonição que atraíra Artur ao local, não sua, mas de sua mãe. Durante

toda sua vida eles haviam se entendido bem. Ele acordara com um vago mal-estar e ao sair para o vestíbulo, encontrara sua mãe de pé na porta do quarto, vestida com seu roupão de banho e sapatos de sair.
— Qual o problema? Não vai sair assim, não é? — perguntou Artur.
Sua mãe parecia ausente.
— Não sei. Há um incêndio — respondeu ela hesitante. Atrás dela ele podia ver chamas e fumaça, pela janela da sacada.
— Não pode se espalhar até aqui, mamãe. Dá para se ver que está a quarteirões de distância.
Ela sacudiu ansiosa a cabeça.
— Não é isso.
— Então o que é?
— Eu sinto que deveria estar lá. — Ela fez uma pausa, como se quisesse dizer mais e não conseguisse. Artur não conseguiu arrancar uma explicação mais coerente, e no final ela concordara em ficar em casa se ele fosse. Durante o percurso, Artur percebeu que não a estava apenas mimando. Ele também sentira uma premonição.
— Pode me dizer por que estava brigando com o garoto dos Edgerton? — perguntou agora a Ambrosius.
Ambrosius pareceu considerar por um segundo aquela exigência.
— Veja, não é o caso de me achar na obrigação de responder a suas perguntas, sabe, mas acontece que acredito ter sido ele mesmo que provocou o incêndio.
— Na própria casa? Com sua família dentro e um pai aleijado? Não acredito.
Ambrosius deu de ombros.
— Infelizmente ele é conhecido como garoto problemático. Você parece desconhecer que Gerald já esteve sob suspeita de ter começado outros incêndios, na realidade, desde pequenino. — Artur sacudiu a cabeça. — Bem, eu não sou de espalhar boatos, mas resido aqui nesta vizinhança há mais de 15 anos. Quando criança, Gerald foi apanhado brincando com fósforos no lugar de despejar carvão desta mesma casa. O incêndio se espalhou para um muro próximo meio em ruínas, e toda a casa quase sucumbiu. É muito desagradável. Acredito ser um clichê psicológico o fato

de crianças brincarem com fogo quando há problemas no lar. O termo corrente é *abuso infantil*, se não me engano, mas é claro que não existem provas, verdadeiras provas.

A voz de Ambrosius tomara uma entonação meio cantada, tanto desdenhosa quanto insinuadora, que causou revolta em Artur. Ele queria interromper aquele jorro untuoso de insinuações, que tinha, entretanto, uma qualidade sedutora.

— Conhece a Srta. Clinch? — perguntou Ambrosius. — Uma mulher muito direita, solteira, que trabalha como nutricionista no St. Justin. Houve lá uma ocorrência extremamente desagradável recentemente. Em relação ao mascote do colégio. O pobre bicho é um velho spaniel chamado Chips. A Srta. Clinch admite que ninguém sabe direito como um velho cão de caça conseguiu ser escolhido mascote; parece que foi capricho de um rico benfeitor. Mas desconfio.

— Alguém tentou de má-fé incendiar o pobre Chips, o que não é exatamente o tratamento dispensado aos mascotes. Não conseguiam encontrar o culpado. Então a proba Srta. Clinch lembrou-se da história do garoto dos Edgerton. Ele foi chamado e interrogado. Naturalmente não confessou nada. O tribunal da opinião pública é, infelizmente, severo. Deram um gelo geral em Gerald. A Srta. Clinch acredita que ele seja o culpado. Mas ela nutre muitas suspeitas relativas ao sexo masculino; aposto que toda a experiência que ela tem de nós, se resume a deixar entrar uma vez por mês o homem da companhia de gás para ler o relógio. De qualquer maneira, se não acreditar em meu relato, pode ter a satisfação de averiguá-lo.

— Farei, não se preocupe. — retrucou Artur, com o queixo tenso. Ambrosius fez-lhe uma irônica reverência, deu meia-volta e partiu em direção a sua casa.

Artur teve a impressão que eles conversaram não mais do que um minuto, mas devem ter sido cinco ou dez. Olhou em volta, na esperança de Jerry Edgerton ter voltado, mas ele não se encontrava em nenhum lugar à vista. A rua estava deserta, e Artur percebeu ter perdido um precioso tempo conversando com Ambrosius. Não devia ter engolido aquela insolente isca lançada pelo sujeito.

Os carros da polícia haviam partido, escoltando a ambulância com Edie e Winnie. E os bombeiros estavam começando a desconectar suas mangueiras e carregar seus caminhões. Artur aproximou-se do capitão.

— Perdão, mas vocês já atenderam algum chamado dessa casa antes?

— E daí? — O rosto de Cochran estava relaxado de exaustão.

— A polícia tem um arquivo, tenho certeza, mas isso é apenas uma investigação pessoal.

— Bem, sim, já estivemos aqui antes — respondeu relutantemente o chefe. — Um vizinho avistou por acaso um pouquinho de fumaça saindo do lado do depósito de carvão, e nos ligou. Tiveram sorte de a casa não ter ardido daquela vez.

— Há quanto tempo?

— Há cerca de cinco, não, seis anos.

— Foi há bastante tempo, mas mesmo assim, dois alarmes da mesma casa. Levaria a gente a suspeitar de algum piromaníaco, não acha? — O chefe dos bombeiros balançou a cabeça. — O garoto está sob suspeita?

— Ainda não. Não quero especular. Dizem os boatos que foi ele quem começou o primeiro.

— Nós nunca conseguimos que confessasse. Ele é meio durão.

Artur franziu a testa.

— Durão? Ele devia ter sete anos na época, no máximo nove. E vocês não conseguiram desmascarar a versão dele?

O capitão dos bombeiros sacudiu a cabeça.

— Vamos investigar e entregaremos um relatório com os resultados até o final da semana.

Dez minutos depois, o resto do equipamento antiincêndio já havia sido guardado. A maioria dos bombeiros exaustos cochilava nas cabines dos caminhões, enquanto os outros se penduravam nas laterais, aparentemente dormindo, a segurar nas escadas amarradas. Artur contemplava-os, resistindo em deixar o local. A casa dos Edgerton irradiava um tremendo calor, como se fosse um monturo hiperativo de composto. Ele se aproximou mais. Algumas pequenas explosões abafadas espocaram sob os destroços. Latas de cerveja, pensou ele, lembrando-se de Paddy Edgerton, o que não conseguira escapar. Artur presumia que uma das primeiras coisas que os investigadores recuperariam de manhã seriam os restos da cadeira de rodas do aleijado.

Artur sentiu um aperto de pesar no peito. Os Edgerton eram pessoas comuns. Paddy não era o único trabalhador a sofrer um acidente no trabalho e ter de se aposentar com uma pensão miserável. Sua mulher não era a única mulher que fingia respeitar um homem imprestável dentro de casa. Filhos perturbados, desespero oculto, instantes roubados de felicidade, tudo isso amontoado como batatas fritas num papel gorduroso. Ao olhar para a casa destruída, Artur ficou a imaginar de imediato como é que todas as casas da cidade não ardiam em chamas.

Talvez ardam.

O horror da ameaça atingiu-o com grande força. Como paredes rachadas a ranger sob um peso intolerável, seu otimismo normal veio abaixo. Uma fria avalanche de desespero atropelou-o, e ele viu instantaneamente a frágil proteção de que dependem as pessoas. É tão pouco, tão pouco, a impedir as coisas de virarem um desastre. Mulheres a bater papo no balcão do açougueiro podiam se transformar em lobas se espreitando entre si para o ataque; famílias felizes podiam explodir de ódio; o desespero era capaz de parar o tráfego, deixando os motoristas com as mãos paralisadas nos volantes.

O mais fantástico é que essas coisas não aconteciam o tempo todo. Artur sentiu-se tremendamente confuso. Ele pôs a mão no coração, num vago gesto, desejando poder alcançar lá dentro e consertar o delicado tecido da esperança que ele rasgara. Mas não podia alcançar lá dentro, e o tecido era irreparável. Com olhos mortiços, olhou para seus pés. De uma maneira inconsciente, caminhou entre os destroços; seus sapatos ficaram cobertos de cinzas e fuligem molhadas dos detritos.

A mulher de chapéu de feltro verde lhe dissera para procurar bem nas cinzas. Resolveu fazê-lo. Com a consciência de parecer maluco, ele enterrou as mãos nos restos pretos carbonizados e começou a mexê-las. Girando-as para a esquerda e para a direita, sentiu-se como um cego procurando um tesouro às apalpadelas. Pedaços de tijolo e de madeira arranhavam seus dedos; quebrou uma unha numa tábua do assoalho proeminente. Dentro de minutos seus antebraços estavam exaustos de revolver tantos destroços, mas ele continuou agachado, avançando centímetro por centímetro.

Não havia nada que ele esperasse achar. Um incêndio criminoso não era a questão — os investigadores dos bombeiros descobririam pedaços de pano oleosos, ou uma lata branca retorcida de querosene no meio das cinzas. *O tipo de coisas que os garotos acham pela casa.* Ele empurrou esse pensamento lá para os fundos de sua mente. Sua camiseta e o jeans já estariam sem dúvida estragados. De repente flagrou suas mãos que seguravam algo diante de seu rosto. Pegaram-no sem que ele percebesse e agora, como fiéis cães de caça, apresentavam a presa para que ele a inspecionasse. Era um objeto metálico, pesado e comprido. Seus dedos roçaram um dos seus lados; tinha correias de couro.

Uma bainha. No instante em que a reconheceu, sabia estar procurando exatamente aquilo ali. Porém, sua mente não teve tempo de analisar a situação. A espada voltara! Ele passou a remexer furiosamente, procurando a lâmina que se encaixaria na bainha — mas ela não foi encontrada. A despeito de seu desapontamento, o próprio fato da volta da espada o encheu de entusiasmo, apesar de sua mente racional não ter a menor idéia do motivo.

Artur levantou-se com dificuldade e começou a emergir de dentro dos destroços. Coberto de cinzas, parecia carbonizado e primitivo. Não havia ninguém por ali, mas mesmo assim ele tentou limpar ao máximo suas roupas. Mas o tempo todo, sua mente corria acelerada, pensando sobre a espada. Não estava por perto — tinha certeza disso. Em algum lugar, alguém deve ter lhe dito que uma espada se perdera. A catástrofe extrapolava tudo, e no entanto aquela casa incendiada mudara as coisas.

O fogo levará um mas salvará muitos.

Ao se lembrar de suas palavras, ele quase esperou que a senhora do chapéu de feltro verde surgisse de dentro das cinzas — nada conseguia mais surpreendê-lo. Algum coisa mudara em Artur. Agora não fazia mais sentido achá-la maluca. Ela era premonitória, e era assim que as coisas seriam dali para frente. Não comuns e facilmente explicáveis, mas — o quê? Simbólicas, enoveladas de padrões e significados ocultos. Não havia na realidade uma única palavra adequada para descrevê-lo.

Artur lembrou-se daquelas ilusões óticas que se parecem com uma árvore comum, mas que trazem embaixo a pergunta, "Você consegue achar as dez crianças escondidas nos galhos?". Ele entrara num mundo semelhante. Árvores pelas quais passara sem nada enxergar, teriam segredos escondidos em seus galhos. Poços esconderiam fadas no fundo, que olhariam para ele quando ele reparasse em seu reflexo. Palavras a esmo de estranhos no ônibus decifrariam capítulos em código escritos com tinta invisível. Por isso o incêndio deveria ter seu enigma oculto. Ele fitava obtusamente a bainha. Pistas, pistas. *Você consegue achar as dez crianças escondidas nos galhos?* Tudo tornara-se claro. O incêndio fora um engodo para distrair as pessoas. O que andara realmente acontecendo fora um combate pela espada. Os bombeiros não suspeitaram de nada, nem ele, nem nenhum dos espectadores hipnotizados. A mulher de chapéu de feltro verde tinha toda razão: Artur era por demais verde. Era como um bebê rastejando no meio de um palco, sem nenhuma idéia de que em toda sua volta transmitiam-se e recebiam-se deixas. Jerry Edgerton representara seu papel, tal como a mulher de chapéu, Ambrosius e talvez até sua mãe. Ela tivera suas premonições. Artur examinou a bainha vazia e a jogou no monturo fumegante.

Absorto em seus pensamentos, errou a esquina em que deveria virar, onde Fellgate Lane encontrava Mogg Street. Voltou atrás, e a noite úmida deixou seus braços nus arrepiados. O barulho de seus passos soava extraordinariamente alto nas pedras do calçamento. Imaginou poder escutar os passarinhos descansando sonolentos em seus ninhos e até mesmo minhocas furando o subsolo. Era essa combinação de um estado extremamente alerta com uma excitação quase incontrolável que deixava seus nervos à mostra.

A própria rua, ladeada de casas e de árvores que ele conhecia desde criança, parecia totalmente estranha. Foi preciso um esforço de vontade para achar o pórtico escuro da casa de sua mãe; procurou o corrimão às apalpadelas, como uma pessoa que jamais entrara antes no lugar. Sua mão estendeu-se para pegar a maçaneta, mas não conseguia girá-la. A idéia de ir para a cama depois de um dia tão incrível quanto aquele era impossível. Seria como voltar murcho para o mundo comum a que ele antes se adaptara, mas a que nunca mais se adaptaria.

Artur sentou-se nos degraus de madeira molhados pelo orvalho e olhou para cima. Ele ainda não sabia, mas entrara num pacto secreto com gente que ele nunca conhecera — uma mulher num chapéu de feltro, dois meninos perdidos na floresta, um escritor assassinado que virava e desvirava um mago, uma mulher que fugia para o desconhecido acompanhando um aprendiz de mago. Os liames que os atavam eram invisíveis, mas naquela noite todos eles olharam para o céu enluarado e se sentiram totalmente solitários. Na realidade, a teia do tempo os atraía inexoravelmente em direção a um centro. A providência, no entanto, protegia-os de perceberem o pé cheio de garras que testava pacientemente os arredores da teia, à espreita do momento certo de dar o bote.

QUINZE

A Casa Solitária

— Quando eu era menininha — recordou Peg Callum — os ciganos costumavam descer a rua principal em suas carroças pintadas, e as ciganas armavam uma tenda para lerem mãos e fazerem adivinhações com folhas de chá. Eu sabia que um dia também faria adivinhações com folhas de chá, daquele modo engraçado como as crianças às vezes sabem as coisas. É claro que meu pai achava os ciganos donos de uma péssima reputação, porém minha mãe acreditava bastante neles. Ela dizia que eles podiam adivinhar quando um bebê pegaria escarlatina ou uma casa pegaria fogo.

— Eles eram os responsáveis pelos incêndios nas casas, como alegavam as pessoas — disse Artur.

— Bem, eu poderia tê-los perdoado por qualquer coisa. Os ciganos tinham roupas tão bonitas, como belos retalhos de seda vermelha e amarela, e enormes brincos nas orelhas. Os ciganos montavam pôneis pretos, com seus filhinhos pequenos amarrados no flanco, e a gente via avós que pareciam ter oito mil anos de idade, sentadas fumando charuto na traseira das carroças. Sinto pena deles terem ido embora. Ninguém sabe para onde foram. Simplesmente sumiram. Foi muito tempo antes de você nascer.

A mãe de Artur estava sentada à mesa da cozinha, cismarenta diante de um prato de ovos com torradas, comido pela metade. Ele a encontrara ali, esperando-o com seu café da manhã, ao descer na manhã seguinte ao incêndio.

— Não acho que foram os ciganos que provocaram o incêndio de ontem à noite — disse ele.

— Então quem foi, o garoto de Edie?

— É difícil não suspeitar dele, agora que fugiu.
Peg sacudiu a cabeça.
— Não posso acreditar. Teria de ser um verdadeiro psicopata para tentar queimar sua família viva e ficar lá olhando.
— Os psicopatas têm que começar de algum ponto.
— Perdão, mas você parece tão cínico.
— Cinismo profissional, mamãe, só isso.
— É o pior tipo, em minha opinião. — Peg lançou-lhe um olhar de branda censura, e Artur pensou pela milionésima vez se ela era extremamente ingênua, ou algo totalmente diferente. Era difícil localizar a verdade. A total incapacidade de sua mãe de julgar mal qualquer pessoa era um traço muito específico. Numa época de fé, teria sido indício de santidade; hoje em dia era uma forma questionável de negar as coisas.
— O que sabe você realmente sobre esse sujeito Ambrosius?
A súbita mudança de assunto espantou Peg.
— Percebo que você não gosta dele, querido.
— Não se trata de não gostar, embora ele chegue a ser repugnante com seu convencimento. Encontrei-o ontem à noite no incêndio agindo de maneira esquisita.
— Bem, tenho certeza de que isso comporta uma interpretação. Você puxou a seu pai. Ele teria detestado mestre Ambrosius.
— Por algum motivo, esta observação fê-la sorrir.
— Telefonei a Westlake logo de manhã cedo, para dizer-lhe que gostaria de fazer uma investigação sobre o passado do Sr. Amberside. Este é seu verdadeiro nome, sabe? Terence Amberside. Ele deve ter pendores esotéricos. O nome Ambrosius, descobri, é a forma latina de Merlim.
— Você está me saindo um policial muito engraçado. Eu achava, contudo, que você daria um pintor ou bailarino. — Artur fez uma careta. — Você não devia renegar seu lado sensível. Delicadeza não é sinal de pouca masculinidade.
— Você está fazendo um belo trabalho para me distrair, mãe, mas gostaria que você apenas escutasse. Seu precioso mestre não corre perigo de ser preso.
— Ótimo.
Na realidade, quando Artur ligara para a delegacia, Westlake achara seu pedido impróprio.

— Você não pode embarcar numa caça às bruxas pessoal contra esse sujeito, mesmo achando-o um charlatão.
— Ele é mais do que isso. O incêndio foi proposital.
— Isso é pura especulação de sua parte. Não podemos presumir que o incêndio foi criminoso, sem possuirmos nem um relatório preliminar.
— Será pedir-lhe muito que me deixe averiguar se a ficha de Ambrosius está limpa? Parece-me uma coisa de rotina.
— Se você tivesse um pretexto, sim. Simpatizo com o fato do seu Merlim continuar inacessível. Mas ter como pretexto um incêndio irrelevante para perseguir esse... como ele se chama?
— Ambrosius.
— É ridículo. Parece uma palhaçada.
— Tenho quase certeza de que este não é seu verdadeiro nome.
— Não é.
— O quê? O senhor tem informações a seu respeito? — Artur foi apanhado completamente desprevenido. E sentiu a tranqüila satisfação de Westlake do outro lado da linha.
— Você nem tinha nascido nessa época. Mas eu me lembro de Terry Amberside da minha infância; estava alguns anos mais atrasado do que eu no colégio. Seu pai vendia antigüidades; Terry trabalhava junto com ele na velha loja em Tremont Street antes de deixar a cidade por vários anos. Voltou para participar do inventário, assim que seus pais morreram. Havia um pouco de dinheiro acumulado no decorrer dos anos, e aquela casa um tanto imponente em que ele mora, tudo isso constituindo sua herança.
— Ele tem alguma coisa em sua ficha?
— Nada que tenha passado pela gente. Provavelmente a pior coisa que ele já fez foi sonegar um pouco de imposto de renda para manter aquela casa funcionando. Não consigo compreender direito por que você acha este homem tão sinistro. Ele pode andar por aí consolando velhinhas por dinheiro e decifrando bobagens com aquele baralho de papelão, mas nenhum de seus clientes jamais deu queixa contra ele.
— Eu o vi brutalizando Jerry Edgerton.
— Pelo que sei, este garoto é um delinqüente. Não importa o que você possa objetar, mestre Ambrosius constitui um cidadão

semi-respeitável aos olhos da sociedade, a não ser para os metodistas. Estes acreditam que ele seja Satã.
— Por que isso?
— Não sei. Fanatismo, eu diria.
— Ou poderia ser outra coisa. Ele me deixa pouco à vontade. Anda por aí brincando de garotão, ridiculamente convencido, mas é mais sério do que parece. — Artur se arrependeu de suas palavras quase antes de proferi-las. Westlake deu um grunhido cético e desligou.
Depois, enquanto sua mãe preparava o café da manhã, Artur se lavou. Ao se barbear, lembrou-se de repente de sua promessa de ligar para Emrys Hall. Como pudera tê-la esquecido? A cena fantástica na sala de estar, quase uma alucinação agora, deve ter enganado sua mente de modo a arquivá-la como um sonho.
Deixando pedacinhos de espuma nas bochechas, Artur ligou, mas sem que ninguém atendesse. Perturbado, vestiu-se rapidamente e, quando desceu para tomar o café da manhã, mal conseguiu sentar-se e comer alguma coisa.
— Você está apenas empurrando esse ovo escaldado em volta do prato — observou sua mãe. Ele sabia que ela queria que ele lhe fizesse confidências. Seus comentários apressados sobre o incêndio na casa dos Edgerton não bastaram. Porém, o ataque a Ambrosius — ele tinha certeza de que ela o considerara um ataque — fizera-a ficar calada e submissa.
— Mãe, não estou levantando a questão de Ambrosius para chateá-la. — Ele estendeu a mão por cima da mesa para pegar a mão dela. — Estou tentando chegar ao cerne de um jogo que alguém está jogando, e não quero que você se machuque.
— Machuque? — Ela pareceu genuinamente surpresa.
— É muito vago ainda para explicar. Fui ver tia Pen, sabe, e parece que Derek desapareceu. Não temos certeza disso; a maioria das pessoas desaparecidas volta um dia ou dois depois. Até que eu tivesse notícias definitivas, não quis preocupar você.
A atenção dela começou a fugir.
— Você costumava brincar com ovos quando criança.
Lá vai ela, pensou ele, batendo em retirada ao primeiro sinal de qualquer coisa desagradável. Artur hesitou.
— Talvez eu devesse ter lhe contado antes de ir lá. Olhe,

acho que Pen gostaria sinceramente de vê-la. Sei que passaram esses anos todos sem se falarem, mas vou dar um pulo até lá antes de me apresentar à delegacia. Você podia vir comigo.

Sua mãe pareceu insegura.

— Não deveríamos ligar primeiro?

— Já tentei, mas ninguém responde.

— E você está preocupado?

Artur levou um susto com a súbita agudeza dela.

— Sim, talvez. Os empregados estão todos de folga. Tia Pen queria ficar a sós para poder pensar tranqüilamente em toda essa situação de Derek.

Sua mãe olhou-o com inesperada esperteza.

— Deve ter mais coisa aí, se os empregados receberam folga. Há algo que Pen não quer que eles vejam.

— Você está certa. — Quando Artur não prosseguiu elaborando o assunto, Peg semicerrou os olhos. Inusitadamente, sua mãe estava à beira de interrogá-lo, porém fez um esforço visível para conter sua curiosidade.

— Se Pen quer ficar sozinha, isso não me surpreende. Por que não lhe deixamos a iniciativa de me ver? Há tanto tempo que já lhe deixamos esta iniciativa... — Peg levantou-se da mesa e beijou seu filho na face. — Sinto muito sobre o café da manhã. Eu sabia que você não estava com fome. — Isso, percebeu Artur, foi sua maneira de agradecer por ter revelado a ela mais do que ele teria gostado de ter feito.

Quando ele saiu de casa, Katy Kilbride estava encostada no carro de patrulha fumando um cigarro.

— Você parece ter saído de uma orgia — comentou ela. Artur tinha olheiras, e um tufo de cabelo a escapar do capacete.

— Dormi pouco — respondeu secamente.

— Eu achava que um rapaz como você sempre dormia bem.

— A ligeira insinuação fê-lo ficar embaraçado. Resolveu que esta seria uma das manhãs "profissionais" deles. Calado, Artur pegou o volante. Alternavam qual deles dirigiria, e Katy jamais se esquecia do seu dia. Ao entrar, Artur sentiu que ela ficara constrangida por ter sido assim tão óbvia. Era algo fácil de perdoar.

— Eu gostaria de fazer um pequeno desvio até a casa dos Rees — disse Artur. — O pessoal lá é parente e ficamos muito tempo sem nos ver, e prometi que daria uma passada. Na realidade, há três dias Sir Derek foi visto pela última vez por sua mulher, que é minha tia.

Caso tenha ficado surpresa, Katy não manifestou. Balançou a cabeça e olhou pela janela. Ela estava num estranho estado de espírito, pensou ele.

— Como se sente, por falar nisso? — perguntou ele. Sua cabeça se virou com uma lentidão proposital.
— Pergunta esquisita, não acha? — respondeu ela.
— É?
— Se você considerar quem a fez. — A amargura na voz perfurou sua consciência como uma broca. Ele olhou para o rosto sem muitos atrativos de Katy. O nariz dela estava começando a ficar prematuramente vermelho, e seu cabelo ruivo era ouriçado, nos lugares onde deveria cair. Tinha belos olhos, no entanto, azuis e transparentes como uma piscina natural. Mas ele não conseguia sentir nada por ela, e ambos sabiam disso, apesar de nunca terem trocado nenhuma palavra sobre o assunto, pelo menos diretamente.

Ele nunca lhe dera corda, mas havia momentos em que os sentimentos dela por ele não podiam ser contidos com tanta facilidade. "Estar apaixonado é uma tragédia", lembrou-se Artur de ter lido em algum livro, "porque uma das pessoas sempre ama mais do que a outra". E Artur nem sequer começara a se apaixonar por Katy, o que tornava a situação pior para ela.

Rodaram em silêncio durante os próximos quilômetros, antes de entrarem na alameda arborizada de Emrys Hall.

— Lugar agourento — comentou Katy. Artur ficou surpreso, pois ele considerara grandiosa a entrada, mas ela tinha razão. As faias pareciam hoje mais velhas, como se tivessem envelhecido um século no decorrer de noites tempestuosas. Suas sombras projetadas sobre a estrada pareciam úmidas, em vez de frescas.

A curva dramática que descortinava a casa não o surpreendera mais, porém Katy aparentemente jamais a vira antes.

— Uau — disse ela. — Que esplendor.
— Está reparando alguma coisa estranha? — perguntou Artur.
— O quê?
— A porta da frente parece estar aberta. — Artur pisou no

acelerador, espirrando o cascalho dourado colocado com tanto cuidado. Ao pararem na entrada, Artur pulou do carro sem esperar por Katy.
— Espere aqui — disse ele, olhando para trás.
— Por quê? É só uma porta aberta.
As portas abertas de Emrys Hall distraíram tanto Artur que de início ele não reparou na grama comprida que crescia entre as pedras de calçamento do pórtico. Ao prosseguir, sentiu seus pés deslizarem e escorregarem.
— Cuidado — disse Katy a suas costas. Artur olhou para baixo. Uma pedra solta rolara sob seu pé. — Meio arruinada, quando você se aproxima.
Artur surpreendeu-se pelo fato de ela ter razão. Estrias de fuligem cobriam o exterior da casa; as vidraças de cima estavam sujas e embaçadas.
— Mudou — disse ele, perturbado.
— Desde o século XVIII? Não mudou tanto assim.
— Não, quero dizer desde ontem. Eles investiam muito na manutenção. Era quase perfeita. Há algo muito errado.
Katy olhou para ele, seu aborrecimento substituído por curiosidade.
— Bem, não está exatamente tão abandonada quanto o castelo da Bela Adormecida. Quer dizer, qual a importância de um pouco de mato e de um degrau ou outro rachado?
Porém, a essa altura Artur já penetrara no vestíbulo.
— Pen? — chamou. — É Artur. Você está aí?
O teto alto e abobadado com seus anjos italianos que flutuavam respondeu com um olhar vazio para baixo.
— Não tem ninguém em casa — disse Artur.
— Nunca se sabe. Talvez ela esteja no jardim. Seu parentesco é suficientemente distante para merecermos uns tiros se entrarmos sem licença?
Artur virou-se para ela.
— Não, sinceramente, estou preocupado. Havia gente ontem aqui, pelo menos minha tia e o mordomo, e uma espécie de convidado. Eu fui embora muito tarde, sem querer deixá-la aqui sozinha e desprotegida.
— Três pessoas não combinam com sozinha, e não é a casa dela, afinal de contas? A maioria das pessoas não precisa ser pro-

tegida dos próprios empregados. Mas eu não me importo se você deseja fazer uma busca. — Artur deu-lhe um olhar de gratidão.

Na sala de estar vazia, uma porta envidraçada se encontrava entreaberta. Artur examinou o armário de antigüidades, que dava sinais de ter sido forçado. Katy viu os arranhões em volta da fechadura e balançou a cabeça.

— Alguém pode ter tentado fazer um servicinho — disse ela. Avançaram pela copa e cozinha abandonadas, onde havia sinais de ratos em volta das latas de farinha e de açúcar. Dez minutos depois, estavam de volta ao vestíbulo, a contemplar a escadaria.

— Acho que devíamos subir — disse Artur. — Os quartos ficam no segundo andar e os aposentos dos empregados logo acima. — Subiram até o patamar do segundo andar, que dava para um longo corredor, bifurcando-se em certo ponto. Mas a despeito da atmosfera premonitória que prometia pelo menos um cadáver na biblioteca, não acharam nada, apenas quartos ligeiramente mofados, muitos semivazios.

— Parece mal-assombrada. Quem quer que morasse aqui simplesmente foi embora — comentou Katy. — Detesto parecer chata, mas você não notou nada parecido ontem?

— Como eu disse, não estava assim ontem.

Encontravam-se no quarto principal, projetado para parecer um claustro medieval. O teto abobadado parecia com o teto de um refeitório cisterciense. Gárgulas adornavam a enorme e fria lareira numa extremidade, e as vidraças eram constituídas de vitrais coloridos. Uma janela, na outra extremidade, fora quebrada, deixando cacos vermelhos e azuis no chão. Pelos indícios da moldura de chumbo que restara, os vitrais retratavam algum animal.

Artur abriu os dois armários cheios de roupas, um dela, outro dele. Nada fora mexido. Não havia um único cabide vazio.

— Olhe só. — Ele erguia um vidro do tamanho de um vidro de geléia. — Reconhece o que é?

Katy sacudiu a cabeça.

— Parece um tipo qualquer de tinta, têmpera, ou algo assim.

— É tinta de maquiagem, coisa de teatro. — Artur apontou para o rótulo. — A cor é azul-cobalto.

— Estranha escolha. Ela poderia ter comprado rímel.
— Mas este não é o armário dela. É dele, e o vidro não estava exposto. Achei-o sob uma pilha de velhos sapatos atrás. — Artur remexeu mais o armário, mas saiu de mãos vazias. — Achou alguma coisa?
Katy, de pé diante de uma penteadeira, sacudiu a cabeça. Ela puxara as gavetas para examinar o que continham; os cachecóis, malhas e suéteres estavam empilhados em ordem.
— Vou lá em cima — disse Artur.
Os dois investigaram o terceiro andar; desta vez Katy se encarregou de uma ala, enquanto ele se encarregava da outra. As portas dos aposentos das empregadas estavam fechadas. Olhando pelo buraco da fechadura, Artur viu quartos escurecidos com camas feitas e cortinas de renda nas janelas. A maioria dos outros quartos era usada para armazenar coisas, e estava repleta de mobília. Ele se reuniu a Katy no final do corredor.
— Nada aqui — disse ela. — Está tudo trancado. — Ela estava de pé antes da última porta na passagem. Artur surpreendeu a si mesmo, contornando-a em busca da maçaneta. Girou-a e ela cedeu.
— Estranho. Não mexia quando tentei — disse hesitantemente Katy.
Artur abriu a porta e olhou lá dentro.
— É o quarto maior, por isso presumo que seja do mordomo. — Ele começou a entrar nele quando ouviu um ruído abafado. — Katy? — Ele se virou e viu que o rosto dela desmoronara e as lágrimas corriam por suas faces.
— Ah, meu Deus, o que tenho de errado? — murmurava ela. Sem saber o que dizer, Artur contemplava as lágrimas a deixarem rastros cinzentos de cada lado de seu nariz. — Desculpe — fungou ela. Ela enfiou a mão no bolso e tirou um maço de lenços de papel. Ao enxugar seu rosto desajeitadamente, acabou borrando a maquiagem mais do que as lágrimas o fizeram.
— Deixe-me. — Artur pegou os lenços de papel e enxugou cuidadosamente em volta dos seus olhos. O toque dele era delicado e preciso; assim que ela o sentiu, uma nova leva de lágrimas começou a jorrar.
— Estou fazendo papel de completa imbecil — gemia ela.
— Não tem problema — disse Artur consoladoramente.

Estranho é que ele não se sentiu constrangido, somente com pena dela e curioso — Aconteceu alguma coisa? — Katy sacudiu pesarosamente a cabeça. — Olhe, desça. Só levarei um segundo.
— Katy mordeu o lábio em dúvida, em seguida voltou pelo corredor e desceu a escada. Artur penetrou nos aposentos do mordomo; uma gravata preta jogada no chão e a campainha na parede confirmavam sua suposição.
Ao contrário dos outros quartos da casa, este dava indícios de uma partida apressada. O armário estava escancarado, com uma porção de cabides de metal espalhados no fundo. Uma única meia jazia ao lado da cama; teve a impressão de ver a marca de uma grande mala no cobertor de lã cinzento, dobrado com cuidado aos pés dela. Tudo o mais transmitia uma sensação de ordem de caserna. A cama era estreita, como a maioria das camas vitorianas, mas na cabeceira havia dois travesseiros lado a lado. Não havia nenhum outro indício de que Jasper fosse casado. Artur levantou um travesseiro e cheirou — tinha cheiro de perfume de rosas e de suor.
A única outra coisa notável era o retângulo desbotado na parede, onde antes houvera um quadro ou espelho. Artur passou os dedos por sua superfície. Não havia na realidade pistas no quarto, então por que tinha ele a impressão, como um cão de caça a urrar sobre uma pegada, que ali encontrara o início da trilha?
Artur sentou-se na cama vazia do mordomo. Sentiu-se preso entre dois mundos, incapaz de decidir. A bainha no meio das cinzas fora empurrada para o fundo de sua mente, tal como ele empurrara os acontecimentos relativos ao corvo na sala de estar. Pois sabia que essas eram pistas que haviam sido jogadas como bolinhas de miolo de pão na floresta, para desviá-lo do caminho. Por que não conseguia segui-las até onde levavam? Certa vez observara um treinador no zoológico enganar um macaco-gritador que agarrara a bolsa de uma mulher entre as barras de sua jaula.
O macaco fugira para um lugar alto, onde não podia ser alcançado, enquanto remexia todos os pertences da mulher. Depois de dez minutos de tentativas, ele não descia, até que o treinador entrou na jaula e estendeu um torrão de açúcar. O animal tentou agarrá-lo, e o treinador recuou com o torrão só um pouquinho fora do alcance do macaco. O macaco se inclinou um

pouco mais, o açúcar foi mais um pouco recuado, até que ele se viu numa armadilha — tinha de abandonar a bolsa ou desistir do açúcar.

Com um berro quase ensurdecedor de frustração, o macaco reclamara amargamente, mas finalmente descera para pegar o torrão de açúcar e conseguiram resgatar a bolsa. Ao testemunhar essa pequena representação aos oito anos de idade, Artur achara o treinador um senhor psicólogo. Agora se identificava muito mais com o macaco.

Ele permaneceu ali olhando pela janela, que era bastante alta para descortinar uma esplêndida vista dos verdes vales e fazendas de Somerset. Deu um suspiro. Não surgiria com uma hipótese capaz de satisfazer Westlake. Artur se levantou, sentindo-se consciente e sozinho. Um movimento lá embaixo, de verde contra verde, atraiu seu olhar. A luz do sol manchava os campos distantes; nuvens projetavam sombras andarilhas que subiam e desciam os vales. Porém, o movimento que notara era diferente. Artur forçou a vista e em seguida teve certeza. Saiu correndo do quarto de Jasper, correndo atabalhoadamente pelo corredor. A escada de mármore era escorregadia, porém ele desceu dois degraus de cada vez. Emergindo da porta da frente, parou um segundo para se certificar do seu rumo.

— Que diabo deu em você? — Katy estava encostada no carro, exatamente como naquela manhã, com um cigarro na mão.

— Vi alguém da janela lá em cima — disse ele ofegante. — Uma mulher num casaco verde, com um chapéu de feltro verde.

— Eu não vi ninguém.

— Estava meio escondida entre as árvores. Mal consegui dar uma olhada, mas tenho certeza de que era ela.

— Ela quem? Sua tia?

Artur sacudiu a cabeça. Deve ter sido na alameda de enormes faias o lugar onde vira a mulher. O bosque a leste era muito distante.

— Espere aqui. — Ele desceu correndo a alameda de cascalho, a primeira das faias ficava apenas a cem metros de distância. Correndo sozinho, sentiu-se excitado e com medo. Na pouca luz da alameda tudo era tranqüilidade, mas à medida que seus olhos se adaptaram, viu-a de novo. A mulher com chapéu de feltro encarava-o no meio de dois velhos troncos retorcidos. Tinha o mesmo aspecto do dia anterior, no incêndio, mas ao mesmo tempo havia algo diferente. Artur a viu chamando-o; a expressão em seu rosto era intensa e séria.

— Achei a senhora. — Resfolegava, ao parar diante dela.

— Tinha razão, encontrei uma coisa nas cinzas.

Ela não reagiu ao comentário, e sim disse:

— Você não está exatamente certo quanto a me encontrar. Nós o temos procurado há muito tempo; a única pergunta é o que fazer agora que você foi encontrado. Pode vir comigo?

Ele ficou aturdido.

— Agora? Para onde vamos?

— Onde estará a salvo. Já é tempo.

— Quanto tempo ficarei fora?

— Por mais tempo do que poderei dizer. A corte dos milagres o protegerá, enquanto elaboramos um plano. Mas deve abandonar suas investigações. Do contrário, ansiará por voltar aqui, e isso será sua desgraça. — A senhora do chapéu de feltro verde falava gravemente, pesando as palavras. Artur recuou. — Você está com medo.

— Não sei. — Artur olhou para trás, para Emrys Hall, e viu Katy entrar no carro. Ela tocou duas vezes a buzina, em seguida deu marcha à ré e veio na direção deles. — Preciso de tempo para pensar. — A senhora do chapéu verde agarrou seu braço, mas ele continuava a olhar para o carro de patrulha que se aproximava.

— Não pense — sussurrou a senhora. — Você não pertence a esse negócio. É um assunto da polícia.

Ele se sentiu obnubilado e confuso, ela parecia presumir que sua antiga vida já terminara.

— Não sei — murmurou ele de novo. Entreviu uma imagem de sua mãe, repentinamente abandonada sem nenhuma explicação.

A senhora do chapéu de feltro deixou escapar um gemido abafado.

— Isto não basta.

Uma onda de ira cresceu no peito de Artur.

— Pois tem que bastar. Aliás, devo ser maluco para dar ouvidos à senhora.

A senhora sacudiu a cabeça.

— Eles é que são os malucos, esses aí fora. Venha para a corte, você verá.
Mas ele desviara seu olhar para o carro de patrulha, que estava agora a uns 15 metros de distância. Um braço acenava da janela do motorista.
— Katy já nos viu. Não poderíamos fugir nem que quiséssemos.
A senhora do chapéu de feltro começava a parecer agitada.
— Está errado. Podemos ir. Depende de você. O que você quiser, assim será. — De maneira estranha, a voz dela chegava-lhe na forma de um áspero zumbido. O medo se espalhou como neblina dentro de sua cabeça.
Katy chamou:
— Callum, acabaram de transmitir pelo rádio. Acharam Merlim. Vamos. — Ela parecia excitada.
— É mentira. Não dê ouvidos — suplicou a senhora do chapéu de feltro.
— Preciso ir — respondeu Artur friamente, começando a se movimentar em direção ao carro, que parara logo no início da alameda arborizada.
— Não está vendo? Ela precisa parar. Seria descoberta caso se aproximasse mais. — A voz da senhora estava agora quase totalmente truncada, quase um rugido abafado.
De repente a lucidez voltou à cabeça de Artur. Virou-se para ela. — Você é maluca. Precisa de ajuda.
Lágrimas brotaram dos olhos da senhora. Um uivo penetrante saiu de sua garganta, fazendo-o dar um pulo.
— Perdido! perdido de novo e para sempre! — O uivo vinha de uma profundeza que Artur jamais suspeitara existir, como o grito de um bicho preso numa armadilha de metal. Katy desceu do carro.
Artur tomou uma decisão.
— Escuta, você realmente precisa de ajuda. É melhor levarmos a senhora. — Ele esticou a mão para pegar a senhora pelo braço. Ela recuou.
— Volte a seu juízo — sibilava ela desesperadamente. — Quando Katy estava chorando dentro de casa, você secou suas lágrimas?
— Como soube?

— Pergunte a si mesmo, por que ela não se olhou num espelho? Por que você teve de tirar-lhe a maquiagem?

Artur olhou-a fixamente.

— E que importa isso?

— Importa muito, sire. — A senhora do chapéu de feltro recuara para dentro das árvores, fora do seu alcance. — É sua única esperança. Tome cuidado. Reze para que nos encontremos de novo. — E em seguida ela se fora.

Estupefato, Artur virou-se. Katy não se aproximara mais. Permanecia na fímbria do arvoredo como uma criança com medo de entrar numa casa mal-assombrada.

— Venha, Artur — chamou ela. A voz dela era doce de uma maneira que ele nunca notara antes. Ele se encaminhou em sua direção. Que estranho. Fizera pouco dela como se não fosse lá muito interessante, mas na realidade, ali em pé ao sol quente da manhã, Katy estava completamente diferente. Ela deu um sorriso, e uma avalanche de desejo tomou conta do corpo de Artur. Bonita. Ela ficara sedutora e repentinamente bela. Uma risada convidativa chegou a seus ouvidos, e ele apertou o passo.

— Bobo — implicou ela. — Não devia ter saído daquele jeito. — Agora os braços dela estavam abertos, braços tão lisos, tão macios. Seu cabelo reluzia como trigo maduro e caía onde deveria cair, cobrindo seus ombros com um belo manto. Artur não podia imaginar por que jamais a beijara. Ele aceitou o abraço dela, realizando cada sonho amoroso. — Meu querido — sussurrou ela.

Era frenético seu desejo por ela.

— Aonde podemos ir? — perguntou ele, com a voz embargada e estranha.

— Eu lhe mostrarei. Entre no carro. — Ela segurou a porta do carona aberta para ele. Artur entrou, sem reparar que apenas seu reflexo, e não o dela, podia ser visto na janela do carro. Katy sentou-se atrás do volante, acelerou o motor e sorriu.

— Eu sabia que você viria.

— Sabia? Por quê?

— Porque você gosta demais de açúcar. — Ela riu, engrenou o carro e partiu espirrando cascalho. Artur sentiu-se sugado para dentro do túnel das árvores pendentes em cima, enquanto uma lasca de gelo trespassava seus intestinos.

SEGUNDA PARTE

✠

Alquimia

DEZESSEIS

Tempo de Sonhar

Eles nunca encontraram a caverna. Sis e Tommy sabiam que Merlim tencionara levá-los até ela.
— Vocês não podem viver para sempre na floresta — dissera ele. — Mordred vai conquistar o país e submetê-lo a ele, mas a caverna sempre será minha.
— Mas também não podemos morar numa caverna — frisou Tommy.
Sis pareceu alarmado.
— Já temos uma casa — disse ele, desejando muito que Merlim os levasse de volta a ela.
— Não estou lhes levando para a caverna em caráter permanente — assegurou-lhes Merlim. — Mas Mordred já encontrou o caminho do arvoredo sagrado; quero que vocês tenham um lugar seguro fora da teia do tempo. — Contudo, agora que se esquecera como ser Merlim, Derek aparentava estar tão perdido e confuso quanto eles.
A Floresta da Procura tornava-se amedrontadora à noite. Pés se arrastavam, corriam, pisavam macio no solo da floresta, sempre invisíveis. Árvores negras assomavam em ângulos terríveis, querendo agarrá-los. Quando Sis se deixou cair no solo, incapaz de dar outro passo, foi tanto de medo quanto de exaustão.
Tommy se agachou perto dele.
— Está ficando frio demais. A gente devia tentar acender uma fogueira e esperar até o amanhecer.
— Acho que você tem razão. — Ele remexeu nos bolsos da calça, virou-os pelo avesso e apareceu com um pequeno pacote

de fumo de cachimbo, dois xelins, e alguns fiapos de tecido. — Parece que eu não trouxe fósforos, o que é estranho, já que não teria deixado minha casa sem meu cachimbo. E ele sumiu também.
— Quando você foi assassinado, devem ter roubado isso tudo — especulou Tommy.
— Por quê?
— Para tornar mais difícil sua identificação. Segundo os jornais, a polícia não encontrou nenhuma identidade em seu cadáver. — Os comentários sobre a morte de Derek haviam se tornado inusitadamente comuns.
— Ou talvez os fósforos estivessem em seu sobretudo — disse Sis. — Eu bem que gostaria que você não o tivesse jogado fora quando atravessamos o riacho.
— Ah, sim, joguei-o fora — repetiu Derek com ar ausente. Suas recordações ainda surgiam e desapareciam.
O pequeno garoto disse:
— E Merlim tirou comida dos bolsos dele, uma porção de coisas gostosas. Será que você não podia tentar? Estou com uma fome danada.
O homem olhou-o com simpatia.
— Estamos todos com fome, mas se Merlim consegue materializar comida de dentro de seus bolsos, eu diria que ele também o conseguiria fazer do próprio ar. Os bolsos não parecem ser o ingrediente vital.
— Não tenho tanta certeza. — Podia-se distinguir Tommy no escuro a segurar alguma coisa. — Olha aqui um pouco de queijo e biscoitos. Estavam no meu casaco.
— Você guardou — exclamou grato Sis, e foi tudo que foi capaz de dizer, enquanto Tommy repartia a comida e a distribuía.
O garoto mais velho estava perplexo.
— Mas a questão é a seguinte: não guardei nada. Tenho certeza de que comi minha parte, e o que sobrou voltou para os bolsos do casaco de Merlim.
Sis sacudiu a cabeça.
— Você deve ter guardado um pouco. De outro modo, o mago seria você.
— Pense o que quiser. Eu também não pus fósforos em meu bolso, mas olhe. — Tommy riscou um fósforo e seu rosto foi ilu-

minado pelo pequeno círculo de luz alaranjada. Sentiram todos uma mistura de encanto e gratidão, embora os garotos não deixassem de sentir falta daquele que lhes provera tão bem. Sem outra palavra, Tommy acendeu uma pilha de folhas secas e gravetos, e alguns minutos mais tarde uma senhora fogueira crepitava, que eles alimentaram com lenha mais pesada.

Ao navegarem no escuro, Tommy não depositara nenhuma esperança na floresta. No entanto, à luz da fogueira, viu que haviam parado numa clareira, num trecho agradável de campina, tão plano e bem tratado como se pertencesse ao parque de alguma mansão.

— As campinas são em geral pantanosas numa das extremidades — comentou Derek; Tommy concordou em fazer uma exploração para ver se descobria água. Aventurou-se e não demorou a encontrar turfa esponjosa cortada por pequenos filetes d'água.

Ao voltar para o calor em volta da fogueira, Sis já dormira, escorado em Derek, que o esquentava da melhor maneira possível, pondo um braço em volta de seu ombro.

— Pode sentar do outro lado — disse Derek suavemente para Tommy. — Se nos abraçarmos mutuamente, isso conservará o calor depois da fogueira se apagar.

— Não, obrigado. Devemos fazer uma escala para ficarmos alimentando a fogueira. Desse modo ela não se apagará. — Era uma sugestão racional, mas Tommy a disse de maneira ríspida.

Derek percebeu que a sugestão de abraçar o garoto não fora bem recebida.

— Ficarei com o primeiro turno. Durma você. Por algum motivo, ainda estou bem desperto. Talvez ter permanecido morto foi um tanto repousante. Shakespeare não diz: "E a nossa vida não termina com um sono?"

À guisa de resposta, Tommy se encolheu em cima de uma pilha de folhas, com o casaco abotoado até o pescoço. Depender para sua sobrevivência de alguém que soava como um mestre-escola, não era uma idéia agradável.

Tommy nunca chegou a pegar seu turno para vigiar o fogo. A próxima coisa que percebeu foi o sol da manhã em seus olhos e a umidade do solo da floresta que havia passado para suas roupas. Sentou-se, limpando seu rosto de folhas, e viu que estava sozinho. — A fogueira apagou — pensou sonolento, mas não era verdade. O fogo ardia tão alto quanto sempre; até mesmo uma pilha de lenha cuidadosamente empilhada jazia perto. Alguns momentos mais tarde ouviu passos, quando Derek e Sis apareceram.

— Não queríamos te acordar. Bebemos água e nos lavamos na extremidade úmida da campina — disse Derek — e encontramos comida.

— Em seus bolsos? — perguntou Tommy.

Sis sacudiu a cabeça.

— Não, cogumelos e frutinhas silvestres. Está vendo? — O pequeno garoto ergueu triunfalmente duas mãos cheias de ambos. Derek mostrou como fixar os cogumelos em espetos de madeira. Eles os puseram perto da fogueira, e dentro em breve um cheiro delicioso de assado encheu o ar.

— Como saber que eles não são do tipo venenoso? — perguntou Tommy.

— Não sou nenhum perito, mas evitei todos que se pareciam com chapéu de sapo. Só colhemos os aprumados que parecem favos de mel — *morels*, acredito que se chamam — disse Derek.

— Tivemos de lavá-los para tirar as formigas — acrescentou Sis. — Derek vai nos ensinar como tirar as abelhas de suas colméias com fumaça, para pegarmos o mel, e aqui está menta silvestre, com que poderemos fazer um chá.

Tommy não ficou nada encantado com essas novidades, a despeito da promessa feita de não implicar com Derek por ele ter se esquecido como virar Merlim.

— Espero não estarmos entregando nossas vidas em suas mãos — murmurou ele. — Quero dizer, mesmo se estes aqui forem geralmente bons de se comer, Mordred poderia tê-los envenenado. Não se esqueçam, ele sabe que estamos aqui. — Um olhar de medo coloriu o rosto de Sis.

— Vamos falar mais a respeito dele — sugeriu Derek. — Não é bom ficar com medo e não falar a respeito. — Sis olhou para baixo, envergonhado, e Derek afirmou: — Eu também estou com medo, mas será que vocês realmente conhecem alguma coisa a respeito *dele*? Eu escrevo livros, e Mordred, também conhecido como Sir Mordred, desempenha um sinistro papel nas

velhas lendas. — Ele é o mau-caráter que se acredita ter delatado o amor secreto de Guinevere por Lancelot, semeando a desconfiança entre os cavaleiros da Távola Redonda, finalmente matando o próprio pai num combate singular. Assim diz a lenda.
— Não é lenda. Ele está prestes a realmente matar seu pai — disse Tommy. — E se não tomarmos cuidado, também dará cabo de nós nessa história. — O garoto pareceu tirar satisfação da cara espantada de Derek. — O exército de Mordred está acampado nesta floresta, nós andamos atrás deles, e se ele quiser pode nos ouvir conversando neste exato momento.
Confirmando o fato com um balançar da cabeça, Sis virou-se para Derek.
— Não consegue perceber? Merlim nos ensinou a fazê-lo.
— Escutando, você quer dizer?
— Mais, sabendo — disse Tommy. — Eu já teria feito com que nós fizéssemos silêncio, tal como Merlim fazia, porém Mordred não está prestando muita atenção na gente neste exato momento. Se bem adivinho, ele se encontra em pleno ataque contra o rei. Nós seremos vítimas da operação posterior de limpeza.
— Eu não quero ser objeto de nenhuma limpeza — comentou desolado Sis.
— Isso pode parecer meio obtuso, mas o que vocês estão dizendo é que estamos em Camelot, não é? — perguntou Derek.
— Como é possível?
Tommy teve vontade de dar um gemido. Derek levantou-se e começou a andar para lá e para cá.
— Levei algum tempo para descobri-lo, mas agora percebo algo, eu não estava simplesmente morto. As pessoas mortas continuam mortas; salvo milagres, é claro.
— Você estava em algum tipo de zona intermediária. Merlim disse que não era fácil explicar — disse Tommy.
— Aposto que não. E vocês acreditam que estejamos agora em Camelot? — Derek fez uma pausa. — Que maravilhoso!
— Não é nada maravilhoso. Não conseguiremos chegar a casa sem a ajuda de Merlim e, pelo que sabemos, ele se foi para sempre. — A despeito da promessa a si mesmo, Tommy externara todo o caudal de seu ressentimento contra Derek.
— Sinto muito — disse Derek apaziguadoramente. — Mas

vocês precisam ver o outro lado. Se Merlim voltar, o que acontecerá comigo? Não tenho certeza se gostarei de ficar meio morto de novo, ou seja lá o que for.

— Ele percebeu a expressão de crescente desespero no rosto de Tommy. — Você acha que eu o desaponto, não é?

Tommy deu um suspiro.

— Não, não é sua culpa. Não pode ser responsabilizado por não trazer Merlim de volta.

— Talvez consiga. — As palavras de Derek surpreenderam os garotos, que começaram a demonstrar um ar esperançoso. Ele ergueu a mão. — Esperem, não quero dizer que eu saiba como me transformar novamente em Merlim. Mas olhem só isso. — Ele mostrou um dedo manchado de azul vivo.

— Já vi isso antes — disse Tommy excitado. — Merlim me mostrou antes de ir embora, dizendo que era importante.

Derek balançou a cabeça.

— É importante. Antes de ser atacado, cheguei muito perto de descobrir o esconderijo do velho mago. Sabe, não acho que Merlim morra ou jamais se ausente, mas sim que ele às vezes seja obrigado a ficar fora de nossa vista. A época do reino de Camelot não foi a única em que ele viveu neste mundo; foi apenas a última vez em que foi avistado, digamos. A tinta azul era usada pelos supremos sacerdotes chamados druidas. Viveram muitos séculos antes de Camelot, e dizem as lendas que seus segredos lhes foram ensinados por Merlim.

— Como descobriu isso tudo? — perguntou Tommy.

— É uma longa história, que não posso contar a vocês toda de uma vez. Porém, temos tempo pelo menos para o começo. Quando interessei-me primeiro por Merlim, tinha apenas uma pilha de manuscritos poeirentos, não muito confiáveis, para me guiar. Eram coisas terríveis e emporcalhadas, na maior parte cheias de mentiras e superstições. Mas mesmo assim, fortaleceram em mim a crença que a Inglaterra já fora um país diferente, tão mágico quanto esta floresta, e o ponto focal daquela magia eram os magos. Os magos constituem um bem de consumo barato hoje em dia, vendidos em desenhos animados e tiras de desenhos, etcétera. Esquecemos completamente a importância que tinham.

— Infelizmente os druidas não nos podem dizer grande coisa, viveram muito tempo antes de qualquer pessoa escrever uma história fidedigna. Quando os romanos conquistaram a Inglaterra, encontraram os remanescentes dos druidas, que nessa época deviam ser provavelmente um agrupamento fraquinho. Não podiam se defender dos invasores romanos, que finalmente os empurraram em direção ao mar e os destruíram pelo fogo. Qualquer pessoa que conhecesse Merlim era morta.

— Quanto mais lia a respeito, menos sabia. Descobri-me a ficar inquieto, olhando pela janela sem conseguir enxergar nada que se parecesse à terra dos magos. Sem contar a ninguém, comecei a perambular sozinho pelos arredores. Meus pés me levaram por caminhos abandonados, e as verdes fazendas familiares começaram de repente a ter um aspecto muito triste. O próprio solo parecia imbuído de uma profunda tristeza, depois de milhares de anos em que os homens só tiraram coisas dele. Compreendem? Acho que foi por isso que Merlim me trouxe aqui para o passado, antes de toda tristeza e destruição começarem.

Os dois meninos haviam escutado com atenção. A maioria das palavras de Derek não pôde ser compreendida pela cabeça de Sis; Tommy pôde compreender melhor a apaixonada tristeza daquele homem.

— Não acho que tenhamos voltado ao passado, antes de a tristeza ter começado — disse ele conscientemente.

— Você tem razão, é claro — suspirou Derek. — Os problemas sempre existiram, de um tipo ou de outro.

— Não, não é isso que eu quis dizer. Nós estamos *exatamente* onde as coisas começaram a dar errado. Assistimos aos homens de Mordred matarem o gamo real, e tenho certeza de que isso foi apenas o começo. Mordred veio para arrasar Artur, mas seus motivos não são apenas o ódio: deseja destruir Merlim, e se conseguir, nada mais será o mesmo de novo. — Assim que disse estas palavras, Tommy ficou a pensar de onde tinham brotado.

Derek olhou-o com um olhar profundo.

— Você é um tanto extraordinário. Fiquei pensando em como você apareceu com aquela comida e fósforos encontrados nos bolsos. É possível encará-lo como uma espécie de truque, provavelmente da parte de Merlim, para resolver nossos problemas. O que você acabou de dizer, entretanto, me fez tremer.

— Eu também — ajuntou Sis. — Mas não sei por quê.

— Porque é verdade — disse Derek. — Passamos a maior parte de nossas vidas inventando todo tipo de histórias mentirosas. Por quê? Para não sentirmos medo. A mente gosta de se tranqüilizar com histórias e, depois que estão elaboradas, funcionamos sob seu encanto. Mas se você examinar com cuidado, existe um enorme encanto que nos engloba a todos.

— O que é? — perguntou Tommy.

— *Ele*. Mordred infiltrou tudo. Seu encanto faz da vida uma coisa cinzenta e triste. Faz com que nos equivoquemos que não existe outro objetivo para nossa vida senão a mera sobrevivência. Condena-nos a envelhecer, adoecer e morrer.

— Então é por isso que ele não precisa se mostrar. Está em todo canto — disse Tommy.

— Não, totalmente. De vez em quando, como um raio de verão no céu noturno, há uma explosão de espanto. Aquele calafrio que sobe sua espinha é o toque do mago, assim o chamo. O encanto que nos prende em seu poder prosperou muito, muito bem, mas não é suficientemente forte para nos convencer de que estejamos condenados.

— Você deve ser um bom escritor — disse Sis com admiração.

— Não sei. Sabe, durante a maior parte do tempo escrevi sobre fadas, gigantes e magos num estado de espírito fantasioso. Pelos padrões comuns, Camelot não existe na realidade. Não poderíamos de modo algum estar aqui; o início de tudo que é mal no mundo não poderia levar a Mordred. Então por que temos a impressão de ser tão verdade?

Nenhum dos garotos respondeu, mas Sis ficou boquiaberto, como se fosse gritar. Não saiu nenhum som, mas durante segundos ele ficou congelado como uma estátua. Tommy virou-se bem a tempo de ver uma sólida e musculosa sombra cruzar a campina. Estava muito próxima, e no entanto seu olhar mal conseguia distingui-la, tão bem seu caminhar furtivo evitava todas as ocasiões de se expor à luz.

— É algum tipo de bicho — conseguiu Sis finalmente dizer.

— Um bicho que não pertence a este lugar — acrescentou Derek —, a não ser que as panteras negras consigam sair da África, e viajar uma distância muito maior do que alguém jamais imaginara. — Falavam baixo, mas a sombra parou e virou um par de olhos amarelos na direção deles. O animal hesitou, e Tommy agarrou o braço de Sis.

— Abaixe-se — sussurrou ele prementemente. — Merlim disse que não devíamos ser vistos. — Instintivamente o garotinho se abaixou. A pantera levantou sua cabeça, farejando-os. Mesmo a cinqüenta metros de distância, os três humanos podiam ver que o animal estava especulando sobre a presença deles e o que ela significava.

De repente Derek se levantou e começou a caminhar para a clareira.

— Não — alertou Tommy, mas era tarde demais. — A pantera mostrou os dentes e rosnou. Sem ficar intimidado, Derek manteve sua posição no meio da campina, submetendo o bicho com seu olhar. Seus flancos negros arquejavam, sinal de que a pantera fizera esforço e uma longa viagem. Em seguida seu instante de dúvida cessou, virou os olhos amarelos em outra direção, e segundos mais tarde o bicho pulava de novo para dentro da floresta, absorto em sua viagem.

Tommy e Sis correram muito agitados. Derek já tinha partido no encalço da pantera.

— Espere, você não sabe o que acabou de fazer — protestou zangado Tommy. Derek parou e encarou os garotos.

— Talvez você tenha razão — concordou ele calmamente — mas precisava ser feito.

— O que quer dizer? Merlim avisou-nos para não chamarmos atenção.

— Mas Merlim não está presente, não é? E ficar aqui à espera de Mordred não faz muito sentido, acho que concordam. Estamos sozinhos; além disso, acho que já é tempo de que o outro lado perceba que também estamos aqui. A pantera tem algum tipo de ligação mágica com Merlim.

— Como sabe? — perguntou Tommy.

— Sabendo. Não foi esse o método que Merlim lhes ensinava? — Tommy concordou de má vontade, com a raiva e o medo começando a passar.

Quando Derek reiniciou sua marcha sobre a campina, os dois garotos se entreolharam e o seguiram. Ao contrário do tropel de cavaleiros, quando corriam ao encalço do gamo, a pantera não deixou rastros visíveis.

— Como está seguindo sua pista? — perguntou Tommy. — Eu não consigo ver nada, nem capim amassado.

— Nem eu — respondeu Derek sem se perturbar. — Vou apenas aonde sinto que devo ir. Deve bastar. — Ele emitiu esses comentários displicentemente para trás, mantendo um passo largo. Os garotos tinham quase que correr para manterem-se emparelhados.

— Isso não faz sentido — argumentou Tommy. — Você não pode simplesmente ir para o lado que você quer.

— Por que não?

— Porque talvez esteja indo para o lado errado.

— Lado errado? Não vale a pena se preocupar muito com isso. Se você não sabe para onde vai, não importa em que lugar comece.

Essas espantosas palavras não tinham significado para os garotos. O sol esquentou e subiu no céu até quase pisarem as próprias sombras. Derek só mandou parar quando chegaram ao cimo de um grande morro quase sem árvores. O terreno exibia pesadas marcas de cascos.

— Acho que se reuniram aqui e em seguida se espalharam lá em baixo. — Derek apontou para o sopé do morro, onde as pegadas se dividiam à esquerda e à direita em várias colunas. — Eles provavelmente se dividiram para tomar posição de combate do outro lado, onde não possamos vê-los. Já que as árvores se adensam novamente no sopé desta elevação, não chegaremos a ver tropa nenhuma até nos aproximarmos mais do castelo. — Ele parecia ter uma compreensão segura do terreno, e os garotos tiveram de admitir que seu estranho método de rastreamento os levara na direção certa.

Desceram cautelosamente até onde a floresta recomeçava. Derek fez uma interrupção sob uma árvore.

— Foi aqui que a pantera esperou até que passassem. — Ele apontou para um galho mais baixo um pouquinho vergado.

— Vamos segui-los também? — perguntou Sis.

— Sim, depois de descansar um pouco. — Derek encontrou uma depressão úmida no solo onde havia um pouco de água da chuva estagnada. Agachou-se e tomou um gole. — Não é tão ruim assim. Pelo menos não está verde. Podemos beber isso aqui ou jogar com a chance de encontrarmos logo um riacho. — Tommy e Sis vacilaram, mas estavam com sede demais para resistirem. Ajoelharam-se e beberam com as palmas das mãos em concha.

Tommy falou hesitantemente:

— Você está nos conduzindo bem para o meio da batalha, não está?

— Acho que sim.

— Bem, Merlim nos disse que qualquer interferência muda as coisas. A gente mexe com a teia do tempo; esta foi a expressão que usou.

— Em outras palavras, nós vamos bagunçar os acontecimentos e a história não será a mesma depois, não é? Na Floresta da Procura tudo deve ter um propósito. Então não devemos presumir que não estejamos perdidos nem sozinhos? — Os garotos não pareceram acreditar muito. — Sei que nos sentimos perdidos, mas é sempre assim que a gente sente quando encontra algo realmente desconhecido. De certo modo, temos bastante sorte, porque sabemos de antemão o desfecho do combate. Mordred vencerá. Nós somos egressos de um mundo que é a prova disso.

— Mas estamos desarmados e indefesos. Que chances teremos? — perguntou Tommy.

— Ainda não está na hora de sabermos isso. Lembro-me de um ditado: "A pior praga que se pode rogar contra alguém é desejar-lhe a vida que ele já vive". Estou cansado de aturar pragas. Acho que nem sequer desejo voltar. — Derek abandonara sua hesitante timidez, e agora sua força de vontade fazia com que os garotos também se sentissem fortes. Em vez de sentirem melosas saudades de casa, sentiam a brisa do futuro e queriam segui-la. Sis lavou o rosto no poço de água estagnada e levantou as meias; Tommy tirou o casaco e amarrou-o em volta da cintura.

— Estou pronto — anunciou. Como em resposta, a terra tremeu, e ouviram um tropel se aproximar como uma onda descomunal. O barulho de enormes muros de pedra a desmoronar chegou até eles.

— De onde vem? — gritou Tommy. Sis se agarrou numa árvore para não cair. Mas antes de Derek dar a resposta, aquele ribombar se sobrepôs a tudo, e o mundo pareceu engolido pelo fragor da calamidade.

Merlim se espreguiçou em seu catre, acordando lentamente. O duro clangor das armas no pátio não apressou esse processo, que ele achava bastante agradável. Visitara muitos lugares nos sonhos; na realidade, estivera em todos os lugares, no passado, presente e futuro, o que significava que passara por todos os acontecimentos até então ocorridos.

O inimigo penetrou pela barbacã ocidental do castelo; brados de guerra e de pânico faziam uma áspera zoeira. A despeito do perigo que ameaçava Artur e sua corte, Merlim sentia-se bastante satisfeito. Deu um bocejo e pegou seus pontudos chinelos de lã bordada.

— Cinco, quatro, três, dois, um, ei-lo aqui — murmurou o mago.

Naquele momento um pequeno rato silvestre chegou correndo no cômodo da torre e se aproximou audaciosamente da beira do chinelo direito. A pequena criatura estava exausta.

— Tsk, tsk — disse Merlim. Ele se espreguiçou, dando outro enorme bocejo. O gesto parecia muito natural, mas ao abrir os braços, atingiu o local alto onde Arquimedes, a coruja, estava pousada, acabando de abrir as asas. A coruja piou assustada, recolhendo as asas para não cair, o que deu a Melquior os dois segundos necessários para se reconverter a sua verdadeira forma.

— Mestre, é uma catástrofe! — gritou o aprendiz desesperado. — Mordred rompeu as muralhas, e...

— E nada — interrompeu impacientemente Merlim. — Você poderia ao menos me agradecer por ter salvo sua vida. — E apontou para a coruja, que lá estava pousada, ajeitado suas penas com o bico, tentando não dar mostras de aborrecimento por ter perdido o camundongo.

— Você não compreende — disse rápido Melquior. — É preciso salvar a vida de todo mundo agora. — Ignorando-o, Merlim sentou-se à mesa no meio do quarto e começou a escrever um bilhete. Melquior correu até a janela em forma de seteira e olhou para a cena de combate em baixo.

— Precisa fazer alguma coisa — implorou ele.

— E estou. — Merlim terminou seu bilhete e o releu, antes de ir se juntar a Melquior na janela; contemplou a carnificina. — Bom — murmurou ele.
— Bom? — Melquior não conseguia acreditar na insensibilidade de seu mestre; sua voz tremia de emoção. — O que pode haver de bom na matança de todos esses inocentes? O que pode haver de bom na destruição do reino e na vitória total de Mordred, que é o que acontecerá se você não impedi-lo?
— Pare de fazer discursos. O bom é que isso está virando uma lição extremamente satisfatória. Você não reparou em nada diferente?
— Em que sentido?
— Para começar, você chegou cedo. Lembro que na última queda de Camelot você entrou correndo no quarto quando eu já estava escrevendo meu bilhete na mesa. Você se aproximou logo, e eu disse sem me virar, "Já voltou?". Você respondeu, "Fui até o acampamento deles. Este é o exército de Mordred". O velho mago pronunciou essas palavras com um cuidado especial, como um ator ansioso para acertar seu diálogo.
Melquior ficou perplexo.
— Eu nunca entrei antes. Entrei agora.
Merlim sacudiu a cabeça.
— É por isso que esta é uma excelente lição; uma lição sobre o tempo. Sente-se, acalme-se, recorde. — O aprendiz teve dificuldade de se afastar da janela; seu coração ansiava por impedir o morticínio que destruía tudo a sua frente. — Venha — disse Merlim mais incisivamente.
Relutantemente, Melquior sentou-se numa cadeira que se arrastara para acomodá-lo (os magos se divertem fazendo truques com seu mobiliário). Esforçou-se ao máximo para obedecer à ordem de seu mestre de se manter calmo.
— Jurei transformá-lo em mago — começou Merlim — e isso não se consegue com um monte de feitiços e poções inúteis. Na realidade, você já se encontra sob um feitiço de que preciso despertá-lo, o feitiço do tempo. Os verdadeiros magos não se sujeitam a ele; de modo que vivemos no passado, no presente e no futuro, tudo ao mesmo tempo.
— Você e eu estamos juntos neste quarto, mas nossa experiência é muito diferente. Por exemplo, eu tinha consciência de

que você voltara um pouco antes desta vez. Por isso há pelo menos duas versões funcionando sobre hoje.

— Isso salvará alguém? — perguntou Melquior, ainda preocupado com o combate em curso.

— Ah, sim. — Merlim entregou de repente a seu aprendiz uma margarida olho-de-boi tirada de uma jarra na mesa. — Olhe só. — Uma pequena joaninha se arrastava do centro amarelo da margarida, subindo uma pétala. — Imagine a perspectiva dessa criatura. Ela vê uma larga pétala branca a sua frente, e vendo somente isso, caminha em linha reta de uma extremidade a outra. Ela se movimenta num caminho muito estreito, porém é essa a visão que tem de toda a flor.

— As pessoas vivem suas vidas da mesma maneira, trilhando um estreito caminho do passado até o futuro. Ao chegarem ao final de sua pequena pétala, morrem. Mas na qualidade de magos, nós enxergamos a flor inteira. Ela tem uma porção de pétalas que coexistem ao mesmo tempo, e podemos escolher em qual delas caminhar. Como fazê-lo? Porque conhecemos a verdade de que existimos em todas as épocas ao mesmo tempo. Compreende?

— Acho que sim. Não estou apenas aqui neste quarto, embora sinta que esteja. — Merlim fez que sim com a cabeça. — Ninguém está apenas presente aqui. As linhas retas e estreitas do tempo constituem na realidade fios de uma teia que se estende até a eternidade.

Outro momento de iluminação atingiu o aprendiz.

— Se cada versão individual do tempo é uma escolha, então não é possível que exista apenas um dia presente. Camelot já caiu antes.

— E nunca pára de cair. A teia do tempo é muito espaçosa. Camelot pode cair quantas vezes seja possível a uma pessoa desejá-lo.

— Ou não desejá-lo — disse Melquior com esperança.

— Ah, então você percebe — disse Merlim satisfeito. — A queda de Camelot é uma pétala da flor do tempo. Todas as outras pétalas são uma versão da mesma ocorrência, só que ligeiramente modificada. Sabe quantas pétalas existem? Infinitas. Nenhum desfecho possível pode ser deixado de fora. Se você experimen-

tar todas as versões de uma ocorrência, ainda restarão outras tantas para escolher.
— O que acontecerá na versão de hoje?
— Uma pequena variação no sentido da misericórdia. — Merlim apontou pela janela chanfrada o pátio embaixo. — Está vendo aquele menino? — Entre a barulhada e a confusão, um menino pequeno arremetia contra um cavaleiro.
— Ulwin. — O aprendiz observou o jovem pajem a brandir desesperadamente um garfo de capim e cravá-lo na garupa da montaria de um cavaleiro, fazendo-a empinar e relinchar. — Pirralho filho da puta! — gritou o cavaleiro encolerizado.
Paralisado pelo medo, Melquior ouviu Merlim cochichar:
— Concentre-se. Esta não é a primeira vez em que você viu isso, não é? — Não tinha bem certeza o aprendiz. O corajoso pajem escapara com agilidade da arremetida do furioso cavaleiro, virando-se novamente para espetar a garupa do cavalo com seu garfo.

O coração de Melquior batia forte, porém, a despeito de estar tão absorto como estava, uma parte de sua mente mantinha-se à parte, sem se deixar envolver.

— Sim — aquiesceu — isso já aconteceu antes. — Falava por sua mente que não se deixara envolver, a parte que não aceitava a ilusão do tempo. E no entanto como era forte essa ilusão! No pátio embaixo corria o sangue dos homens e dos cavalos, enchendo as sarjetas; o ar estava cheio de gritos enlouquecidos. Subitamente amedrontado, Melquior virou-se para Merlim. — Tenho medo. Morrer uma vez já é bastante ruim, mas se tudo isso se repete um milhão de vezes...

O mago ergueu a mão.

— Continue a observar.

Ulwin se encontrava agora cercado por três cavaleiros, que se aproximavam dele por três lados. Ergueram suas achas-de-armas, porém o pajem se abaixou no chão quando convergiram sobre ele. Por um segundo eletrizante, Melquior achou que ele houvesse sido pisoteado, mas num átimo o pajem se levantara e correra. A maré da morte passara por ele.

— Será que estará a salvo?

Antes que Merlim pudesse responder, o capitão de Mordred apareceu a cavalo. Galopava a toda velocidade, mas ao avistar

Ulwin, puxou a rédea de sua montaria, parando-a. O garoto estava encurralado contra uma muralha, sua única saída bloqueada pelo cavaleiro e seu cavalo. Melquior podia ver seus olhos se arregalarem e seus lábios se moverem numa oração.
O capitão sacou de sua besta e esticou a mão para trás para pegar uma seta.
— Agora observe — disse Merlim. Parecia um espantoso golpe de sorte. Em vez de achar uma flecha, a mão do cavaleiro encontrou uma aljava vazia. Ele rogou uma praga, jogou a besta no garoto amedrontado e arremeteu em frente. Dois segundos mais tarde, como um texugo perseguido a encontrar sua toca, Ulwin escapara pela muralha e se fora.
— Um giro misericordioso — repetiu Melquior, sentindo o alívio varrer seu peito como uma enxurrada.
— Sim, mas você não sabe por quê. O motivo é que a flecha destinada a matar aquele garoto — a flecha que deveria estar na aljava — foi enterrada num buraco raso na floresta.
Melquior pareceu perplexo.
— Quem a enterrou?
— Ah, você terá tempo de descobrir mais tarde — disse Merlim displicentemente. — Talvez outra versão de Ulwin que voltou para salvar a si mesmo. — O mago deu um risinho diante dessas complicações que faziam a cabeça de Melquior girar.
— Então nada é real? — perguntou o aprendiz.
— Ah, toda versão do tempo é real, mas nenhuma delas completa; essa é a questão. Uma única flecha mudou o destino, está vendo? E isso é nossa esperança, pelo menos nesta versão. Mordred ainda não compreendeu que seus planos foram alterados, porque a alteração é tão minúscula. Mas basta um fio solto para desenrolar toda essa cilada.
Merlim endireitou-se e inspirou dramaticamente, até encher os pulmões, em seguida inclinou-se e soprou uma nuvem de poeira de cima da mesa para o centro do aposento. Os grãos de poeira revolviam num raio de luz que entrava pela janela em forma de seteira.
— Preste atenção — ordenou Merlim.
Melquior virou sua vista para olhar a poeira que dançava na luz. Sua visão parecia inusitadamente aguda, pois imaginava poder focar cada grão em separado. Centenas, milhares, dezenas

de milhares deles fixaram-se em sua mente enquanto formavam e tornavam a formar belos desenhos, imagens fantasmagóricas que surgiam suspensas no ar, apenas para se dissolver e renascer.

— O que está vendo? — cochichou Merlim muito perto do ouvido de Melquior. Melquior abriu a boca para responder mas não foi capaz. — Ótimo. É preciso ficar siderado para se enxergar pela primeira vez a realidade; mundos que se formam e se desfazem como poeira num raio de sol. O que constitui a sabedoria do mago, senão isso? Ah, meu Deus, meu bilhete.

Merlim afastou Melquior com um empurrão abrupto. Antes que pudesse pensar, o aprendiz ouviu um estrépito. Uma retorta de vidro se quebrara, e ao examiná-la com mais cuidado, viu que o motivo fora uma flecha grossa arremessada por uma besta.

— Essa flecha era destinada a você — comentou tranqüilamente Merlim. Não o teria matado, mas eu quis poupá-lo da dor.

— Melquior pôde murmurar um breve agradecimento antes de seu mestre bater palmas. Sem mais conversa, o aprendiz desapareceu. Em seu lugar havia um pequenino falcão. Merlim amarrou apressadamente o bilhete no seu pé e o carregou até a janela.

Contorcendo-se, o pequeno pássaro deu um pio agudo e bicou o mago na parte carnuda do polegar, tirando sangue.

— Sei que não te contei o suficiente — desculpou-se Merlim — mas este drama em especial você terá que vivê-lo pessoalmente. — E com um empurrão arremessou o pássaro no ar. — Vá ao rei! — O falcão levou um segundo para se endireitar, em seguida partiu rápido como um pensamento para a janela aberta ao lado da qual estava sentado Artur.

DEZESSETE

Os Peregrinos

Penelope Rees esperava perder o juízo até às dez da manhã, o mais tardar até às 11. O mais incrível é que não acontecera. Perambulara abertamente com Melquior pela estrada desde o amanhecer, deixando atrás de si Emrys Hall, e seus sapatos estavam cobertos de poeira do campo com cheiro de esterco. Melquior mal disse palavra desde que tinham partido.

— Que burrice a minha, esquecer meu relógio — pensou consigo mesma — porém, a julgar pelo sol, ainda não é meio-dia. Por que não pirei? — Ela nem sequer estava tão temerosa assim, o que teria sido uma reação bastante natural.

— Ainda estou em meu juízo perfeito, graças a Deus, mas esta foi uma mudança muito estranha no curso dos acontecimentos — admitiu ela. Sem aviso prévio abandonara sua casa. Nenhum vestígio do marido aparecera, e a pessoa em quem confiara era um meio-mago volúvel. — Aonde vamos? — perguntou ela em voz alta, hesitando em interromper o transe de Melquior.

Ele olhou para ela tranqüilamente, sem nenhuma perturbação.

— Isso depende.
— De quê?
— De tudo.

Já que ele não se dispunha a dar maiores informações, Pen teve se de contentar com esse obscuro fragmento. O corpo esguio de Melquior cabia bem dentro das velhas calças e camisas de Derek, porém seu rosto, pensava ela, pertencia a outra época ou a uma pintura, poderia ser o de um anjo medieval a tocar trombeta no Juízo Final. *No mundo, mas sem lhe pertencer*, foi a expressão que lhe veio à cabeça.

Ao prosseguirem caminhando, foram acumulando mais poeira e exaustão. E não obstante Pen se sentia ótima, tal como um súbito desligamento pode afetar as pessoas que escapolem do mundo "real". De quando em quando passava um trator barulhento, e o fazendeiro ao volante lhes lançava um grosseiro e mal disfarçado olhar. Salvo isto, não aparecera tráfego. As próprias alamedas eram belas, ladeadas de cercas vivas que não haviam sofrido alterações desde o tempo de Robin Hood. Brancas flores primaveris desabrochavam em grande profusão, como neve brotando nas coisas, em vez de cair sobre elas. Vez por outra uma ponte de pedra abria seu arco sobre um riacho cristalino. Ao olhar para baixo, ela podia ver as sombras ágeis dos peixes, trutas esquivas, como fantasmas opalescentes.

Inesperadamente, Melquior disse:

— Você terá de se esforçar mais.

Não havia nenhuma recriminação em sua voz. Pen foi apanhada de guarda baixa.

— Esforçar-me em que sentido? Estou andando o mais depressa possível. Na realidade, isso não é verdade. Não estivemos andando nada depressa, não é?

— Não é a velocidade que nos está impedindo. Sua mente está fechada, assim. — E Melquior estendeu a mão, fechando o punho com tanta força que os nós dos dedos ficaram brancos. — Você está nos impedindo de ir para onde precisamos ir.

— E onde é isso?

— Onde quer que a sua cabeça nos conduza. No momento estamos apenas trilhando essas mesmas e enfadonhas estradas. Precisamos sair disso.

Isso parecia uma injustiça feita a Pen.

— Talvez só existam mesmo essas enfadonhas estradas.

Melquior sacudiu a cabeça.

— Não ajuda nada sentir-se ofendida. Não se trata apenas de você; é a maneira como foram todos educados. Está vendo aquele homem? — E ele apontou adiante para uma figura à distância, sentada sob uma velha macieira. — Quem é ele?

— Apenas um vagabundo, presumo — respondeu Pen, um tanto constrangida. Os vagabundos não combinavam com sua agenda social, o que a deixava vagamente envergonhada, mas era isso aí.

— E nós, somos vagabundos? — perguntou Melquior.
— Claro que não.
— O que nos transformaria em vagabundos?
— É difícil dizer.
— Não temos dinheiro, nem um lugar onde ficar. Isso basta?

Pen não gostou dessa maneira de lembrar a situação deles; sacudiu a cabeça.

— Não basta. Algumas pessoas não conseguem se transformar em vagabundos, não importa quão dura seja sua sorte, enquanto outras se transformam rapidamente. Acho que depende do grau do desespero e do sentimento de desamparo da pessoa.

— Então é um estado de ânimo? Uma predisposição.

— Sim, acho que se poderia dizer isso. — Aproximavam-se do vagabundo, que podia ser visto erguendo uma jarra aos lábios e tomando longos goles dela. No intervalo deles, descascava uma vara.

— E se o vagabundo for um vagabundo por causa do seu estado de espírito, da sua predisposição? — perguntou Melquior.

— A minha?

— Todo mundo cria o mundo que percebe, e todos nós percebemos de acordo com impressões recebidas do passado.

— Isso parece muito abstrato.

— Não é não. Trata-se da maneira como criamos coisas, ocorrências, outras pessoas.

— Ora, ora, não consigo criar outras pessoas. Não sou Deus, e se fosse gostaria de criar gente melhor do que essa aí.

Melquior não sorriu.

— Você não é responsável pela criação das almas das outras pessoas, porém o modo como elas se relacionam com você é fruto de sua criação. Se você tem um inimigo, ele é criado dentro de seu coração; as pessoas que a atemorizam dão felicidade a outras, as que você odeia são amadas por outras. Já passamos por uma dúzia de pessoas que poderiam ser nossa salvação, nossos guias. E você excluiu-as. Será que é capaz de ver nesta aqui um guia?

Estavam suficientemente próximos para que Pen pudesse distinguir agora a barba eriçada e o cabelo emaranhado do mendigo. Parecia um urso e provavelmente cheiraria pior.

— Um guia? — repetia ela em dúvida. — Para onde?
— Para sair daqui — respondeu Melquior com um amplo gesto dos braços. — Você está acostumada a viver neste mundo, mas se pudesse enxergar direito, ele é como uma rede se fechando sobre nós. Precisamos encontrar o buraco na rede, senão jamais escaparemos. Desde a aurora procuro alguém que já tenha saído e que possa nos mostrar o caminho, um guia.

O vagabundo avistou-os ao chegarem quase na altura da árvore.

— Vamos lá — gritou ele. — Eu não vou dar nenhum golpe em vocês. — Pen remexeu-se constrangida. Ele cravara seu olhar maluco neles, com um olho meio vesgo. Seu olhar parecia exercer um efeito magnético, como se nenhuma tentativa polida de evitá-lo pudesse impedir o encontro.

Pen apertou o passo, fingindo ser surda.

— Não consigo fazê-lo — cochichou ela ferozmente para Melquior, que procurava se demorar.

— Sei que está com medo.

— Você está certo. — Ela podia sentir seu coração bater na garganta.

— Por que tem medo? Porque ele é diferente? Não vê que essa é a nossa única esperança — de que ele seja *bastante* diferente.

Pen diminuiu o passo. Olhou para trás para o vagabundo, que levantou o jarro numa alegre saudação.

— Não sei. Confesso uma coisa, ele parece ser algum tipo de fugitivo. Talvez seja perigoso. — Dava para perceber que o vagabundo tinha um físico muito maior do que o de Melquior, mas no entanto o aprendiz conseguira subjugar Jasper. — Talvez você devesse fazer uma experiência com ele, testar o nível de sua psicose.

— Está vendo, você deixou de ter medo — disse Melquior elogiosamente. Ele a pegara pelos cotovelos e guiava de volta à macieira.

O vagabundo pareceu satisfeitíssimo com aquela mudança no rumo dos acontecimentos; bateu com os pés no chão, apupando.

— Vocês não trouxeram sua caixa? Eu não tenho caixa nenhuma. — E como se quisesse demonstrar o que queria dizer,

ergueu uma bandana que continha todos os seus pertences neste mundo. — Está vendo?
— Não, também partimos sem caixas — respondeu Melquior.
O vagabundo riu.
— Ninguém vai embora sem caixas, é difícil demais. — Melquior fez que sim com a cabeça. Pen teria fugido, se Melquior não a tivesse empurrado por trás. Ela quase tropeçou e caiu no colo do vagabundo, em seguida descobriu um lugar a seu lado na grama seca e falhada que crescia na sombra da macieira. O vagabundo murmurava consigo mesmo, porém agora ficara mais coerente.
— Estão procurando a antiga rainha? — perguntou ele de repente. — Aturdida, Pen ouviu Melquior inspirar incisivamente.
— Já achou a caverna? O que tem na bolsa?
— Nada — respondeu depressa Pen. A bolsa negra de veludo que continha a pedra estava atada em volta de sua cintura e ela não notara ter ficado um pouco à mostra sob seu casaco ao sentar-se. Estreitou-a contra si; Melquior parecia satisfeito por observar os dois.

O vagabundo esgotara, ao que parece, suas perguntas. Levantou os olhos para os pássaros que chegavam e deixavam voando a macieira. Depois de algum tempo, um olho desviou-se dessa diversão e se fixou em Pen. O constrangimento dela aumentou, mas ela resolveu agüentar ali sentada. O vagabundo lembrou-se do pau que estava descascando, tirou-o de um bolso de trás e continuou preguiçosamente a descascar mais um pedaço com sua faca. Tomou um longo gole da jarra, em seguida a passou para Pen, com uma expressão que dizia:
— Eu te desafio.

O estômago dela deu umas voltas enjoadas, mas ela aceitou o desafio. A cidra era agridoce e pinicava sua língua.
— A antiga rainha nos espera? — perguntou Melquior.
A pergunta pareceu perturbar o vagabundo. Esquivou-se, olhando para cima para os filhotes de passarinho quase invisíveis nos galhos.
— Eu estava viajando com os Rom durante algum tempo — disse ele afinal (Pen sabia que isso significava os ciganos). — Perguntei-lhes onde ela estava, mas eles não sabem. Ninguém sabe. Talvez ela tenha morrido.

Melquior sacudiu a cabeça.
— Não, a antiga rainha não morreu — comentou ele em voz baixa. O vagabundo lançou-lhe um olhar inquiridor, em nada semelhante ao que se esperaria de uma cabeça delirante. — Se você está à procura, gostaríamos de nos juntar a sua busca.
O interesse de Pen despertou. Será que Melquior fazia um teste para averiguar se haviam descoberto o guia deles?
Ele se levantou e declarou alto e bom som:
— Temos a pedra e estamos dispostos a compartilhá-la. Mas o resto nos é desconhecido. Quem restou? O que se perdeu? Temos que encontrar essas respostas antes que *ele* nos descubra.
Se o aprendiz de mago empregara essa fala para destravar algum compartimento secreto do vagabundo, ficou decepcionado.
— Vocês querem que eu vá junto com vocês? Não sei se posso — murmurou o vagabundo inseguro. — Há armadilhas de dragão por aí, e o sangue e os ossos de muitos deles presos nelas.
— Seu olhar vadio voltara a observar alguns pardais brigando lá em cima.
O ar estava parado; Pen tomou consciência do zumbido de abelhas ali perto, criando um torpor soporífero em sua cabeça. O calor do sol fazia com que seus músculos duros e dolorosos relaxassem. Deve ter cochilado então, porque a próxima coisa que percebeu é que o sol se pusera. Sentou-se ereta, sentindo uma frieza tomar conta dela.
Mas não era o pôr-do-sol. Alguém permanecia de pé diante dela, projetando uma longa sombra.
— Posso ver a pedra, por favor? — perguntou uma voz de mulher.
Pen sentiu uma onda de gratidão por se tratar de uma mulher e não de outro vagabundo.
— Não sei — disse ela, meio adormecida. Ao adaptar os olhos à luz, viu que a mulher diante dela era baixa, atarracada e vestida de maneira esquisita para maio, num casaco verde e chapéu de feltro verde. Seu rosto aberto e franco, parecia o de uma fazendeira. — É daqui da vizinhança? — perguntou Pen.
— Se quer perguntar se tenho uma casa como a sua, não. Vivo ao ar livre.
O coração de Pen sentiu mais um peso, uma mulher vaga-

bunda. Ela apalpou com as mãos a bolsa de veludo, para se certificar que não fora roubada.

— Para ser sincera, eu também não tenho casa, não mais — disse Pen, levantando-se. Seus ossos estalaram um pouco, porém sentiu-se espantosamente descansada. Nada mudara. Melquior e o vagabundo — isto é, o primeiro vagabundo — ainda estavam sentados sob a árvore, como se à espera. O sol mergulhara um pouco ao ocidente de seu apogeu.

— Que bela árvore antiga — comentara a mulher de chapéu de feltro, olhando para cima com admiração. — Já ouvi dizer que as árvores são as criaturas vivas mais próximas das humanas. Elas sabem as coisas e perduram; são pacientes e sábias. Mas é claro que as árvores não têm nenhum interesse em fazer o mal. E o sofrimento delas deve ser diferente, sem serem capazes de fugir e tudo mais. — Ela olhou com interesse para Pen. — Permanecer ao ar livre é muito duro. Você devia voltar.

— Mas não quero.

— Por que não? — Quando Pen não respondeu, a mulher do chapéu de feltro deu uma risada. — Não saber por que é muito animador. Esta viagem destrói expectativas, arrebenta com as ilusões. Você ainda possui muitas ilusões, mas voltar não é uma delas. Estive na situação em que está agora e sei.

Os modos da mulher ficaram de repente tão seguros que Pen não pôde deixar de perguntar:

— Você é a antiga rainha?

A mulher sacudiu a cabeça.

— Não, ela faz parte de nossa busca.

— Quem é você, então?

— Não temos mais nomes na atualidade. Costumávamos ser chamadas de corte dos milagres.

Era um nome estranho, intrigante, e Pen teve certeza de jamais havê-lo escutado antes.

— Ele faz parte da corte de vocês? — perguntou ela, indicando o vagabundo.

— De certa forma, sim. Todos nós precisamos viver de modo estranho. Não julgue com muita precipitação. — A mulher do chapéu de feltro olhou em volta, uma sensação de premência tomava conta dela. — Espero que tenha descansado. Precisamos ir. — E ela deu meia-volta imediatamente. Pen esperava que ela fosse pela

estrada, mas em vez disso ela se dirigiu para a capoeira de samambaias e urtigas que contornava a macieira a poucos metros de distância. Pen buscou com os olhos uma decisão de Melquior; ele já se punha de pé. Aparentemente o guia deles chegara.
— Ah, e devemos prosseguir em silêncio — disse a mulher do chapéu de feltro olhando para trás. — É melhor adiarmos as explicações até chegarmos à caverna. — Deu um sorriso e ficou à espera; quando Pen a alcançou, apertou a mão dela tranqüilizadoramente. — Não se preocupe. Trazer a pedra foi uma grande coisa que você fez. Todos lhe devemos agradecimentos. — O pequeno grupo formou uma fila indiana e entrou no mato rasteiro.

Depois dos primeiros metros o caminho ficou difícil; trepadeiras sufocantes abraçavam as moitas de arbustos fechados, e mal dava para Pen abrir caminho. Olhando para seus pés, perdeu a noção de tempo e para onde iam eles. Pen ia colada na mulher de chapéu de feltro, com o vagabundo murmurante atrás, e Melquior fechando a retaguarda. Ela presumira que o vagabundo estivesse murmurando consigo mesmo, mas tomou consciência de que ele cantarolava uma canção:

> Ah, o que te atormenta, nobre cavaleiro!
> Sozinho e pálido a perambular?
> Os juncos do lago murcharam por inteiro,
> E não há pássaros a cantar!

A melodia era triste. Pen lembrava-se vagamente das palavras. Eram de um poema que ela conhecia do colégio — Keats, num estado de espírito melancólico — porém, a maneira como a voz do vagabundo mudara era o que feria seu coração. Ela olhou para ele atrás. Seu olhar agora era límpido, como se tivesse despido um disfarce íntimo. Sua voz tomara no momento uma divertida cadência.

> Encontrei uma senhora no prado
> Tão bela, filha de fada;
> Longos cabelos e ligeiro pé,
> E com olhos tão safados.

Com seu tom baixo que vinha da garganta, sua voz parecia íntima. *Estranha criatura,* pensou Pen, mas naquele exato momento uma gavinha de trepadeira pareceu se estender para agarrar seu tornozelo, precisando ela de toda atenção para não cair.

De repente a mulher do chapéu de feltro parou.

— Não vamos conseguir — disse ela para ninguém em especial. — A teia não se abre. — A expressão dela era de perplexidade. — Tinha certeza de que a caverna ficava aqui, mas não fica. Andamos perambulando durante os últimos dez minutos mais ou menos. Desculpe, mas estou confusa, e não deveria estar.

— É ela — disse o vagabundo, indicando Pen.

Esta se encolheu, ficando vermelha. Aquela era a segunda vez no dia em que o ônus de estarem perdidos recaíra sobre ela.

— Estou tentando, sinceramente.

— Não, não se preocupe — respondeu a mulher com o chapéu de feltro verde. — Todo mundo começa assim. Sabe, é tão difícil, esse negócio de deixar o mundo. Estamos todos atados com liames invisíveis. Vamos descansar. — Sem se importar em procurar um local macio ou limpo, ela se deixou cair ao chão, deixando que seu corpo afastasse o mato e os arbustos. Quando os demais fizeram o mesmo, viram-se agachados à maneira de índios peles-vermelhas, como se estivessem escondidos à espera de tocaiar alguma caça invisível. Ou de serem tocaiados.

Melquior e a mulher do chapéu de feltro acharam fácil sentar muito quietos, porém o vagabundo se remexia e cantarolava, obviamente nervoso. Seus olhos não estavam mais límpidos, e não parecia gostar da presença de Pen junto deles.

— Qual é seu nome — perguntou ele abruptamente.

— Pen. E qual é o seu?

— Pen — repetiu, ignorando a pergunta dela. — Isto quer dizer Pendragon.

— Exatamente — concordou a mulher do chapéu de feltro.

— Por que estão dizendo isso? De fato é Penelope.

A mulher sacudiu a cabeça.

— Somos pessoas que buscam, e a maneira como achamos aquilo que buscamos é por intermédio de pistas. Ele acha seu nome uma pista, e eu também.

— Não tenho certeza se entendo, uma pista de quê?
— De que estamos no caminho certo. As coisas acontecem em padrões e se desdobram em linhas, mas você é incapaz de vê-las. As pistas, no entanto, aparecem em todo canto. Às vezes passam rastejando como animais medrosos no mato rasteiro. Outras vezes mergulham de cima sobre você como uma ave de rapina. Às vezes penetram em sua armadura como armas. Só a gente parece notá-las.
— A corte de milagres, quer dizer? — perguntou Pen. — E aqueles que deixam de notar permanecem presos na rede.

A mulher de chapéu de feltro pareceu satisfeita.
— Uma pista é o modo como a coisa começa. Alguns de nós não se encaixam muito bem neste mundo. Rotulam a gente de maluca ou mal adaptada. As pistas mais ou menos nos escolhem; de outro modo, as pessoas saudáveis e normais nos esmagariam. Chega uma época em que temos de escolher entre permanecer apenas mal adaptados ou seguir os fios que jazem dependurados diante de nossos narizes. — Ela estava prestes a explicar mais, quando uma expressão preocupada tomou conta de seu olhar. — Não é seguro permanecer aqui por muito tempo.
— De acordo — acrescentou ansioso o vagabundo. Pen olhou para ambos, com uma pergunta no olhar.

A mulher do chapéu de feltro disse:
— Sabe, existe uma espécie de jogo ou disputa em curso. Um jogo terrível, devo acrescentar, que não se passa aqui nem lá. Na qualidade de pessoas que buscam, somos um alvo de primeira.
— Quem participa desse jogo? — perguntou Pen.
— Dragões — disse o vagabundo. — O dragão branco está atrás de nós, e temo que o vermelho não apareça.
— Ele virá. Eu o encontrei — disse a mulher do chapéu de feltro.
— Se apenas você não o tivesse perdido de novo — gemeu o andarilho, com a voz mergulhada na mais profunda tristeza. Pen especulou sobre ele. Ela não tinha mais medo do sujeito fedorento e parecido com um urso (embora ele combinasse às mil maravilhas com a imagem do bicho-papão que lhe haviam ensinado em criança). Sua perplexidade era causada pela maneira como ele e a mulher conversavam, num código particular que ela não conseguia decifrar.

Pen notou que todos os outros prestavam atenção a ela. A despeito do perigo anunciado, não estavam prontos para seguir viagem.

— Sinto muito se a enganei — disse Melquior baixinho. — Não há outro guia senão você.

Pen abriu a boca sem poder articular nenhuma palavra.

— Você não consegue enxergá-lo, querida, mas chegamos a uma encruzilhada — disse a mulher. — Se você não aparecer com alguma coisa, acabaram-se as pistas.

Essas palavras tiveram um forte efeito sobre a cabeça de Pen. De repente todas as suas defesas ruíram, restando apenas pura frustração.

— Não consigo fazê-lo — disse ela, tentando suprimir seu tumulto.

Porém, o tumulto cresceu. Exausta, perplexa, sua cabeça queria berrar contra as besteiras que vinha ouvindo desde que Melquior se transformara a partir de um pássaro moribundo. Suas têmporas latejavam. Sentiu náuseas e tontura. As únicas encruzilhadas que ela alcançara pareciam levar à loucura, a não ser que ela voltasse atrás.

— Então eu só fui pirar de tarde — pensou ela, grata pelo fato de ainda restar-lhe um pouco de ironia.

Pen levantou-se cambaleando, porém seu estômago tornou-se apenas mais revolto. O gosto agridoce da cidra voltou a sua boca.

— Leve-me para casa — murmurou ela, sem saber se desmaiaria.

— Acho que a estamos perdendo — disse Melquior, com a voz fraca e distante.

Pen fechou os olhos; uma escuridão dentro dela tornava-se negra, cada vez mais negra. Viu-se caminhar até a beira de um abismo, uma escuridão mais fechada que era puro vazio e destruição. Estava contente por ter chegado até ali; se o ponto de onde se pulava era guardado por almas condenadas, ela as teria empurrado para ter sua chance de escapar. Não havia guardiões, aliás. O caminho estava desimpedido; ela era livre para pular.

Reunindo sua coragem, por algum motivo ainda hesitava. Por quê? O vazio, intuindo sua hesitação, tentava alcançá-la

ansiosamente, agarrando-se a seus pés como um amante fazendo uma súplica.
— Misture-se a mim. Esqueça. Seja nada — seduzia ele.
Era o que ela queria, mas mesmo assim hesitava. Ali estava, um barulho. O vazio se arrastara até suas canelas, procurando sua virilha.
— Não dê ouvidos, apenas venha ter comigo — suplicava ele, cada vez mais como um amante. Porém o barulho, tão fraco, como oriundo de um poço sem fundo, ainda estava ali. Na própria beira do abismo, Pen percebeu o que era. Risos! O abismo não representava o nada, o doce esquecimento.
— Não! — berrou ela, afastando-se da beira. Rugindo de cólera, o vazio agarrou-a com um punho de ferro, como se não ousasse desafiar o senhor da morte. — Não! — berrou ela novamente. Contorcendo-se de gélida dor, Pen fez um esforço supremo e abriu os olhos.
Uma faixa apertava seu peito. Talvez fosse seu coração esmagado pelo sofrimento. Não, era o braço do vagabundo. Ela começou a dar um início de berro, porém parou. O braço do vagabundo era quente e musculoso; sua força não a estava violentando, e sim puxando-a de volta sã e salva.
— Não nos deixe — disse o vagabundo com premência na voz.
— Onde estou? — perguntou ela debilmente.
— Ainda está conosco — disse o vagabundo. — Eles te querem de volta, mas você ainda está aqui.
— Eles?
— Os velhos dentro de você. Nenhum de nós é sozinho. Carregamos todo mundo dentro da gente — mãe, pai, professores, amigos — que nos deram um lugar neste mundo. Eles te querem de volta, senão o mundo deles desmorona. É o que pensam, e você deve pensá-lo também. Porém eles são os moribundos. Apenas seu medo desmoronará. — Pen olhava agora fixamente para ele. Era impossível que um vagabundo imundo fizesse um discurso assim. Seus olhos estavam bem abertos e límpidos de novo, exprimindo uma ânsia tão profunda que ela a sentia no âmago. — Fique conosco. Por favor, tente Pendragon — suplicava ele.
Pendragon — porque ele vivia falando aquilo? Pelo menos

a palavra ocupava a mente dela, uma alternativa a berrar ou estilhaçar-se num milhão de pedaços. Pense, pense. É claro — o último nome dado ao rei Artur. Sua cabeça sentiu-se aliviada diante da possibilidade de estar decifrando o código deles, que não era uma coisa maluca, afinal de contas. Pendragon. A memória dela era como um favo de mel; suas células se rompiam, deixando escapar uma doçura armazenada.

Agora ela sabia. Pendragon era importante. Era uma daquelas palavras poderosas sobre as quais contara a Artur quando ele vira a pedra. Na superfície aquela palavra significava algo inócuo — "dragão-chefe", a maneira antiga como se referiam no País de Gales a um rei de direito. Um ligeiro calafrio percorreu-a.

— Não queremos cair na armadilha do dragão branco, não é? — disse ela em voz alta.

— Ele já pegou os ossos e o sangue de muitos — disse sombriamente o andarilho.

— Sei — murmurou Pen. — Deixe-me pensar.

Melquior contemplava-a com um sorriso agora. Pen começou a sentir como sua mente andara fechada exatamente como ele lhe dissera, mas agora, à medida que ela relaxava e aceitava aquela situação esquisita e a maneira de falarem em código, a única maneira segura de se falar, o mito dos dois dragões, vermelho e branco, voltou a sua memória.

O mel da recordação fluía mais facilmente. Veio-lhe à cabeça uma imagem nítida de uma noite fria, há anos atrás, quando ela e Derek estavam afundados em poltronas macias de couro diante da lareira. Sim, fora Derek que lhe lera a respeito dos dois dragões. Era sua voz que ela ouvia na cabeça narrando uma lenda nascida de uma ocorrência mágica: há séculos, um rei fraco e violento chamado Vortigern usurpara o trono da Inglaterra de seus legítimos herdeiros. Era uma época de guerra e dissensão. Acuado por seus inimigos, que roíam seu reino pela beirada como ratos a roer queijo, Vortigern procurava desesperadamente construir uma torre para defender seu castelo. Mas toda vez que ela era levantada até certa altura, a torre cedia e desmoronava.

Vortigern chamou seus videntes, que lhe disseram não conseguir decifrar o mistério, que era conhecido apenas por "alguém que não nascera de um pai". Ninguém tinha a menor idéia onde encontrar semelhante pessoa, até surgir da floresta uma criatura selvagem que se chamava Merlim. A mãe de Merlim lhe contara que ele fora concebido com a ajuda de um espírito, em vez de ser por intermédio de um homem. Para provar que era ele quem os videntes haviam previsto, Merlim aproximou-se da torre.

— Cavem aqui, onde a torre caiu, e saberão seu segredo — mandou ele. Vortigern obedeceu. Sob o local, descobriu-se um poço subterrâneo, e dentro dele brigavam dois dragões.

— Um branco, o outro vermelho — disse Melquior perto do ouvido de Pen. Ah, então ela estava certa. Pen levantou os olhos e reparou que a mulher com chapéu de feltro parecia visivelmente mais confidente.

— Não podemos esperar muito mais — avisou ela.

Pen ergueu a mão. O que lera Derek a respeito dos dragões? O combate deles tinha seu caráter oculto. No início o dragão branco conseguia fazer o vermelho recuar, para grande satisfação do rei, porque Merlim dissera a Vortigern que seu trono estava ligado ao destino do dragão branco. Mas a ponto de ser derrotado, o dragão vermelho recuperara sua força; voltara a atacar, agarrara o dragão branco pelo pescoço e triunfara.

— Artur — murmurou o andarilho. Sim, era isso aí. Artur, criado em segredo por Merlim, era o dragão vermelho. O combate no poço era uma profecia, prognosticando seu retorno. O retorno do rei.

Uma mão firme pousou no ombro de Pen, e ela levantou os olhos e viu que os demais já estavam de pé.

— O caminho se abrira — disse a mulher com chapéu de feltro, reiniciando a caminhada na direção em que estavam indo antes. Se existia um novo caminho, Pen não conseguia enxergá-lo. As moitas continuavam tão impenetráveis quanto antes, as samambaias tão pontudas. Porém as coisas haviam mudado; el. fazia parte do jogo.

O sol quase tocara o horizonte quando o grupo fez uma parada. Era misterioso como conseguiram andar tanto sem topar com uma rodovia ou avistar uma casa. Pen estava por demais exausta para pensar nisso.

— Parabéns — disse Melquior. — Você nos trouxe aqui. — Pen olhou para ele surpresa, mas antes que pudesse falar, algo novo chamou sua atenção, um ligeiro brilho azulado que emanava de um local sombrio adiante. — Este é um momento muito difícil — disse Melquior, quase a sussurrar. — O dragão branco espalha armadilhas em todo canto. Não creio que tenha colocado uma aqui, mas... — Inclinando-se, apanhou uma moeda nas folhas decompostas aos pés deles. Perplexa, Pen não teve tempo de examiná-la.

Os outros iam agora na frente dela, avançando devagar. Ela tinha a impressão de que agiam como se fossem elementos avançados de um batalhão ao entrar num campo minado. Seja lá o que fosse uma armadilha de dragão, eles cairiam nela primeiro.

— Por que sou tão importante? — ponderou Pen. Talvez fosse a pedra que ela carregava na bolsa atada em volta da cintura. Um segundo depois, o andarilho fez um sinal de que estava tudo bem e ela se juntou rapidamente a eles.

— Melquior? — sussurrou ela, mas naquele exato momento a cabeça dele desaparecera, como se tivesse sido decapitada. Pen ficou siderada. Virou-se, mas dentro de segundos a cabeça do andarilho também desaparecera, seguida da cabeça da mulher.

— O quê? — gaguejou Pen. Ela estava completamente sozinha.

Lutando contra o pânico, caminhou por ali, examinando a vizinhança. O brilho azulado estava agora mais forte, e ela percebeu que emanava de um grande buraco escondido entre as trepadeiras. Era preciso olhar atentamente para descobrir sua existência, mas foi naquela abertura que os outros entraram. Agora uma mão saiu do buraco, à procura dela.

—Não pule, mas entre depressa — disse uma voz abafada; parecia Melquior.

Pen estava por demais apreensiva para entrar imediatamente. Inclinou-se sobre o barranco íngreme, tentando não escorregar no meio de trepadeiras emaranhadas e terra solta. Ela poderia ter hesitado por um tempo demasiado longo, não fosse a mão forte do aprendiz, que encontrou o braço dela, deu-lhe um puxão e de repente ela se viu lá dentro, meio agachada num túnel estreito e baixo.

— Os outros estão na frente. Venha — disse ele.

Agachada, Pen avançava aos poucos, distinguindo a silhueta de Melquior na frente, à luz do brilho azulado. O túnel era opressivamente apertado. A respiração dela tornou-se rápida, e ela teve vontade de gritar. Naquele exato momento, no entanto, o túnel terminava, e Melquior se pôs de pé. Encontravam-se numa espécie de cômodo principal, cujo teto era mais alto do que alcançavam seus olhos. O brilho azulado vinha das paredes mais baixas do cômodo, que apresentavam uma fieira de cristais iridescentes.

O vagabundo e a mulher do chapéu de feltro estavam ajoelhados, a alguns metros de distância, bebendo num poço. Pen juntou-se a eles, tomando rápidos goles de uma fonte surpreendentemente fresca.

— Desculpe por termos sumido de vista daquele jeito — desculpou-se Melquior. — Mas havia perigo. — Ele lhe entregou a moeda que achara na entrada da caverna. Pen sentiu a coisa ser colocada na palma de sua mão e percebeu não se tratar de uma moeda, porque a superfície era crespa e córnea. Ao erguê-la, podia enxergar um ligeiro vestígio da luz azulada que o atravessava.

— Uma escama de dragão — disse ela, a pensar.

O andarilho balançou a cabeça.

— Mas estaremos seguros aqui.

— Onde é aqui?

— Entre dois mundos. A caverna de Merlim é seu refúgio, mas há muito tempo ela desapareceu dos olhos dos mortais.

A menção de Merlim assustou Pen, mas antes que pudesse fazer quaisquer perguntas, a mulher do chapéu de feltro disse:

— Achamos seu marido. — As palavras agiram como uma descarga de eletricidade. Pen ficou à espera, sem coragem de falar. — Ele não está morto, mas vive num estado muito delicado, um estado de suspensão, poder-se-ia dizer. — Pen não teve reação. A mulher com chapéu de feltro pareceu adivinhar seu desalento. — Vim tão logo soube que era você. Espero que compreenda.

— Quero vê-lo — conseguiu Pen dizer, com a voz estrangulada.

A expressão da mulher tornou-se séria.

— Não é possível no momento. Esperávamos que ele viesse conosco até esta caverna, mas não se preocupe, por favor. Você e ele ainda estão juntos. Todos nós estamos sendo reunidos na teia do tempo, mas por enquanto ele ainda é útil onde se encontra.

— Onde é isso?

— Não é tão fácil dizer-lhe. Alguns diriam que ele fugiu para o passado, mas isso não é exato. O passado, o presente e o futuro são ilusões ou, para formulá-lo de outro modo, separar o passado, o presente e o futuro é uma ilusão. Melhor dizer que ele está testando uma linha de ocorrência.

Pen refletiu.

— Você quer dizer que ele está mudando de algum modo os acontecimentos?

A mulher balançou a cabeça.

— Todos nós mudamos os acontecimentos, mas na maior parte inconscientemente. Não é apenas o passado que determina o futuro; quando seu marido atravessou a linha que nos separava, ele começou a mudar o passado a partir do presente. O presente é aquela abertura no tempo buscada por muita gente. — Pen olhou para Melquior — então ele afinal encontrara um buraco na rede.

— Ainda estou muito preocupada — disse Pen. — Não podem me levar a ele? Se sabem aonde e como ele foi, deveriam ser capazes de me levarem até lá.

Caiu um silêncio pesado sobre os demais.

— Foi difícil trazê-la até aqui; você é muito nova no jogo — disse o vagabundo, afinal. — Se conseguir ter confiança em nós, a teia do tempo há de esperar. — Ele pôs um dedo no meio do peito, bem em cima do esterno. — Os acontecimentos emanam da gente segundo linhas invisíveis, e nenhum acontecimento foi fixado. Pelo contrário, cada pessoa vive testando linhas possíveis. É por isso que encaramos o tempo como uma teia, um conjunto frágil de fios tecidos de minuto a minuto. Quando você aprende a tecer conscientemente os acontecimentos, está pronta a entrar na teia e alterá-la. Mas não antes.

Ao ouvir, Pen percebera agora ter escapulido. Desde criança, suspeitara que certas pessoas não morriam mesmo ou desapareciam, apesar das notícias nos jornais e das famílias desoladas. Elas afirmavam uma dissidência contra o mundo, deixando-o, escapulindo por um buraco na rede.

— Acho que posso confiar em vocês — disse ela em voz baixa — mas será que podem ao menos me dizer o que Derek anda fazendo?

— Sim, podemos lhe dizer isso — respondeu a mulher com chapéu de feltro. — Na verdade, vimos aqui prestar o nosso auxí-

lio. — Ela sentou-se no chão da caverna e fechou os olhos. Melquior e o vagabundo fizeram o mesmo, formando uma vaga roda.
— Junte-se a nós — pediu a mulher. — O lugar para onde foi seu marido não é longe. Ele está prestes a fazer uma jogada que mudará decisivamente o jogo.
Pen sentou-se, insegura. O brilho azulado deu-lhes a aparência de místicos a meditarem. Ela fechou os olhos. De início nada aconteceu. Uma onda de pensamentos e de emoções anuviou tudo. Sua mente ainda rejeitava essa nova maneira de ser, mas ela teria paciência. Não precisava ser tranqüilizada que a caverna de Merlim era um lugar seguro. Nenhum inimigo poderia se intrometer aqui, porque não existia mapa daquele território, nos confins do mundo — ela encontrara a entrada da caverna do coração.

DEZOITO

Cavaleiro na Colina

Uma trovoada vinda de um céu claro e azul era a única explicação razoável para a explosão que quase despedaçara a floresta. Tommy caiu, derrubado pelo deslocamento de ar. Em toda sua volta as copas das árvores vergavam como altos mastros numa tempestade. — Vão cair — pensou ele em pânico, olhando em volta à procura de Sis. Detritos jogados encheram o ar. Seus ossos pareciam se derreter.

Então ele viu que Derek havia derrubado Sis no chão, protegendo-o com seu corpo.

— Estamos bem — gritou Derek no meio da barulheira. — Proteja a cabeça.

Tommy cobriu-se com os dois braços, à medida que as pedras eram expelidas da terra e os riachos tremiam como frigideiras a sacolejar. A explosão parecia durar uma eternidade, mas levara na realidade poucos segundos. Quando a terra parou de tremer, Tommy se levantou. Ele ainda podia ouvir roncos, como se fossem seqüelas de um terremoto ou de uma enorme avalanche de pedras. Uma coluna de fumaça negra podia ser vista em algum lugar à distância. Ele encontrou Derek e Sis semi-enterrados entre galhos de pinheiro, incólumes.

— É *ele* — disse Sis, com aparente conhecimento de causa, apesar de abalado. Tommy balançou a cabeça, apontando para onde a floresta acabava como um mar verde, cujas ondas quebrassem contra a base de uma alta colina. No topo jazia um cavaleiro solitário. — Acho que ele está olhando — disse Sis.

— Sim, mas não para nós — especulou Tommy. — Está por demais ocupado para fazer isso. — Na realidade o cavaleiro estava ocupado em controlar sua montaria, ainda empinando e sapateando, apavorado pelo terrível estrondo que passara por eles. O cavaleiro e o cavalo se encontravam distantes, e quando o vento carregou a coluna de fumaça na direção deles, os dois foram engolidos por aquele véu cinzento. Porém os três na floresta sabiam quem era. Ficaram a observar até que uma forte brisa revelou que o topo da colina ficara vazio.

— Acha que foi ele quem provocou esse barulho ensurdecedor? — perguntou Tommy a Derek. Haviam limpado as folhas e poeira de seus cabelos e roupas. Grandes galhos coalhavam o chão da floresta em todas as direções; os gritos desconsolados dos filhotes de passarinho podiam ser ouvidos nos ninhos derrubados.

— Eu tenho certeza de não ter visto nenhum raio — disse Derek — e não há uma nuvem no céu. Se aquele era realmente Mordred no topo da colina, deve ter sido serviço seu.

— Mas por quê? — perguntou Sis.

Ninguém respondeu. Todos tinham a impressão de um desastre iminente, temendo o que haveria além do cimo daquela colina. Outro ronco começou a sacudir ligeiramente a terra, e eles ficaram tensos. Porém, o ar não se fendeu com outro estrondo; desta vez o que escutavam era o tropel de patas de cavalo.

— São muitos — comentou Tommy. — Muito mais do que aqueles poucos que seguíamos. — Do outro lado da colina as colunas de tropas devem ter completado um exército.

— Acho que chegamos tarde demais — disse Derek.

— Tarde demais para quê? — perguntou Tommy.

— Tarde demais para impedir que as coisas desmoronem, tarde demais para impedi-lo. — A voz branda de Derek parecia soturna. — Não sei o que poderíamos fazer. Mas se a gente tivesse chegado um pouco antes ou andado mais depressa... — Ele deixou que cada cabeça tirasse a conclusão que quisesse. Sem discutirem, os três companheiros começaram a escalar a encosta do morro. Chegaram ao final da floresta, em seguida escalaram o topo em meia hora, permanecendo no mesmo local onde o cavaleiro e seu cavalo haviam estado.

O cimo da colina era nu, salvo um único pinheiro, montando guarda, porém as encostas cobertas de capim estavam chamuscadas, como se tivessem sido queimadas recentemente por um fogo rápido. Sis indicou o lugar onde centenas de cascos

haviam pisoteado a terra, abrindo um largo renque no meio dos junquilhos e flores azuis que adornavam a encosta. O renque levava a um grande castelo com torreão, mais perfeito do que qualquer outro que eles jamais haviam visto, porém maculado por uma enorme rachadura nas muralhas externas, bastante larga para que três cavaleiros entrassem cavalgando lado a lado e atingissem os pátios internos.
— Por que tanto silêncio? — perguntou Sis. Seria de se esperar um violento embate de armas lá em baixo, porém o silêncio era total, como se o castelo houvesse se transformado magicamente num vasto sepulcro. Não havia figuras humanas correndo de lá para cá; pequenas manchas imóveis podiam ser vistas aqui e ali, sem dúvida corpos que jaziam onde tombaram, sob o sol quente da primavera. Até mesmo as aves de carniça ainda não haviam tido tempo de se reunir e encher o ar com seus famintos pios.

Sis olhou para Derek, que estava a certa distância, inclinado como se estivesse colhendo flores. Ao endireitar-se, entretanto, segurava algo escuro e disforme em ambas as mãos. Parecia estranhamente uma sombra, mas quando os garotos se aproximaram, Derek avisou:

— Para trás. Não tenho certeza se não há perigo. — Viram então o que era — um pouco de fumaça ou neblina. A coluna escura que envolvera o cavaleiro no alto da colina deixara para trás, de algum modo, um fragmento de si mesmo. Derek fitava suas mãos em concha como se estivesse perscrutando o fundo de um poço.

— Não! — gritou Tommy.

Porém, Derek já levara as mãos ao rosto e aspirara profundamente o vapor misterioso. Tossiu violentamente, fechando os olhos, em seguida cambaleou, seu rosto contorcido como alguém dominado por um pesadelo acordado. Os garotos correram até ele, porém ele ergueu um braço.

— Esperem — disse ele ofegante. E eles ficaram contemplando, calados e impotentes. Derek fechou novamente os olhos, entregando-se à visão.

Funciona! Funciona!

Derek sentiu uma onda de excitação tão rápida e intensa que quase teve náuseas. Não se tratava de sua emoção a dominá-lo, e ele percebeu imediatamente sua origem: o cavaleiro. Em vez de constituir uma imagem distante, o cavaleiro estava bem a seu lado, e aspirando mais uma vez a neblina preta, ele entrou dentro da cabeça do cavaleiro.

A bruxa não mentira. Funciona!

Derek podia enxergar agora, à medida que o cavaleiro virava sua cabeça de um lado para outro, passando em revista o caos das muralhas desmoronadas, dos gritos de terror e das nuvens de poeira. Derek respirou fundo, procurando não vomitar. Dominou-o uma onda de ódio exultante. Derek não teve tempo de imaginar como tudo isso podia acontecer, ou como fora possível penetrar as defesas de Mordred. Precisava pesquisar mais profundamente.

Entrou depressa numa recordação que passava fugaz pela mente de Mordred. Um quarto imundo e escuro, iluminado por velas de sebo. Uma cama, desarrumada e sebenta à luz esfumaçada da vela derretendo. "Tenho um presente para você", balbuciava uma mulher, inclinada perto do travesseiro. Derek teve um calafrio quando Mordred se lembrou do seu hálito fétido como gás de pântano. Sicorax, a bruxa. Ela sussurrava tão melosamente no ouvido dele. E apesar do tom gentil de sua voz, as palavras queimavam o tímpano dele.

"Preste atenção e não se esqueça", sibilou ela. "Que coisa maravilhosa, não é?" A voz dela estava empolada de autosatisfação. "Eu dei minha beleza para adquiri-la, e agora é sua". Mordred balançou a cabeça, e a despeito da náusea na boca do seu estômago, ele lhe fez uma carícia. "Um belo brinquedo, mas use-o apenas uma vez", alertou a bruxa. Ela estava juntando seus trapos imundos ao lado da cama para deixá-lo, seus quadris murchos balançando na luz mortiça e amarelada. "Você não é um amante tão encantador para que eu lhe dê duas vezes este brinde. Mas como é o poder que você anseia, eu estou aqui para servir." E ela deu um cacarejo, plantando-lhe um último beijo na face.

Derek lutava contra o desespero. Agora sabia como Camelot caíra. O desejo de possuir o grito da morte levara Mordred até a cama de Sicorax — somente ela sabia o segredo, e levado por seu desejo de vingança contra Artur, Mordred pagara um alto preço por ele. Derek sentiu seu corpo adoecer com as toxinas provocadas pela relação sexual com a bruxa. Mordred levara semanas para recuperar seus sentidos depois do encontro deles.

— Você foi longe demais. Volte — dizia uma voz.
— O quê? — pensou Derek, aturdido. A voz não vinha de nenhuma fonte visível.
— Volte. Você precisa. — A voz parecia preocupada mas longínqua. Tommy; era a voz de Tommy. Derek sacudiu a cabeça, afastando-se da mente de Mordred.
— Derek?
Um pouco da clara luz do sol filtrava-se por suas pálpebras, e então ele estava de volta. Dois rostos ansiosos olhavam para cima, para ele. Derek pôs as mãos nos ombros dos garotos.
— Estou bem. — Não tinha idéia de como estava sua aparência, mas a medir pelas feições deles, era terrível. Sentou-se, respirando regularmente até passar o enjôo.
— Era *ele* — disse, indicando o castelo em ruínas. — Empregou um grito monstruoso para rachar as muralhas. Pude assistir a tudo; aquela neblina preta era algum tipo de resíduo que ele deixou para trás ao desaparecer. Se acham que são bastante fortes, eu lhes mostrarei. — E ele estendeu ambas as mãos para os garotos.
Tommy se acovardou.
— Se você estava dentro da mente dele, ele não saberia?
Derek sacudiu a cabeça.
— Ele não saberá até voltar a conferir seu passado, que é de onde veio este resíduo. Teremos de correr esse risco, mas até o momento ele anda tão preocupado que não tem tido tempo para nós, ou então sua arrogância nos tem na conta de insignificantes. Não tem problema.
Sentaram-se formando uma roda.
— Vocês já sentiram a presença dele antes, quando eu não sentira. Por isso fechem os olhos. Se ficar muito forte, deixem para lá e olhem para o céu. — Tommy fez sim com a cabeça, olhando para Sis. Estavam surpresos com a nova autoridade e segurança de Derek. Ele não se transformara em Merlim, mas no entanto era mais do que haviam suposto. Fecharam os olhos.
— Meu senhor? — Uma voz rascante penetrou os ouvidos dos garotos, e sentiram a pesada ameaça da presença de Mordred, enquanto deslizavam para dentro de sua cabeça.
— Meu senhor? — repetiu a voz rascante, desta vez com um toque de medo.

— O que é? Fale, idiota. — Ele voltou seu olhar para um soldado montado que o encontrara a meia encosta do morro. Os garotos sabiam que estavam no exato momento depois do cavaleiro ter desaparecido do topo da colina. Tommy quis recuar, quase largando a mão de Derek; o soldado era o mesmo sujeito que matara o gamo na floresta. Os garotos podiam agora perceber quem era ele: o capitão dos cavaleiros de Mordred.

— A primeira coluna está montada e pronta — informou o capitão. — E a segunda coluna está atrás dela, com as armas ensarilhadas, como o senhor ordenou. Se quisermos penetrar as muralhas, precisamos partir agora. — E ele apontou para o castelo em baixo. O impacto do grito da morte matara os guardas das fortificações, e os substitutos corriam depressa para lá e para cá, como formigas cujo formigueiro tivesse sido esmagado por uma pisada descuidada.

— Ótimo — disse Mordred. Levantou-se nos estribos e contemplou a dupla fileira de cavaleiros banidos. Agrupavam-se na encosta do morro, procurando lançar seu ataque. Mordred não tinha a menor ilusão de que qualquer um deles o servisse por lealdade. Odiavam Artur com um ódio mais intenso de que os mortais são capazes.

— Vocês aí, homens da primeira fileira — gritara Mordred —, são meus mais corajosos e valorosos soldados. Eu espero que peguem o rei e não demonstrem nenhuma misericórdia para com seus súditos. Assinalem bem aqueles que vocês odeiam e golpeiem. Mas tomem cuidado: os homens na retaguarda estão com os arcos retesados, mirando nas suas costas. Se vocês vacilarem, *eles* os matarão imediatamente, e então passarão a ser meus mais bravos e valorosos soldados. Avançar!

— E orem por suas almas bichadas — murmurou o capitão. Mordred girou zangado, até ficar diante dele.

— Sentimos a necessidade de vossa liderança, sire — disse depressa o capitão — O senhor também virá?

— Ficarei aqui por enquanto — fuzilou Mordred, desafiando o capitão a contradizê-lo.

O capitão abaixou a cabeça, numa demonstração de humildade.

— Segurança em primeiro lugar — murmurou ele, antes de esporear o cavalo e descer a colina a galope.

Por esse gesto de insolência, Mordred poderia tê-lo facilmente matado, mas o dia já prometia ser muito saboroso — os pequenos prazeres podiam esperar. De qualquer maneira, não era medo o que mantinha Mordred estacionado na colina, e sim a suspeita de Merlim ter preparado alguma armadilha para ele.

Ao ouvir o tropel das tropas de Mordred que avançavam, o castelo começou a tocar frenéticos alarmes. Um sino de bronze badalava em pânico. Uma leve brisa carregava a doce fragrância da guerra até o topo da colina. O cavalo de Mordred sapateava, ansiando por seguir as demais montarias até a batalha.

— Para trás — murmurava Mordred, encurtando as rédeas com tanta violência que o freio feriu a boca do cavalo. Não adiantava se apressar; uma presa fácil cheirava a cilada, e esta presa demonstrava ser absurdamente fácil. Um passo em falso, e Merlim ainda poderia empregar algum truque com êxito. O astuto tolo da torre até então não mexera uma palha. Mordred ficaria de fora até que seus inimigos se mostrassem.

A parte seguinte foi quase demasiadamente intensa para que Tommy e Sis a assistissem.

A primeira coluna atingira as fortificações fatalmente enfraquecidas. O capitão, que agia sempre com radical imprudência, pulou com seu cavalo sobre os destroços e atacou os poucos homens do castelo que haviam conseguido organizar uma pequena defesa. Foram rapidamente desbaratados à medida que os 12 cavaleiros seguintes penetraram pela brecha. De seu posto de observação privilegiado, Mordred podia avistar o pátio de fora que permanecia vazio. Por quê? Seu capitão deveria estar fazendo a mesma pergunta. Ele dava voltas impacientemente, dando golpes de espada na direção de um bando de serviçais apavorados, mas nem vestígio dos cavaleiros de Artur.

A suspeita de Mordred aumentou. Em algum lugar nas entranhas do baluarte deveria haver esconderijos mortais onde se emboscariam cavaleiros, à espera de despejar piche fervente em cima de quem quer que passasse em baixo. Todo castelo era equipado com esses dispositivos secretos. Agora a primeira coluna de soldados praticamente tomara o pátio, agrupando-se confusamente, o capitão no centro. Mordred podia perceber o nervosismo deles. Ficara satisfeito de ter colocado a segunda coluna, de armas ensarilhadas, atrás deles para espicaçar seu ânimo. Hesi-

tante, a primeira coluna formou um vago quadrado de guerra antes de avançar em massa pelas muralhas internas. Mordred se preparou, esperando que uma nuvem de mil flechas ou cascatas de óleo fervente jorrassem sobre suas cabeças.
 Nada.
 O pátio interno também estava estranhamente deserto. Espantados como estavam por não encontrar nenhuma resistência, os soldados de Mordred não vacilaram uma segunda vez. Soltaram um grito de ódio e arremeteram contra o último obstáculo, os gigantescos portões de madeira que davam para o grande salão do castelo. Da retaguarda veio um grande aríete, balançando impacientemente na sua carreta de rodas. Antes mesmo que esta arma pudesse ser posta em funcionamento, os soldados enlouquecidos começaram a golpear o portão com suas espadas, e um cavaleiro impetuoso, que não prestara atenção à ordem de se afastar, fora esmagado pelo primeiro golpe do aríete. Seus gritos foram engolidos pelo ribombar cavo. Dentro de segundos, outro golpe arrancou a moldura de ferro do portão, que gemeu ao rachar, a própria madeira lamentando a catástrofe vindoura. Mordred assistia a tudo isso com crescente satisfação. Não havia dúvida, aquele seria um excelente dia.
 — Basta. Já basta — disse Tommy enojado. Derek e Sis abriram os olhos. Tommy desfizera a roda e andava para lá e para cá no topo da colina. — Você tem razão, chegamos tarde demais, e agora não dispomos nem de uma maneira de nós mesmos escaparmos. — A expressão no rosto do menino era dura e tensa, tentando afastar as lágrimas.
 — Como *vamos* escapar? — perguntou Sis, virando-se para Derek.
 — Não vamos.
 Tommy parou de perambular, mas antes que pudesse responder, Derek se levantou.
 — Não estamos aqui para irmos embora. Concordamos quanto a isso, não concordamos? Foi por isso que atravessamos o riacho.
 — Mas chegamos tarde demais. Você mesmo o disse — emendou Sis.
 — Então acredita que Merlim deseja que as coisas se passem mesmo deste jeito? — indagou Derek, fazendo um largo gesto em direção à cena da silenciosa catástrofe.

— O que acha? — perguntou desafiadoramente Tommy. Sem dar uma resposta, Derek novamente ergueu a mão. — Não. Eu não vou voltar para *ele* — disse Tommy, sacudindo a cabeça. — Mas precisa. É por meio dele que temos uma chance de ganhar. — As palavras de Derek espantaram os garotos, que recuaram um pouco. Derek chamou-os. Com bastante relutância os garotos formaram um círculo, seus olhos escureceram, e a ignóbil alegria de Mordred encheu suas cabeças. *Sim, este será um excelente dia.* Mordred contemplou suas tropas arrebentarem e passarem pelo grande portão do castelo, como se fosse uma lâmina dentada abrindo uma ferida. Sentiu uma onda de triunfo, e uma gargalhada encheu o ar. Vários segundos se passaram antes que Mordred percebesse que a gargalhada não era sua. Sua cabeça girava de um lado para outro. Não havia ninguém ali.

— Quem está aí? — gritou. A gargalhada veio de novo, como se das próprias flores, alegres e exultantes, apesar de magoadas pelo pisoteio dos soldados. — Quem está zombando de mim? — gritou Mordred. Antes de suas palavras morrerem, a gargalhada redobrou de intensidade, e agora o céu parecia devolver uma casquinada do mais puro deleite.

Mordred ficou mais furioso ainda. Desembainhou a espada e brandiu-a na direção da fulgurante torre do mago, que assomava acima do combate em tranqüilo repouso.

— É você, velho? — gritou. — Então ria da morte, ria ao ver todo mundo que amava ser esmagado sob as minhas botas até virar uma pasta de tripas! — Mordred abriu a boca e gritou com toda a força, dirigindo sua malevolência contra a torre, com todas as fibras de seu ser. Não se importou com o aviso de Sicorax de usar o grito apenas uma vez. Se sua alma penasse duas vezes, se seus músculos se desfizessem com o esforço, teria sido um preço pequeno a pagar.

Seu segundo grito foi tão intenso que chamuscou a terra ao passar sobre ela. Juncas, capim e flores murcharam, enquanto o som ia bater num instante na torre de Merlim. Com tremendo impacto, o rugido resvalou dos muros como eco, fazendo o cavalo de Mordred cair de joelhos. Ele rogou uma praga e saltou do ginete, que rolou para um lado em agonia. À luz forte do sol, Mordred teve de semicerrar os olhos para distinguir a torre, mas, mesmo naquela distância, pôde perceber que o revestimento vidrado dos muros começava a rachar.

Pequenas rachaduras se abriram num desenho que poderia pertencer a alguma colcha maluca. O primeiro pedaço de obsidiana caiu do parapeito mais alto, seguido por um segundo e um terceiro. Mordred estava fora de si. A bruxa fétida mentira, no final das contas; ele poderia empregar esta arma à vontade. Seu corpo mal podia conter em si a sensação de uma possibilidade ilimitada.

— Morra! — bradou ele, com a boca aberta contra o céu. A torre sacudiu de novo, enquanto o muro oriental, por baixo da janela em forma de fenda, vergava e ondulava.

E de repente tudo cedeu. Como uma cabeça decapitada, a ponta da torre caiu, expondo brevemente o quarto de Merlim à luz do sol, e antes que ela atingisse o solo, o resto da torre explodiu. Alguns cavaleiros de Mordred que tiveram o azar de estar ali perto foram esmagados pela queda de enormes blocos de pedra. Em menos de um minuto, tudo que sobrava era um caos de poeira negra e de destroços. O horizonte se estendia aberto, não mais quebrado pela silhueta da torre.

Pela primeira vez na vida, Mordred soube por que os homens rezavam. Ergueu os braços para cima, mas em vez de uma ação de graças, deu um berro de entusiasmo. O destino, o destino lhe dissera que ele venceria, a qualquer preço. Ele pagara sem regatear, e agora tudo seria dele. Levantou-se cambaleando e caminhou até seu cavalo derrubado. O animal ainda se contorcia devido à dor dos tímpanos estourados; seus globos oculares sangravam ligeiramente.

— Levante-se — ordenou Mordred, impondo sua mão num feitiço. O cavalo, instantaneamente sarado, levantou-se. Antes de montar, Mordred observou a coluna de fumaça preta que se erguia, cada vez mais alta, contra o céu azul. Sem dúvida, Merlim estaria escapando montado no vórtice, enquanto desaparecia à distância. Que escapasse. Mordred não se importava se o velho mago encontrasse alguma toca para onde fugisse rastejando, desde que não houvesse dúvida quanto a sua derrota.

O vento mudara, soprando a nuvem preta na direção dele. Tommy e Sis perceberam que este era o momento em que haviam primeiro avistado o cavaleiro na colina, mas não havia tempo para pensar sobre isso. Um cavaleiro montado se aproximava. Dentro de instantes o capitão voltara à presença de Mordred, tão ofegante que mal conseguia murmurar suas palavras.

— O rei! — disse ele arfando. Sem dar uma palavra, Mordred afastou-o com um empurrão. E açoitou seu cavalo até que ele praticamente voasse sobre o solo chamuscado. Num átimo chegou a galope ao castelo, atravessando a ponte levadiça que seus homens haviam arriado, e cruzava ventando o pátio interno. Saltou ao chão e observou a bocarra escancarada do portão destroçado.

— Capitão! — gritou Mordred. O homem surgiu atrás dele, quase morto depois de tentar acompanhar Mordred na descida da colina. — Vá lá dentro e abra caminho — ordenou Mordred. Depois de um instante apareceu um subalterno no portão fazendo o sinal afirmativo. Mordred entrou. O chão estava escorregadio de sangue, mas a despeito do assoalho coalhado de corpos, não havia gemidos dos feridos. Seus homens haviam cumprido literalmente suas ordens, dando vazão a seu ódio.

No saguão mesmo ainda havia o tumulto de combates corpo a corpo. Um de seus sargentos impediu sua passagem:

— Talvez não seja seguro ainda para meu senhor entrar. — Ele exibia um longo corte no supercílio esquerdo, de que pendia grotescamente sua sobrancelha, como uma lagarta.

Esta imagem e a pilha de corpos dentro do saguão não fizeram Mordred sentir nada. Ele avançou silenciosamente, procurando apenas uma pessoa. O saguão estava escurecido por tapeçarias colocadas diante das janelas, um brilho vermelho mortiço filtrava entre suas complicadas padronagens. As sombras se agrupavam nas arestas do alto teto abobadado, como pacientes aves de rapina.

— Onde está você, pai? — perguntou Mordred persuasivamente, esperando que o rei tivesse rastejado para ir se esconder atrás de alguma tapeçaria ou súdito caído. — Vamos sair agora — disse Mordred, como uma mãe engabelando um filho tímido.

Porém, Artur não se escondera. Ainda estava de pé, e ao ouvir a voz de Mordred, deu-lhe um olhar de infinita pena.

— Aqui — respondeu ele no escuro.

Mordred sorriu, desembainhando a espada. Do teto abobadado as sombras deram um grito agudo, como se lá morasse um gavião que quisesse avisar o rei de sua desgraça.

Os acontecimentos seguintes ficaram ensombrecidos na mente de Tommy. Mordred escapuliu como uma alma penada. Tommy sentiu filetes quentes e úmidos escorrerem por suas faces e o toque de seus dedos enxugando-os. Abriu os olhos. Sis fungava, enxugando o rosto com sua manga suja.

— Está bem, vai dar certo — dizia Derek, consolando o garotinho.
— Como pode dar tudo certo? — indagava Sis.
— Vocês terão de confiar em mim. Ainda não descobri a coisa, mas Merlim não nos traria aqui se não fosse verdade. — Derek levantou-se. — Acho que não se passou muito tempo desde aquilo que observamos. O exército de Mordred desapareceu, mas isso não constitui tanta surpresa assim. Ele conseguiu aparecer como um relâmpago esta manhã. Vou até lá embaixo.
Tommy ergueu-se de um pulo.
— Não deveríamos ir todos?
— Não seria bom para vocês — respondeu soturnamente Derek.
— Se for por causa dos corpos — argumentou Tommy — nós já os vimos, não vimos? Não poderia haver nada pior.
— Não se trata apenas dos corpos. Ele ainda poderia estar lá.
Sis se levantou, sacudindo a cabeça.
— Não está não, senão o sentiríamos.
Derek hesitou.
— Vocês não pensaram na possibilidade de uma armadilha. Por que Mordred deixou que sentissem sua presença desde o início? Talvez esteja apenas nos engabelando. — Nenhum dos garotos respondeu. Derek refletiu um instante. — Está bem. Desceremos todos juntos, mas se eu lhes disser para pararem, vocês param, sem perguntas. — Os garotos concordaram em silêncio, e o grupo dos três começou a seguir o caminho que o exército abrira na encosta calcinada da colina.

O avanço era fácil, mas, ao se aproximarem do castelo, a enormidade da destruição conturbava suas mentes. Alguns blocos enormes, do tamanho de carroças, haviam sido arremessados das muralhas, e jaziam nos ângulos mais esquisitos no meio dos campos circunvizinhos. A brecha nas fortificações era negra e dentada, e os garotos desviavam os olhos de depressões no trigo novo, onde jaziam corpos arremessados a cem metros de distância. Ao se aproximarem a ponto de entrarem na sombra do castelo, um manto de escuridão pousou sobre seus ombros, como se Mordred estivesse anunciando, "É meu!".

Não havia, entretanto, vestígios de ocupação. Os invasores haviam partido, não deixando nenhum sobrevivente. Derek os conduzia, enquanto escalavam monturos de destroços para entrar no pátio externo. Ele olhou para trás ao avistar os primeiros corpos espalhados. Os garotos contraíram os queixos e fizeram sinal para que Derek prosseguisse. Suas pegadas desprendiam um som cavo nas pedras cinzentas, enquanto passavam por poças de encarnado-escuro, que se transformavam rápido em marrom. Das cocheiras ali perto, os cavalos relinchavam de pavor, o que quase veio como um alívio, em contraste com o silêncio absoluto. O castelo era um sepulcro. Atravessaram o pátio interno do baluarte principal e viram adiante os restos despedaçados da porta que levava ao grande saguão.

— Talvez devessem esperar aqui — alertou Derek.

Tommy sacudiu a cabeça.

— Se você permitir, queremos ir juntos. Seja lá o que devemos achar, é ali que se encontra. — Os cabelos de suas nucas se eriçaram, e olharam para cima. O pio agudo de um gavião veio do alto. Parecia um sinal. Derek não viu motivos para negá-lo, e prosseguiu, com os garotos atrás dele, em direção ao grande saguão.

Nenhum deles conseguiu recordar com nitidez o que viram ali. Se Artur possuía um trono ou uma coroa, isso não lhes chamou atenção. As suntuosas tapeçarias, os enormes tetos abobadados de calcário branco, a colossal mesa redonda que dominava o centro do recinto, tudo isso empalidecia comparado à pilha de cadáveres. Eles já haviam passado por uma cena de carnificina após outra, mas de certo modo aquilo era diferente. Os cavaleiros esparramados no piso com suas espadas na mão possuíam nomes — Percival, Lancelot, Galahad — profundamente marcados em suas mentes. Penetravam no local onde seres lendários encontraram seu fim. Nenhum dos mortos trajava armadura, e seus ferimentos estavam visivelmente expostos, tal como a expressão de tremendo conflito em seus rostos. Para Derek era difícil acreditar que ele se encontrava ali para recuperar alguma coisa; o saguão parecia um legado de perda, de perda total.

A tristeza no recinto era tal, que foram obrigados a parar.

— Você quer ir embora? — perguntou Tommy a Sis, que parecia pálido e retraído.

O garotinho sacudiu a cabeça.

— Estamos aqui para achar algo, não estamos? — Ele levantou os olhos à procura de um sinal de esperança e determinação. Foi o primeiro a avistar a mão decepada, pregada por uma flecha na parede.

— Não, não olhe — disse Derek.
— Então, achamos algo. — A voz de Tommy era baixa e séria. Derek segurou-o para que ele não se aproximasse daquilo. A mão parecia estar tentando agarrar alguma coisa. A despeito de todas as outras terríveis demonstrações de violência ao redor deles, aquela parecia a pior e, no entanto, também constituía um sinal; todos eles sentiram um abalo de reconhecimento.
— Por que está aí? — perguntou Sis.
Mas Derek queria afastar os meninos daquela cena medonha.
— Basta — disse ele, dando graças a Deus por ser fraca a luz, jogando um manto misericordioso em cima de tantos horrores em volta. Ele abriu a boca para dizer algo, mas outra voz falou.
— Vocês garotos, mantenham-se afastados. Algumas ilusões não fazem bem ao estômago.
A cabeça de Tommy virou-se depressa. Aguardavam ansiosamente o retorno de Merlim, mas isso ainda os pegava desprevenidos.
— Que estranha loucura, a maneira como esses mortais vivem tentando morrer. — De repente a postura de Derek tornou-se mais ereta, e foi ampliada por um contorno brilhante, a pálida silhueta de outra pessoa.
— Quer dizer que eles não estão mortos? — exclamou Tommy.
Derek virou-se na direção dele e, ao fazê-lo, a silhueta brilhante seguia seus gestos, gerando arcos de luz. Era uma bela imagem, e os garotos se viram na impossibilidade de manterem os olhos fixos na carnificina que coalhava o saguão.
— É claro que não estão mortos — respondeu a voz de Merlim. — Todo mundo sabe disso.
— Sabe? — exclamou Sis.
— Acabam sabendo, mas isso é o xis da questão. As pessoas geralmente só o descobrem tarde demais.
— Uma porção deve ter descoberto hoje — respondeu secamente Tommy.
— Exatamente. — Merlim caminhou até as janelas e abriu as pesadas tapeçarias, deixando entrar a luz da tarde. — Acho que devemos deixar nossa hóspede sair. Lá está ela, se não notaram antes.

Os garotos se viraram depressa. De início não viram ninguém, em seguida uma vaga presença, semelhante à aura que cercava o corpo de Derek, só que mais escura, a sair de um canto na extremidade. Tão logo fixaram os olhos nela, ela já havia se dissipado.
— O que era, um fantasma? — perguntou Sis.
Merlim sacudiu a cabeça.
— A mãe. — As expressões deles fizeram-no dar gargalhadas. — De Mordred, quero dizer. Seu nome é Morgana Lé Fay, e ela estava ansiosíssima para estar presente aqui. Esperava pegar alguma coisa no meio do combate. — Ele caminhou de volta até o centro do salão e apanhou uma grande cadeira virada. Ao sentar-se nela, os garotos não podiam saber que ela pertencia ao rei, na távola redonda.
— Ela conseguiu o que queria? — perguntou Tommy.
Merlim ergueu uma mão e fez um gesto para que se sentassem nas duas outras cadeiras próximas.
— Não, não conseguiu. — O ar pareceu tremer quando ele disse essas palavras, ouviu-se um ligeiro grito e uma ondulação nas tapeçarias. — Já foi — murmurou Merlim.
— Mas nós a vimos, não vimos? — perguntou Sis.
— Não se tenha na conta de muito sortudo quanto a isso. — O corpo de Derek se espichou confortavelmente na cadeira; a forma brilhante pulsava e crescia de intensidade. Suas feições eram indistintas, apesar da inconfundível forma de uma longa barba. — Devo lhes dizer que ela obterá aquilo que busca, mais cedo ou mais tarde. Ou seu filho obterá. Vocês ganharam apenas uma trégua.
— O que precisamos encontrar? — perguntou Tommy.
— Isso é a parte difícil. Se eu lhes disser, eles também descobrirão.
O rosto de Tommy se contorceu de frustração.
— Mas isso não faz sentido. Como poderemos encontrar alguma coisa se não soubermos o que é? É impossível.
— Eu usei a palavra *difícil,* e não *impossível.*
Merlim parou de olhar para eles e deixou que seu olhar varresse o salão. Ele se deteve num corpo caído na sombra mais escura. Este pareceu desaparecer como se fosse impelido por uma correnteza, e eles perceberam que deveria ser o corpo do rei.

Os olhos de Merlim não ficaram tristes e sim profundamente reflexivos.
— Um bom rapaz — murmurou, antes de voltar a olhá-los.
— Vocês acham que terão êxito, junto com ele, quero dizer? — E bateu no seu peito, indicando Derek.
— Êxito em quê? — perguntou Tommy. — Ainda não nos disse.
— De que serviria contar-lhes se vocês não tiverem êxito?
— Satisfeito com esta estranha lógica, Merlim recostou-se no assento e ficou à espera.
No começo os garotos ficaram bloqueados. Um rasgo de intuição guiou Tommy.
— Antes de podermos dar uma resposta, precisamos saber por que viemos aqui.
— Para conversar comigo. Por que mais seria?
O garoto balançou a cabeça.
— Certo. — E parou para pensar. — E também gostaríamos de saber como vamos voltar para casa.
— Onde fica a casa?
— Não sei exatamente. Do outro lado do riacho.
Merlim sacudiu a cabeça.
— Não, vocês jamais voltarão atravessando-o. Não existe nada do outro lado. Não para vocês.
Tommy abriu a boca para protestar, porém um brilho no olhar de Merlim avisou-o que parasse. Parou de novo para pensar, em seguida balançou a cabeça.
— Está bem, consigo percebê-lo. Mas se jamais voltarmos, para onde iremos?
— Para onde forem conduzidos. É nisso que vou ajudá-los. Resolvi deixar que Mordred ficasse com este lugar. Ele quase venceu hoje.
Tommy olhou em volta.
— Quase?
— Por um fio de cabelo. É freqüente que as coisas resultem assim, embora seja igualmente freqüente o inverso. A magia não é uma democracia. Não tive escolha quando Mordred teve acesso a nossa sabedoria, e não é para mim julgar o motivo disso. — Merlim falava de maneira mais séria, com um toque de resignação. — Se não fossem vocês, Mordred teria tido êxito.

— O que tivemos nós a ver com isso? — indagou Tommy.
— Vocês perturbaram a teia do tempo. Não posso preencher todas as lacunas para vocês. Basta dizer que a vida de um mago difere da de um mortal num único e especial aspecto: ele vive de trás para diante no tempo. É capaz de prever o futuro porque já o vivenciou, e não fica atado a memórias do passado, porque este não aconteceu ainda. — Merlim ergueu a mão para afastar objeções — Não espero que vocês entendam, mas o que lhes digo é verdade. E é importante por isso: daqui a um século, Mordred terá menos poder e será mais vulnerável do que é hoje. A dois séculos, será apenas malévolo. Na própria época de vocês, há muitos séculos, ele é meramente uma criança.
— Então em nossa época ele não é Mordred? — perguntou Tommy. — Talvez já o tenhamos encontrado.
— Sim e não. Não *o* encontraram, o mago. Encontraram alguém que, digamos, revela possibilidades.
— Quem?
— Ah, a coisa não é tão definitiva assim. Os magos não se movem em linha reta. Mordred finta o tempo todo. Para começar, muito longe no futuro, ele é um mortal, mas em seguida seu talento se desenvolve, e as formas deixam de ser tanto problema. Na época de vocês ele ainda é um recém-nascido, ainda suscetível ao perigo, contudo não mais um mortal. À beira de voar, mas ainda no ninho, se entendem o que quero dizer.
Os garotos fizeram sim com a cabeça.
— Então não haveríamos necessariamente de reconhecê-lo, mesmo se o conhecêssemos — aventurou Tommy.
— Exatamente. Ele pensou poder ignorá-los, porque aquilo que vocês farão, se tiverem êxito, ainda não aconteceu. Amanhã é um tempo já vivenciado por ele, e ele presume que seus amanhãs sejam seguros.
Tommy sacudiu a cabeça em dúvida.
— Não sei se consigo seguir seu raciocínio. Se a gente for derrotá-lo, quero dizer, se tivermos uma chance, por que não permanece conosco para nos ajudar?
— Ah, isso seria violar meu trato. — A voz de Merlim se fazia firme. — Mas posso lhes dizer mais alguma coisa a respeito do que esteve acontecendo. No tocante a magos, sou muito mais velho que Mordred, o que significa que obtive nossa informação

muito mais distante no futuro. Lembrem-se daquilo que lhes disse, que os magos vivem ao reverso no tempo. Sendo mais velho, compreendo-o melhor do que ele compreende a si mesmo. Ele perceberá isso algum dia, mas não até decorrer muito, muito tempo. Já houve muita destruição no futuro causada por ele, mas podemos tentar consertar isto.

Os garotos estavam com as cabeças confusas devido àquela nova maneira de contar o tempo, mas resolveram ficar quietos.

— Há muito tempo que venho caçando Mordred no futuro, — prosseguiu Merlim —, caçando Mordred, tentando neutralizar seus malefícios. Mas hoje percebi quão inútil será isso. Ele desenvolverá sua malignidade ao máximo. Posso perceber que o passado conterá muitas trevas, tal como acontecerá com o futuro. De uma natureza má só podem sair obras más. De modo que propus a Mordred que ele ou vocês devem triunfar de uma vez por todas.

— Nós? — exclamou Tommy.

— Sim, porque são mortais, e na época de vocês ele também era, quase.

— Quando fará essa proposta? — indagou Tommy.

— Já a fiz amanhã. A noção de que vocês poderiam lhe fazer mal ou derrotar no passado seria ridícula, porém sua vaidade foi mordida. Ele não tem dúvidas de que já ganhou no futuro.

Tommy sacudiu a cabeça, tentando clarear sua confusão.

— Vamos simplificar. Está propondo algum tipo de briga, ou combate?

— Para quê? Nós dois já passamos por um futuro de infindável conflito. Nenhum de nós, Mordred nem eu, podemos morrer. E já que o conheço melhor do que ele conhece a si mesmo, percebo que ele deseja o mundo inteiro, que quer engoli-lo como um garoto guloso que quer comer todo o pudim. Bem, propus-lhe que ficasse com ele, e com a dor de estômago que ele trará. — Um sorriso aflorou nos lábios de Merlim.

— Como pôde dar-lhe aquilo que ele já conquistou? — perguntou Tommy. — O reino foi dizimado e o rei Artur se foi. Nosso futuro já está perdido, ele venceu.

— Mas haverá outro tempo para tudo isso. Aquilo que Mordred conquista hoje, ele já pode ter perdido amanhã. Por que acha que ele desejava tão desesperadamente a vitória? Porque ainda não controlou o passado. Então, deixe que a coisa seja decidida permanentemente; essa é a minha proposta. Eu lhe cederei a teia do tempo; abrirei mão dos meus direitos de interferir nos negócios humanos. Estou cansado de proteger mortais, que aliás me rejeitam.

A despeito de suas feições humildes, a figura de Derek parecia crescer e inchar; sua voz era severa, cheia de sérios propósitos.

— Não posso me dar ao luxo de ficar brincando mais com ele. Estou sinceramente cansado de brigar. Numa porção de mundos ele vence, noutra perde. Persigo-o por um infindável labirinto de trevas e de luz. Tudo que ele pode esperar é acabar ficando tão cansado quanto eu. Mas Mordred é verde demais. Ainda não percebeu isso e levará muito tempo até que o faça.

— Então por que aceitou sua proposta? — perguntou Tommy.

— Vaidade. Mostrei-lhe uma imagem de nós dois, muitos séculos no futuro, parecendo dois cavaleiros aleijados, golpeando-se mutuamente para sempre com espadas enferrujadas. — Merlim deu uma gargalhada, novamente se espichando na cadeira do rei. — Disse-lhe, "Você já viu seu inimigo, e não sou eu. É a repetição. Quem haveria de imaginar? Seu pendor pelo mal sempre pareceu insaciável, como um poço sem fundo. Mas isso não basta. O que fará você com o puro tédio? Algumas coisas são muito piores do que a morte."

— O que ele respondeu a isso? — perguntou Sis.

— Pensou que fosse uma armadilha, naturalmente. "Por que está me propondo essa aposta agora?", perguntou ele. "Sou jovem e estou longe de me sentir cansado, enquanto você está velho e fatigado. Por que haveria eu de desistir antes do tempo?". Respondi, "Você e eu haveremos sempre de continuar desse jeito. Sua juventude lhe importunará como uma capa pesada, à medida que vetustos séculos passem rangendo. Se quiser, posso lhe mostrar os milênios pelos quais você já passou neste papel."

— E ele acreditou em você? — perguntou Sis.

— Ele acreditou nisso. — Com um gesto mais rápido do que o olhar deles podia acompanhar, Merlim tocou-os na testa com o indicador. Tommy recuou, com medo de estar de repente prestes a mergulhar numa visão parecida com aquela induzida pela neblina preta. Porém, a presença ameaçadora de Mordred não voltara. Os olhos de Tommy permaneceram bem abertos. Depois de um instante, percebeu que Merlim olhava por cima de seus ombros. Tommy virou-se, e lá estava Mordred, um espantoso rapaz de cabelos dourados. Ele segurava uma espada apontada para o pescoço de um nobre caído.

Artur. Tommy reconheceu o canto escuro do saguão onde o olhar de Merlim distinguira o corpo. Só que agora o rei estava vivo, olhando para cima, para seu filho natural. Seu rosto mostrava-se tranqüilo, apesar da ponta da espada apontando para sua garganta.

— Morra! — sibilou Mordred, golpeando com toda fúria. A espada encontrou seu alvo, e seu pai gorgolejou em sua agonia de morte, esguichando sangue. Mas antes que Mordred pudesse festejar aquela imagem, algo novo chamou a atenção de Tommy. Era como um fio, ou filamento. Sua mente seguiu-o, e de repente Mordred avultava novamente sobre Artur, sua espada erguida exatamente como antes. Golpeou com vontade, mas dessa vez errou. — Lancelot se levantara do chão e o apunhalara nas costas com Excalibur. Antes que Mordred pudesse emitir um grito, Tommy percebeu mais um fio. Seguiu-o e novamente viu a espada erguida. Dessa vez não esperou por outro desfecho.

— É a teia do tempo, não é? — Ele olhou para Merlim, que ainda permanecia sentado em silêncio, em sua cadeira. — Viu aquilo, Sis? — O garotinho balançou a cabeça. — É como se fosse um milhão de fios que se entretecem, e eu podia seguir qualquer um que quisesse.

— Não fique surpreso — comentou Merlim. — Seguir os fios do tempo é o que os humanos já fazem, mas lhes proporcionei um momento do ponto de vista do mago. Os magos enxergam a teia inteira, e somos livres para seguir qualquer fio, o que significa que podemos criar qualquer ocorrência com a mesma facilidade com que vocês sonham. Mordred ficou viciado nessa habilidade, e tamanho é seu poder que ele arrasta o resto de vocês para suas malignas fantasias de sofrimento e morte. No entanto, ele não levou em consideração uma coisa vital, terá de viver cada versão do tempo, de seguir cada fio na teia. Esta é sua maldição.

— Então, ainda estamos na versão que aconteceu esta manhã? — perguntou Tommy.

— Como posso saber? Os magos ainda não vivenciaram o passado. Mas como pode ver, Mordred e sua mãe sumiram.
— Quer dizer que venceram? — disse Sis, corrigindo-se a seguir. — Ou perderam. Qual das duas?
— Nenhuma, e não obstante as duas. Como expliquei antes, eles esperavam pegar alguma coisa no meio do combate, mas fracassaram, apesar da queda do reino. — Merlim indicou a mão decepada na parede, e os garotos tiveram um vislumbre do que significava o sinal.
— O que você está dizendo, então, é que ainda temos uma chance — declarou Tommy.
O velho mago olhou-o aprovadoramente.
— Mordred gosta de apostar. E espera encontrar uma maneira de me derrotar para sempre. É por isso que ele não os esmagou. Ele precisa de vocês.
— Para quê?
— Para conduzi-lo de volta ao futuro. Ele deixou passar alguma coisa lá, e se ele não refizer seus passos, fracassará esta manhã. Camelot parece ter caído, mas não cairá se esta manhã não for de acordo com os planos dele.
— Então diga-nos o que fazer — suplicou Tommy.
Merlim sacudiu a cabeça.
— Não posso privá-los de sua busca. Descubram o que Mordred quer antes de ele mesmo descobrir.
— Mas se nós o estamos conduzindo em direção a isso, será que ele não descobrirá primeiro, provavelmente nos matando de quebra? — perguntou ansiosamente Tommy.
— Talvez.
Merlim levantou-se e caminhou até a janela.
— Está ficando tarde e tenho coisas para fazer ontem. Deixem-me contar-lhes sobre aquilo com que Mordred concordou. Deixarei por algum tempo o mundo. Ele terá todo o poder sem nenhum entrave ou oposição. Se ele, entregue a seus recursos, não conseguir manter o próprio poder, então vocês, mortais, ganham. Não haverá mais cavaleiro negro em sua colina, nunca mais.
— Isso é absurdo — protestou Tommy. — Você entrega todo o poder a Mordred, e mesmo assim ele pode perder?
— Sim. Será tudo entre vocês e ele.
— É esse o seu plano? Passar furtivamente para algum mortal todos os seus encantos e feitiços, seja lá como os chama?

— Não, não posso fazer isso. Isto é algo que vocês precisam me desculpar. Sou um vidente. Posso prever o desastre que Mordred estará prestes a infligir depois que eu me for, e os milhões que haverão de o louvar por tê-los corrompido. Já vivi no futuro e seu sangue está poluído com o mal.

— Então não há esperança — disse Tommy funebremente.

— Ah, totalmente. A esperança é uma droga que Mordred gosta especialmente de injetar. — A voz do velho mago parecia satisfeita; os garotos só conseguiam olhar fixamente. — Não se preocupem com isso. A desesperança será um de seus maiores aliados. — Ele foi se afastando imperceptivelmente, e agora estava no outro extremo do saguão.

— Não vá — suplicou Sis. Merlim olhou para ele, como se vacilasse um átimo, antes de se voltar em direção à porta. Os garotos deixaram de um salto as cadeiras e correram pelo comprimento do saguão.

O velho mago atravessara o pátio interno com espantosa rapidez e permanecia ao lado do portão destroçado e das fortificações destruídas no pátio externo. Tommy foi o primeiro a alcançá-lo.

— Diga-nos uma coisa que possamos procurar — implorou ele, sentindo-se perdido e ansioso.

— Procurar? É melhor começar por aquilo que não pode procurar. — Merlim indicou silenciosamente o canto onde jazia o corpo do rei. Os garotos olharam; podiam jurar que uma arma se encontrava no chão ao lado da mão estendida de Artur, mas agora o chão estava vazio. Merlim inclinou-se e Tommy sentiu o roçar de sua barba.

— Comecem com a espada — cochichou o velho mago, como se não quisesse que mais ninguém o ouvisse. Tommy sobressaltou-se. Não era mais a voz de Merlim, mas a de Derek, e a barba não existia. Nos longos feixes da luz vespertina, o corpo de Derek não brilhava mais.

Derek levantou-se, sua figura reduzida a seu antigo tamanho.

— É melhor darmos o fora daqui — disse Tommy, de maneira premente, para Sis. — Acho que ele voltou a ser Derek.

— É claro que sou Derek. Onde estamos? — A voz retomara por completo sua ligeira confusão de costume. — Acha que é tão boa idéia assim entrarmos no castelo?

Sis e Tommy arrastaram-no depressa pelo pátio externo. As muralhas rachadas do castelo deixaram um espaço aberto para que o sol ao ocidente brilhasse através delas; ao caminharem para dentro da luz, os três intrusos pareciam estar se fundindo com o sol.

— Para onde estamos indo? — perguntou Derek.

— Embora — respondeu Tommy. — Tenho um pressentimento de que nunca mais veremos Merlim, de modo que não estamos mais seguros aqui.

— Merlim? — ponderou Derek. — Será que eu disse alguma coisa que prestasse? — Ele olhou para os meninos com uma expressão delicada e espantada, deixando-se conduzir por eles.

Tommy resolveu não se arriscar a falar de novo. Deixou sem resposta a pergunta de Derek. Se tivessem sorte, pensou, Mordred teria abandonado o castelo para sempre e deixado de reparar em sua intrusão. Sem essa sorte, sabia, uma lâmina mortífera estaria voando pelos ares para se cravar em suas costas que se retiravam.

DEZENOVE

O Noivado

Quando Artur contou a sua mãe que iria se casar com Katy Kilbride, ela mordeu o lábio e desviou o olhar.
— Você vai querer convites? Os meus eram em papel imitando pergaminho antigo, com tinta roxa. Eu era uma menina muito boba.
— A gente prefere que não, mãe. Se não for problema. — Artur olhou para Katy, que balançou ligeiramente a cabeça.
Peg Callum não percebeu a troca de olhares; começou a divagar um pouco.
— A cerimônia na igreja nunca combinou com seu pai. Ele não chegava a detestar o casamento, mas odiava gravatas e procurava qualquer pretexto para não ter que usá-las. Queria que nos casássemos num prado cheio de vacas, imagine só! — Ela arriscou um tímido olhar para a noiva, que estava radiante. Isso era coisa normal em se tratando de noivas, mas nesse caso o brilho de Katy fez a mãe de Artur se lembrar de uma fornalha quente, ou de um ferro de marcar.
— Você deseja que sejamos felizes?— perguntou subitamente Artur.
Peg não conseguia entender o motivo por trás da pergunta. Seu filho parecia totalmente apaixonado por Katy, mas — seria imaginação? — havia um sinal velado de algum problema em sua voz. Peg começou a remexer o seu colar.
— Por que acharia que não?
— Não quis ofender — disse ele.
Seria tão bom se eles fossem embora. Peg ficou sentida ao constatar que desejava que Artur fosse embora, mas precisava de tempo para analisar tudo isso. Ele não viera dormir em casa por

duas noites seguidas, causando-lhe tremenda preocupação. E quando apareceu, constrangido e esquivo, mal falara com ela antes de proclamar seu noivado.

Katy quebrou o silêncio desconfortável.

— Acho que gostará de saber que a cerimônia será celebrada por Mestre Ambrosius.

Peg olhou estarrecida.

— Ele vai, então?

Artur balançou a cabeça.

— Já foi ordenado, não sei bem como — afirmou ele tolerantemente. — É o que Katy deseja, e você sabe que papai e você nunca me educaram segundo os preceitos da igreja — O mal-estar de sua mãe era evidente, e ele se sentiu confuso. Qual era o problema dela? Sob a mesa Artur sentiu a mão de Katy apertando tranqüilamente a sua. Bastou o toque para fazê-lo arder de desejo. Estavam tão apaixonados que era impossível uma separação física, e quase tão difícil compartilhar a presença de outras pessoas.

O casal se levantou.

— Estarei esperando no carro — afirmou Katy. — Você certamente quererá falar com sua mãe em particular.

Deixado a sós com Peg, que permaneceu sentada no sofá, Artur tinha o olhar vazio e um ar contido.

— Bem, acho que isso deve parecer uma decisão muito precipitada. — Peg não mexeu com a cabeça, nem deu uma resposta. Ele tirou um pedaço de papel do bolso e lhe entregou. — Eu, eh, planejo ficar na casa de Katy daqui para a frente. Este é o número. Se você não se importar, deixarei minhas coisas aqui por mais algum tempo. Quer dizer, não a estou abandonando, nem nada disso. Espero que saiba.

— Sim — respondeu ela, mas num tom de voz ambíguo.

O carro pegou lá fora, tossindo algumas vezes antes de ficar funcionando impacientemente.

— Eu deveria levá-lo para fazer uma regulagem. — O absurdo do comentário de Artur era tão evidente que o fez simplesmente querer ir embora. Inclinou-se sobre a mesinha de centro. Peg encolheu-se nas almofadas do sofá, mas não sem ele antes tê-la beijado na face. — Sei que é duro — disse ele rigidamente — mas eu amo você.

Quando ele se fora, Peg levantou-se e abriu o armário das bebidas.

— Ah — murmurou. Não havia álcool nele desde que ela acabara com o uísque de malte depois da morte de Frederick. Ela rearrumou algumas estatuetas de Dresden no console, deu corda no relógio, ficou olhando à toa em volta, e em seguida foi lá fora. Fixou os olhos no local da rua onde estivera parado o carro de Artur, tal como um "batedor" de safári, na esperança de encontrar pegadas de leão. Não conseguia se livrar da impressão de que Artur estava metido numa terrível enrascada. — O que faço? O que posso fazer? — pensou ela. Estava sozinha agora. Não foram muitos os membros da família que foram visitar seu marido na enfermaria de câncer antes de ele falecer, nenhum a bem dizer. Se não fosse Artur a seu lado...

Ela olhou de novo para o local onde seu carro estivera. Desta vez viu-se a desejar que o Ford preto ainda estivesse ali, que jamais tivesse partido. Uma sensação de abandono tomou conta dela, pior ainda do que quando ficara viúva. — Será que estou entrando em estado de choque? — pensou. Sua mente que andara se protegendo pelo entorpecimento, agora se acelerava, pensando nos nomes das pessoas para quem poderia ligar: Ambrosius, Pen e Derek, Westlake. Alguém devia saber o que estava acontecendo. Voltou para dentro e pegou o telefone. Discou o número de Pen, ainda rabiscado num caderninho de endereços caindo aos pedaços. Deixou tocar três vezes, em seguida desligou.

— O que diria eu, aliás? — disse para si mesma. As pessoas sempre achavam os casamentos bonitos. Se a decisão de Artur fora demasiadamente repentina, poderia haver um disse-me-disse sobre a cegonha. Do contrário, o que estava errado? Até mesmo uma mãe solitária e um tanto amedrontada fazia parte do cenário. E se Peg insistisse exageradamente, tentando arranjar aliados contra o casal, era sobre ela que recairiam suspeitas sobre seu equilíbrio mental, e não sobre seu filho. Peg pegou de novo o telefone e discou.

— Inspetor-chefe Westlake — falou. A telefonista mandou-a esperar. Cinco segundos, dez segundos, meio minuto. Ela ficou tão nervosa que estava prestes a desligar, quando uma voz grave de homem rosnou:

— Westlake falando.

— É o inspetor-chefe Westlake? — *Ah, meu Deus, ele vai pensar que sou uma tola, tagarela.*
— Sim. É meu nome mesmo, certo? — Ele se adequava exatamente à imagem que Artur transmitira dele.
— Acho que nunca nos conhecemos — balbuciou Peg. — Sou a mãe de Artur.
— O policial Callum?
— Sim, isso mesmo.
Houve um silêncio do outro lado da linha. Ou Westlake estava à espera que ela dissesse a que viera, ou reagia à situação dela. Peg apostou na segunda hipótese e deixou o silêncio perdurar durante alguns segundos.
— A senhora pode vir até a delegacia? — disse finalmente Westlake. — Fico aqui até as cinco, mas seria melhor se viesse logo. Sozinha, se possível, e sem contar nada a seu filho.
Ela sentiu uma estranha mistura de alívio e medo.
— Terei de ir a pé, mas não levarei mais de cinco minutos.
— A linha fez um clique e desligou.
Os sinos da velha torre da igreja normanda bateram três horas quando ela dobrou a esquina da rua principal com King's Road. Atarracada e feia, a delegacia de polícia de King's Road era um território não familiar para ela. Ela tivera dificuldade de aceitar o fato de Artur entrar para a polícia, e nunca pedira que ele a levasse até lá para fazer uma visita.
A recepção estava vazia, salvo pela escrivaninha alta do sargento que fazia os registros.
— Inspetor Westlake — disse nervosamente Peg.
O sargento levantou uma orelha.
— Quem?
Quando ela falou mais alto, ele indicou, com um gesto de sua cabeça, um longo corredor à direita. Deve ter usado sua comunicação interna, porque Westlake a estava esperando na porta, botando um casaco meio surrado e apertando o laço da gravata.
Depois de mandá-la entrar com um gesto, Westlake empurrou para frente uma velha cadeira de couro afundada.
— Obrigado por ter vindo. Como pode imaginar, suspensões desse tipo são constrangedoras para o departamento, e é claro que somos sensíveis a seus efeitos sobre a carreira de um jovem policial.
— Suspensão?

— É apenas temporariamente, até conseguirmos algum tipo de explicação. Tenho certeza de que é isso que a senhora também deseja.
— Não sei. Quero dizer. Sim, uma explicação seria bem-vinda. Podemos recapitular? O senhor está dizendo que Artur foi afastado da polícia?
Westlake recostou-se na cadeira de sua mesa, mostrando ter ficado surpreso.
— É necessário que lhe peça desculpas. Parece que lhe joguei em cima uma desagradável surpresa. Minha culpa, mas já que a senhora ligou, presumi que fosse a respeito de seu filho.
— É, mas...
— Isso está ficando desnecessariamente constrangedor. A senhora pode me contar o motivo da sua visita como bem entender. Minha preocupação é que o policial Callum não apareceu no serviço por dois dias seguidos. Ele tirou folga sem avisar e sem permissão. Além da falta ao dever, houve, eh, circunstâncias constrangedoras. — Westlake mexia com um lápis, flagrou-se fazendo aquilo, e o pôs decididamente em cima do seu borrador.
— Ter ficado com Katy, o senhor quer dizer?
Westlake pigarreou.
— Sou antigo no serviço, Sra. Callum, tendo entrado para a polícia diretamente depois de meu serviço militar, e presumo que seja meio antiquado. Sinceramente, a presença de mulheres na polícia já me pôs várias vezes nervoso. Nesse caso, a ligação entre seu filho e a policial Kilbride nos pegou bastante de surpresa. — Tal como muitos homens investidos de autoridade, Westlake ficou todo rígido diante da perspectiva de discutir a vida particular de alguém. Peg não se surpreendeu quando ele usou exatamente essa expressão.
— A vida particular de Callum — quero dizer, de seu filho — não deveria merecer nenhum interesse do departamento. Porém, e novamente devo usar de franqueza, sua obsessão com um caso em especial, aumentou nossa preocupação.
— O senhor quer dizer Merlim?
Westlake balançou a cabeça.
— Os jornais fizeram uma trapalhada danada. Alegar que um cadáver foi roubado de uma ambulância, ora... — Westlake suspirou. — É claro que chamá-lo de um descuido seria ridículo.

Peg sentiu dificuldade em ficar quieta em sua cadeira.

— O senhor está me pondo confusa, inspetor Westlake. Quando Artur me contou sobre o cadáver desaparecido, tive a nítida impressão de que o senhor lhe dera permissão para investigar. É claro que não entendo desses assuntos.

— Nem deveria. No trabalho policial, a discrição é de suma importância. Mas usando da maior franqueza, Sra. Callum, estou preocupado no momento com o equilíbrio emocional de Artur.

— Por que ele vai casar com Katy Kilbride? — exclamou Peg, quase rindo, a despeito de si mesma.

Westlake pareceu desconcertado.

— Não, não, minha cara senhora. Não tenho o direito de me meter em assuntos particulares, embora haja gente que diga que ele confundiu purê de batata com caviar. Não, meus temores se baseiam apenas no fato de que o "cadáver" do seu filho foi encontrado, vivo.

— Sei. — Era evidente para ambos que não era possível ela saber.

Westlake inclinou-se sobre sua mesa e apertou um botão num console.

— Mande-me McPhee, está bem, sargento?

Um momento depois ouviu-se uma batida na porta e entrou um policial fortudo, tirando o quépi ao ver Peg.

— Quer falar comigo, chefe?

Westlake indicou com um gesto outra cadeira de couro afundada para que McPhee sentasse.

— Esta é a mãe do policial Callum. Achei que seria útil se você a informasse sobre nosso homem desaparecido.

— Nós o pegamos logo depois do amanhecer. Perambulava pela estrada numa aparência bem desmazelada. Parecia desorientado, e brigou bastante antes que conseguíssemos persuadi-lo a vir conosco. — McPhee fez uma pausa, especulando se deveria continuar. — Em minha opinião, ele é pirado, mas isso são os médicos que devem decidir, não é?

Peg teve a desagradável sensação de ambos os policiais a fitarem.

— Quem é ele?

— Ainda não sabemos — respondeu Westlake. — O homem em questão, como indicou o policial McPhee, não se encontra num estado de espírito coerente no momento, e talvez seja julgado mentalmente incapacitado, depois de averiguarem na enfermaria geriátrica. Já que ele parece ter passado muito tempo ao ar livre, será examinado, como de rotina, para ver se pegou pneumonia.

— Então ele não estava morto, afinal — balbuciou Peg.

— É provável que estivesse inconsciente, e ao se ver na maca da ambulância, entrou em pânico e pulou fora — disse McPhee. — Houve vários lugares em que a ambulância foi obrigada a parar, cruzamentos, etcétera.

Peg olhava ansiosa de um homem para outro.

— Vocês estão errados a respeito de Artur. Ele sempre teve a cabeça no lugar — disse ela, sentindo como deveria soar débil aquele protesto. Provavelmente era melhor ficar calada; apanhou sua bolsa e se levantou. — Fico muito grata pelo senhor ter me chamado aqui. Foi muito decente de sua parte. Poderia ter mantido tudo isso encoberto.

Westlake balançou a cabeça.

— Oficialmente é reservado. Tenho certeza de que a senhora entende. — E ele a levou até a porta.

Mas lhe veio uma recordação.

— Faço uma confusão danada sobre essas coisas, inspetor, mas acho que Artur me contou que o senhor estava presente na cena do crime.

— Não tínhamos tanta certeza assim que fosse um crime — frisou Westlake.

— Mas o senhor estava lá?

McPhee e Westlake trocaram olhares.

— Para dizer a verdade, não — respondeu o inspetor. — Callum e Kilbride afirmam que sim em seus depoimentos, ou o que conseguimos até agora em se tratando de depoimentos. Até o presente, resume-se numa conversa pelo telefone, depois que os localizamos. Isso ainda é muito preliminar, e um, ou os dois policiais em questão podem optar por pedir demissão, em vez de se submeterem a um inquérito.

— E o senhor, onde estava naquela noite? — deixou escapar Peg. Ficou espantada com a própria audácia; os dois policiais ficaram evidentemente constrangidos.

— Não sou eu quem deve ser interrogado — disse severamente Westlake. E abrandando a voz: — Sinto muito ter sido o portador de más notícias, Sra. Callum. Agora vá para casa. Se precisarmos mais de seu auxílio, ligaremos. — Com um último toque gentil no ombro dela, ele a conduziu ao corredor, despediu-se e fechou a porta.

Peg deu uns poucos passos vacilantes antes de tomar consciência de que ela não sabia direito o que desejava fazer, nem para onde ir. Ainda estava pregada no mesmo lugar, quando Hamish McPhee saiu. Parecia sério e compreensivo.

— Minha senhora, deixe que eu a leve até a saída. — E pegou o cotovelo dela com uma mão enorme e, com cortesia antiquada, acompanhou-a pelo corredor. Se não estivesse tão aturdida, teria achado graça.

— Eu consigo ir para casa sozinha — assegurou-lhe ela, ao chegarem ao local da recepção.

— Tem certeza? Posso chamar um táxi para a senhora?

— Não. Isto é, sim. Seria ótimo.

Ele foi até a calçada, pôs dois dedos na boca e deu um assovio de porteiro. Aproximou-se um táxi vindo de um ponto ali perto.

— Katy Kilbride mora por aqui?

McPhee mexeu os pés, constrangido.

— Sim senhora, a cerca de três quarteirões daqui. É um prédio enorme meio desconjuntado, de um sujeito chamado Ambleside.

Ela ficou espantada.

— Amberside, você quer dizer?

— É isso aí. É uma família muito antiga da região, assim dizem. Meu pai veio para Gramercy depois da guerra, mas isso faz de nós recém-chegados, segundo os antigos habitantes. — McPhee abriu a porta do táxi para ela. — Quer que eu dê o endereço ao motorista? — ofereceu-se. Mas ela já tinha entrado, e a janela estava fechada.

— Para onde, senhora? — perguntou o taxista.

Peg olhou nervosamente para McPhee, que permanecia por ali.

— Vá em frente.

O taxista deu de ombros e partiu. Depois de virarem a esquina e terem perdido de vista a delegacia de King's Road, ela bateu no vidro atrás do motorista.

— Para a enfermaria geriátrica — ordenou e se recostou para a viagem.

Katy estava em pé ao lado da cama, botando seus jeans e seu top. Artur dormia há alguns minutos, enquanto ela jazia recostada num travesseiro a observar seu rosto. Ela sorriu. Contemplar Artur sem que ele soubesse virara um vício, a ponto de virar uma fixação. Tocou com delicadeza seu cabelo, nariz e boca, sem acordá-lo. Tudo aquilo era tão incrível como se uma estátua tivesse virado gente de verdade, ou um sonho se materializado do nada.

Ela parou para fechar as venezianas contra o sol da tarde e desceu. A cozinha era gigantesca e antiquada, com uma cordinha que servia de interruptor. Mesmo durante a tarde, era grande a escuridão.

— Ah, é você — disse ela. Sob a lâmpada oscilante, Amberside estava sentado à mesa da cozinha, com o tarô espalhado diante dele, na arrumação de 12 cartas correspondentes ao horóscopo.

— Como pode enxergar nesse escuro? — perguntou ela, abrindo a geladeira. — Tem leite? Estou seca para comer uns *cornflakes*.

— Exausta?

Ela o fuzilou com um olhar e pegou a garrafa de leite, que estava escondida atrás. O cereal estava guardado no mais alto dos armários para evitar os ratos. Sentia certa timidez em comer na frente de Amberside, apesar de ele ter sempre dito que a cozinha era comum; qualquer coisa era melhor do que ter de se virar com um fogareiro elétrico em seu quarto. Katy puxou uma cadeira e se sentou à mesa de laminado amarelo, cuja tampa estava danificada e gordurosa.

— Para um antiquário, você não se preocupa muito com seu estilo de morar.

Ele a ignorou, concentrando-se no círculo de 12 cartas a sua frente.

— Os arcanos maiores fazem toda a diferença, sabe? Olhe só. O Bobo e a Alta Sacerdotisa. — As duas cartas estavam à mostra do lado direito mais baixo do círculo. — É você e Artur, e a localização significa maio ou junho no horóscopo.

— O destino está cumprindo sua agenda — brincou ela friamente, mastigando seu cereal antes que ficasse ensopado. — O que significam exatamente essas cartas? Não gosto muito dele como Bobo.

— Não? É simplesmente uma questão de contexto. Olhe para a carta com cuidado — o Bobo está rindo, despreocupado. Seu pé está colocado na beira de um precipício e, no entanto, ele não percebe nenhum perigo. Sim, para melhor ou para pior, ele é o bobo do destino.

— Acho que gosto disso, para falar a verdade. Pularemos juntos no precipício — disse Katy, rindo.

Amberside olhou-a de perto.

— Mas tem mais do que isso, minha cara. O Bobo é capaz de súbitas mudanças, quando menos se espera. Ele é identificado com antigos deuses da paixão e da destruição. Ele é também o primeiro dos coringas, que dá início a todo o baralho. Comece com ele e você começa com todas as possibilidades oferecidas pelo tarô. Algumas são mais tenebrosas do que supõe.

Katy bocejou. Ela já vivia há bastante tempo na casa para ficar ligeiramente entediada com os modos de mágico de circo exibidos por Amberside.

— Olha, você não se importa, não é? — Ela se levantou e levou sua terrina para a pia.

— Você não perguntou sobre a Alta Sacerdotisa.

Ela se virou sorrindo.

— Essa pelo menos parece simpática.

— *Simpática* é uma palavra tão inadequada. Esta é uma das cartas mais místicas do baralho. O que mostra ela? Uma mulher em pé numa escada, com lírios numa mão, uma esfera de cristal na outra. Não lhe fez recordar uma noiva? Mas é claro que ela jamais casará.

— Por que não? — perguntou Katy, segurando a beira da pia.

— Segredos em demasia. A Alta Sacerdotisa vive sonhando, fantasiando, intuindo. Quer saber o que ela realmente é? Perséfone, capturada pelo deus escuro para se tornar a rainha das regiões mais baixas.

— Eu vi uma vez uma loja de roupas de baixo chamada Rei das Regiões Baixas. Muito engraçado, não é? — Nenhum deles sorriu. Ao deixar a cozinha, Katy quase esperava que ele a seguisse. Viu-se hesitando ao pé da escada. Amberside dependurara ali um complicado espelho dourado francês. Ela olhou para ele, curiosa. Por que as pessoas se apaixonam? Ela não deixara de possuir o mesmo rosto que Artur ignorara por tanto tempo. Pôs a mão no seu cabelo escrespado, fofando-o, insatisfeita.

— Gostaria de celebrar o casamento aqui, se isso lhe agrada. — Amberside surgira na porta da cozinha, que estava escura atrás dele. — Não existem muitos inquilinos nesta época do ano, antes da correria do verão. Você sabia que esta casa tinha uma capela?

— Não. Essas velhas construções são espantosas.

— Bastante. Acredito que a primeira família daqui se orgulhava de dar missionários à igreja. Posso lhe mostrar a capela agora, ela foi restaurada.

— Não, não precisa. Confio em seu julgamento. — Ela começou a subir a escada, em seguida se voltou. — Não desejo fugir de você, é só que...

— Você está apaixonada. Uma doença comum. Parece que o melhor remédio é uma semana de cama — disse ele ironicamente. Katy não teve reação. Ela olhava para além dele, e sua expressão parecia alarmada. — Qual é o problema?

Ela apontou para uma janela alta do andar térreo.

— Havia um homem ali — disse ela, de modo agitado.

Estranhamente, Amberside continuou a encará-la, sem voltar o rosto para ver o que ela indicava.

— Realmente? — disse ele em voz baixa. — Que tipo de homem? Alguém do seu negro passado, a julgar por seu aspecto, pálida como giz. — A voz dele tinha uma entonação monótona e antipática.

— Não brinque, estou muito alarmada. Num momento estava ali, no outro sumira. Olhou fixamente para mim e tinha um aspecto positivamente...

— Detestável. Eu sei. Estou pensando em empregá-lo para trabalhar aqui durante uma semana. Ele já esteve empregado muito tempo, mas seu gênio o traiu. Fez um escarcéu danado antes de deixar o emprego. Seu nome é Jasper. — Amberside revelava isso tudo num tom de voz displicente, mas mantinha o olhar fixo em Katy. Por algum motivo aquele nome fê-la tremer; sentiu uma onda de pavor.

— Por que manter um homem assim aqui? Ele pode ser perigoso — disse ela nervosamente.

— Como poderia saber se nunca o viu antes? Aliás, gosto de gente perigosa. Tenho uma teoria de que as pessoas perigosas deste mundo não passam de projeções nossas. Andamos por aí como uns covardões, deixando o mal por conta dos outros, quando na realidade não existem outros. "Olhe bastante para o monstro e te tornarás um monstro." Quem disse isso? Não importa. Devia ser "Olhe bastante para um monstro e perceberá que ele é você mesmo." Acho muito mais sincero.

— Está bem, já que você falou. — De repente ela sentiu uma necessidade desesperada de acordar Artur. Podiam ficar se segurando um pouquinho.

— Percebo que quer ir — disse Amberside suavemente. — Podemos discutir minhas teoriazinhas mais tarde. Mas você acha que todo mundo tem seu lado tenebroso, não acha? Então é inteiramente possível que esse lado mais tenebroso tenha sido projetado no mundo externo sob a forma de uma categoria de criminosos, mal adaptados ou sonhadores frustrados.

— Talvez tenha razão. Parece estranho. Mas acho que a gente tampona nosso lado tenebroso, a maioria.

— A não ser que encontremos uma oportunidade de extravasá-lo. Mas, na realidade, oportunidades assim são raras e amedrontadoras. Ninguém se arriscaria a vivê-las sem ter certeza de manter um segredo absoluto. Um pouco covarde, suponho, mas todos nós temos um profundo desejo de reprimir nossos instintos vergonhosos. Imagine o que você seria, por exemplo, se extravasasse todo seu ódio, toda sua luxúria.

— Isso é uma indelicadeza — respondeu incisivamente Katy. Sentia-se confusa e dominada por um medo irracional. Não era de Amberside que ela queria fugir mas, sobretudo, do espelho dourado ao pé da escada.

Sem se dar conta, Amberside insistia.

— Como disse, o segredo é uma profunda necessidade. Para todos os efeitos, você e eu já fizemos coisas que não conseguimos admitir nem para nós mesmos. Isso é o máximo do segredo, não é?

Katy sacudiu a cabeça.

— Você é um papo e tanto. Eu já deveria ter subido há cinco minutos.

— Bem, desejo-lhe alegrias na cama, minha senhora — disse Amberside com um floreio. — Uma moça que ainda não perdeu a cabeça, não a está usando direito.

Todo o sangue se esvaiu do rosto de Katy. Sentiu náuseas.

Um fedor parecido com o de cogumelos podres encheu suas narinas. Em seguida a porta se abriu e o homem que ela avistara na janela estava a sua frente. Ele olhou bem em seus olhos, seu rosto foi corando até ficar vermelho-vivo.

— Fay — murmurou.

Ela tremia com mais intensidade agora.

— Não compreendo. Este não é meu nome. Deixe-me em paz — gritou ela, apavorada nas profundezas de seu ser, que talvez compreenderia, se ali ficasse. Virou-se rapidamente, subindo logo, de modo que Jasper não pudesse perceber seu indisfarçável medo e repugnância.

VINTE
Poeira da Estrada

A cabana que Edgerton encontrara na floresta não tinha muitos ratos. Ficou satisfeito, muito satisfeito. Alguns guarda-caças de priscas eras deviam ter abandonado a cabana. Uma armadilha enferrujada de pegar raposas jazia dependurada numa parede e o chão estava cheio de pedaços de peles de coelho. No cômodo traseiro o teto cedera, mas o da frente, onde as vidraças ainda estavam perfeitas nas janelas, demonstrava ser habitável. O garoto passava a maior parte do tempo ali, esperando o entardecer para se aventurar na cidade em busca de comida. Ao voltar, enrolava-se num tapete velho que ele pegara no lixo. Aquecia-o, um mínimo, enquanto ele dormia.

Uma noite Edgerton levou um susto ao ver seu pai subindo com dificuldade o caminho até a cabana, na cadeira de rodas.

— Jerry, sou eu — chamou. — Ajude-me. — Edgerton não se mexeu. — Jerry, você ouviu? É você ou eu que tem a espada, e eu não sou. — Seu pai conseguia passar espantosamente pelas pedras e pelo cascalho na cadeira de rodas, rogando pragas a meia voz.

O garoto estava encurralado, e a cabana não tinha porta para se trancar. Ele ouviu a cadeira de rodas parando, em seguida seu pai se levantou segurando no portal, a suar por causa da ladeira.

— Todos nós sentimos sua falta — disse Paddy. — Você queria que nós morrêssemos, mas está perdoado.

Com um sorriso malicioso, ele lançou uma língua de fogo de sua boca, enchendo o cômodo. Os ratos pularam guinchando do madeirame. A chama pegou no cabelo do garoto. Berrava, apagando o fogo com suas mãos nuas. Em seguida acordou, tremendo, do pesadelo.

Amanheceu sem que o sol nascesse. Era a terceira manhã desde que fugira, e ele não parava de tremer e espirrar. Uma chuva negra, rumorejante, caíra durante a noite, ensopando-o. Aborrecido, arrastou o tapete para fora. Sua energia se esvaía hora a hora, e os pesadelos não eram nenhuma ajuda.

— Você precisa comer — disse a si mesmo. Seu estômago estava meio embrulhado por causa dos pedaços de enroladinhos de salsicha e de batatas fritas que conseguira roubar de trás de um bar. Ousaria ir até o colégio? Alguém de lá, um de seus amigos, poderia contrabandear leite e pão para ele. O estômago do garoto roncou diante dessa perspectiva, mas tinha certeza de que as autoridades do colégio o entregariam à polícia se pusessem as mãos nele.

— Não vale a pena ser preso — pensou. Ficar escondido na floresta fora um gesto de desespero calculado. A polícia jamais fazia buscas ali, a não ser em última instância, e ninguém de St. Justin conhecia seus esconderijos secretos.

A manhã corria com o céu acolchoado de nuvens baixas e cinzentas. O garoto desceu com dificuldade a ravina, que levava da cabana a uma estreita garganta, chanfrada como a mira de um rifle e cheia de mato pesado. De dez metros de distância não se conseguia ver em absoluto a moradia em ruínas. Ele foi caminhando penosamente até a cidade, pensando em comida e em dinheiro. Nenhum deles seria fácil de arranjar. Para falar a verdade, ele não tinha amigos próximos mesmo. Os "coroinhas" eram a turma dele, mas o que vinham eles a ser? Um bando desorganizado de garotos maus e meio excluídos, em quem não se podia confiar. Ele nem sequer confiava em si mesmo, e no entanto era o melhor da turma.

Pesadas gotas vieram se espatifar na cobertura de folhas acima dele. Ele olhou para cima, e uma delas acertou-o no olho. Edgerton rogou uma praga. Era esquisito pensar em seu lar como sendo apenas uma pilha de cinzas reviradas e pedaços de madeira carbonizados. Ele se arriscara e fora lá escondido vê-lo na noite anterior. Os pedaços de madeira queimados e frios retiniram quando Edgerton os chutara. Deles não se poderia extrair nenhum segredo.

— Por que o fizera? — pensou. Seu pai andava há muito tempo de mau humor e, principalmente, vivia bêbado. Depois do acidente na impressora, era impossível viver com ele, tinha que

pisar em ovos. Na semana anterior ele pegara Edgerton saindo escondido com uma garrafa de cerveja sob o casaco.
— Aonde você acha que vai com isso? — perguntara seu pai, bloqueando a porta da cozinha com a cadeira de rodas.
— Não tinha ainda pensado bem a esse respeito — respondeu ironicamente Edgerton.
— Não me responda. Ainda consigo arrancar sua cabeça fora, torcendo-a com um braço só. Eu dava dinheiro em casa quando tinha sua idade; já pensou nisso? Aquele seu colégio inútil nos custa bastante caro.
— Nunca reparei que você ligasse para nada — retrucou Edgerton, com um ódio gelado.
A situação estava ficando feia quando sua mãe entrou.
— Você precisa ser tolerante com seu pai, Jerr — disse-lhe sua mãe, com lágrimas nos olhos. — Desde o acidente sente muitas dores na perna. Será que não pode fazê-lo por minha causa?
— O garoto não disse nada, mas durante os próximos dias evitou o pai da melhor maneira possível.
Na noite do incêndio, ele não vira seu pai há horas. Edgerton estava trancado em seu quarto ouvindo umas fitas e fumando debruçado na janela, para que sua mãe não sentisse o cheiro na manhã seguinte. Winnie saíra. Seu pai dera uns gritos lá embaixo, nada muito exagerado. Mais ou menos às 11 horas Edgerton cumpriu o ritual de levar a cadeira de rodas para cima, enquanto seu pai olhava soturnamente do sofá. Ele sempre esperava que o garoto voltasse para seu quarto antes de subir penosamente, apoiado de um lado na bengala, e do outro na mulher.
Depois que seus pais fechavam a porta do quarto, fazia-se silêncio na casa. Aquele lugar era tão apertado e tinha paredes tão finas, que ele não se sentia seguro em tirar a espada do esconderijo. *Ficarei deitado um pouco aqui até ter certeza de que eles estão dormindo.* Edgerton puxou a corda do interruptor da lâmpada em cima, para não ser traído pela fresta embaixo da porta. Passaram-se dez minutos, em seguida 15 e ele começou a ficar sonolento. A porta deve ter aberto e fechado sem que ele ouvisse, porque em seguida o garoto percebeu que no escuro a seu lado havia alguém. Edgerton quase deu um pulo para fora da cama.
— Calma. É só eu. — Era seu pai. Edgerton podia cheirar seu bafo de uísque.

— O que está acontecendo? — perguntou Edgerton. Seu pai era uma silhueta baixa na escuridão, rolando para cá e para lá na cadeira de rodas. — Vá dormir, pai — disse ele incisivamente, a adrenalina em seu corpo pulsando como tambores numa parada. Edgerton estendeu a mão em direção ao abajur na mesinha-de-cabeceira, mas com um gesto seu pai o derrubara no chão.

— Me dê ela. Onde está?

— O que é? Você está agindo como se estivesse maluco.

Seu pai aproximou-se da cama e começou a sacudir violentamente o colchão.

— Levante, seu pamonha burro. Não é sua. Acha que eu não quero andar de novo? Me dê ela. — Edgerton podia ver a cabeça de seu pai a sacudir no escuro e ficou com tanto medo que lhe deu vontade de vomitar.

— Vamos, pai, por favor, saia — sussurrou ferozmente. Mas seu pai era forte como um touro pelos anos passados a levantar rolos de papel na tipografia. Derrubou o garoto da cama e enfiou a mão avidamente sob o colchão. Sem olhar, Edgerton sabia que seu pai encontrara a espada.

— Eu estava certo — exclamou seu pai, erguendo a longa e esguia forma. — Estava certo.

— Isso é meu. Você não pode roubá-lo, está maluco — protestou Edgerton, saindo de baixo do emaranhado de roupas de cama. E seu pai devia mesmo estar maluco, pois desembainhou a espada, apontando-a para a garganta do filho.

— Afaste-se. — Ele jamais o ameaçara de maneira mais tenebrosa, e o instinto de autoproteção fez com que Edgerton recuasse um passo. A cadeira rolou até a porta. Seu pai a abriu com o pé e deixou o quarto.

Talvez eu devesse ter corrido atrás dele. Este pensamento não cessava de passar pela cabeça de Edgerton. Não sabia se amava sua família, mas ela não merecia morrer. Dez minutos depois, Edgerton sentiu o cheiro de fumaça começando a subir lá de baixo. Ele já estava fora da cama, botando seu casaco e sapatos, aprontando-se para correr para a rua. Não ia ficar por ali cuidando daquele filho da puta doente. Com o cheiro de fumaça nas narinas, desceu correndo o corredor e acordou sua mãe, que tinha um sono pesado.

— Onde está Paddy? Onde está seu pai? — murmurou ela, sonolenta.

— Não se preocupe com isso, precisamos sair.
— Não se preocupe? Você deve estar pirado. Paddy, Paddy! — começara Edie a gritar, e quando a primeira língua de fogo saiu do cano de aquecimento, ela começou a berrar. — Ah, meu Deus, Paddy, onde está você?
O garoto precisou usar toda sua força para arrastá-la para baixo. O incêndio se propagava com incrível velocidade. Ao olharem para trás, a última coisa que viram foi a cadeira de rodas de seu pai na sala de visitas, vazia, engolfada por cortinas de chamas. Sua mãe não agüentou mais e teve uma crise histérica.
"Então seu trono está em chamas. Bem feito" — foi tudo que o garoto conseguiu pensar.
Ao recapitular as coisas, Edgerton não sabia por que aquela determinada frase lhe viera à cabeça. Talvez por causa das incontáveis vezes em que seu pai, quando bêbado, balbuciava:
— Eu ainda sou rei na minha própria casa. — Deixe-o ser rei daquele montão de cinzas. Nem valia a pena abrir agora uma sepultura para enterrar seus restos. Então o garoto teve um estalo, algo que o deixou perplexo: como é que seu pai conseguira descer com a cadeira de rodas naquela noite?
Ao chegar ao final da floresta, delimitado pelo riacho, Edgerton virou à direita. Resolvera ir até St. Justin, a menos de oitocentos metros de distância. Havia um esconderijo que ele conhecia, onde poderia se entocar, e onde nenhum outro menino o acharia. Era pelo menos quente. Agora as nuvens cinzentas e acolchoadas cuspiam chuva de novo. Os calafrios de Edgerton tornaram-se mais intensos e ele apressou o passo.

— Merlim nos abandonou há muito tempo, e a única coisa que deixou para trás foi a pedra — disse a mulher com chapéu de feltro. — Vocês não podem imaginar as dificuldades sofridas para mantê-la dentro da corte dos milagres. Tem sido nossa esperança, nossa única esperança. Ficamos espantados, quando ela de repente desapareceu.
— Como desapareceu? — perguntou Pen.
— Presumimos que ela fora roubada da caverna que acabamos de deixar — dissera a senhora com chapéu de feltro. — Mas seria melhor começar perguntando como você entrou na posse

dela. — Era tarde da manhã. Eles tinham voltado da caverna do cristal até a estrada. O vagabundo dessa vez ia à frente. A mulher do chapéu de feltro andava ao lado de Pen, enquanto Melquior, tal como antes, fechava a retaguarda. O tempo estava bom, mas adiante avistaram nuvens cinzentas que se abaixavam. A tempestade avançava depressa em direção a eles.

— Consegui a pedra de uma maneira totalmente acidental. Encontrei-a — explicou Pen.

O vagabundo sacudiu a cabeça.

— Não existem acidentes neste caso, existe apenas um propósito que ainda não foi entendido pela gente.

— Onde encontrou a pedra? — perguntou a mulher do chapéu de feltro.

— Em Emrys Hall, onde eu morava antes de encontrar vocês.

— Fez-se uma luz na cabeça de Pen. — Você me deixou indicar o caminho para a caverna. Imaginou que eu já a conhecesse, por causa do roubo da pedra? — A senhora do chapéu de feltro balançou a cabeça e começou a dizer alguma coisa. Pen a interrompeu. — Não é preciso explicar. Eu compreendo. Não pode se dar ao luxo de confiar em ninguém de fora. — Ela parou e enfiou a mão debaixo de seu casaco para pegar a bolsa de veludo preto. — Aqui está. Fique com ela. Não tenho nenhuma pretensão de ser a sua dona.

Surpreendentemente, a senhora do chapéu de feltro não pareceu ansiosa em receber a pedra. Em vez disso, fitou a bolsa, absorta, pensando.

— Isso não faz sentido — comentou finalmente. — Perder a pedra depois de tanta trabalheira e em seguida recuperá-la tão casualmente. Somos muito gratos a você, certamente. A pedra foi guardada há séculos, mas seu conteúdo nunca foi completamente revelado. O que leu nela?

— "Clas Myrddin". Foi o máximo que consegui ler.

— Então foi isso que ela queria que você soubesse, mas essas duas palavras são apenas a chave para um significado mais profundo. Conseguiu ler mais?

Pen sacudiu a cabeça. O pequeno grupo fez silêncio, caminhando devagar em direção às nuvens de tempestade.

— A estrada é um bom lugar para se contar casos — disse o vagabundo. — Poderia nos contar como encontrou a pedra? Talvez possa nos fornecer uma pista.

— Foi deixada no labirinto. E acredito que por meu marido. Ele estava fugindo, tentando evitar ser capturado, ou algo assim. Já que não era seguro entrar em contato comigo, ele deve ter deixado a pedra como um aviso. A senhora do chapéu de feltro absorveu por um instante essa informação.

— Você não chegou a ver seu marido no labirinto, então?

— Não, só posso adivinhar quem poderia ter sido. Na noite depois do desaparecimento de Derek, eu estava com uma terrível insônia. Sofria muito, minha cabeça estava acelerada. Da janela do nosso quarto pode-se ver os jardins, inclusive o labirinto. A lua estava cheia e, como me sentia muito inquieta para permanecer na cama, fui até a janela. Havia alguém lá em baixo se mexendo, um homem a pé, e ele se dirigia ao labirinto.

"Minha intuição me disse que era Derek. Pus correndo meu robe e desci depressa. Não me lembrei de levar uma lanterna; estava por demais agitada. Não havia mais ninguém por ali, no entanto não consegui descartar a sensação de estar sendo observada. Precisei de toda minha coragem para entrar no labirinto. As paredes de teixo são muito altas, sabe, formando passagens estreitas e escuras, um lugar bastante amedrontador à noite. Mas Derek e eu sempre o achamos um lugar diferente, e conheço de olhos fechados as passagens.

"Assim que entrei, procurei às apalpadelas a parede da direita. O labirinto é enganoso, tem início com uma falsa virada à esquerda, em seguida outra à direita, antes que surja a verdadeira abertura dele. Eu chegara até aquele ponto, quando percebi que me pusera numa situação de perigo. Vozes abafadas vinham atrás de mim, e eu podia ouvir passos na frente. Num labirinto só é possível entrar e sair, pois os outros caminhos constituem becos sem saída. Entrei em pânico ao constatar que estava encurralada. Presumo que, na melhor das hipóteses, eu poderia ter tomado um dos becos sem saída e me escondido lá da melhor maneira possível, mas não sou o tipo de pessoa que consegue permanecer acovardada, escondida. Se Derek já estava lá dentro, era para lá que eu iria.

"Jamais soube como ele saiu, mas à medida que eu caminhava correndo para o centro, os passos cessaram adiante. Um caminho após o outro se encontrava vazio, e o próprio centro também. Como podem imaginar, fiquei muito confusa. E então

um som, um barulho baixo como um rosnado, quase me fez desmaiar de medo. Um grande animal se encontrava ali junto comigo. Não podia mais ouvir ruídos de gente. De modo irracional, imaginei lobos, o que seria impossível nessa data e nessa época, ou um grande mastim."
— Só que não era — disse a senhora do chapéu de feltro.
— Não. Levou algum tempo até que eu decifrasse o que acontecera. Era preciso que fosse outra coisa. O que aconteceu a seguir foi muito rápido. Andava nervosamente para lá e para cá no centro do labirinto quando meu sapato atingiu alguma coisa. Inclinei-me e encontrei uma pedra de rio achatada e redonda. Peguei-a para jogar, caso tivesse de me defender, embora, é claro, não teria detido nenhum grande predador, jogando-lhe uma pedra.
— Não foi preciso — disse o vagabundo.
— Como sabe? O animal, fosse lá o que fosse, chegou muito perto. Eu podia perceber sua presença na escuridão. Seu formato era indescritível. Parecia um javali com longas presas recurvadas até os olhos, porém muito mais terrível. Fiquei apavorada. A coisa se agachou, mas não ousou dar um bote em cima de mim. Permaneci ali com a pedra na mão, e o animal andando para lá e para cá, a uma braça de distância. Ele nunca se expôs ao luar, que brilhava por cima das altas paredes dos teixos. Mesmo sem distingui-lo direito, contudo, eu sabia que o animal estava frustrado, enquanto teimava em caminhar de lá para cá. Fiquei parada por muito tempo. Resisti ao ímpeto de atirar-lhe a pedra, o que teria sido um gesto histérico.
— E um erro fatal — disse o vagabundo. — O animal era alguma espécie de ser transformado, e a pedra o manteve à distância.
— Acho que tem razão. O bicho parou de andar, e depois de um instante percebi que ele sumira. Se fugiu correndo ou se evaporou, deixo para vocês adivinharem. Depois de ter recuperado minha coragem, saí do labirinto e voltei para casa.
— E não viu ninguém em absoluto? — perguntou o vagabundo.
Pen sacudiu a cabeça.
— O local estava totalmente deserto. Eu poderia ter tido um episódio de sonambulismo e sonhado aquilo tudo. Só lembro de minha surpresa ao ver uma janela em cima acesa, onde morava

meu mordomo. Ele acorda e deita mais cedo, e no entanto deviam ser duas da madrugada quando saí do labirinto, e sua luz ainda estava ligada.

O final da história de Pen foi recebido com silêncio. Os caminhantes haviam diminuído seu ritmo para um quase arrastar de pés. A tempestade no horizonte agora preenchia metade do céu, e o ar ficou opressivo, como uma coberta pesada.

Melquior falou alto.

— Sabe para onde estamos indo?

A senhora com chapéu de feltro respondeu:

— Para a cidade, já que a estrada parece ir para lá. Mas nós não estamos muito ligados ao mundo comum. Não temos nenhum destino especial, e no entanto cada momento novo constitui nosso destino.

— Acredito que você deva ter encontrado meu mestre em algum lugar, porque ele falava assim com freqüência — comentou Melquior. — Posso lhes contar mais alguma coisa sobre a pedra.

— A senhora do chapéu de feltro balançou a cabeça, sem alterar o passo. — A pedra não é simplesmente um sinal de Merlim — começou Melquior — Ele a guardava em seu quarto, em cima da torre que dava para o pátio de Artur. O nome da pedra é Alkahest, ou "metamorfose". Não sei de onde provém. Havia uma lenda de que a pedra podia transformar metais não nobres em ouro, porém Merlim ridicularizava essas idéias. "Truques de salão gananciosos. Eu não preciso de mais algumas moedas no meu bolso, nem tampouco um balde cheio de ducados", dizia ele. Desprezava o bando disparatado de alquimistas que desperdiçavam suas vidas inclinados sobre retortas fumegantes. "A maioria é de charlatões, o que já é muito ruim", externava ele. "Mas tenho pena é dos sonhadores que morrem perseguindo suas ilusões. Os filhos deles terão sorte se herdarem um pedaço de chumbo, quanto mais ouro."

— A pedra detém então o segredo da verdadeira alquimia? — perguntou o vagabundo.

— Sim. Quando Mordred destruiu a torre do mago, a pedra deve ter ficado perdida entre os destroços, ou talvez fosse transportada por meu mestre. De qualquer maneira, sabemos que seu inimigo jamais a achou. Merlim manteve sua promessa de se ausentar do mundo, mas contarei a vocês um segredo: acredito que a Alkahest pode ser ele sob uma forma diferente. Metamorfose.

O andarilho lançou um olhar significativo à senhora do chapéu de feltro. As nuvens de tempestade estavam agora em cima deles; conversando e caminhando penosamente, o pequeno grupo impunha um ritmo hipnótico. Depois de algum tempo, a senhora disse:
— Eu também sei mais um pedaço da história que estamos reconstituindo. A pedra não foi transportada. Foi apanhada por um menino que escapara da destruição de Camelot. Ele se tornou o fundador de nossa corte — seu nome era Ulwin.
— Ah — exclamou Melquior. — E o que sabia ele sobre a pedra?
— Muito pouco de início. A prioridade máxima de Ulwin era escapar e se esconder. Isso já era bastante difícil, considerando a astúcia de Mordred. Ao perceber aquilo que tinha, Ulwin supôs que a pedra devia estar protegendo-o, e portanto precisava ser protegida custasse o que custasse. A corte dos milagres cresceu em torno da pedra, como seus guardiães. Mas nós nunca paramos de fugir e de nos esconder. A pedra parece transmitir esse destino. Como Ulwin nos disse, "Outros podem morar em casas e dormir em camas. Vocês serão poeira da estrada, o vento no vento." E assim sobrevivemos, apesar de tudo.
— Sinto muito, mas o que lucram vocês com isso? — perguntou de repente Pen. — Você disse que não conseguia interpretar a pedra. Não seria inútil ficar apenas guardando-a?
— Talvez — concordou a senhora. — Mas nos foi dada uma escolha. Ou assumir a penosa tarefa de ficar à espera, ou viver num mundo cujas dores podem ser infindáveis. Em idade provecta, Ulwin foi agraciado com o dom de profetizar, a língua de fogo. Ele declarou em seu leito de morte que a pedra seria um dia decifrada, e que isso sinalizaria a derrota do dragão branco.
— Significando Mordred? — perguntou Melquior.
— A segurança reside em não se falar claramente demais — alertou o vagabundo. E parou de falar abruptamente. Melquior sentiu que alguma poderosa emoção fora suprimida. A expressão do vagabundo tornou-se triste e resignada. — Deixe-me descansar — disse ele, sentando-se na margem da estrada. Os outros se agruparam em volta dele. Passaram-se vários minutos antes que pudesse falar de novo. Dirigiu-se a Melquior. — Você disse que foi testemunha da destruição de Camelot. Assistiu à morte de meu rei?

— Não — respondeu Melquior. A pungência na voz do vagabundo era diferente de tudo que ele jamais ouvira. — Eu vi Mordred apontar a espada para ele, mas ele não morreu. Merlim fez um feitiço para além do véu da morte.

O vagabundo escondeu o rosto nas mãos.

— Merlim, Merlim. Poderia ter salvo meu rei e nós com um dedo só, mas, ah! — E ele virou o rosto, com os ombros a sacudirem.

As lágrimas brotaram nos olhos de Melquior. Procurava pensar.

— Acho que compreendo. Você pensou ter visto o rei morrer, não foi? Mas o que viu era apenas uma ilusão. Não consigo explicar os motivos de Merlim. Ele só me disse que não era mais direito intervir.

— E assim Merlim condenou-nos a este mundo de sofrimentos — explodiu o vagabundo. — O teste da fé já dura há muito tempo. Não terá fim?

— Quisera eu poder dizer-lhe. — E Melquior se interrompeu, com medo de suas palavras terem causado mais dor e confusão do que alívio.

O vagabundo começou a ficar mais calmo.

— Minha cabeça está muito desorientada para poder escutá-lo direito. Tenha paciência. Você também me viu lá naquele dia, mas não sabe.

— Quem é você?

— Lancelot do Lago, mas eu mal me reconheço mais enquanto tal. A caçada me levou a demasiados esconderijos, a demasiadas máscaras. Aquilo que sou agora, ninguém pode dizer. Poeira da estrada. — Ele falava com a voz meio embargada, como se seu fardo fosse pesado demais para se exprimir. — Durante muito tempo fiquei sozinho, mas a corte dos milagres me acolheu. Eu tinha virado um monge que vivia numa caverna, bem ao norte daqui. — Deu um olhar de censura à senhora do chapéu de feltro.

— Eu deveria rogar-lhe uma praga por ter me achado, minha senhora. Achei que tinha descoberto um canto do mundo tão pequeno e sujo que ninguém jamais me atormentaria de novo.

— Não te achei de propósito. Aconteceu, apenas. Esta é a única maneira de fugirmos da atenção de Mordred, já que qualquer plano que façamos fica exposto e pode ser descoberto por ele. Os pássaros voam daqui para lá sem plano algum. E Deus os protege. Anime-se, meu amigo. Seu lugar é aqui, na corte dos milagres, e não num canto imundo qualquer. — A senhora do chapéu de feltro dissera essas palavras com infinita bondade e o vagabundo deu, a contragosto, um sorriso.

— Eu já tive mais fé do que qualquer homem neste mundo — disse ele. — Achava que morreria ao lado do meu rei, e no entanto só faço acordar, e novamente acordar, e novamente acordar. Aprendi pelo menos que a morte não é um meio de escape fácil.

— O que deveria te dar a esperança de que Artur também não morreu — disse Pen. Os outros olharam para ela, surpresos.

— Não entendo como o súdito pode renascer, e não o senhor — disse ela, sentindo-se mais do que constrangida. — Perdoem-me, mas segundo o que contaram, toda a vida é uma história que precisa se desenrolar. As pessoas se habituaram a delimitar suas vidas a uma fina camada de tempo, mas talvez a gente continue, continue. Eu não sabia disso até encontrar vocês três, mas agora sei. Não posso culpá-los de perder a esperança às vezes, mas a história ainda não terminou.

— Eu não espero um fim — respondeu a senhora do chapéu de feltro. — Há muito tempo encontrei um lar, apenas viver o momento. A estrada que percorremos é a única história que jamais conheceremos.

— Mas se toda a vida de vocês se passa procurando, e nunca achando, então Mordred venceu — disse Pen.

— Talvez você tenha razão — respondeu meio melancolicamente a senhora. — Mas o que me preocupa mais agora é esta tempestade. Vamos até a cidade, se for possível. Sinto no mais profundo do meu ser que algo está por vir: a decifração da pedra é iminente, e isso talvez traga um fim que nenhum de nós poderia ter previsto.

VINTE E UM
A Fornalha

— Uma, duas — você gosta disso, né? Bem, não me apresse. Fique só mastigando isso aí e eu te darei mais.

Joey Jenkins, o encarregado da fornalha do colégio, estava falando sozinho enquanto trabalhava com a pá, em longas e largas cavadas. Seus braços e ombros eram cobertos de músculos bem esculpidos. A fornalha que ele alimentava era um colosso, como se fosse de uma locomotiva, ou como Moloch, o insaciável demônio da época de Moisés. Devorava montanhas de carvão, especialmente do tipo mole e fumacento fornecido pela diretoria do colégio.

— Está certo, coma tudo — encorajava Joey, como se estivesse falando com um bebê. Se estivesse prestando alguma atenção a Edgerton, que assistia soturnamente de um canto, não deixava que isso transparecesse.

— Preciso ficar aqui, só por uma noite — disse nervoso o garoto. Tremia pelo corpo todo, com o cabelo molhado pingando nas roupas completamente ensopadas.

— Eh — resmungou Joey, sem dizer sim nem não. Ele tirou um lenço sujo do bolso de trás e enxugou o suor e a fuligem da fronte; em seguida sentou-se em cima de um caixote de maçãs virado. Parecia estar julgando o assunto. — Por que Joey deveria te dar abrigo? Você nunca foi simpático com ele.

Edgerton remexeu os bolsos.

— Tenho um pouquinho de dinheiro, e poderia arranjar mais, talvez. — Ele estendeu a mão com duas moedas.

Joey começou a rir, mostrando os dentes.

— Como você vai arranjar mais, roubando? Provavelmente o que tem já foi roubado, né?

O garoto corou de raiva.
— Olha, não preciso de sua permissão, você não é dono deste lugar. Pelo que sei, não devia também passar as noites aqui. Talvez eu devesse contar a alguém.
— Contar a quem? — disse Joey, estreitando os olhos. — Aposto que você tá é fugido, é o que Joey acha. Talvez seja eu que te posso encrencar, hein? — Edgerton se pôs de pé, de olho na porta. — Senta, senta — disse calmamente Joey. — Nós dois não fazemos mais ameaças, tá bom? — O garoto obedeceu relutante. — Joey quer ser legal contigo, está vendo? Ele não quer mal para você, mas quer a verdade.

Uma chuva fria batia nas vidraças sujas de fuligem da sala da fornalha. Edgerton balançou a cabeça.

— Bom — disse Joey. E se levantou para alimentar de novo seu bebê, jogando duas pás seguidas cheias de combustível. O fogo rugiu e cuspiu chamas amarelas. No meio da barulhada, o homem preto gritou:

— Você e eu temos alguma coisa em comum, sabia? — Não esperou pela resposta do garoto. — Alguém entrou aqui e roubou um negócio do Joey. Sabe o que quero dizer?

— Não.

— Tem certeza? Umas noites atrás, eu saí só um pouquinho, e quando voltei tinham roubado esse negócio. É melhor você me contar.

— Eu já lhe disse. Não sei a respeito do que você está falando — disse Edgerton irritado.

— Bem, é gozado, sabe? Joey nunca conheceu um garoto que conversasse com ele, ou um professor que olhasse em seus olhos. E aí aparece você, escondendo-se aqui, buscando seu conforto. Por que isso?

— Porque é quente. É assunto meu, se eu quiser fugir do colégio.

— Talvez sim, talvez não. Joey não está interessado em dedurar, se você devolver o que é dele. — Com um clangor, o foguista atirou sua pá no chão, fazendo Edgerton dar um pulo. — O negócio que você pegou não adianta nada quando é roubado: só vai trazer problemas, com certeza.

— Se representa problemas, por que deseja tanto vê-lo devolvido?

— Não brinca com Joey, tá bom? Seus olhos enxergam a culpa, quando ela existe.
— Olha, eu não sabia que você ia ficar assim tão esquisito. Vou embora. — Mas antes que Edgerton pudesse se mexer, Joey estendeu uma mãozona, agarrando-o pelo braço. Edgerton berrou: — Ei, me deixa. Quem você pensa que é...
Impensadamente, Joey arrastou-o escada acima e lá para fora, na tempestade. As nuvens cada vez mais escuras tornavam-se mais pesadas pelo anoitecer que se aproximava rápido. Ao lado da porta, havia um barril de água pluvial, sob um tubo da calha jorrando água.
— Eu não estou brincando.
— Eu estou limpo, cara, por que não me acredita?
Joey agarrou Edgerton pelo pescoço e enfiou sua cabeça no barril. O garoto tentou gritar e aspirou meio pulmão de água. Joey tirou-o, arfante.
— A água tá fria, né? Vai me contar agora?
— Vá para o inferno — praguejou Edgerton, engasgando e cuspindo.
Joey sacudiu a cabeça.
— Isso é um erro. Às vezes você gosta, vou experimentar a fornalha com você.
Os olhos de Edgerton se arregalaram realmente de medo.
— Não! Você está maluco!
O que Joey teria feito em seguida permaneceu um mistério, porque vindo de não se sabe onde, um míssil feito de um pedaço de tijolo velho, atravessou o ar e bateu no lado de sua cabeça. Ele cambaleou, a ver estrelas. De maneira reflexa, sua mãozona agarrou com mais força o braço de Edgerton, para evitar que ele se contorcesse e escapasse. Outro pedaço de tijolo veio pelos ares, errando por pouco a têmpora de Joey e passando de raspão por seu cabelo. Sua vista clareou um pouco; as cortinas de chuva reduziam a visibilidade a poucos metros, mas ele conseguiu distinguir vagamente que seus dois agressores eram dois garotos, a cerca de vinte metros de distância.
— Estou vendo vocês — gritou Joey, apontando para o mais alto. — Ele achava que o nome dele era Tommy.
— Eu te acerto de novo, estou avisando — gritou o menino mais alto, levantando uma grande pedra do calçamento. O garoto

menor pegava também sua pedra, enquanto Edgerton se contorcia como uma enguia.
— Vamos — rosnou Joey. Ele arrastou o garoto, que chutava em todas as direções, ao voltar para baixo, e bateu a porta atrás deles. Os dois atacantes foram deixados sozinhos na chuva.
— O que faremos agora? — perguntou Sis, largando sua pedra. — Eu sabia que isso era uma má idéia.
Tommy arfava de ódio e de excitação.
— Tem alguma melhor? A polícia prendeu Derek; tivemos sorte de conseguir escapar. — E olhou para a porta fechada. — Precisamos entrar aí. — Acima da sala da fornalha havia duas pequenas janelas. Uma estava tapada com papelão, a outra opaca de tanta fuligem. Ele correu até a vidraça suja de fuligem e começou a esfregá-la com sua manga. — Não consigo ver nada. — Usando as bordas das mãos como se fossem limpadores de pára-brisa, conseguiu limpar um pedaço e ter uma visão embaçada do que acontecia lá em baixo.
— Ele o está matando? — perguntou Sis, olhando por cima dos ombros de Tommy.
— Não posso dizer com certeza. — A fornalha incandescente lançava um brilho amarelo meio manchado numa sala que, de outro modo, estaria totalmente às escuras; na fímbria de luz, duas figuras estavam enlaçadas, balançando como demônios a dançar diante da boca de um inferno.
— Precisamos entrar aí — repetiu Tommy. — Lembra da manhã em que deixamos o colégio, e você não quis voltar aqui? Bem, eu acabei exatamente neste lugar, e vi algum tipo de luz. Vinha lá de baixo, da sala da fornalha. Antes que eu pudesse investigar, Joey me pegou. Pensou que eu fosse Edgerton. Por algum motivo, queria agarrá-lo.
— Pegou-o agora — disse Sis soturnamente.
— Sim, mas havia outra coisa: Joey começou a me perguntar se eu sabia onde estava Artur. Parecia meio desequilibrado, porém a quem mais podemos apelar?
— Seremos nós os desequilibrados se tentarmos enfrentá-lo. Acho melhor voltarmos para pedir ajuda — insistiu Sis, sacudindo a cabeça.
— Pode ir, se quiser. Vamos simplesmente ser presos. Eu vou entrar. Tommy recuou alguns passos e se jogou com força de

ombros na porta. Ela se escancarou com um estrondo, fazendo com que ele descesse aos tropeções até a sala.
— Espere! — gritou Sis ansiosamente. — Onde está você? — Quando não obteve resposta, também não teve outro remédio. — Vou entrar. — E mergulhou na escada escura. Procurou às apalpadelas um corrimão inexistente, e quase deu um encontrão nas costas de Tommy.
— Espere.
— O que está acontecendo? — sussurrou Sis. Seus olhos se adaptaram à escuridão, e ele viu Joey de pé ao lado de um monte escuro — o corpo caído de Edgerton, que jazia no chão, mole e desconjuntado.
— Está morto? — exclamou Tommy.
Joey levantou os olhos; seu rosto estava desfigurado pela emoção.
— Não, ele caiu, foi só. Estava lutando contra mim, e quando o larguei, perdeu o equilíbrio e escorregou. — Sis começou a recuar escada acima, prestes a gritar ou fugir. — Não, não faça isso — pediu Joey. — Podemos resolver isso — Depois de um instante de hesitação, os dois meninos se aproximaram mais. — Eu já vi você antes. Você voltou — disse Joey; não parecia perigoso. Tommy balançou a cabeça, sério. — Isso é bom. Joey é legal com você se confiar nele.
Houve um ligeiro gemido, e todos viram Edgerton se mexer; primeiro a mão, em seguida toda a parte de cima de seu corpo. Tentava se sentar.
— Vamos lá — encorajava-o Joey, pondo o garoto de pé. — Você vai ficar bom. Eu só lhe dei um susto danado.
— Afaste-se de mim! — gritou Edgerton, mas estava tão cambaleante que quase caiu nos braços do foguista.
— Dê-nos uma mão, garotos, para lá. — E Joey indicou com o queixo o canto na extremidade da sala. Tommy foi até lá e encontrou uma caixa cheia de trapos; puxou para fora um cobertor todo esfarrapado. Sis arrastou a caixa de maçãs virada mais para perto, enquanto Joey arriou Edgerton em cima dela.
Edgerton empurrou o cobertor que Tommy lhe estendia.
— Não preciso de babá — protestou iradamente. E escondeu a cabeça nas mãos, enquanto os três esperavam pela sua próxima reação. — Vocês não vão me entregar, sabem.
— Ninguém vai amolar você, se me devolver o que é meu — disse Joey.

— Eu tinha tanto direito àquilo quanto você. O que fez, salvou-a do lixo? — Mas vendo a ameaça no rosto do sujeito, Edgerton disse rápido: — Fique calmo, cara. Eu não a tenho mais.

Um ar chocado tomou conta de Joey; deu um profundo suspiro, quase um gemido.

— Não, eu tinha medo de que isso acontecesse. Só tinha esperanças — disse ele lugubremente. Levantou-se e começou a atirar à toa pedaços de carvão dentro da fornalha. — Nunca mais voltará para Joey — murmurou.

— De que ele está falando? — perguntou Tommy.

Edgerton deu um olhar furioso, afastando do rosto fios de cabelo molhado.

— Vá pastar. Ninguém pediu para você se meter nisso.

— É a espada, não é? Também estamos atrás dela — acrescentou Sis. Quando Edgerton ficou de queixo caído, o garoto pequeno ficou todo cheio de si. — Está vendo? Eu tinha razão. E nós vamos pegá-la primeiro.

— O que sabe você sobre ela, afinal? — perguntou Edgerton desconfiado.

Tommy pôs a mão no ombro de Sis antes que ele pudesse responder.

— Sabemos o bastante. E se Joey tem razão a respeito de você ter roubado a espada, você deve saber muito mais do que finge saber.

Edgerton fechou ambos os punhos.

— Eu não a roubei — disse ele zangado. — Eu te disse, achei-a. — E se pôs de pé, cambaleando ligeiramente, em seguida endireitando-se. — Vocês não podem me manter aqui contra minha vontade.

Jocy deu de ombros.

— Você é que queria ficar — comentou tranqüilamente. E se virou para contemplar o fogo. Edgerton recuou alguns passos, ainda com medo de que o sujeito pulasse em cima dele. Ele saíra da fímbria de luz amarelada projetada pela fornalha, quando ouviram seus passos a subir a escada e sair pela porta afora.

— Tem certeza de que deveríamos tê-lo deixado ir embora? — perguntou Tommy.

— O que adiantava se ele ficasse aqui? Brigar não vai trazê-la de volta. — Joey parecia cansado. — Vocês também podem ir. Joey não acha que estão aqui por causa da sua companhia.

— Não vamos roubar nada de você, se é o que quer dizer — respondeu Tommy. — Precisamos de sua ajuda.

O homem se encostou na sua pá, refletindo.

— Muito estranho. Joey trabalha aqui há muito tempo. Ninguém vem. Ele parece um fantasma invisível. Agora três meninos entram todos molhados, saídos da chuva, e começamos a conversar sobre uma espécie de mistério, só que quem vai contar a verdade? Vocês? —O queixo de Tommy contraiu-se. — Bem, estamos todos aqui por um motivo, é o que Joey acha.

— Se é a verdade que importa, por que não começa você? — perguntou Tommy.

O sujeito encolheu os ombros.

— Bastante justo. Não tenho nada a perder. Trabalho aqui há muito tempo, como disse, e nenhum dos garotos conversa com Joey. Por isso só trabalho e não ligo. Um dia ouvi uma zoeira danada. Vocês se lembram quando o cachorrinho se queimou?

— Chips — disse Tommy. — Todo mundo sabe que foi Edgerton que fez aquilo.

Joey sacudiu a cabeça.

— Então todo mundo tá errado. Não foi ele, foi um cara. Chegou por aqui, meio escondido. Derramou querosene em cima do pobre Chips e riscou um fósforo.

— Como sabe? — perguntou Sis.

— Eu tava bem ali, porque seguia o cara, depois que o vi. Corri e o agarrei. "Por que fez isso?", gritei. Ele só sorriu e se livrou de mim. "Para chamar sua atenção", ele disse.

— A sua, por quê? — perguntou Tommy.

— Não sei. Fui ajudar o cachorrinho, mas o homem só ficou ali olhando, sem tentar correr ou nada assim. "Não se preocupe, o barulho é suficiente para atrair outras pessoas. Venha comigo", disse ele, e começou a ir embora. Eu não sabia o que fazer. Fiquei muito zangado, mas depois de algum tempo segui. Era um cara estranho.

— Qual é o aspecto dele? Já o viu na cidade? — perguntou Tommy.

— Talvez. Ele é alto, magricela, tem cabelo preto muito liso. Joey cuida do que é de sua conta, não conhece muita gente na cidade. De qualquer maneira, esse cara sabe por onde anda; veio direto para aqui. "Agora podemos conversar", disse; ele dá a impressão

de ser muito perigoso. "Viu como foi fácil para mim chegar até o cachorro?", disse. "Com a mesma facilidade chego a você ou a qualquer dos meninos daqui." Quando ele disse isso eu fiquei muito zangado. "Não adianta me ameaçar", gritei. "Dê o fora." Mas ele sentou, tranqüilo como ele só, e olhou para mim.
"— Não vá explodir prematuramente — disse ele. — Não vou te machucar. Na realidade, quero que trabalhe para mim. — E sabe o quê? Ele me mostra uma maçaroca gorda de notas.
"Eu digo: — Eu não gosto de você. Não preciso do dinheiro. — E ele só fica olhando para mim. — É o que achei que você diria. Mas talvez minha pequena demonstração faça você pensar. St. Justin existe há tanto, tanto tempo."
Joey fez uma pausa, absorto em suas recordações.
— O homem tem uma espécie de poder, porque quando disse isso, eu vi claro como uma foto, tudo ardendo. Ouvi os meninos gritando, as paredes desmoronando. Eu queria muito que ele fosse embora, por isso disse: — Que tipo de trabalho quer de mim?
"Ele gostou muito disso. Empurrou a maçaroca gorda na minha direção e disse: — É sua."
— Onde está o dinheiro? — perguntou Tommy.
Joey apontou com o polegar por cima dos ombros, gesticulando em direção à fornalha.
— Acha que aceitei o dinheiro para os meninos não serem queimados vivos? Só queria que ele fosse embora. Mas o homem não tinha pressa. Ele me examinava bem devagar, sorrindo. Eu estava fazendo tudo para ele não ficar zangado. Aí ele disse: — Quero que você ache uma coisa para mim. — Eu balancei minha cabeça. — Tá bem. O quê? — Ele disse: — Uma espada. — Bem, eu podia ter morrido de rir. — Ficou surpreso? — disse ele. — Claro que fiquei — disse eu. — Não tenho nenhuma espada.
Sis interrompeu:
— Mas você tinha a espada aqui embaixo. Edgerton não a roubou?
Joey sacudiu a cabeça.
— Não, não tinha. Ainda não. Eu disse isso a ele, mas o cara se levantou e disse:— É só procurar, e me dizer o que achou.
— Eu não tenho telefone, disse a ele, mas ele falou: — Estarei

por aí. Eu te acho. Isso me fez tremer. Sou um cara corajoso, mas ele tinha alguma coisa perigosa.
— E você achou a espada? — perguntou Sis.
Joey balançou compenetrado a cabeça.
— Ah, sim, Joey achou. E sabe onde? Lá fora. — E ele indicou o depósito de lixo do colégio.

Os garotos não podiam vê-lo por trás dos muros, mas o conheciam, uma extensão abandonada de terreno lá atrás da colina de St. Justin. Era muito mais antigo do que o próprio colégio, começando como uma depressão pantanosa, onde um lago préhistórico secara na Idade Média, quando a aldeia ficava a menos de dois quilômetros de distância, e as carroças cheias de lixo eram jogadas na depressão. Com o passar do tempo, a aldeia cresceu e virou cidade, e ninguém poderia precisar quantas camadas de profundidade tinha o depósito. Um professor de história de St. Justin brincou ameaçando liderar uma escavação arqueológica do local, o que alguém já teria feito, não fosse o fedor.

— É lá que Joey joga suas cinzas — prosseguiu o foguista.
— Eles não querem me deixar dirigir o caminhão, por isso levo na mão, num carrinho. — O carrinho de mão citado estava encostado num canto escuro. — Quando está molhado, as cinzas se acomodam, mas se o tempo está seco, gosto de enterrá-las um pouco. Um dia, estava trabalhando com minha pá, pensando em cavar uns 15 ou vinte centímetros, quando bati num troço. Isso é muito comum num terreno feito aquele, num terreno antigo. Mas olha o que achei. — Ele se levantou e caminhou até uma caixa de papelão meio amarrotada perto de uma parede. Os garotos não conseguiam enxergar o que ele tirara dali, mas quando voltou à luz, segurava uma flecha partida. — Estava bem raso e enterrado de propósito, um pedaço atravessado em cima do outro. — Absorto em seu caso, Joey não notou a excitação nos rostos deles.

— O buraco era recente? — conseguiu perguntar Tommy.
Joey sacudiu a cabeça.
— Não tão recente, acho. Está vendo como essa madeira está bichada? — E ele estendeu a flecha para que eles a examinassem; a haste estava podre ao ponto de se esfarelar, porém as penas estavam perfeitas e mostravam o desenho pontilhado em branco e preto de penas de falcão.

— Extraordinário — sussurrou Tommy.

— As coisas apodrecem rápido por aqui. Talvez a magia evite que apodreçam. — Joey não fez nenhuma pausa para explicar. — Peguei a flecha e a virei, pensando. Mas estava começando a chover pesado, como hoje, e eu queria voltar para dentro. Dei um último golpe com a pá, e foi então que a achei. A espada estava enterrada rasinha, só alguns centímetros.
— Isso é fantástico! — exclamou de repente Sis, incapaz de se conter. — Aquela flecha significa a gente. Nós a enterramos — quer dizer, Tommy. Se a espada estava debaixo, então éramos nós que estávamos destinados a achá-la. A gente deve ter chegado aqui atrasado, mas será que agora você poderia nos ajudar a reavê-la? Quero dizer, pode nos ajudar?
— Como poderiam ter enterrado essa flecha? Olha só para ela. Ninguém tem flechas assim hoje em dia.
Tommy deu um suspiro relutante.
— Você disse que queria saber a verdade. Bem, estávamos presentes quando o rei Artur perdeu a espada. Na realidade, Merlim fê-la desaparecer. Acho que Sis tem razão. Merlim deve tê-la posto debaixo da flecha, sabendo que a reconheceríamos. E não somos malucos.

A expressão de Joey não foi de incredulidade, mas de uma perturbação mais profunda.

— Sabem o que estão me pedindo?... Não, não sabem. — E se levantou lentamente, tirando seu suéter cinza sujo; vestia por baixo uma camiseta branca. Empurrou a abertura do pescoço para um lado, expondo seu ombro. Os garotos estremeceram. Mesmo à luz fraca da sala da fornalha, conseguiram distinguir o formato de uma palma de mão impressa a fogo na carne do sujeito. Era preta, contra o fundo preto, como uma mancha escura, e parecia recente.

— Como isso aconteceu? — perguntou Tommy, com a garganta apertada.

— O cara. Ele voltou. Era de noite, e eu estava doido, procurando em toda parte. A espada sumira; Joey não conseguia acreditar. Eu estava revirando a lenha em todos os lugares. Não o ouvi entrando, mas lá estava ele. "Você a achou", disse ele. "Não achei não. Dá o fora daqui", gritei. "Ah, sim, ela está aqui", afirmou ele.

Aí eu ri na cara dele, bem alto e estridente: 'O que o faz pensar que eu lhe darei, cara?' Eu estava maluco por ter perdido o negócio, nem sei por quê. Havia alguma coisa ligada a ela. Aí eu

disse: 'Além do mais, ela sumiu. Veja você mesmo.' Se acham que Joey estava ficando maluco, então precisavam ver o cara, virando tudo de cabeça para baixo. Ele empurrou lenha e caixotes até sangrar nas mãos. E aí de repente ele parou e olhou para mim, um olhar frio e perigoso. 'Quero ela de volta agora', ele avisou.
"— O que você vai fazer? Me dar mais dinheiro? — eu disse e ri de novo. Ele sacudiu a cabeça, e quando me dei conta meu cabelo estava arrepiado que nem um porco-espinho. E ele, o que fez ele? Foi até aquela fornalha e meteu a mão lá dentro. Sua mão! Eu devo ter começado a gritar, mas ele tirou ela lá de dentro vermelhinha, sem estar queimada, e antes que Joey pudesse se mexer, ele a pôs em mim. Desmaiei, porque a próxima coisa que vi foi o teto, e eu deitado no meio de toda aquela lenha revirada, e ele tinha ido embora."
— Então você tem medo de nos ajudar? — perguntou Tommy.
Joey deu um olhar intenso.
— Não fale sobre aquilo de que você não entende nada. — Tommy podia decifrar a expressão do sujeito agora, e o que via era ansiedade.
— Nós não temos medo — disse Tommy. — Merlim nos contou que Mordred pode perder. Sabe quem é Mordred? Ele é o homem que fez isso em você.
— Então é assunto meu, se tenho medo ou mato ele.
— Não pode matá-lo. Você está metido nisso junto com a gente, lembra? Foi você quem me disse para voltar se eu quisesse encontrar Artur. Por que disse aquilo?
— Artur? Esse é o nome na espada. Encontrei-o um dia quando estava sentado, polindo-a. Meu dedo encontrou algumas letras e, olhando bem de perto, consegui ler *Artur*. Ficou lá só uns instantes, sabe? Da próxima vez que olhei, tinha sumido. É só isso que sei, a não ser que fascinava Joey ter aquele troço. Fazia-me ter esperança. Pode me dizer por quê? — Uma expressão inesperada formou-se naquele rosto gasto, tanto de introversão quanto de inocência, como alguém se lembrando num átimo de algum doce sonho de infância.
— Eu não posso, mas tem um homem que pode. Quer conhecê-lo? — perguntou Tommy.
— Que homem?

O RETORNO DE MERLIM 313

— Seu nome é Derek.
Joey pareceu pensar, em seguida sacudiu a cabeça.
— Não, não adianta. Eu a perdi; tive minha chance. — Não se sabe se foi por causa de uma recordação há muito enterrada vir à tona, ou por se desfazer de algum último disfarce. Joey gritou de repente — Ah! — e jogou sua pá no chão, começando a andar para lá e para cá na sala. — Por que voltaram? Para torturar mais Joey? Deixem-me em paz.
— Não estamos torturando você — exclamou Sis. — Somos seus amigos.
— Ah! — Desta vez o grito se transformou num uivo. — Você é meu amigo, disse? Então o que vai fazer se Joey ajudá-lo? Vai devolver a espada para ele? — Sis se encolheu, mordendo o lábio. — Achei que não — disse amargamente Joey.
— Não podemos dá-la para você — protestou Tommy. — Não é por que não queremos. Há muita coisa em jogo. — Mas Joey já tinha apanhado de novo sua pá e atirava carvão na fornalha com renovada ferocidade; sua recusa em continuar a discutir era bastante evidente.
— Não pediríamos se tivéssemos mais alguém a quem recorrer — disse Sis, suplicante. De alguma maneira, as palavras pareceram surtir efeito contrário, embora não fosse essa a intenção. Os músculos da base do pescoço de Joey se contraíram.
— Vamos embora — disse Tommy. — Não foi uma boa idéia, e ainda precisamos encontrar Derek. — Os dois garotos subiram a escada e saíram na chuva, fechando a porta atrás deles.
Encolhido diante do rugir das chamas, Joey murmurou:
— Não falem sobre aquilo que não entendem nada. — Agora jogava o carvão como um escravo demente, ou como uma alma sem nenhuma esperança de ser algum dia libertada da fornalha do inferno. — Acho que Joey não vai mais ser popular.

VINTE E DOIS
Acampamento Cigano

— O senhor não pode ajudar um pobre homem? — implorava a voz saída das sombras. — Só um pouquinho de comida e uma cerveja.
— O quê — o que você disse?
— Estou passando necessidade. Por favor. Posso lhe mostrar uma coisa.
Era escuro e chovia do lado de fora do bar, e Artur estava bêbado.
— Me mostrar uma coisa? Por que eu haveria de querer? — respondeu ele azedamente.
— Quereria, se o senhor me conhecesse — persuadia o sujeito, aproximando-se. — Sou um sujeito decente, de cabo a rabo. — Inclinou-se numa postura confidencial para transmitir essa informação, e Artur recuou. O sujeito não chegava a exalar um doce perfume. Cerdas pretas e ásperas cobriam seu queixo, e ele se mexia nervosamente, olhando para os pés, como se o respeito próprio fosse uma ilusão há muito tempo perdida. Era inequivocamente um mendigo.
Artur dobrou sua cabeça para trás, contemplando turvamente a placa de madeira que oscilava em correntes rangedoras. — Que lugar é este, aliás?
— Este aqui? The Orb. Todo mundo dessa região conhece o Orb.
As letras entravam em foco e em seguida se desfocavam de novo.
— The Orb and Merlin. Eu já estive aqui, não estive? Esqueci. — Artur enfiou a mão no bolso, remexendo as duas últi-

mas libras que tinha. — Estou me sentindo endinheirado hoje à noite. Por que não entramos para uma saideira?
Para sua surpresa, o mendigo permaneceu onde estava.
— O senhor é a própria bondade, mas se não se importar, eu pediria que me trouxesse uma cerveja até a porta.
— Trazer para fora? Ridículo.
— Não precisa me dar este olhar endemoninhado. Lembro quando o senhor era mais bondoso.
— Lembra de mim? — De porre como estava, aquela censura encontrou eco dentro de Artur, por demais profundo para que dele tivesse consciência. O mendigo o olhava de maneira esquisita. *Este aqui é mais tímido do que uma donzela,* pensou Artur. De repente sentiu sede e um grande desejo de se livrar do vagabundo. — Vou entrar — disse num tom de voz um pouco alto demais. — Pode me seguir, se quiser, mas será por sua conta.
— E empurrou a grossa porta de carvalho, com as vidraças embaçadas pela fumaça e pelo calor lá dentro. The Orb and Merlin estava repleto. A turma que vinha mais cedo, a que vinha tarde, e a que vinha de vez em quando tinham todas decidido que aquela era uma noite por demais horrível para ficar em casa.
Ele começou a abrir caminho aos empurrões até o bar.
— Ai! — Esbarrara com o tornozelo numa mesa ocupada por quatro sujeitos. Um deles se levantou de um pulo, com a camisa ensopada de cerveja.
— Ei, cuidado — avisou o sujeito. — Calma aí, cara — emendou outro.
Artur fez um gesto polido com a cabeça, querendo evitar brigas, e prosseguiu.
— Um Old Peculiar, disse ele ao *barman.* — Meia dose. — Não era das bebidas mais comuns, mas já que os turistas freqüentavam bastante o Orb and Merlin, a casa tinha um bom estoque, e logo um copo era colocado diante dele.
Antes de esvaziá-lo, Artur examinou a sala. *Engraçado, todo mundo deve pensar que sou igual a eles.* Entediados, infelizes no trabalho, infelizes na cama, malcasados com alguma megera, cansados — havia uma dúzia de motivos corriqueiros e bem comuns para que os demais se embebedassem. Não faziam idéia de como ele era diferente. Então ele pôs as pontas dos dedos delicadamente no peito. *Ainda está lá.* Entornou o copo e

deixou que a cerveja descesse por sua goela num único gole frio. Aquela coisa no meio do peito nem chegou a notar. Pesada, ardendo, apertada, ela ignorou a última dose de anestesia do mesmo modo como ignorara todo o resto.

— Mais uma? — perguntou o *barman* ao botar o troco de Artur no balcão.

Artur pensou na oferta. Ele poderia tentar apagar. Talvez funcionasse.

— Não, vou esperar um pouco.

O *barman* balançou tolerante a cabeça. Reconheceu Artur da noite anterior, e da noite antes daquela, tal como o faziam os *barmen* do Mortal Man, do Known World, e do Pestle. Mas Artur não lhes dizia seu nome, nem nada a seu respeito. Se por acaso alguém o reconhecesse de sua época na polícia, ele se afastava.

Somente duas coisas fizeram da visita daquela noite algo diferente, e o mendigo foi a primeira. A segunda é que Artur se deu ao trabalho de olhar para cima do bar, onde havia um quadro dependurado. Retratava um mago com um chapéu pontudo, uma longa barba esvoaçante e um cetro arredondado. A expressão do rosto do mago era indescritível. Quem quer que o houvesse pintado, esforçou-se para conseguir um efeito de misticismo, mas o resultado foi um cruzamento de rabugice com azia. Merlim olhava com uma expressão de dispepsia a turma embaixo, que por sua vez o ignorava completamente. Salvo uma pessoa.

Artur deu um sorriso afetado.

— Vocês esqueceram da bruxa.

— O que é? — perguntou o *barman*.

— Ele precisa de uma bruxa. — Artur apontou para o quadro. — Ou talvez ele a tenha acertado com aquele pau. Talvez ela ainda esteja por aí, e ele não esteja mais na ativa.

— Como o senhor quiser. — O *barman* deu de ombros. Há muito tempo que ele nem sequer enxergava mais o quadro. Artur perdeu o interesse e se virou para examinar a sala.

Ela estava lá. Ele piscou como uma coruja, sem ter certeza absoluta. Mas era ela mesma. Aquela coisa no seu peito também reparou, provocando-lhe uma careta de dor. Ela estava sentada sozinha numa mesa de dois, como se estivesse esperando por ele. O rosto mostrava-se meio de perfil, porém mesmo sem olhar nos seus olhos, Artur sentiu-se doido de desejo.

Meu Deus, como é que eles podem ficar aí? A beleza dela era como um milagre, e no entanto os outros homens na sala continuavam a conversar como se não houvesse nada fora do comum. Seu cabelo louro caía em cascata sobre um dos ombros, como um pano de ouro jogado displicentemente, e seus seios pareciam nus sob uma jaqueta creme. Sua pele brilhava, como se tivesse sido iluminada por dentro. Se ele não soubesse o que sabia — que ela era a coisa mais perigosa do mundo — jamais teria sido capaz de controlar seu desejo.

Suas mãos suavam quando ele percebeu que começara a atravessar a sala. Então, afinal, ele não haveria de se controlar.

Ela levantou os olhos quando ele se aproximou.

— Sente-se — disse polidamente.

Ele parou, aquela coisa no peito dilacerando-o como uma garra de ferro.

— Você veio aqui. O que quer?

Ela não respondeu, e ele podia perceber que ela não sabia bem como lidar com ele.

— Com licença — disse ele. — Vou me embora agora.

— Não vá. Você me amedronta, o modo como está reagindo a isso tudo. — O rosto de Katy se iluminou de repente, e um sorriso emergiu como o sol, quase fazendo-o cambalear de esperança. Em seguida, Artur percebeu que não era para ele que ela sorria. Ela acenou para um homem que acabara de entrar pela porta, mas que ainda não a vira.

— Aqui — gritou ela, acenando com mais força. Era Amberside, que a localizou e devolveu seu aceno. — Você poderia pelo menos se sentar? Antes que haja uma cena.

Uma cena? Artur sentiu um ímpeto de rir; se tivesse, teria saído um riso histérico.

Mas Amberside chegou depressa, colocando-se entre ele e ela.

— Desculpe, querida Katy, estava tentando marcar outro encontro com Westlake. As perspectivas para sua readmissão parecem boas. — Amberside beijou-a e começou a se sentar.

— O que houve com Katy?

Amberside não devia ter ouvido Artur, mas a expressão nos olhos de Katy fizeram-no olhar para trás.

— Desculpe, não o vi aí em pé. Quer nos fazer companhia?

Artur sacudiu devagar a cabeça.

— O que houve com Katy? — repetiu embriagado. Sentiu como se fosse vomitar.

Katy parecia ansiosa.

— Isto é constrangedor — disse ela em voz baixa. — Não quero um tumulto. Não aqui.

— Ah, não vai haver nenhum tumulto — respondeu Amberside. — Olha, Callum, que fim levou o saber perder no amor como na guerra?

— Você não a ama e não há justiça nenhuma no seu modo de guerrear.

Artur viu Katy estender sua mão por cima da mesa, agarrando a de Amberside. Ele sorriu, dando uma palmadinha nela.

— Sou um homem de muita sorte. De certa maneira, este espetáculo de ciúmes é algo lisonjeiro. Sei que não sou tão jovem ou bem-apessoado quanto...

Artur sentia vontade de gritar. Fazendo um supremo esforço, disse:

— Vocês dois me fizeram isso, não foi? Eu era o tolo, e agora a armadilha se fechou. Digam-me só quem são vocês. Devem-me pelo menos isso.

Amberside olhou-o com uma tranqüilidade total.

— É inacreditável quando as pessoas reais falam como se participassem de uma novela, não é, querida? — Katy balançou debilmente a cabeça, parecendo mais nervosa.

Ela não consegue se sair realmente bem, pensou Artur. *Ele é o artigo autêntico.*

Amberside apertou com mais força a mão dela.

— Fique calma, eu me livrarei dele — cochichou. Levantou-se e deu um passo em direção a Artur. Agora sua postura tinha algo de ameaçador. — Que papelão, meu amigo. Vamos nos casar dentro de alguns dias, e se você fosse um cavalheiro de qualquer espécie...

— Ele não é cavalheiro coisa nenhuma. Precisa de ajuda? — Era um dos sujeitos sentados naquela mesa que antes levara o encontrão de Artur.

— Está tudo certo, obrigado. Posso lidar com a situação. — Decepcionado, o homem recuou, a murmurar. — Está vendo? — disse Amberside, sorrindo confiantemente.

Artur sabia que se ficasse, gritaria. Assistir ao mal escondido por trás daquela meiga fachada, era intolerável. Artur virou-se para contemplar o retrato de Merlim em cima do bar; fitava-o, sem oferecer-lhe nenhum consolo.

Uma semana antes, Artur começara a ter ciúmes, depois de ter notado que Katy e Amberside sempre aproveitavam as oportunidades de ficarem sozinhos. Ouvia conversas em tom de cochicho que cessavam logo que ele entrava no recinto.

— Não me provoque assim — explodira Katy, quando ele mencionou o problema. — Ou confia em mim, ou... — Ela não acabou a frase. Porém, seus ciúmes ardiam como a mordida de uma cobra venenosa, e um dia, quando achou ter ouvido os dois dentro do quarto, de porta fechada, começou a bater nela, tendo perdido todo o controle.

— Vou derrubá-la, eu juro, se não abrirem. — E Amberside abrira, revelando a terrível imagem impressa a fogo no cérebro de Artur. Vira aquilo que vira, mas era inaceitável.

Recordações de imagens de horror vinham à tona, rompendo o torpor etílico em seu cérebro, parecendo monstros marinhos: um espelho estilhaçado, Katy agachada no chão, rosnando como um bicho, Amberside segurando a porta entreaberta para que Artur visse. Sofrendo e com medo, viu-a estender o braço, a suplicar:

— Eu te amo, te amo tanto. — O rosnado dela tornou-se uma fala gutural, como se partisse de um cão humano.

— Dê o fora!

Ele não pôde se recuperar do choque, e durante dias seu cérebro dava voltas. Quem era ela verdadeiramente? Como era possível que ostentasse tanta beleza para ele, quando os demais homens não deixavam de ver nela a garota sensaborona que ele havia conhecido antes? Enojado pela recordação, Artur deu meia-volta, levando o peso morto de seu corpo a atravessar a sala.

Um, dois, um, dois, viu-se a contar seus passos para ter certeza de continuar andando. Depois de ter conseguido sair ao ar livre, sentiu-se melhor, a náusea diminuindo na chuva fria e escura. Não parecia ser jamais possível reconquistá-la. Ele percebeu ter sido enfeitiçado e perdeu a esperança.

— Você está com um aspecto horrível, companheiro. Jogado fora pela patroa? — Era novamente o mendigo. Devia estar esperando nas sombras ao lado da porta. — Acho melhor lhe mostrar aquilo que prometi mostrar.

Artur sentiu vontade de arrebentar a cara dele. Apertou os dois punhos e deu um soco descontrolado, mas não se sabe como a cara do sujeito não estava onde devia estar. O soco desequilibrou Artur, fazendo que com caísse de cara na lama.
— Posso ajudar, chefe?
— Filho da puta. Não zombe de mim. — Artur levantou-se cambaleando e escorregou de novo. O vagabundo ria de mansinho. — Meu Deus — murmurou Artur. Ele cuspia lama, incapaz de se livrar do saibro entre seus dentes.
— Vamos embora. Eles estão te esperando.
Que besteirada era aquela.
— Me deixe — protestou Artur, por demais murcho para tentar novamente uma saída violenta. Sem ligar para mais nada, deixou que sua cara afundasse na lama macia. Mas sentiu uma mão forte que o levantava, e dentro de instantes encontrava-se inclinado sobre o capô de um carro.
— Ele está com uma aparência pavorosa — comentou uma voz estranha.
— Não está em seu juízo perfeito — disse o mendigo. A porta de trás se abriu e Artur sentiu-se transportado como um saco de batatas para dentro do carro. Ele caiu para um lado. O estofamento de encontro a sua face era liso, frio, de plástico.
Carro barato, registrou sua mente, em seguida viu as luzes dos postes que passavam em cima, antes que tudo se embaralhasse e virasse um bem-vindo nada.

Ele acordou com a espada aninhada em seus braços.
— Onde estou? — balbuciou.
— Aqui.
— Onde fica isso?
— Fique apenas deitado e procure segurá-la. É afiada, e um pouco fria, lamento muito. — Era o mendigo, mas Artur mal reparava nisso. A espada era inevitável, pesando incrivelmente sobre seu peito. Ele não tinha a mínima idéia de que fosse tão pesada. Tentou mexer a mão direita, mas alguém agarrou-a.
— Não — disse o mendigo. — Eu disse para ficar aí quieto deitado, não lembra? — Sim, é claro que ele se lembrava. Artur sentiu que seu peito empurrava a espada para cima e para baixo.

Estava perfeitamente equilibrada por todo o comprimento de seu corpo, estendendo-se dos pés à garganta.
— Acha que agora pode se sentar? — perguntou o mendigo depois de algum tempo.
— Não quero — protestou Artur, com uma voz distante e fraca.
— Não, você precisa. — As mãos fortes do mendigo o levantavam. Era terrível sentar-se, e quando retiraram a espada, ele se sentiu como uma criança que perdesse a coisa mais preciosa do mundo. — Chore se quiser. — Artur sacudiu a cabeça, mas lágrimas quentes escorriam por suas faces. Puseram uma caneca na sua mão. — Vamos lá, beba. — O chá era tão amargo que ele quase engasgou. — Sorva-o apenas. — A bondade na voz do mendigo rompeu mais outro véu de sofrimento, e Artur ouviu-se a soluçar.
— Você me achou, não foi? — A voz de Artur soava fraca, mas começava a dar a impressão de que lhe pertencia. Seus olhos estavam agora abertos. Ele podia distinguir dois homens, o mendigo e o outro, que deveria ter dirigido o carro. Sentavam-se ao lado de sua cama em algum quarto pequeno, apertado como a cabine de um navio, e iluminado por um lampião a querosene em cima. — Eu talvez vomite — disse Artur, enjoado pelo cheiro de querosene.
— Está bem, vamos sair. A chuva passou — disse o mendigo. Quando o ajudaram a se levantar e sair, ele percebeu que não estavam numa cabine, mas numa espécie de carroça ou vagão de madeira. — Cuidado com a escada — disse o outro homem. Uma rajada de vento frio noturno atingiu-o no rosto, e em seguida ele estava sob as estrelas, que eram brilhantes e prateadas, como se tivessem sido lavadas pela chuva.
— Espantoso — murmurou, ao olhar em volta. Tinha emergido num círculo de seis carroças pintadas de vermelho e de verde vivos, todas iluminadas por uma enorme fogueira no meio. Carroças de ciganos, lembrava-se de sua mãe falando sobre eles.
— Achei que vocês tinham todos sumido.
— É o que dizem — respondeu o estranho. Os dois homens faziam-no caminhar em círculos, como se estivessem esfriando um cavalo de corrida, fazendo-o recuperar suas pernas.
A cabeça de Artur parecia entorpecida, mas um nome de livros de histórias veio-lhe à mente. *Lancelot*. Olhou perplexo para o mendigo.

— Lancelot?
— Não fale muito, majestade — sussurrou o mendigo. Artur podia perceber as lágrimas por trás da voz do sujeito; não, uma emoção demasiadamente profunda para provocar lágrimas. Circularam um pouco mais em silêncio. — Podemos voltar lá para dentro? — sugeriu o mendigo. — Não quero que os outros o vejam antes de tudo estar claro.

Artur balançou a cabeça, e voltaram a subir a escada de madeira. Seu estômago se acalmara e a fumaça de querosene não o deixava mais enjoado. Notou que os dois homens só se sentaram depois dele. Era assim que costumava ser, pensou consigo mesmo.

— Quero que conheça um amigo — começou o andarilho.
— Paddy Edgerton — apresentou-se o outro homem, estendendo a mão. Artur apertou-a e teve a clara impressão de que aquele amigo estava constrangido, inseguro. — Eu também sou novo aqui. Por isso me tolere.

— Onde fica isto aqui? Não o reconheço.
— Nós vivemos em movimento, mas esta é a corte dos milagres — disse o mendigo.

As palavras abalaram a mente de Artur. De repente, ele era um menino na caverna de cristal, e Merlim lhe ensinava, o quê? A imagem se dissipou.

— Corte dos milagres — repetiu ele monotonamente.
— Sim, majestade. Estivemos a sua espera, mas não espere se lembrar de nós — disse o mendigo. — De nenhum de nós. — Havia um tom lamentoso na sua voz.

Artur espantou-se.
— Mas eu me lembro de você, não é?

Uma onda de emoção tomou conta das feições do mendigo, enquanto ele fazia força para responder.

— Todos nós mudamos — disse ele afinal.
— Você também. — As palavras soaram tão vazias que Artur teve vontade de rir.

— Esta é a única corte que sobreviveu da antigüidade. — A voz do mendigo era tranqüila como a noite. — Sabe disso, não sabe? Merlim sumiu, passaram-se épocas. Nós sobrevivemos, lamento dizer, por um fio. — Artur fitou-o confuso, em seguida uma onda de sofrimento golpeou-o de novo.

O estranho, Paddy Edgerton, levantou-se, parecendo mais nervoso.
— Uma parte desta conversa é difícil para absorver. Talvez eu devesse ir embora.
O mendigo sacudiu a cabeça.
— Ajudaria se você ficasse. Só para contar a história. — Artur não escutava e essa troca de palavras parecia vir de longe. Paddy Edgerton voltou a se sentar, e o andarilho inclinou-se mais para perto. — Ponha sua mão na espada, mantenha-a aí.
Quando seus dedos descansaram no frio aço, Artur voltou de regiões distantes.
— Uma história?
— Sim. Nós conseguimos algo extremamente importante recuperando a espada, e este homem, nosso amigo, é aquele a quem devemos agradecer. — Artur deve ter mostrado uma expressão vazia, pois o andarilho acrescentou: — Sabe que esta é Excalibur, não sabe?
Desta vez, o abalo provocado pelo nome foi demasiadamente forte para ele. Artur gemeu e se contorceu, enquanto a dor queimava sua garganta, o aço cruel do inimigo a cortar os delicados tecidos. O volume do sangue encheu sua boca, engasgando-o.
— Deixe-me morrer — tentou dizer, porém a bênção da morte não vinha. A dor diminuiu aos poucos, até ele se encontrar novamente na cabine.
O mendigo estava ajoelhado, estreitando Artur num forte abraço.
— Não, não, fique aqui — implorava ele, com um tom de voz desesperado. Artur deu um gemido, afastou debilmente os braços do mendigo e se sentou.
Visivelmente perturbado, Paddy Edgerton lutava consigo mesmo.
— Isso poderia ser apenas uma loucura. Tudo isso poderia ser.
— Não — disse Artur. — A loucura seria voltar a partir. Nenhum de nós vai sair, a não ser que consigamos passar por isso juntos.
A lucidez de sua fala pegou Paddy e o vagabundo de surpresa.
— Acho que tem razão — admitiu relutantemente Paddy.
— Bem, se é minha história que quer ouvir, eu não me importo. Onde quer que eu comece?

— Comece por onde você descobriu pela primeira vez algo sobre a espada — sugeriu o mendigo.

— Está bem, tanto faz começar por aí quanto por qualquer outro lugar. Meu filho, Jerry, achou-a primeiro, não sei exatamente como nem onde; nós não nos falamos muito, ele e eu, hoje em dia. Deve ter sido na semana passada. Ele andava se escondendo e um pouco mais emburrado do que de costume. — Paddy parou, infeliz. — Desculpe, estou lhe fazendo uma maldade. — Ele enxugou o rosto e desviou o olhar. — Sabe, você não é o único que encontrou uma porção de coisas estranhas. Mas depois chego aí.

— Meu filho deve ter descoberto a espada e sem dizer nada a ninguém. A primeira coisa que soube é que recebi um dia em casa a visita de um cavalheiro. Eu estava aleijado então, preso à minha cadeira de rodas. Permanentemente, diziam. — Estas palavras fizeram-no interromper novamente o relato, tentando conter as lágrimas. — Jesus e Maria — murmurou, secando os olhos com um gesto brusco. — Desculpe. Isso está virando uma verdadeira choradeira.

— Não temos pressa — disse o mendigo.

Paddy sacudiu a cabeça e prosseguiu.

— Esse cavalheiro se chamava Amberside e disse morar na vizinhança. Uma casa grande no final da rua, uma mansão, para dizer a verdade. Não queria muito deixá-lo entrar, mas estava carente de companhia. Vocês não sabem o que é ficar preso, para um homem como eu que foi a vida inteira ativo. Este cara me informou que sua alcunha profissional era Ambrosius. "Que espécie de nome é esse", perguntei-lhe. "E qual é sua profissão?". Ele me parecia algo teatral.

"— Ele disse: 'Não importa onde fui buscar o nome. Estou aqui para oferecer minha ajuda.' É claro que imaginei que ele quisesse me passar a perna de alguma maneira, mas antes de eu poder abrir a boca, ele estendeu sua mão sobre minha perna doente. Sem tocá-la, mas apenas girando sua mão em círculos, muito devagar. Pôs-me nervoso, mas num instante comecei a sentir que minha perna esquentava e em seguida dava uma mexida. Sabe, não mexia nada há mais de um ano, nem um pouquinho. 'Você agora pode mexê-la, não pode?', perguntou-me. Eu balancei a cabeça, por demais amedrontado para falar. 'Experimente levantar', disse ele.

"Confesso que meu coração estava aos pulos. Eu me acovardei e de repente ele gritou: 'Agora!' Quase pulei daquela cadeira; antes de perceber onde eu estava, ele me segurava pelo lado. 'Está certo, vamos', disse ele. Dei um passo ou dois, e de repente tudo cedeu. Caí e ele mal conseguiu me pôr de volta na cadeira, senão teria despencado como uma coisa mole no chão. 'O que está fazendo comigo?', disse eu, tremendo de ódio. 'Você não pode simplesmente vir aqui e brincar comigo.' Senti-me lesado pela maneira como ele conseguiu me fazer levantar e em seguida anulou tudo aquilo de repente.

Ele ficou lá sentado, olhando-me por muito tempo, em seguida dizendo: 'Meus poderes são limitados'. Agora, que diabo queria ele dizer? 'Posso curá-lo, mas não sozinho. É preciso mais alguma coisa, você compreende, não compreende?' Eu o deixei falar. 'Você tem um filho, acredito?,' perguntou. Disse-lhe que sim. 'Ele roubou uma coisa de mim e preciso dessa coisa para curá-lo', disse. É claro que era uma coisa terrível de se dizer, não era? Não tenho dúvidas de que meu Jerry já surrupiou uma coisa ou outra, não sou ingênuo, mas eu não podia compreender aquela insinuação. 'Meu filho pode me curar?', perguntei. 'Não, não,' disse ele, começando a ficar irritado. 'Ele é um ladrão.'

"Uma coisa é você falar mal do próprio filho, por isso aquilo mexeu comigo. 'Não o chame de ladrão, se não puder provar', disse eu. 'Vou buscá-lo.' Ambrosius ficou realmente zangado então. 'Você é um tolo', disse ele. Em seguida se levantou e saiu intempestivamente da sala.

"'Espere', chamei, quando ele estava quase na porta. "Tentarei recuperar a coisa.' Ele me olhou. 'Não vai conseguir apenas pedindo, sabe?' Disse: 'Está bem, farei o que for preciso.' A última coisa que ele me disse foi: 'Vê lá se faz mesmo', e em seguida bateu a porta. Fiquei estupefato. Confesso que bebi tanto aquela noite que a patroa não quis falar comigo. Mas eu resolvera na minha cabeça."

— E como conseguiu reaver a espada? — perguntou Artur.

— Não me orgulho do que fiz. Peguei-a debaixo do colchão do meu garoto, com ele gritando e berrando. Foi uma cena. Saí do quarto dele, segurando a espada no colo, e aí fui rodando até o patamar em cima da escada, e lá estava Ambrosius embaixo.

'Como foi que você entrou?', perguntei. 'Não importa. Dê-me ela', disse ele. Recuei. 'Dá-la para você? Não, até você fazer aquilo que prometeu', disse a ele. Seus olhos estavam escuros e excitados, parecia que estávamos discutindo sobre alguma mulher. "Mas antes que ele dissesse mais nada, me deu um estalo. *Não preciso dele.* Nunca soube como adivinhei isso, mas respirei profundamente e me levantei, livrando-me logo da cadeira. — 'Dê-me!', gritava ele, só que mais sibilante que uma serpente. "De repente percebi que se ele pusesse as mãos naquela coisa, eu não viveria para contar a história. 'Saia da minha casa. Vou chamar a polícia', avisei-o. Comecei a caminhar em direção ao telefone, no vestíbulo ao lado do meu quarto, e dessa vez sem vacilar como da primeira vez em que ele me instara a andar; realmente curado. Quando peguei o telefone a linha estava morta, e alguns segundos depois senti cheiro de fumaça. Talvez devesse ter acordado todo mundo, porém meu primeiro impulso foi correr até lá embaixo e pegá-lo."
— E foi capaz de correr? — perguntou o mendigo.
Paddy deu um suspiro profundo, tentando lidar com suas emoções.
— Não tive tempo de pensar em milagres, sabe? Com cinco pulos eu já estava embaixo, correndo até a porta do porão. Rolos de fumaça saíam de lá agora. Aí, percebi uma coisa. Era um truque. Na agitação esquecera a espada. Eu podia ouvi-lo andar lá em cima. O que poderia fazer? Tinha que arriscar e me esconder lá embaixo, na esperança de que ele não matasse Edie, nem o garoto. Sabia que ele me mataria na primeira oportunidade.
"Não devem ter passado dois minutos, mas naqueles dois minutos eu morri no lugar de Edie e de Jerry, confesso, rezando para que não acontecesse nada de mal a eles. Eu tinha razão, aquele demônio do Ambrosius desceu correndo a escada. Eu podia ouvir Jerry batendo na porta, tentando acordar a mãe. Mas não tive tempo de pensar mais neles. Quando Ambrosius veio correndo em direção à porta da frente, agarrei-o. Ele caiu, e tive sorte. A espada cortou-o no rosto. Ele gritou e tentei agarrá-la.
— Não percebi cicatriz nenhuma esta noite no rosto dele, — disse Artur.
— Não veria. Tenho certeza de que ele é capaz de fazer coisas que chamaríamos de sobrenaturais. Sou um homem forte,

mesmo depois de um ano na cadeira de rodas, porém seu braço poderia ter-me esmagado como uma maçã mole. Foi isso que quis dizer, quando disse que tive sorte; eu jamais poderia tê-lo derrotado numa luta honesta. Com dois safanões, a espada estava em minha posse. Corri para a rua, ouvindo um uivo; as sirenes estavam vindo. Então, a casa ardeu como uma caixa de fósforos. Dei uma última olhadela, olhando para trás, e fiz uma oração para Edie e o menino. Depois disso, que Deus tenha piedade de mim, a única coisa em minha cabeça era fugir.

O desenrolar da história de Edgerton deixou atrás de si uma esteira de silêncio. O vento se levantara, e o lampião de querosene, balouçante, fazia com que o quarto parecesse oscilar.

— Tivemos sorte em encontrá-lo — disse o mendigo. — Um de nós viu você fugir correndo naquela noite, e o seguimos pelas ruas menores até os campos. Não foi tão difícil depois disso.

Edgerton balançou a cabeça.

— Acabei num barracão de ferramentas de um fazendeiro naquela noite, e teria ficado lá, não fosse o medo de ser descoberto. Mas não estava longe daqui, certo?

— Perto — concordou o vagabundo. Os dois homens pararam de falar.

Artur disse, compenetrado:

— Fiquei preocupado com essa história. Até que ponto podemos acreditar nela?

— Juro que é verdade. De que outra maneira pude andar? — perguntou Paddy, num tom de voz truculento.

— Ninguém viu isso — recordou-lhe o mendigo. — Observamos você na estrada durante várias horas, pensando no que fazer. Ambersidc é um caçador, e sabe que quanto maior a presa, maior a isca necessária para pegá-la.

Paddy pensou a respeito.

— Prossegui correndo e disfarçando da melhor maneira possível.

— Ele poderia tê-lo usado sem você saber. Você deixou um rastro que ele talvez consiga seguir, se é que ele não o fez fugir de propósito. — De repente um tom de autoridade tomou conta da voz de Artur, fazendo com que os dois homens se virassem para ele. — Não posso deixar de pensar com meus botões; ele já teve acesso a você duas vezes, e agora o perdeu convenientemente. — As palavras eram quase uma acusação, e Paddy Edgerton deu um olhar carrancudo em direção a Artur.

— Quem sou eu para suspeitar de você — disse delicadamente Artur. — Aqui está. — Ele estendeu a lâmina com mãos firmes, como se ela quase não pesasse nada. Paddy Edgerton pegou-a sem alegria, em seguida ficou sentado num silêncio pensativo. O mendigo quis protestar, mas um olhar de Artur o deteve.

— Não podemos nos enganar presumindo ter-nos livrado de Amberside — disse Artur. — Não tenho ainda o poder de protegê-los; mal consigo proteger a mim mesmo.

Paddy falou sem levantar os olhos.

— Acha que pertenço a isso aqui?

O andarilho respondeu:

— É você que deve decidir. Ser daqui é uma escolha.

— O que quero dizer é, se eu levar a espada, ela me protegerá, mas e o resto de vocês? Tive tempo de refletir. Quando Ambrosius, ou Amberside, conforme vocês o chamam, fez uma encenação de me curar, eu caí em seu joguinho. Quando me pediu a espada, quase dei a ele. Isso me amedronta.

— E deveria mesmo — disse o mendigo. — O rosto do mal pode apresentar uma máscara de bondade, misericórdia e até de amor, conforme a necessidade. Estamos nesse jogo há muito tempo, porém seus logros são tão enrolados, que até nós temos dificuldade em imaginá-los.

— Como vocês se protegeriam se eu fosse embora, então?

— Como antes. A corte sobreviveu como uma folha, deixando que o vento nos soprasse à vontade. Somos mestres da evasiva.

— E isso é uma vida que se leve?

— É a que conhecemos — disse o mendigo com simplicidade.

Depois de uma pausa, Paddy disse:

— Então, se me permitirem, gostaria de ficar. — O mendigo sorriu de gratidão, mas Paddy sacudiu a cabeça, virando-se para Artur. — Não vou segurar a espada, contudo. Já recebi seu benefício, se é que assim posso chamá-lo. Querem me ver em segurança? Não sei como isso será possível agora. Ele virá me buscar novamente.

— Sim — concordou Artur em voz baixa.

Com a solenidade lenta de um ritual, Paddy ergueu a espada.

— Farei o máximo para ser-lhe leal. Não faço promessas, e desde já lhe digo que talvez eu não agüente, que precise voltar. Qualquer homem de juízo seria capaz disso. Artur balançou a cabeça, à medida que a exaustão tomava conta dele. O mendigo embrulhou um cobertor em volta dos ombros de Artur e fê-lo voltar a se deitar delicadamente na cama.

— Vou embora agora, só por um tempo — disse Paddy em voz baixa, levantando-se. — Se deixei um rastro para que Amberside o seguisse, é melhor levá-lo para longe de vocês. Espero voltar dentro em breve. — Virou-se para sair, mas sentiu que Artur pegava sua mão, beijando-a, tal como um súdito faria a um rei.

Descontrolado, Paddy começou a rir e a chorar ao mesmo tempo.

— É muito engraçado. Eu não valia muito como caráter, sabiam? Sempre fui assim, só que não conseguia reconhecê-lo. Nunca contei a ninguém, mas arrumei de propósito aquele acidente na gráfica que me fez ficar encostado, e sabem por quê? De modo que eu pudesse fracassar como me convinha. Isso é uma dignidade bastante doente, não é? A espada me reergue, e meu segredo é que nunca quis isso. Talvez vocês tenham cometido um erro.

Artur sacudiu a cabeça, seus olhos fechando-se num cochilo sonhador e profundo.

Paddy saiu bruscamente, deixando por um momento a porta aberta, que o vento bateu. Era impossível distingui-lo a fugir no escuro, ou ouvir seus passos, fosse lá para onde eles o levassem. O silêncio foi quebrado apenas uma vez, quando Artur achou ter ouvido um grito. Era provavelmente uma coruja a caçar pequenas criaturas noturnas, ou talvez sua presa. O lampião de querosene balouçava loucamente, e o quarto oscilante parecia perdido no mar. Em seguida o vento apagou o lampião. Se ainda houvesse um mundo tranqüilo lá fora, ele deixara de ser visível. Os dois homens que permaneceram na carroça não tinham outra alternativa senão dormir, deixando que a noite fluísse cada vez mais depressa de um mundo desconhecido para o próximo.

VINTE E TRÊS
A Terra Escura

Melquior preferia dormir sozinho debaixo de uma carroça do que dentro das cabines abafadas. Olhando através dos raios da roda pintados de vermelho e verde, viu Artur que voltava depois da meia-noite. O retorno do rei excitava-o profundamente, mas o vagabundo e a mulher do chapéu de feltro concordaram que ele precisava de um período de adaptação, pelo menos até de manhã. Dormir debaixo da carroça oferecia pouca proteção contra o tempo. A frieza do chão passou para as roupas de cama de Melquior, embrulhadas com força em volta dele. Sobrava somente uma frestinha para seus exóticos olhos escuros. Dormira assim inúmeras vezes ao pé do catre de Merlim, como um guarda do palácio das *Mil e uma noites*.

Quando o aprendiz acordou no frio da madrugada, o acampamento cigano estava silencioso. Não havia pássaros cantando. As matas vizinhas só ousavam respirar de leve, como se algo importante estivesse sendo esperado.

— Você está acordado.

Ele se virou para ver Pen que avultava acima dele na escada, segurando na porta da carroça.

— Sim. Estou esperando.

— Eu também — disse ela. — Achei melhor me vestir. — Melquior se levantou, desenrolou sua roupa de cama e se espreguiçou como um gato. A carroça de Artur ficava bem na frente deles, do outro lado da clareira. A fogueira no meio havia se reduzido a um pequeno monturo cinzento de cinzas e cotocos de pau. — Este é um verdadeiro acampamento de ciganos? — perguntou de repente Pen. — Não vejo como poderíamos passar despercebidos do pessoal da cidade.

— Mas passamos. Este lugar é como a caverna de cristal. Merlim deixou-a para que fosse achado pelas pessoas que a soubessem achar, e por mais ninguém. Alguém que descesse a estrada — e ele apontou para o caminho poeirento ladeado de carroças que fazia uma curva e entrava no acampamento — seria capaz de passar por nós e ver só um campo vazio.
— Então, Merlim poderia vir a um lugar como este?
Uma expressão espantada, porém satisfeita, surgiu nos olhos de Melquior.
— Espero que sim. Este lugar é um sonho dele, e estamos abrigados em seu sonho. Mas a existência do acampamento é frágil. Será dissolvido ou esmagado, uma das duas coisas.
— Mordred destruiu todos os lugares parecidos com este, depois que os encontrava, não foi? Mas por enquanto é seguro, e uma beleza. — Pen erguia os braços na direção do sol, que acabara de nascer sobre o círculo de pinheiros verdes e negros na beira do acampamento. Um primeiro calor fraco da luz do sol prometia um bonito dia.
— Eu não ia contar a ninguém, mas dentro em breve terei de ir embora.
O rosto de Pen se ensombreceu.
— Por quê?
— Porque meu mestre me chama. Uma das coisas que sou capaz de fazer é entrar e sair de seus sonhos, sendo este o modo como posso protegê-los. Se houver uma interpretação da pedra, a atenção de Mordred será despertada. Será sobretudo o momento mais precário. Caso tenhamos êxito em decifrá-la, ele será levado à beira do fracasso, e sua reação haverá de ser de ódio e de fúria contra todos nós. E se fracassarmos, não vale a pena falar o que ele fará então.
— Será que Merlim deseja que você o atraia para longe?
— Talvez. Só sinto que devo ir.
Se a situação fosse outra, Pen talvez ficasse com medo, mas perder Melquior só lhe trazia tristeza.
— Então estou por minha conta, sozinha?
Sem responder, Melquior subiu os degraus e ficou ao lado dela. Pegou uma concha pendurada num prego ao lado da carroça e a mergulhou no tonel de colher água pluvial, ali perto. A água potável que se acumulara durante a noite tinha um gosto forte, de poeira, como se tivesse absorvido o perfume da tempestade.

— Não — disse ele, com um tom de voz delicado, porém firme em sua certeza. — O acampamento pode desaparecer, mas você não ficará sozinha. Você despertou; está trilhando a estrada. As pessoas que ainda não despertaram são as que ficam sozinhas.
— É realmente verdade? Eu nunca costumava sentir solidão, mas durante os últimos dias, houve momentos em que parecia...
— Como se estivesse morrendo — terminou ele a frase para ela. — Como se seu antigo eu estivesse morrendo. O que é bem diferente. Como era sua vida antes? Todo momento vivido por você lhe fornecia algo para ver, sentir ou pensar, porém todo momento trazia com ele também a morte, pois a experiência desbota, e de uma centelha viva se transforma numa memória morta. Pouco a pouco, esse fardo de memórias vira um enorme recife de coral que você precisa carregar. Ninguém pode lhe tirar esse fardo ou carregá-lo para você, e carregar essa enormidade mortal é a tarefa mais solitária do mundo.
— Você faz a coisa parecer terrível. Mas se a vida é tão intolerável, por que não mudamos?
— Hábito. Mordred se fia no efeito entorpecente do hábito.
Ela se lembrava, como uma dor aguda, que Derek lhe falara certa vez de uma maneira exatamente igual.
— Meu marido acreditava que os magos existiam para dar às pessoas uma esperança de que não eram impotentes.
— Sim. Renunciar ao poder equivale a deixar que *ele* o exerça. Mordred é como uma nuvem escura sobre a terra. Ele se alimenta do medo. A guerra e o crime, a fome e a pobreza, tudo isso o faz crescer. Mas há um segredo que ele não conhece. A terra é mais do que a soma de seus padecimentos. A despeito do hábito e do entorpecimento, uma pessoa pode achar o início da estrada, e se ela for corajosa, todo aquele enorme fardo de medo — o peso morto do passado — pode ser descartado.
Melquior olhou-a com seus olhos fluidos e profundos.
— Foi o que você fez. Abandonou o mundo conhecido de estalo, e iniciou uma caminhada rumo àquele território sobre o qual Mordred não tem poder nenhum: o desconhecido.
— Não é esta, contudo, a via mais solitária? Caminhar e caminhar, enfrentando o desconhecido sem nada na mão? Derek costumava dizer que acordar toda manhã era a perspectiva mais terrível que cada pessoa tinha que enfrentar.

Melquior balançou a cabeça.

— O terror existe, certamente, Mordred fez questão disso, e mesmo depois de você se libertar o medo projeta suas sombras durante muito tempo. Mordred também conta com isso. Ele pôs sorridentes demônios às portas da liberdade, de modo que ninguém, ou somente muito poucos, consigam enxergar o que existe além.

— E o que existe?

— Exatamente o que você descreveu, um caminho que se aproxima a cada passo do desconhecido. Já descobriu como se chama esse caminho.

Ela sacudiu a cabeça.

— Amor. O caminho livre, a poeira, os passos que não deixam pegadas, constituem o caminho do amor. — A voz de Melquior alteou-se de novo. — O amor não pode ser capturado. Tudo que vocês mortais chamam de amor, vira veneno tão logo seja preso. Porque meu mestre me ensinou que atrás da porta da liberdade, depois dos demônios do medo, não existe nada senão o amor.

— Eu estava errada, então. Nunca mais me sentirei solitária, não é?

— Não. Em nome do amor é impossível a solidão. — Melquior passou um braço em torno de Pen.

O sol se levantara mais alto no céu atrás deles, esquentando seus ombros. A porta da carroça se abriu do outro lado da clareira; Artur saiu, tendo na mão uma espada que brilhava como a luz do sol liquefeita. O mendigo apareceu junto com ele, mas quando Artur se encaminhou em direção a eles, o mendigo deixou que ele fosse sozinho.

— Estou muito contente em te ver, Pen. Parece uma eternidade. — Artur não demonstrava timidez nem insegurança na voz, mas uma força nova.

— Sim, uma eternidade. Sinto muito por ter ido embora sem lhe falar, porém aconteceram coisas. — Ela parou, mal sabendo o que dizer. Melquior pegou sua mão e fê-la sentar-se na escada.

— A teia do tempo quase se fechou — disse ele, dirigindo-se a Artur. — Você encontrou a espada, ou mais exatamente, a espada o encontrou. — Ele olhou em direção a Pen. — E o mesmo aconteceu com a pedra. Isso é notável e provavelmente inédito. Na época de Artur, essas duas ocorrências só poderiam ter acontecido pela injunção de Merlim. Quero lhes contar o que o Mestre me disse a respeito delas.

— Excalibur tem muitas vidas, e só Merlim as conhece todas. Quando a espada apareceu primeiro, os antigos galeses chamavam-na de Caladvwch, que significava "forte relâmpago". Para eles, seu poder era violento, porém justiceiro. Quem quer que a usasse possuía a garantia de ter a justiça a seu lado. Quando reconquistou seu trono, Artur precisava dela por essa mesma razão, para provar que era rei de direito.

— Merlim deu uma busca nas profundezas da terra e do mar para arrancar a espada do esquecimento. Quando os magos ficaram aborrecidos com os humanos, recusaram-se a deixar Excalibur em suas mãos, onde sempre fora usada para derramar sangue. Merlim tinha outros planos para ela, um plano místico de que os mortais mal desconfiavam. Ele arquitetou uma maneira de a espada da violência se tornar um meio de acabar com a violência. Acredito que Mordred não desconfie disso e queira apenas a arma para fins do exercício do poder e da intimidação.

— A espada porá um fim à violência matando Mordred? — perguntou Artur.

— A tentação seria essa, mas é impossível matar o mal. A espada só pode voltar às mãos daquele que estiver pronto para a grande obra, a alquimia.

Essa palavra não era a que Artur ou Pen esperavam.

— Eu lhes disse que a pedra era chamada Alkahest, ou metamorfose. Quando me viram passar da forma de um pássaro para a que tenho agora, eu sabia que vocês dois haviam sido escolhidos para ter acesso a essa sabedoria. O fato de terem achado a espada, confirmou-o. O verdadeiro nome da espada, sabem, é *destino*.

O aprendiz ficou pensativo.

— Não é todo mundo, mesmo entre os mais sábios, que acredita na capacidade de os mortais abandonarem a violência, mas Merlim tinha fé. "São ferozes como macacos selvagens", costuma dizer. "Porém, os macacos teriam vergonha da moral deles. Já estive a ponto de abandoná-los inúmeras vezes. Afinal, esta é a única esperança." E ele erguia a Alkahest.

Pen estivera observando Melquior, na esperança de conservar uma imagem dele em sua memória depois que ele partisse. Agora, à medida que sua voz se tornava mais suave, ela prestou atenção exclusivamente nela.

— Será que poderei me lembrar de tudo isso?

— Não tente. Esse não é o tipo de sabedoria que se aprenda; é o tipo em que você se transforma. — Melquior continuou: — O alquimista combina quatro elementos em seu caldeirão, e deles produz uma preciosa substância: ouro. Os quatro elementos são a terra, o ar, o fogo e a água. Cada um deles é um mistério, e não uma coisa comum.

— O alquimista sabe que a terra, o ar, o fogo e a água são a matéria-prima da existência terrena. As pedras são terra, o vento é ar, o sol é fogo, o mar é água. Ao serem combinados, surgiu a vida, mas eis o mistério. A terra, o ar, o fogo e a água não são vivos, então como a vida poderia ter sido criada por meio deles? Quando o alquimista fala em "ouro", quer dizer "vida", este é o objetivo secreto dessa pesquisa. Mordred reina sobre um mundo da morte, mas se decifrarmos corretamente a pedra, roubaremos o segredo da vida eterna debaixo de seu nariz.

Melquior sorriu ao pensá-lo, mas Pen tremeu, com medo de continuar ouvindo. Seu medo avisava-a que eles trilhavam terra proibida.

— Por que está nos contando tudo isso?

— *Porque* não é uma pergunta que se possa fazer ao destino. O destino é. É a ponta da faca, o ponto aguçado que te prende sem fuga possível.

— Você me amedronta.

— Não há nada a temer daquilo que é, somente daquilo que se imagina ou se recorda. — Porém, uma expressão preocupada tomou conta do olhar de Melquior.

— Recordar? Acabei de recordar algo sobre a noite passada. Sonhava com dragões... — Pen se interrompeu. De uma maneira incrível, uma neblina baixa se levantara da floresta, apesar do céu claro em cima. Pen queria apontar para ela, mas percebeu que os outros não a viam. Não era nevoeiro, mas a neblina do seu sonho. Ela a vira penetrando por baixo da porta então, invadindo seu quarto até enchê-lo. *Os magos têm poderes para levantarem um nevoeiro.* Ela sabia disso, de algum modo e seu coração pôs-se a galope. Passando por cima de sua cama, a neblina se apressara e pulsara. Talvez fosse Merlim. Ela estendera a mão, e a neblina fervilhara. Um focinho cheio de escamas e asas coriáceas começaram a surgir, e ela deu um grito.

Agora, quando Pen voltara ao juízo de vigília, percebeu que Artur estava bastante abalado, como ele de certa maneira ficara no sonho. Ele agora fitava o nevoeiro baixo, que passava pelas árvores de maneira propositalmente furtiva. Melquior pareceu não notar, mas seu comportamento também mudara. Contemplava Pen de maneira distante, como um médico apalpando um paciente em busca de algum tumor suspeito.

— Se eu pudesse prepará-la melhor para isso, eu o faria de todo o coração — disse ele compenetradamente. — Ainda abriga temores dentro de você, e *ele* há de sabê-lo. Terá de confiar em mim, como eu confio em você.

— Está bem. — Um gosto de ferro surgiu na boca de Pen e ela se viu tremendo à medida que o nevoeiro alcançava a clareira. A mulher do chapéu de feltro verde estivera embaixo da escada, observando Pen, Artur e Melquior. Os outros rostos, cinco ou seis, não foram reconhecidos por Pen, a não ser um sujeito quase escondido nas sombras das árvores, que a lembrava de Paddy Edgerton.

O nevoeiro se acumulava em volta deles todos, cobrindo-os até os joelhos, em seguida até as cinturas. Ninguém notava, ou reagia.

— Já é hora? — perguntou a mulher do chapéu de feltro.

Pen sabia que eles esperavam que ela mostrasse a pedra, para começarem sua leitura, que constituía seu tão esperado milagre. Ela sentiu um impulso incontrolável de sair correndo, de descer depressa a escada, derrubar para um lado a mulher do chapéu de feltro, antes de correr o mais rápido possível para casa. Ela se ouviu dando um profundo suspiro. O nevoeiro crescente fervilhou, exatamente como no sonho. Seus músculos tremiam incontrolavelmente e, através de uma visão turva, ela conseguia distinguir os rostos preocupados de Artur e do aprendiz.

Melquior apertou sua mão.

— O que está acontecendo? — perguntou Pen, arquejando, mas antes que alguém pudesse responder, um rugido ensurdecedor fez tremer as carroças. Instintivamente ela pôs a mão na cintura, mas a bolsa de veludo não estava atada ali. Deixara a pedra lá dentro, e de repente ela percebeu que fora um erro.

— Preciso ir...

Suas palavras foram engolidas por uma explosiva cachoeira sonora. Melquior estava tenso e parado.

— Eu temia isso — disse ele soturnamente. Um terceiro rugido surgiu, seguido de uma sombra que escureceu o nevoeiro, que já tapara o sol. — Salve os outros — gritou o aprendiz. O ar se enchera de repente de fumaça acre, e ela não conseguia enxergar mais ninguém a não ser Melquior. Ele sacudiu a cabeça. — Nós nos adiantamos demais. Não há outros. A corte está sendo esmagada. — De alguma maneira além de sua compreensão, ele segurava a bolsa de veludo na mão; jogou-a para ela. Ela teve bastante presença de espírito para amarrá-la em volta da cintura.

Agora o nevoeiro se dissipara e o vulto que assomava em cima tomou forma. Alguma coisa enorme e escamosa flutuava a meia altura. Seu bafo acre fazia arder a face de Pen, e ela distinguiu os olhos do bicho, grandes como travessas. No seu medo e no ímpeto louco de fugir, não conseguia distinguir se o bicho era branco ou vermelho. À primeira lambida das chamas, as carroças explodiram num calor infernal, mas Melquior já a fizera recuar uns 15 metros.

— Não pare de correr! — gritou ele.

E a empurrou violentamente em direção aos altos pinheiros. Em vez de ser derrubada, ela foi voando com seus pés, dando grandes saltos sobre as pedras e as toras.

Dragão.

O animal horrendo berrava, e ela sentiu um calor escaldante nas costas. O pavor não deixava espaço para que pensasse, mas ela sabia que Melquior ficara. Olhou para trás. Todas as carroças estavam em chamas. As pessoas haviam se dispersado, se é que não tinham sido queimadas vivas. Somente uma pantera negra permanecia na terrível luz das chamas. Agarrara o dragão pelo pescoço, mordendo profundamente. O sangue vermelho escorria sobre suas mandíbulas, enquanto o monstro-serpente se contorcia de dor. Mas não fora suficientemente ferido. Ergueu seu pé com garras de navalha e golpeou fundo o flanco da pantera. O animal caiu enlanguescido ao chão, sem nem sequer um tremor.

Não havia mais tempo de olhar para trás. As árvores voavam ao lado do rosto de Pen, como se fossem elas a correr, e não Pen. Facas quentes rasgavam seus pulmões, enquanto ela ofegava, quase incapaz de respirar. O tempo desaparecera, tornando-se um longo corredor para sua fuga, e à medida que ela tomou distância do acampamento, a sensação de estar sozinha ganhou cada vez mais força.

Ela alcançou a fímbria da floresta e teria continuado a correr se não tivesse topado com uma imagem que jamais esperara rever: a rodovia. Duas pistas de asfalto jaziam em seu caminho, separadas de outras duas do lado oposto por uma divisória de concreto. O simples caráter comum de uma estrada asfaltada aturdiu-a. No instante seguinte ela a reconheceu como a estrada que passava a alguns quilômetros de Emrys Hall. Sentiu-se confusa.

Seu coração batia como o coração de um coelho, mas ficava difícil se lembrar por quê. Ficava difícil recordar qualquer coisa anterior a encontrar-se na margem da estrada. Ela passara de um mundo para outro. A julgar pelo sol, devia ser quase meio-dia, percebeu Pen, e um fluxo constante de tráfego passava zunindo. Uma buzina tocou impaciente. Ela deve ter se aproximado demais dos carros. *Cuidado.* Virou à direita e caminhou num passo igual até em casa.

Mais um veículo, um caminhão pesado, passou com um estrondo, fazendo tremer o ar. Por um momento, Pen imaginou que fosse uma carroça cigana. Ela apressou o passo, quase correndo; precisava voltar para casa. No caso de estar sendo perseguida ou não pelo dragão, ela ansiava voltar para um lugar seguro. Ainda estava apavorada e relutante em pensar no que acontecera. Somente em seu coração mais profundo, ela se rejubilava sobretudo pela grande obra que começara.

A poeira é mais do que sujeira; é o cartão de visita do passado. Poeira remexe com recordações do que foi perdido ou esquecido, quando nada mais perdura. A poeira jamais apavorara Derek antes, mas ele hesitou no pórtico de sua casa, abalado e sem poder falar. Foi a poeira que lhe indicou que sua mulher não estaria ali. Com um absurdo despropósito, viu-se dizendo:

— Ela normalmente cuida tão bem da casa.

— Com certeza — disse Peg Callum polidamente.

Através dos portais abertos de Emrys Hall a poeira se acumulara como um grosso sepulcro. Cobria tudo. Os pisos de mármore ostentavam um tapete cinzento granulado. Dos balaústres da escada, pendia um bolorento drapeado e até os cristais do candelabro haviam perdido seu brilho e pareciam confeitos de açúcar cristalizado sujos.

— Pen? — gritou Derek. Ele entrou no vestíbulo deserto, deixando aparentemente atrás de si as primeiras pegadas em séculos. Houve o barulho de pezinhos com garras fugindo, em seguida silêncio. — Pen?

— Talvez devêssemos tomar cuidado. Parece malassombrado — disse Tommy pouco à vontade.

Peg respondeu.

— Acho que os fantasmas levam uma geração ou duas para se acomodarem.

O abalo da decadência parecia fazer com que todo mundo fizesse comentários despropositados. Somente Sis, o último a entrar, mantinha silêncio. Era a maior casa que ele jamais vira e, portanto, o intimidava, mas tal como a poeira os meninos pequenos ignoravam esse fato. Ele escondia um monte de coisas debaixo da cama no colégio: revistas em quadrinhos do Homem Aranha, bolas de críquete, o ninho de um passarinho.

— Por quanto tempo esteve ausente? — perguntou Peg. — Tem alguma maneira de calcular?

Derek sacudiu a cabeça.

— Não acho que tenha sido o tempo que andei ausente que provocou isso — respondeu ele soturnamente. — Alguém está tentando obliterar o fato de que já morei aqui. — O papel de parede descascando e o mofo verde cobrindo os aquecedores frisavam mudamente esse comentário. Parecia um lugar, pensava Derek, onde se poderia ser enterrado vivo.

Esse pensamento fez Derek sentir outra pontada de medo por sua mulher.

— Eu gostaria de dar uma olhada em volta sozinho, se não se importar.

— Sim, é claro. Mas depois disso, talvez devêssemos ir embora. — Peg sentia vagamente, depois de tirar Derek da clínica geriátrica, que a polícia viria no encalço deles. Não que ele houvesse cometido qualquer crime.

— Renasci dos mortos — disse ele, quando Peg o encontrara no quarto do hospital — mas até onde sei, não se pode ser condenado por isso.

A enfermeira encarregada, que levara Peg até o quarto, parecia desconfiada e aliviada ao mesmo tempo.

— Boas notícias, não é? Alguém neste mundo, afinal de contas, o conhece.

— Sou sua cunhada — insinuou Peg num tom de voz hesitante.
— E quem será ele? Precisamos saber antes de o deixarmos ir, sob sua responsabilidade.
— Derek Rees. Sir Derek Rees. — Peg olhou constrangida para Derek, que estava sentado numa poltrona, com a cabeça virada para outro lado.
— Verdade? — exclamou a enfermeira encarregada. — Sabe, acho até que já ouvi falar dele.
Derek levantou os olhos.
— Gostaria de ficar sozinho com minha visita, se não se importar, enfermeira. — A enfermeira saiu e Derek sacudiu a cabeça. Levantou-se e caminhou até a janela. Tinha uma expressão distante, mas em seguida virou-se para ela. — Desculpe, eu nem sequer disse que estava contente em vê-la. E estou, tremendamente contente.
Peg atravessou o quarto e foi abraçá-lo.
— Não sei por que vim até aqui. Você não pode imaginar minha surpresa quando descobri que era você mesmo. Você é Merlim, quero dizer, o homem que a polícia vinha procurando.
— Sim. Eu devia saber que não poderia simplesmente reaparecer. Eu estava caminhando de volta a casa, junto à rodovia, quando me avistaram.
— Arranjou essas roupas num bazar de caridade?
Derek olhou para a camisa e as calças penduradas no encosto de uma cadeira. Pó, sangue, suor, manchas de grama, folhas, migalhas de pão, queijo e asfalto da estrada manchavam cada centímetro que não estava rasgado ou esticado até ficar deformado.
— Um registro de minha viagem — disse ele, fazendo uma careta. Ele estendeu os braços, abraçando-a de novo. Peg começou a chorar baixinho, com o rosto enterrado no seu roupão do hospital.
— As coisas são tão amedrontadoras — disse ela numa voz estrangulada.
Ele a apertou delicadamente.
— Eu sei.
Quando ela se deu conta, já haviam dado alta da enfermaria; apesar da curiosidade e suspeita, a enfermeira encarregada deixara Peg assinar os papéis.

— Os médicos dizem que você está bem — admitiu a enfermeira — e a polícia não tem autoridade sobre você, eu investiguei.

— Que ótimo — resmungou Derek.

Só tinham ido para Emrys Hall como último expediente. Tommy e Sis encontraram Derek do lado de fora dos portões de St. Justin. Quando pegaram Derek, a polícia não tinha reparado nos meninos. Em caso de algum problema, os três já haviam combinado que se encontrariam atrás do colégio.

— Achamos que você estivesse preso — disse Tommy.

Apesar de aliviados por verem Derek, foi uma reunião triste. Os garotos contaram seu encontro com Joey e Edgerton.

— Perdemos a espada — lamentou-se Sis. — Eu gostaria que a gente não tivesse deixado o lado de lá.

Os garotos queriam fugir de novo. Derek propôs que em vez disto, fizessem uma reunião para discutir sua estratégia, se conseguissem algum lugar seguro para debater. Levaram duas horas de caminhada por campos molhados até chegarem a Emrys Hall. Viajar pelas estradas era muito ostensivo. Agora estavam cansados e com os nervos à flor da pele.

— Aqui não é seguro — disse Tommy, examinando as ruínas daquilo que antes fora um lar. — *Ele* fez isso.

— Não vamos nos demorar muito tempo — disse Derek. — A probabilidade é que o local esteja tão deserto quanto parece. Mas quero ver se descubro uma pista do paradeiro de Pen. Esperem aqui. — Seus sapatos acumularam camadas de poeira enquanto ele atravessava o vestíbulo e entrava na sala de estar. Estava mofada e úmida. Ninguém tocara nas camadas de poeira em cima dos estofados. Derek não parou para examinar a sala. — Podem vir até aqui, se quiserem — chamou. Os demais vieram todos e começaram a tirar teias de aranhas das cadeiras.

— Só falta o bolo da Srta. Havisham — comentou Peg. — E um vestido de noiva apodrecendo.

— Não se atormente. Voltarei logo — prometeu Derek. Os outros sentaram-se cautelosamente, enquanto seus passos o levavam ao andar de cima.

— Acha que teremos de passar a noite aqui? E se não encontrarmos outro lugar para ir? — perguntou Tommy.

Peg olhou em volta, com uma expressão de dúvida.

— Não sei como poderíamos.
Sis caminhou até o armário das antigüidades, cujas portas estavam entreabertas. Fechou-as displicentemente. As portas envidraçadas que davam para o jardim também estavam abertas, expondo as cortinas de seda à chuva que entrava, que as manchara, provocando longas listras marrons. Folhas mortas trazidas de fora pelo vento se misturavam aos desenhos florais do tapete de Aubusson.
— Você é amiga de Derek? — perguntou Sis.
— Somos parentes. Ele é casado com minha irmã.
— Ela deveria estar aqui, não deveria? Caso contrário, algo deve ter lhe acontecido. É sua irmã mais velha? — Peg balançou a cabeça. Os olhos de Sis estavam tristemente postos sobre ela.
— Eu e Tommy não queremos ficar no colégio. Não era tão agradável assim antes.
— Era terrível — emendou Tommy.
— Está certo, era terrível — concordou Sis com a cabeça.
— Eu não era corajoso naquela época, e isso o tornava ainda mais terrível.
— Ficou mais corajoso agora? — Peg se lembrou que seu filho, Artur, já fora tão sensível e pequeno quanto aquele ali, com a mesma idade.
— Era preciso ser corajoso onde estivemos. — Sis fez uma expressão compenetrada. — Fazia frio na floresta e não tínhamos o que comer na maior parte do tempo. Vimos pessoas serem mortas na nossa frente. É muito chato voltar.
— Imagino que sim.
— Logo que voltamos, pensei em sair por aí contando às pessoas sobre nossas aventuras, mas Tommy disse que não seria legal. Todo mundo ainda nos encara da maneira como encaravam antes. Não percebem que passamos por, como se chamam mesmo, Tommy?
— Peripécias.
— Não é uma palavra genial? Peripécias. Do lado de lá as peripécias eram realmente de meter medo. Às vezes eu quase chorava. — Tommy resmungou algo. — Não seja mau, ralhou Sis. — Uma menina teria chorado o tempo todo, mas não havia nenhuma delas.
— Felizmente, para ser sincera — comentou Peg. — As meninas tendem a tirar o brilho das peripécias.

Com bastante emoção, acrescentou Tommy:
— Eu não acho. Um brilho extra é o que uma menina teria exatamente provocado.
— E agora, o que será de vocês? — perguntou Peg. — Sem peripécias, fartos do colégio, e ainda sem estar na época das meninas.
Sis sacudiu desconsolado a cabeça.
— Não sei. É por isso que Derek diz que precisamos de estratégia, para não esquecer quando nos tornamos comuns de novo. — Nenhum dos garotos parecia ter mais alguma coisa a falar depois disso.
Ao voltar de cima, Derek segurava um pote na mão.
— Pelo que posso perceber, a casa foi abandonada, mas alguém andou remexendo todas as minhas coisas no quarto. Achei isso no chão.
Tommy reconheceu que ele continha maquilagem de teatro.
— Já vimos isso antes — disse excitado. — Merlim nos disse para procurar tinta azul. É uma pista, ele disse. E Joey Jenkins me disse a mesma coisa.
Derek balançou a cabeça.
— É espantoso o que essa tinta azul aprontou para mim. — Ele ergueu uma luva de pelica. — Isso estava dentro de uma cômoda ao lado do armário. Devo ter deixado a casa apenas com uma no bolso, aquela que *ele* talvez ache, se procurar bastante. É preocupante. Não me pergunte por quê, mas não gosto de deixar isso para trás.
— Podemos devolvê-la para o senhor, se quiser.
A voz fê-los todos darem um pulo.
— Quem é você? Como entrou aqui? — perguntou zangado Derek, virando-se para encarar a figura corpulenta num terno cinza, quase tapando a porta inteira.
O comportamento do intruso era tranqüilo.
— Meu nome é Westlake, sou inspetor de polícia, e entrei da mesma maneira que o senhor, pela porta da frente aberta. Não sabia que havia alguém aqui. — Ele estendeu uma carteira preta de identidade gasta, com um emblema e foto. — Suponho que seja Sir Derek Rees.
— É verdade.
— Bem, aceite minhas desculpas por entrar assim, mas

seria útil se o senhor respondesse a algumas perguntas. Reconheço a Sra. Callum — Peg balançou a cabeça, franzindo a testa — e provavelmente hei de saber quem são esses garotos.

— Não tenho certeza se saberia — respondeu Derek, defensivamente. — Seu assunto é comigo.

— Este assunto, como o senhor o chamou, tem uma maneira estranha de atrair as mais estranhas personalidades. É inigualável, em minha experiência. O senhor se importa? — Westlake tirou do bolso um grande lenço branco e limpou com ele a poeira da extremidade de um divã Segundo Império; sentou-se como um potentado cansado. — Vocês dois são de St. Justin?

Tommy e Sis consultaram nervosamente Derek com os olhos, mas antes que ele pudesse reagir, Westlake riu. Não parecia muito bem-humorado.

— Ora, ora, vocês não roubaram as jóias da coroa, sabem, e isso aqui não é um interrogatório. Até onde sei, os fatos relativos ao desaparecimento eram suspeitos, mas não criminosos. — Virou-se para Derek. — O senhor desapareceu, quero dizer, não foi seqüestrado, ou algo parecido?

O fato de Westlake ter entrado tão depressa no assunto, desequilibrou Derek.

— Não posso confirmar, nem negar isso — gaguejou.

Inesperadamente, Westlake deu um soco na almofada a seu lado, provocando uma nuvem de poeira.

— Vamos deixar de brincadeiras, está bem? O senhor, Sir Derek, obrigou a polícia a uma caçada inútil. Ao que parece, deixou esta casa há uma semana sem dizer a ninguém aonde ia. Digo ao que parece porque sua esposa e os empregados não deram queixa de que havia uma pessoa desaparecida, o que me leva a crer que o senhor tinha seus motivos. Talvez eles também tivessem os deles.

"Em algum ponto de suas perambulações o senhor topou com algo desagradável, de que tipo, ainda não sei, porque a próxima coisa que sabemos é que vários policiais informaram pelo rádio que seu cadáver fora jogado numa vala ao lado da rodovia. Diziam que estava morto, o que é duplamente estranho. Primeiro, o senhor não está definitivamente morto, conforme podemos todos ver. Segundo, os policiais são treinados para fazer observações precisas. Então, o que aconteceu com o senhor? Estava drogado?"

Westlake fez uma pausa, arqueando suas sobrancelhas, como um ator representando o papel de mandarim chinês aborrecido. Quando Derek não respondeu, Westlake deu um suspiro.

— Certo, então. Continuarei apenas a preencher os detalhes. Estava escurecendo quando acharam seu corpo, o tempo chuvoso, dificultando a observação de seu estado. Vamos dar a todo mundo o benefício da dúvida quanto a isso. Chega uma ambulância, o senhor é despachado para um hospital, só que em algum ponto do trajeto o senhor recupera a consciência.

"E então o senhor faz algo notável. Consegue de alguma maneira abrir as portas da ambulância e escapulir, enquanto o veículo desenvolvia alta velocidade. Ninguém o viu, inclusive motoristas na estrada. O pessoal da ambulância não teve idéia do que acontecera."

O inspetor parou.

— É tudo? — perguntou Derek. Westlake deu-lhe um olhar furioso.

— Como o senhor já disse, não foi cometido nenhum crime — prosseguiu Derek.

Westlake sorriu desdenhosamente.

— O senhor sabe o que a imprensa adora, adora muito mais do que um assassinato? Um mistério. Não tenho tido um segundo de tranqüilidade desde que penduraram o caso Merlim, é assim que o chamam, em meu pescoço. Dois dos meus policiais mais jovens foram suspensos e estão sob suspeita de incompetência, na melhor das hipóteses, por achar que o senhor estava morto. Um deles ainda confirma seu relato. O senhor realmente espera que eu não queira receber voluntariamente nenhuma explicação?

— Será que esse tumulto todo não vai assentar agora que voltei? — perguntou Derek em voz baixa.

— Dentro de algum tempo. Por enquanto ainda não informei que o senhor voltou. Os jornais vão persegui-lo até o senhor não agüentar mais, pode ter certeza disso. Não haverá como fugir, especialmente se lhes dissermos que o encontramos vagando, confuso, como um vagabundo ou lunático. Não é bem o que se espera dos indivíduos titulados, mesmo nesta hora e nesta época.

— Se o senhor não se importar — disse Derek depois de um instante — eu mesmo prefiro cuidar desse problema. Sinto muito pelos jornais não lhe darem trégua; tenho certeza de que deve ter sido uma tremenda chatura. Mas desejo que isso perma-

neça uma coisa particular, a não ser, é claro, que o senhor tenha um crime que valha a pena ser investigado.
   Westlake sacudiu a cabeça, desesperado.
   — Disse-lhe que seu filho é que foi suspenso? — perguntou ele, virando-se para Peg.
   — Sim.
   — Se o senhor fosse um policial de verdade, saberia o que está acontecendo. — Todos viraram-se para Sis, que fizera o inesperado desabafo. — Não pode senti-*lo*? Nós somos capazes.
   — Ele? — disse Westlake. O garotinho calara a boca, mas Westlake percebera o tremor silencioso que percorrera o grupo. Sua frustração explodiu.
   — Qual é o problema com vocês? Não vivem no mundo real? — Westlake levantou-se, limpando a poeira do fundilho das calças. Seu nariz encolheu-se de repugnância. — E esta casa. — Ele parecia não encontrar as palavras certas. Quase saindo, pegou o pote de maquilagem, que Derek pusera numa mesinha lateral. — Nunca gostei muito de Sherlock Holmes. Ligas de ruivos, patas de macaco encolhidas, terríveis cães, nunca é assim. Os mistérios que decifrei exigiram uma pertinácia danada e a habilidade de sentar por longas horas numa mesa com personagens que você preferiria muito não conhecer.
   — Em minha experiência, o crime é desgastante para o traseiro, mas finalmente você consegue vencer os desgraçados. Alguém pelos mesmos e enfadonhos motivos foi lá e cometeu o negócio. A não ser, que ele seja exatamente o tipo criminal por excelência, o que é mais enfadonho ainda. Mas o senhor, Sir Derek, está me pondo numa embrulhada diferente. — Derek deu de ombros imperceptivelmente. — Está certo — disse Westlake, virando-se para ir embora — pode deixar que sei encontrar a saída.
   E começou a movimentar seu corpanzil para sair da sala, que pareceu quase vazia sem ele. Os outros ouviram seus sonoros passos no vestíbulo, em seguida o rangido das dobradiças enferrujadas, ao fechar a porta atrás de si.
   — Ele não desistirá — disse Tommy, quebrando o ominoso silêncio que Westlake deixara em sua esteira. — É melhor bolarmos uma estratégia muito boa, senão... — E parou no meio da frase.
   Derek olhou-o perplexo.
   — Senão o quê, Tommy? O pior que pode acontecer é a polícia ficar girando em círculos até se cansar.

O garoto sacudiu a cabeça.
— Mordred não deu sinal desde que voltamos, mas não vai deixar que a gente simplesmente escape pelas brechas, não desta vez.
— Talvez — concordou soturnamente Derek. — Mas como é que a polícia entra nisso?
— Não sei. — Tommy parecia confuso. — Talvez seja uma reação exagerada nossa.
— Acho que não.
Surpresos, eles olharam para Peg, que permanecera calada durante toda a visita do inspetor.
— Há algo errado a respeito daquele policial.
— Errado? — disse Derek.
— Fui conversar com ele no dia em que você reapareceu. Ele me contou duas mentiras: que não aprovara a investigação de Artur sobre o caso Merlim, e que ele mesmo não vira o cadáver na vala. Porém, Artur me disse que ele vira.
— Não seria apenas política interna da polícia? — perguntou Derek. — Nosso Westlake não parece gostar muito da cobertura negativa da imprensa, humilhou-o bastante. Ele tem todos os motivos para querer distância do caso Merlim.
Essa explicação razoável não obteve uma resposta. Peg e os garotos pareciam preocupados, a ruminar suas vagas suspeitas. A possibilidade de Mordred estar influenciando a polícia não estava fora de cogitação.
A essa altura Westlake se encontrava prestes a entrar no carro. Ao caminhar pelo saibro dourado, coalhado aqui e ali de destroços das árvores, depois das chuvas recentes, o inspetor não pôde deixar de reagir à luz cor de âmbar do final da tarde. Essas sempre foram as horas gloriosas de Emrys Hall, e o aborrecia ver tão pouco cuidado dispensado àquele colosso. Havia vidraças quebradas aqui e ali; as pedras de calçamento sob o pórtico estavam levantadas e cheias de mato.
— Manutenção — disse ele consigo mesmo, anotando mentalmente para achar alguns membros da criadagem e lhes perguntar o que acontecera. Cozinheiros, mordomos e arrumadeiras deveriam ter existido, pelo menos no passado. Este caso fazia mais do que deixá-lo perplexo ou irritado; afetara-o como uma planta venenosa, de modo tóxico, pensou. Desafiava seu

senso lógico. Uma atmosfera insidiosa envolvia esses acontecimentos, de uma maneira que ele jamais vivenciara antes, apesar de não ter havido crime.

— Controle-se, Reg — disse a si mesmo. Abriu a porta do carro e começara a se pôr atrás do volante quando viu uma mulher caminhando em sua direção pela extensão do gramado ao lado do caminho. Ela era alta, tinha mais de cinqüenta e olhava para ele com uma expressão de — que mesmo? — de angústia. Não sabia ao certo. Westlake voltou a se levantar, fazendo um aceno. Ela parou, como se pensasse se deveria se aproximar ou não. Um rápido olhar de esguelha informou-a que não poderia escapar com muita facilidade, então ela devolveu o aceno e foi caminhando para o carro.

— Como vai? — disse a mulher depois de ter chegado suficientemente perto do carro. — Está aqui para ver meu marido?

Ele procurou não parecer surpreso.

— Para dizer a verdade, sim. Sou o inspetor-chefe Westlake e a senhora é Lady Penelope, suponho. A senhora se parece com seu retrato no jornal.

Ela balançou a cabeça.

— Houve algum problema aqui na vizinhança? — A voz dela soava só um pouquinho preocupada.

— Problema? Não.

— Ah, bem, que alívio. — Ela deu um sorriso que pareceu autêntico, embora cansado. — Desculpe por não estar aqui quando o senhor chegou. Saí para fazer um pouquinho de exercício. Lamentavelmente, acho que ultrapassei meus limites.

— Não vou tomar seu tempo.

Ela já o ultrapassara e estava quase na porta, quando Westlake comentou, a título de uma reflexão tardia:

— Desculpe, mas a senhora não parece nada espantada por eu ter estado conversando com seu marido.

— Espantada? Bem, não, apesar de a gente não receber muitas visitas da polícia, é claro. Vivemos tranqüilamente.

— Quero dizer o seguinte. A senhora não parece espantada de Sir Derek se encontrar em casa.

Ela sorriu mais polidamente ainda, como alguém que aturasse um estranho cansativo, porém inofensivo.

— Ele normalmente está em casa a esta hora do dia. Rotina de escritor, sabe. Mais alguma coisa?

Havia muito mais, pensou Westlake. Notara que os sapatos dela — elegantes, abertos na frente, tressé, de desenho italiano. — eram ridículos para alguém que acabara de sair para fazer um exerciciozinho. Ela também parecia afogueada e exausta. Quanto à falta de espanto, ele desconfiava que era calculada. Afinal de contas, esta era a mulher que se abstivera de denunciar o desaparecimento de seu marido às autoridades.

— Não, não tenho mais nada — disse ele, levando a mão ao chapéu. Penelope Rees deu-lhe outro sorriso vago, abriu a porta e desapareceu dentro dos mistérios empoeirados de sua casa.

VINTE E QUATRO

Asas Brancas

Quando o dragão atacara o acampamento cigano, Melquior sentiu, como todo mundo, uma vontade desesperada de correr, mas se viu, pelo contrário, a caminhar com passos decididos diretamente para as chamas do bafo do monstro.
— Por que está me obrigando a fazer isso? — implorou. — Estou com medo.
Ele sabia que, não se sabe por que motivo, Merlim o guiava. Ao cair agachado no chão, o aprendiz tampouco desejara ser transformado em pantera negra e no entanto, dera graças à medida que suas mãos se curvavam e viravam patas e seus flancos se encompridavam e inchavam, repletos de músculos contraídos. A ferocidade da natureza da pantera neutralizou a dor quando o dragão rasgara seu flanco, levantando-o do chão com esse golpe. Melquior contorceu-se, preso pela garra penetrante do bicho; faltava um átimo para a ponta venenosa atingir seu coração.
Este átimo antes da morte, contudo, foi suficiente para que ele sentisse o tormento da perda e do fracasso. Na hora agá, Mordred os encontrara e os impedira de decifrar a pedra. No pânico da confusão, Artur gritara alguma coisa. Melquior pôde distinguir sua boca se mexendo, porém as palavras foram engolidas pelo rugido do dragão. Os demais debandaram aos tropeções no meio do fogo e da fumaça. Vistos através de olhos turvos pelo sangue, eles pareciam se dissolver.
As mandíbulas do dragão mordiam com fúria, abrindo-se e fechando-se na direção da pantera, dando vazão a seu ódio. Ele não tinha desejo de se alimentar, contudo, e quando sua presa jazia completamente imóvel, jogou o corpo para o lado.

Manteve-se entretanto acima do chão, sustentado por suas asas coriáceas. Um golpe de vento arremessou cinzas da fogueira extinta sobre o corpo da pantera. Ali perto, as carroças incendiadas se inclinaram e desabaram numa pilha, espalhando fagulhas. Ninguém ficou para ver se o dragão permanecera um pouco ou partira celeremente. O céu estava limpo, e o sol do meio-dia tornava lugubremente invisíveis as chamas da destruição, como ondas de calor a emanar de uma miragem. Em volta da clareira, os pinheiros verdes e negros tremiam à medida que as pontas de seus galhos eram chamuscados. Uma nuvem quebrou momentaneamente a luz do sol, tornando as chamas mais visíveis; e a floresta estava à espera, imaginando que aquela calamidade se espalharia. Em suas profundezas a floresta não lamentava; para ela não significava nada que um incêndio devastasse a terra. O segredo das sementes já fora aprendido há milhares de séculos; os velhos pinheiros se inclinariam diante do fogo, abrindo caminho para o próximo ciclo da vida que dormia no solo.

Somente a pantera, deitada num tapete de folhas, despertava interesse. Animais medrosos, camundongos e esquilos, fugiam do cheiro pungente de seu sangue. Algumas raposas ali perto queriam se aproximar, com as bocas cheias de saliva, só que ainda não tinham reunido coragem suficiente. As raposas andavam para lá e para cá no chão da floresta, enquanto seus filhotes uivavam impacientemente. Se algum arminho ou almiscareiro espreitasse por ali, permaneceriam também desconfiados.

Porém, todas aquelas presas afiadas haveriam de sofrer uma decepção. Acumularam-se nuvens de tempestade e começou a chover torrencialmente, em grandes cortinas cinzentas de chuva. Os comedores de carniça voltaram se arrastando para suas tocas, para fugir do aguaceiro, que apagou o incêndio provocado pelo dragão. Os pinheiros estavam agora fora de perigo. O bafo silencioso da floresta fundiu-se com o chiado da chuva. As únicas criaturas que não foram afetadas eram um bando de corvos que farejara a morte a quilômetros de distância e viera investigar.

— Horrível. Justamente o tempo que eu detesto — murmurou o velho corvo consigo mesmo, aborrecido. Gotas frias respingavam em seus olhos. Com as asas ensopadas e pesadas, o pássaro desceu voando entre as árvores. Ansiava por sua toca confortável nos campos ali perto, que a mente dos corvos, a impeli-lo com um desejo coletivo, lhe negava.

Fomos chamados. É um encontro.
Chamados? Encontro? O velho corvo sacudiu suas penas molhadas e olhou zangado em volta. Abaixo dele, na sombra dos pinheiros, jazia o corpo estendido de algum tipo de bicho, grande e escuro sob a chuva. Todo o bando viu-o ao mesmo tempo. Houve uma aceleração das asas e um aguçamento da vista.

O cheiro da morte não repugnava o velho corvo, mas também não o excitava, como aos outros. Se tivesse coragem, teria pedido licença para pousar no topo das árvores e simplesmente ficar observando. O bando, entretanto, teria ficado aborrecido. Já havia um disse-me-disse. Já o chamavam de nomes por trás, vagos murmúrios que ele fingia desconhecer.

O bando apertou sua formação agora e começou a se instalar em volta do animal morto. Por causa de sua quantidade, eles tinham uma audácia que faltava às raposas, e um macho grande, um líder, começou a bicar depressa o tecido macio em volta da boca da pantera, enquanto outro, tão grande e experiente quanto aquele, dedicou-se a um olho.

Dentro de um instante essas tentativas exploratórias cessariam e a alimentação começaria para valer. O velho corvo sentia-se entediado. Era extraordinário que não compartilhasse a fome do bando, mas precisava enfrentar a realidade. Mudara. Estivera saindo e entrando da mente dos corvos, mas não havia ninguém com quem compartilhar essa divagação, a não ser Melquior, mas ele desaparecera.

À medida que o bando apertou o cerco em torno da pantera, o velho corvo foi o último a se instalar. A face da pantera fora dilacerada, e três jovens fêmeas puxavam gulosamente a carne.

— Não se preocupe, ela é incapaz de sentir qualquer coisa — disse o velho corvo para si mesmo. Ele olhou em volta nervosamente, para ver se alguém notara a súbita centelha de compaixão.

— É preciso manter a cabeça no lugar — pensou ele. — Não é seguro. — Fingindo fome, o velho corvo abriu caminho aos empurrões até o flanco do bicho. Demonstrando respeito por sua idade, alguns mais jovens deram lugar ao velho macho, mas demorando mais do que teriam feito no passado. Uma ligeira repugnância por carniça começou a crescer em seu estômago.

— É só uma questão de tempo até que eles se virem contra você. — O velho corvo afastou o pensamento da cabeça e focalizou sua atenção no filete de sangue que escorria do flanco do animal. Ele botou o bico no sangue e o esfregou, querendo transmitir uma aparência de estar se deliciando com o banquete. O sangue permanecia quente, enquanto escorria na chuva. Isso surpreendeu o velho corvo. O sangue deveria ter esfriado depressa. Mergulhou seu bico de novo, e dessa vez o filete de sangue se contorceu, como se estivesse vivo. Com um grito de alarme, o pássaro deu um pulo para trás. Os indivíduos mais jovens começaram a empurrá-lo pelas costas, murmurando coisas desprezíveis.

 Virando a cabeça, o velho corvo chegou o olho bem perto do filete de sangue. Então viu. Ele não apenas se remexia, fugia. E diante de seus olhos, o fino filete de sangue se transformou numa elegante serpente escarlate, como se um pintor de corte chinês a houvesse desenhado com um só traço do pincel.

 O velho corvo ficou tão espantado que crocitou de novo, alto. Uma onda de perturbação percorreu a mente dos corvos, e uma centena de olhos negros viraram-se para olhar. Com um barulho seco, um dos mais jovens ali perto deu uma bicada em direção à serpente, que se libertara totalmente, arrastando-se do corpo da pantera. Porém, o jovem guloso foi lento demais. O velho corvo pegou a serpente escarlate, alçando imediatamente vôo.

 Ele subiu até o topo dos pinheiros, sabendo com certeza que os demais não o seguiriam, não enquanto houvesse abundância de comida. Mas embora seus corpos houvessem ficado, o aborrecimento deles, não. Tal como vapores tóxicos, enchia o ar em volta dele. O velho corvo subiu mais alto, agarrando bem a serpente, que ficara inerte entre suas garras.

 O que está fazendo? Volte. A mente dos corvos exercia sua atração com toda força, e embora a pequena serpente não fosse nada pesada, levantá-la parecia uma tarefa pesadíssima para o velho corvo. Ele podia sentir o pavor da serpente, e queria muito consolá-la, dizer-lhe que não seria devorada, mas o velho pássaro precisou de toda sua energia para resistir aos demais.

 Salve-se. Volte.

 Era incrível a quantidade de medo gerada pelo abandono de um único pássaro. Ao pousar finalmente em cima do galho mais alto de uma sempre-viva, o velho corvo tremia e quase perdeu a determinação. Pusera seu bico em posição de bicar os olhos da serpente, quando ela disse:

— Você voltou.

O velho corvo se afastou.

— Isso é um comentário extremamente inapropriado, já que acabei de salvar sua vida. — E deu um apertão extraforte com suas garras, antes de soltar a serpente. — Além do mais, não sou eu quem voltou. É você. Não se lembra de ter voado para longe para se juntar àquela gente ridícula?

— Eu não a achei ridícula. — A serpente se enroscara no galho, como uma corda de seda vermelha trançada. — Mas foi errado de minha parte não lhe ter agradecido devidamente. Por favor, aceite minhas desculpas e minha gratidão. — A serpente ergueu a cabeça para olhar o velho corvo no olho, o que também era uma ajuda para não ter que olhar para baixo. Melquior descobriu que tinha um tremendo pavor de altura.

O velho pássaro se remexeu nervosamente, jogando o peso de um pé para outro, mal ouvindo.

— Onde quer que eu o leve? — perguntou bruscamente. — Não acho que aqui seja seguro. E não digo isso porque seja alto. As alturas são entusiasmantes. Realmente, você não deve ter aprendido muita coisa na pele de corvo, se assim posso dizer.

— Não — respondeu humildemente Melquior —, acho que não, porque estou ficando tremendamente tonto. — O galho em que ele se enroscara era muito frio. Junto com a chuva, isso fazia com que Melquior se sentisse fraco e mole, e pensou se teria suficiente força para continuar se agarrando por muito mais tempo. Podia ouvir um coro de vozes crocitantes, descontentes e zangadas, debaixo da árvore.

— Vamos embora — disse o velho corvo. Ele pegou a serpente escarlate novamente com suas garras, tendo cuidado de agarrá-la delicadamente, e alçou vôo. O vento gelado era um tormento para Melquior, mas estava por demais enervado para protestar. O milagre de ter escapado da morte encheu-o de tanta alegria, a despeito de seu atordoamento.

Sua consciência começara a sumir e voltar, quando sentiu uma sensação de calor agradável começar a percorrer seu corpo esguio. Percebeu que o corvo o pousara numa grande pedra, que por estar sob uma saliência, não ficara gelada com a chuva. Mas também o velho corvo o estava chocando, transmitindo-lhe o calor do seu corpo coberto de penas.

Foi um gesto tão maternal. Melquior não conseguia compreender o que provocara tanta ternura em seu velho amigo. Ficou à espera, voltando à vida lentamente, até que o corvo falou.
— Está melhor. Não temos muito tempo.
Melquior saiu serpenteando para a face exposta da pedra.
— Muito tempo? Por que não?
— Já deram por minha falta, e dentro em breve virão atrás de mim. Desde que você foi embora, as coisas andaram acontecendo. A espada voltou, e a pedra.
— Você sabe disso?
— Não só eu. Os outros também sabem. — O corvo falou desconsoladamente, o que deixou Melquior perplexo.
— Preciso descansar um pouco; acho que esgotei todas as minhas transformações. O ataque do dragão foi inesperado e temo que alguns mortais tenham morrido.
— Não, morrido não. Mas não vamos falar sobre mortais por um instante. — O velho corvo parecia pensativo, como se estivesse escolhendo o modo certo de começar. — Preciso lhe perguntar uma coisa. Você se importou em morrer?
A estranheza da pergunta, e a tensão na voz do velho pássaro, deixaram Melquior perplexo.
— Isso é difícil de dizer. Você nunca morreu antes?
— *Nós* não morremos. Mas isso é diferente, não é? O clã dos corvos não diminui com a morte de um de nós. Um pássaro é como uma folha que cai de uma árvore.
— Mas agora você acha importante?
—Não sei dizer ao certo. Desde que comecei a ter pensamentos próprios, tenho medo. O que acontecerá se eu morrer sozinho, longe do bando? Acho que nunca ninguém da minha espécie se preocupou com isso. Mas os mortais se preocupam, não se preocupam?
— Muito.
— Então estou ficando feito eles. Isto é terrível. — A voz do velho corvo mergulhou numa profunda tristeza. — Sabe de que os outros começaram a me chamar? *Asas brancas*.
— E isso é ruim?
— Ruim? Não consigo lembrar-me de qualquer ação traiçoeira tão profundamente vil. Só chamamos alguém assim; bem, eu nem sei que motivo daria ensejo. — Melquior queria consolar

seu velho amigo, mas antes que pudesse falar, o ânimo do corvo mudou abruptamente, tornando-se quase cerimonialmente rígido.
— Por favor, me perdoe. Fui extremamente indelicado falando sobre mim mesmo. A verdade é que assuntos muito mais graves andam acontecendo.
— Mordred. Viu-o? — perguntou Melquior, intuindo o que o velho corvo queria dizer.
— Você o viu e sentiu sua garra penetrar seu coração. Deu-lhe muito trabalho assumir a forma do dragão. Nossa espécie tem observado e esperado, e o conhecemos bem. Essa foi a primeira vez, segundo lembramos, em que Mordred sentiu dor ao mudar de forma.
Melquior ficou surpreso. Nunca lhe ocorrera, nem Merlim lhe ensinara, que o poder de um mago pudesse diminuir ou empalidecer com o tempo.
— Fico satisfeito por você ter me contado isso.
— Vai custar-me o pescoço. Sabe, *ele* nos recrutou, meu clã, quero dizer.
— Vocês estão contra Artur e os outros? — Melquior ficou espantado. — Mas jamais tomaram partido entre nenhum dos lados antes. Vocês só faziam esperar e observar.
— Desta vez é diferente — entoou o velho corvo numa voz funesta. — Mordred arranjou para que espionássemos para ele. Foi por isso que estivemos em volta do seu acampamento — nós lhe contamos onde vocês estavam. — O velho pássaro ficara profundamente envergonhado. — Os outros parecem não reparar. Ele se insinuou dentro de nossa mente, como um ladrão na calada da noite, e eles agem como se tudo continuasse normal. — O velho corvo crocitou, agitado. — É uma coisa terrível. Sabe, nós jamais sentimos ódio antes. Era uma coisa que não estava em nossa natureza. Quando Mordred nos ensinou a odiar, a coisa chegou tão de mansinho que ninguém notou nenhuma diferença.
— A não ser você. — O peso da situação do velho corvo estava começando a se fazer compreender por Melquior.
Seu amigo pulava nervoso de um pé para outro.
— Estou sofrendo. Eu lhe disse que você me contagiara, e me contagiou. Eu não pertenço ao bando. Estou condenado.
— Estaria condenado se pertencesse — disse Melquior em voz baixa. A chuva parara e um vento razoável soprava do norte.

— Você não faz parte do lado do ódio. Não sei o que acontecerá com os demais, mas pelo menos você escapou.

— Escapou? — crocitou zangado o velho corvo. — E de que isso me adianta? Quero que dê um jeito nisso. Venho observando e esperando por você desde que me abandonou. Livre-me dessa doença.

— Não posso — disse Melquior, sacudindo a cabeça com pesar.

O velho corvo estava fora de si de aflição, batendo o bico e se arrepiando loucamente como um porco-espinho dotado de penas. É impossível dizer o que ele faria em seguida, só que uma presença passou por cima deles. O velho corvo não precisou levantar os olhos para perceber de que se tratava. Ele jamais pusera os olhos numa águia em sua vida, no entanto seu sangue ancestral gelou nas veias, percebendo com certeza o que aconteceria.

— Sua Alteza — crocitou o velho pássaro. Estendeu as asas e se agachou no chão, tanto num gesto de reverência quanto de submissão; o rei dos pássaros ali estava para trazer a sua morte. Melquior tremeu, com medo de que as enormes garras, agora tão pavorosamente próximas, pudessem lhe ser destinadas. Sem sequer um grito, a águia mergulhou, e num instante o velho corvo se fora.

A não ser que sejam atacados por águias, os corvos não têm inimigos suficientemente fortes para pegá-los no ar. A sensação fez com que o velho corvo se sentisse tonto e com náuseas. Seu coração galopava, mas uma voz dizia:

— Acalme-se. Não estou aqui para trazer-lhe a morte. — O corvo estava por demais espantado para falar, enquanto a águia começava uma subida em espiral até as alturas acima das nuvens.

O corvo estava doente de medo, mas olhou para baixo e constatou que os conhecidos verdes campos de Somerset haviam sumido. A águia voava sobre um deserto, sua terra desolada estendendo-se em todas as direções.

— Que terra é essa?

A águia não respondeu, ganhando ainda mais altitude. A paisagem poderia ter sido criada pelo anjo da morte.

— Olhe! — ordenou a voz da águia. Então o velho corvo compreendeu que ele fora seqüestrado da terra para que tivesse uma visão. Lembrou-se que as águias eram as grandes mensageiras dos magos, depositárias de sua mais profunda sabedoria, desde a época dos druidas. Seria este o ângulo pelo qual os magos

enxergariam a terra? Olhando para baixo, tal como ordenara a águia, o corvo fraquejou diante da terra desolada e calcinada.
— Esta é sua recompensa por ter abandonado seu bando. Pegue-a.

Pegue o quê? O velho corvo ficou estupefato. Tudo que sentia ao contemplar aquele árido deserto de sofrimento era seu medo e, no entanto, havia um toque daquela dor que os mortais chamam de compaixão. Ele não via recompensa alguma nisso. De repente sentiu uma sensação dilacerante sob as penas do seu peito. Seu coração se arrebatou, enquanto a águia dava um grito selvagem de alegria. Uma descarga de ternura trespassou a dor, e a garganta do velho corvo emitiu o mesmo grito de alegria.

— O que está acontecendo comigo? — perguntou ofegante. E o que acontecera lá embaixo? Voavam tão alto agora que o deserto sumira, e somente a terra manchada de azul, verde e branco refletia o esplendor do sol.

A voz da águia entoou:

— Conheça-te a ti mesmo. Perdeste teu rebanho. Conhecemos poucos ou nenhum que já o fizeram.

— O que significa isso? — perguntou tremendo o corvo.

— Significa que você é um pássaro solitário, inigualável em toda a criação.

O corvo maravilhou-se, mas sem sentir mais a agonia do isolamento. Uma pergunta urgente formou-se sob seu peito.

— Ensine-me a respeito do pássaro solitário.

— Sinta o que você é neste momento, acima da brisa que leva seu bando. Este é o ponto de vista acima da dor, porque escapaste da teia do tempo. De agora em diante, você há de morar no galho mais alto da árvore. Não há de querer companhia, nem da sua espécie. Há de apontar seu bico para o céu. Haverá de cantar, mas docemente e somente para você mesmo.

As asas da águia encobriram-no por um instante, em seguida Sua Majestade abriu as garras e o corvo mergulhou como uma pedra em direção à terra. A águia, com um último e agudo grito, sumiu sobre as nuvens. Por uma eternidade caiu o corvo, incapaz de sustentar-se em suas asas. Gritou e, apesar de nenhum de seu clã ter sido capaz de cantar antes, quando o velho corvo abriu seu bico, uma fluida melodia saiu dele. Encheu o ar de alegria e flutuou como uma bênção sobre a terra.

Livre!
As asas do corvo encontraram agora ar resistente, e sua queda transformou-se num sublime arco. Cantou repetidamente, e cada nova nota trazia a mesma descarga de ternura que sentira antes. Era um pássaro solitário, sozinho no infindável céu, e mesmo assim jamais se sentiria só de novo.

Tão depressa quanto começara, a visão findou. O velho corvo viu-se a respirar ofegantemente, no chão ao lado da serpente escarlate. Levou um instante para recuperar seu fôlego. Os dois ficaram ali, deixando que o vento quente e o sol aquecessem suas costas.

— Você precisa me contar o que sabe sobre Mordred — perguntou ansiosamente Melquior.

— Mordred? O quê? — O velho pássaro estava desorientado. Será que a serpente sabia onde ele estivera? Olhou nos olhos da serpente, que também eram escarlates, e sentiu que ele havia visto tudo, mas não queria falar nada, como se a selar uma comunhão silenciosa.

O velho corvo queria externar sua visão, mas pensou um instante, e em seguida disse com uma voz compenetrada:

— Sim. Você precisa saber que Mordred parou de brincar com esses mortais. O ataque desta manhã foi só o começo. A antiga rainha sairá de seu esconderijo dentro em breve. É na presença dela que a corte se reunirá, e um novo reino, abençoado e livre, terá pequena chance de nascer.

Melquior olhou fixamente, espantado com o tom profético de seu amigo.

— Tem certeza disso?

O velho corvo balançou a cabeça.

— Mordred fará qualquer coisa para impedir esse nascimento. Deve ter feito uma vil barganha para conseguir o poder de se transformar em dragão, e como se não bastasse... — Ele deixou seu pensamento no ar, incompleto.

Melquior sentiu um rasgo de intuição.

— A antiga rainha está sob o controle de Mordred. Quando aconteceu isso?

— Minha espécie não conta em anos. Observamos há mil gerações e muitas mais. Mas um dia voamos para perto da caverna de cristal, e a vimos. Ela estava do lado de fora, olhando o céu. É muito bonita, mas apesar de tudo, senti muita pena dela.

— Por quê?
— Porque ela parecia tão vulnerável, e não conseguia mais se esconder. Guinevere fora protegida de Merlim durante séculos. Refugiara-se em conventos, castelos e cavernas e, no entanto, isso tudo terminara agora. Ela arriscava ser descoberta, e apesar de Merlim ter inventado identidades falsas para ela, foi descoberta por ele, a despeito de todas essas precauções. — O velho corvo pronunciou essas palavras depressa e num estado de bastante ansiedade, percebendo Melquior que ele estava traindo a confiança de alguém. Assim os demais perceberiam esse fato.
— Cuidado. Não podemos ser encontrados juntos. Abri o futuro para você, o que nossa espécie jurou jamais fazer, porque não queria que Artur fosse destruído, e a oportunidade de um novo reino junto com ele. O velho corvo crocitou espantado com seus sentimentos. — Não tenha pena de mim. Adeus. — O pássaro grisalho fez um floreio com as asas, para todos os efeitos, como um velho ator se despedindo do palco com um gesto de sua capa.

Melquior ficou perplexo. Seu coração exultou diante da coragem de seu amigo, sabendo que uma traição ao ódio não era absolutamente uma traição, mas a essência do amor. O ar tornou-se frio. Melquior estremeceu, imaginando que a sombra do dragão passava por cima. Não, era apenas uma pequena e longínqua nuvem.

— Os outros têm razão. Você tem mesmo asas brancas.

O velho corvo não se encontrava mais, contudo, ao alcance para poder ouvir. Deve ter alçado vôo no momento em que aparecera a nuvem. Melquior deu-se conta de que sentia um cansaço mortal. Arrastou-se em direção a uma brecha quente entre as pedras, onde pudesse ruminar e descansar. A nuvem ficou mais escura e, ao olhar para cima, Melquior constatou não se tratar de uma nuvem de verdade, e sim de um bando de pássaros.

O bando voava em círculos num lugar só, à espera. Um único ponto se aproximava dele, voando com determinação. Melquior quis gritar avisando, mas era inútil. O ponto era uma minúscula partícula de preto que corria para se juntar à mancha preta maior. Fundiu-se no centro do bando, que apertou sua formação em torno dela. Houve um grito ameaçador, um bater metálico de asas e em seguida mais nada, absolutamente mais nada.

VINTE E CINCO
Reunião

Pen não achava sequer por um instante que o inspetor-chefe Westlake acreditara em sua pequena encenação diante de Emrys Hall. Ela se saíra com uma boa expressão, embora ambos soubessem de seu abalo ao saber da presença de Derek na casa. A intuição lhe dissera para não contar nada à polícia, embora, na realidade, não tivesse nada a esconder. A fuga do dragão rasgara suas roupas e sujara seu rosto de filetes de suor, mas isso era assunto seu. Um salto se quebrara numa pedra de calçamento solta perto da porta, mas ela manteve a compostura, sentindo que o olhar de Westlake estava pousado em sua nuca. Uma vez lá dentro, contudo, seu controle caiu por terra.

— Derek, você está aí? — gritou ela. O teto abobadado só devolveu um eco amortecido. O vento soprou pela porta aberta, levantando espirais de poeira. Pen tossiu, quase sufocando, e chamou de novo. — Derek, onde está você?

Ela passou pelo vestíbulo, entrando na sala de estar. Estava deserta, mas ficou aliviada ao constatar que alguém estivera ali recentemente. A poeira grossa nos móveis revelava uma porção de marcas de mãos. Uma bandeja de chá jazia ali, com migalhas e xícaras usadas. Ela se dirigiu rapidamente até a copa, que cheirava a leite azedo e fruta podre. Uma terrina de laranjas e limões ficara verde de mofo. Pen abriu o armário de pão e viu um rato que devolvia seu olhar. Ela se afastou de um pulo, mas o rato continuou a fitá-la como se ela fosse a intrusa.

De repente ouviu um ruído atrás dela, embora fosse impossível localizar sua exata origem. Ela voltou por onde viera, olhando ansiosamente pelas portas, mas sem encontrar ninguém.

Quando voltou ao saguão, o ar ainda estava tão mofado que ela mal podia respirar. Houve um barulho pequeno, e seu coração quase parou de bater. Era só a porta da frente batendo contra o batente com o vento. Pen atravessou a entrada, fechando-a. De repente sentiu-se esgotada. Uma sensação de derrota tomou conta dela. Se eles apenas tivessem conseguido ler a pedra.

— Ah, minha querida.

Ela prendeu a respiração quando um homem surgiu da meia escuridão empoeirada. Uma mão veio tocar seu ombro, puxando-a para um abraço.

— Minha querida, querida Pen. — Era Derek, afinal, sua voz abafada contra os ombros dela. Pen não chorara desde que ele partira, mas agora as lágrimas chegaram às carradas, quentes e salgadas nos cantos de sua boca. — Pronto, pronto, querida — murmurava ele. Seu toque aliviava a dor, mas não tudo de imediato.

— O que aconteceu a você? — perguntou num farrapo de voz.

— Não fale — disse ele, consolando-a, e tinha razão. Era melhor que simplesmente restabelecessem contato, tranquilizando-se com seus corpos. Depois de alguns minutos, Pen disse:

— Você não estava aqui quando cheguei.

Ele olhou para ela, com os olhos repletos de ternura.

— Estávamos no jardim. Foi uma sorte danada eu ter voltado para uma última olhada antes de nós partirmos.

— Nós?

— Três pessoas, além de mim. Dois são garotos que você não conhece. A outra é Peg.

Pen recuou, enxugando suas faces.

— Minha irmã? Ela também está envolvida nisso agora? — perguntou surpresa.

Derek balançou a cabeça.

— Uma enormidade de coisas aconteceu, e grande parte gira em torno de seu filho. Lembra-se de Artur, o da polícia? Isto é, ele virou policial. Devem ter se passado anos que não o vemos.

— Vi-o nesta casa há apenas alguns dias. Veio aqui a sua procura, depois que você desapareceu. Na realidade, foi ele quem encontrou seu corpo. — Foi a vez de Derek ficar espantado, mas antes que ele pudesse fazer uma pergunta, Pen disse:

— Nós não voltamos realmente para casa, não é? A casa está tão horrível; parece ter se estragado de um dia para outro.

— Sei. Fico esperando que blocos de pedra caiam a qualquer momento em nossas cabeças, ou trepadeiras rastejantes cubram o lugar. Acha que tem condições de ir ao jardim?

Ela o deixou ir à frente, apoiando-se em seu braço. Ao chegarem à sala de estar, grandes raios de luz vespertina passavam pelas cortinas mofadas e manchadas. O recinto parecia estar entrando numa estação melancólica própria.

— Podemos parar um minuto? — perguntou Pen. — Preciso ouvir primeiro o que lhe aconteceu. — Sentaram-se num divã empoeirado. — Aquele sujeito da polícia que encontrei na porta deve ter demonstrado muita curiosidade.

— Sim. Ele montou uma história plausível, mas infelizmente eu estive onde a mentalidade policial jamais poderia me seguir. Por onde começarei?

— Pela noite em que você partiu.

— Posso lhe contar aquilo que concatenei, mas não descobri tudo sozinho. Lembra que eu adotara o hábito de dar caminhadas sozinho pelo campo, apenas para pensar. Um dia encontrei umas pedras fora do comum ao lado da estrada. Eram cinzentas e pontudas, quase como dentes; estavam dispostas num círculo com cerca de dez metros de diâmetro, cada uma mais ou menos da altura da cintura. Fiquei espantado, sabe? Existem mapas detalhados desse tipo de círculos antigos, e contudo, aquele ali não se encontrava em qualquer mapa que eu já vira.

— Vim para casa e, não sei por que, não mencionei o fato a você. Por algum motivo, não parava de pensar naquelas pedras. Como poderiam estar simplesmente ali, dispostas ao lado da estrada? Resolvi voltar, e foi para lá que me dirigi na noite em que saí. Era só um pequeno desvio da aldeia, mas não calculei bem o tempo, e quando cheguei ao círculo de pedras, já estava quase na hora de o sol nascer. Não que houvesse sol algum; chuviscava e o chuvisco virara chuva.

"Você haveria de imaginar que eu só desse uma olhada e prosseguisse meu caminho, mas de uma maneira irrefletida, aproximei-me do círculo. Era bem tratado. Fosse lá quem fosse o fazendeiro proprietário da terra, arara em volta do círculo, roçando o mato no seu interior. Fui até o próprio centro, que era considerado o lugar sagrado mais poderoso. Estava vazio. Eu me ensopava cada vez mais depressa, e não tinha nenhuma sensação

especialmente sagrada, mas ao olhar para meus pés, uma pedra redonda chamou minha atenção.
— Clas Myrddin.
Derek fez uma pausa em sua narrativa e se recostou no divã.
— Então você a pegou?
— Sim. — Pen bateu em seu casaco, sentindo o peso da bolsa de veludo por baixo.
— Quando apanhei a pedra, li essas palavras nela; deixaram-me muito excitado. Era uma chance entre mil de a pedra ter realmente uma ligação com Merlim, mas por que outro motivo estaria ali? Foi então que *o* avistei. Assumira a forma de um velho, com uma longa barba branca, trajando uma túnica branca. Vê-lo ali, na beira do círculo, pegou-me de surpresa, e não refleti na hora porque ele simplesmente não entrava.
— Não podia. Aquele era o círculo de Merlim.
Derek abanou a cabeça.
— Ele também não disse nada, mas chamou apenas lentamente, como se quisesse que eu me aproximasse dele. Peguei a pedra e a pus no bolso do casaco. A chuva agora apertara e eu não conseguia enxergá-lo bem. Fui até lá, e isso é realmente tudo que recordo.
— Ele o atacou? Como foi parar na vala?
— Deve ter batido na minha cabeça com alguma coisa dura — dizem ser comum perder também a memória quando se perde a consciência devido a um golpe na cabeça. Então, ele deve ter me levado num carro e jogado meu corpo ao lado da estrada, achando que eu estivesse morto.
— Achou que estivesse realmente morto? Talvez ele quisesse que você fosse encontrado.
— Para dar início ao jogo, você quer dizer? Não sei.
— Quando a polícia o achou você tinha uma barba branca. Derek fez uma careta.
— *Ele* a grudou em mim, com cola cosmética, imagine só. Foi, sem dúvida, sua maneira de troçar de Merlim.
Pen olhou para as cortinas destruídas, com o vento a entrar pelos buracos.
— Ele tem senso de humor, eu presumo. Que coisa terrível. Derek ficou sério.
— Mordred é alguém que se deve temer profundamente.

Quanto a isso, não tenho dúvida. E, no entanto, ele é tão importante quanto Merlim em relação a esse mistério. Há muito tempo que eles travam seu combate ou jogam seu jogo de magos, e nos aconteceu topar com isso.

— Topar? Acho que não. Por que Mordred não o matou quando teve a oportunidade e simplesmente tirou a pedra?

— Ele bem que tentou, mas Merlim tomou conta de meu corpo. Quando acordei, ele falava por meu intermédio, o que é duplamente estranho, porque ele prometera não interferir nos assuntos humanos, e depois mergulha assim neles.

Pen levantou-se.

— Talvez ambos façam troça um do outro. — Enquanto Derek contava sua história, ela teve a tentação de mostrar-lhe a pedra, mas uma intuição qualquer disse-lhe para não fazê-lo. Estava ficando tarde. A última luz enviesada do dia quase abandonara a sala. Foram até o jardim, juntar-se aos demais.

— Não acredito — exclamou Peg, correndo para abraçar sua irmã. — Rezei para que voltasse, só que é tudo tão estranho.

— Muito estranho — concordou Pen. Tinham muita coisa para conversar mas muito pouco tempo para fazê-lo. A despeito de anos de separação, as irmãs recaíram praticamente no mesmo tipo de relacionamento que as ligara anos atrás, e não foi difícil, apesar da mútua excitação, esperar pelas horas tranqüilas em que poderia ser dito tudo que precisava ser dito. Tommy e Sis adiantaram-se timidamente, e quando Derek apresentou-os como os garotos mais corajosos, que ele jamais conhecera, eles coraram. Todo mundo queria que Pen contasse sua história. Começou, mas ao chegar ao trecho do acampamento cigano, Peg ficou agitada.

— Você viu Artur lá? Quando?

— Esta manhã, e só por um instante. — A voz de Pen era suave. — A espada só conseguiu achar caminho até as mãos de Artur na noite passada. Ele passara por algum terrível abalo, de que tipo não posso dizer com certeza. Mas estava bem, Peg, macacos me mordam — disse ela, recaindo numa expressão de família que compartilhavam em criança. — Seja lá o que for que Artur tenha passado, foi necessário. Sei que está terrivelmente preocupada com ele, do mesmo modo que eu estava com Derek.

— Seu marido pegou sua mão e a apertou. — E, no entanto, de uma maneira esquisita, todas as ocorrências estranhas da semana

passada têm um padrão. Só que não o descobrimos logo. Como poderíamos?
Os garotos ficaram bastante excitados pelas notícias de que a espada voltara e queriam saber tudo sobre o lugar onde ela a vira.
— Há um lugar lá fora — Pen apontou para o jardim e além —, chamado corte dos milagres. Seus membros vêm há muito tempo procurando Artur e, quando o encontraram, ele se transformou em outra pessoa. Virou o rei deles.
Uma expressão espantada tomou conta do rosto de Peg.
— A corte dos milagres? Já ouvi falar disso.
— Conte-nos — implorou Derek. — Constituiria outra peça do quebra-cabeça.
— Deixe-me pensar... Sim, o tarô. No baralho do tarô existem quatro naipes, cajados, moedas, espadas e copas. Foram criados há muito tempo, antes da Idade Média, para simbolizar os lugares que todas as pessoas ocupavam na sociedade. Os cajados eram as varas rústicas carregadas pelos fazendeiros e humildes trabalhadores. Moedas representavam os mercadores, espadas os soldados, e copas a igreja. Supunha-se que todo mundo pertencesse a uma dessas quatro categorias, ordenadas por Deus, mas algumas pessoas não pertenciam. Sempre houve uma multidão heterogênea de mendigos, simplórios, gênios e malucos que se recusavam a se encaixar. No tarô, são conhecidos como a corte dos milagres.
Pen abanou a cabeça.
— Eles se chamam aqueles que deixaram tudo.
— Eu também incluiria outra categoria de mal adaptados — disse Derek.
— Magos? — perguntou Peg.
— Se quiser, mas eu ia dizer santos.
— Sim — concordou Peg, calando-se em seguida.
Pen disse:
— Vim a conhecer essa gente. Vivem há séculos às margens da sociedade, caçados por Mordred, sobrevivendo à custa de uma vida sub-reptícia e de evasão. É trágico, mas de alguma maneira o fardo deles também se encaixa no padrão. — Fez uma pausa, como se estivesse considerando se diria algo mais. — O motivo por que voltei foi a ocorrência de uma terrível catástrofe. Fomos atacados por um dragão. Todo mundo fugiu, e o acampa-

mento deles foi destruído. — Pen virou-se para sua irmã. — Não espero que você acredite nisso tudo, mas Artur estava lá, ele também foi testemunha. Só espero que tenha escapado.

Peg pareceu aturdida.

— É absurdo demais. Dragões? Isso faz minha cabeça girar.

— Sonhei a respeito disso antes que acontecesse — acrescentou Pen. — Um dragão que se materializava de um nevoeiro ou neblina. Até onde sei, meu sonho talvez tenha feito a coisa acontecer mesmo.

— Não é sua culpa — corrigiu Derek. — Tenho certeza de que era Mordred. Os magos têm poderes para criar um nevoeiro.

— As mesmas palavras me foram reveladas em meu sonho — disse pensativamente Pen. — Como você soube?

— Faz parte da tradição. Na realidade, se você for estudar a lenda de Artur, foi a maneira como tudo começou.

Antes que Derek pudesse explicar, Tommy interrompeu.

— Não me surpreende que a senhora fosse atacada por um dragão. Os magos não só evocam nevoeiros, como mudam de forma à vontade. O fato de nunca termos visto dragões, é apenas sinal de que Mordred se sentia antes seguro. Deve ter se sentido assim, durante muito, muito tempo.

— Mas agora Mordred está sendo obrigado a se defender. Teria que fazê-lo, não é, já que Artur e a espada estão de volta. — Derek virou-se para Pen. — Você disse que esteve no acampamento. Poderia nos levar até ele?

— Acabou, lamento, mas mesmo que não fosse o caso, meu sentido de orientação é ruim demais para que o encontrasse de novo. Não há jeito de Artur ter permanecido lá, também.

— Então ele precisará voltar para casa, afinal de contas. Não quero atrapalhar seus planos, mas vou voltar. Se algo acontecer com meu filho... — A voz de Peg cedeu, ela cobriu o rosto com as mãos, e seu corpo foi sacudido por soluços. Era difícil imaginar alguém que tivesse o coração despedaçado com maior sobriedade ou modéstia. Ela se apoiou em Pen, que murmurou:

— Ninguém vai lhe impedir de voltar para casa, mas é melhor a gente se manter junta.

Sua irmã balançou a cabeça, começando a se recompor.

— Sim, compreendo isso. Mas todos vocês parecem tão obcecados com esse Mordred, de quem falam sem parar. Não sei

o que pensar. A corte dos milagres não produziu nenhum milagre, pelo que vi. Acredita que jamais produza? — A amargura em sua voz fez o grupo calar-se.
 Irrefletidamente, Pen enfiou a mão debaixo do casaco e tirou a bolsa de veludo preto.
 — Olhe. — E tirou a Alkahest. — Se houver milagre, isso aqui será a fonte. — Ela ia perguntar à irmã se conseguia ler as palavras gravadas na pedra, quando Peg levantou-se, seriamente agitada.
 — Não — protestou ela, fugindo da sala. Os outros seguiram-na com olhos aflitos.
 — Deixe-a ir — murmurou Pen, esticando a mão para impedir Derek. — Ela é a única de nós que não fez uma opção.
 — A não ser que essa opção tenha sido feita há muito tempo, em segredo, pensou ela consigo mesma.
 Peg correu até o saguão. A poeira no ar não assentara, apenas ficara mais escura à medida que o sol declinava. Ela estava perplexa e assustada, sua mente entrara em pânico diante da idéia de ser compelida a entrar num mundo que os demais compartilhavam, ou haviam sido hipnotizados para imaginá-lo. Ela só sabia que queria desesperadamente ter Artur de volta, olhar de novo em seus olhos e ter certeza de sua presença. A possibilidade de isso acontecer parecia tornar-se cada vez mais remota.
 — Onde está você? — gritou ela suavemente.
 Sozinha na atmosfera toldada do saguão, Peg sentiu uma coisa fria na face. Ela o tocou e seus dedos ficaram úmidos, quando os retirou. A poeira que girava não tinha mais um aspecto sujo, mas virara algo branco, luminoso, como uma neblina cor de pérola.
 O mago tem poder de criar uma neblina. Este pensamento a amedrontou. Ela recuou um passo, tencionando virar-se e bater em retirada, mas a neblina a seguiu. Sentiu-se paralisada onde estava. A neblina de um mago era viva — de algum modo ela sabia isso, com certeza absoluta. A nuvem branca poderia ocultar um dragão ou um homem. Ela tremia, mas aquela neblina não dava a impressão de ser do tipo capaz de ocultar um dragão. Não, havia um homem dentro dela, alguém que a queria desesperadamente, muito além de qualquer coisa que ele jamais quisera.
 Igraine.

A neblina estava chamando, não havia como negar. Ela sentiu o suor brotando no corpo. A mesma neblina já fora certa vez sua desgraça. Ela se visualizou no passado como uma bela e confiante senhora, que permanecia sozinha em sua torre. Seu travesseiro estava amarrotado de ansiedade. O peito de Peg doía pela consciência de estar de volta àquela época, e não obstante, também permanecendo no presente.

Igraine.

O pânico que quase a fez fugir correndo da casa esgotara-se. Sua mente fez surgir a caixinha da memória, abrindo-a.

Os sinos dobravam por cima da neve, e as mãos de sua dama de companhia tremiam ao segurar seu vestido. Fizera frio em Londres durante aquela Páscoa. De manhã, a geada cintilava nos brotos novos de helésboros e junquilhos.

— O culto, minha senhora. Não devemos nos atrasar. — Igraine correu pelas passagens, ouvindo os acordes de um Glória à distância.

Mesmo com a capela real repleta de nobres, os dedos da geada conseguiram entrar, cobrindo a grade de ferro sobre as cadeiras do coro. Ela correu para seu banco, seguida de olhares de repreensão. Seu marido, o duque Gorlois, estava num mau humor terrível, nada adequado para receber a comunhão. Ao voltarem para seus aposentos, ele praguejara contra o rei.

— Foi preciso irmos embora. Viu como ele a humilhou? O padre notou como ele olhava, todo mundo também. Eu não vou tolerar isso. — Ela olhou com modéstia para o chão frio de pedra, sentindo sua fúria impotente, pois ele era apenas duque da Cornualha, e o rei Uther podia fazer o que bem desejasse. Seu desejo por Igraine não seria impedido por um padre, nem por um mero marido.

Gorlois foi imprudente, entretanto. Caminhavam obedientemente atrás do rei no cortejo pelo palácio, mas tão logo terminara a festa pascal, Gorlois fê-la retirar-se furtivamente numa carruagem, cujas janelas haviam sido cobertas com sacos de aniagem. Foi um grave insulto ao rei ter saído sem sua permissão e, à medida que o humor de Gorlois arrefecera, ele se tornou melancólico. Voltou a ver o rosto de Uther na igreja e compreendeu, amedrontado, que os acontecimentos não deveriam ter um desfecho tão bom assim. Tanta paixão por uma mulher só poderia levar ao desastre.

— Você falou alguma coisa? — rosnou Gorlois para Igraine. Ela estava sentada em silêncio, do lado oposto da carruagem. Se o coração inflamado de Uther a havia comovido, ou meramente provocado sua repugnância, era algo que ela não deixava transparecer. — Eu disse, você falou, senhora?
Igraine voltou um olhar compadecido para Gorlois. O rei pusera dois lacaios, um de cada lado de sua cadeira, à mesa do banquete de Páscoa, cada um deles segurando copos de ouro cheios de vinho. Mas ela não bebera, preferindo manter-se fiel a suas promessas pascoais.
De início, os relâmpagos haviam sido contidos. Ela e seu marido haviam voltado há um mês para a Cornualha e os narcisos já haviam murchado, quando o desastre os fulminara. O rei ultrajado marchava à frente de um exército contra Gorlois, que, pelas estimativas mais otimistas, lutaria numa proporção de dez contra um.
— Só há um lugar onde ele não conseguirá alcançá-la — disse ele a sua mulher. — Tintagel.
Era o lugar mais alto, mais distante, mais triste. Embora Igraine tivesse ouvido muitas lendas sobre Tintagel, Gorlois jamais a levara até lá antes. O castelo parecia a cavaleiro do mar, montado sobre altos penhascos do litoral selvagem da Cornualha. Poderia ter sido construído por fadas, ou um povo tão antigo que nem os druidas saberiam seu nome. Enormes vagalhões faziam estremecer o promontório de todos os lados, e o acesso era garantido por um desfiladeiro estreito que só dava passagem para uma pessoa de cada vez.
— Você estará segura lá — disse Gorlois a Igraine, na hora de partir. — Três homens armados de espadas podem impedir a entrada de todo o amaldiçoado exército inglês, até que eu volte.
— Ela ficou imaginando se ele acreditava na própria mentira, pois era improvável que seu marido sobrevivesse para vê-la de novo. Esperou sozinha na torre sobre o mar. A meia distância, conseguia distinguir uma grande caverna na base de um rochedo. Supunha-se que Merlim ali vivia, mas, se fosse o caso, ela jamais o vira.
Foi naquela noite que a neblina veio. Igraine saíra da cama, perturbada e com o coração magoado. Queria rezar, mas foi distraída pela neblina que avançava, cobrindo o mar e alçando-se ansiosamente até sua janela. Sua vela se apagara, quando a porta se abriu.

— Meu senhor! — Ela ficou feliz ao ver que Gorlois voltara, mas quando correu para abraçá-lo, ele sacudiu a cabeça e botou o dedo nos lábios.

— Nada de perguntas — disse ele.

Deitaram no escuro e ele a amou com uma paixão suficientemente intensa para dissipar o medo dela. Era como se fossem recém-casados, e se embriagaram como nos primeiros e ternos dias de seu romance. Ela estava entregue ao abraço do amor, e no entanto não suficientemente entregue a ponto de eliminar sua curiosidade. Por que seu marido não falava? E que acontecera com a batalha que ameaçara suas vidas? Ele era tão furtivo quanto Eros a visitar Psiquê. Adormeceram nos braços um do outro e, quando chegaram aos ouvidos dela gritos de lamentação, ela acordou e viu que ele se fora.

— Que desgraça, que desgraça, o duque foi morto! — Sua dama de companhia batia na porta. — A senhora perdeu seu marido. O que faremos?

— O que quer dizer? — gritou Igraine, sem ousar puxar o ferrolho da tranca.

— O duque foi morto ontem em batalha a umas cem milhas daqui. O mensageiro que trouxe a notícia está quase morto. — E então Igraine soube que seu amante não fora Gorlois, a despeito de ela ter concebido um filho naquela noite. Três meses depois Uther Pendragon veio buscá-la como esposa e rainha. Ela não protestou, nem falou nada. A neblina nunca mais voltou, nem ela perguntou mais coisa alguma sobre o assunto. Mas quando seu filho recém-nascido tinha poucas horas, Merlim entrou no recinto da parteira e deu uma olhada no berço, tão maroto quanto calado.

— Dê-me esse bebê — ordenara. A parteira abriu um berreiro, até ver, trêmula de medo, que o próprio rei estava encoberto pelas sombras atrás de Merlim. — Faça o que ele manda — murmurou amargamente Uther.

Ninguém jamais contou à rainha por que seu filho fora dado. Merlim nunca mais voltou, sumindo na floresta. Igraine ainda durou um pouco, um fantasma vivo, até que morreu na primavera com duas certezas. Que detestava Merlim e sua neblina, e que queria ver de novo, de todo o coração, aquele bebê, cujos olhos e cujo nome nunca esquecera: Artur.

À medida que Peg voltava aos poucos a si mesma, sentiu as lágrimas escorrerem em seu rosto. Então, a neblina sabia. O

anseio dela não fora ignorado, e no desdobrar do tempo ela voltara para Artur. Perdê-lo de novo a esmagaria.
— Peg?
Sua irmã estava a seu lado, com um olhar espantado nos olhos.
— Eu não confio nele — murmurou Peg meio ausente.
— Em quem?
— Merlim. Não posso deixar de sentir que ele esteja afastando meu filho de mim. Como poderei reagir? — Ela parou, constrangida. A necessidade que ela tinha de seu filho era algo mais profundo do que a sociedade compreenderia, não por haver algo de errado nisso, mas porque a sociedade não está preparada para imaginar uma alma a perambular pelo tempo para curar sua dor.
— Você não pode reagir — disse Pen. As duas irmãs ficaram caladas durante um instante. — Eu também não sei se confio em Merlim — prosseguiu Pen em voz baixa. — Ou se ele sequer existe. Parece usar-nos sem revelar muita coisa. Mas estamos enredados, cada um de nós, e não temos outra alternativa agora. Olha, é melhor irmos embora. — Ela pegou a mão de Peg e a guiou pela porta da cozinha até a área de serviço. Derek e os garotos estavam à espera no carro, um velho Rolls Royce que Derek trouxera da garagem.
Peg entrou no assento traseiro entre Sis e Tommy.
— Não sei para que outro lugar ir — murmurou ela. O interior do carro cheirava a couro marroquino mofado. — Você fez algum tipo de plano?
— O melhor que podemos fazer agora — respondeu Derek — é ir até sua casa. Os garotos andaram sentindo a presença de Mordred aqui, e eu também. Olhe em volta. O lugar não poderia ter se desintegrado em tão pouco tempo, por si só. Isso não é natural; é maligno. — Ele apertou a embreagem, deixando que o poderoso motor transmitisse sua força e os carregasse rapidamente adiante.
— Acha que será a última vez que veremos este lugar? — perguntou Pen soturnamente, ao deixarem a entrada e tomarem a longa alameda, cujas árvores laterais avultavam quase negras contra o céu violeta.
— Talvez — disse Derek. — Eu ainda tenho a sensação de ter deixado tudo. Não foi realmente uma volta ao lar.

— Não — admitiu sua mulher.
— Não tenho certeza se quero voltar — exclamou Tommy. — A gente não se encaixa mais, de qualquer modo. Achar um lugar é algo que continuaremos a fazer, até que aconteça alguma coisa.

Derek olhou para o garoto no espelho retrovisor. *Coisa?* Ele não tinha como saber se os outros estavam refletindo sobre aquele inexplicável destino a que aludira Tommy, rotulando-o com um substantivo tão inquietante, mas pelo silêncio deles, cada um devia ter se retirado para um mundo de reflexões particulares, e isso já lhe dizia bastante.

VINTE E SEIS

O Jogo do Matrimônio

À medida que se aproximava o dia abençoado, a futura noiva achava cada vez mais difícil dormir. Katy estava tão contente e excitada quanto deveria estar, mas também havia alguma coisa a mais. Às vezes, no meio da noite, descobria-se sentada na cama, com os ouvidos a doerem por causa dos gritos de uma mulher. Aquela gritaria, aguda e lamentosa, era tão repleta de dor que Katy tinha vontade de sair de seu quarto para ir consolar a trágica vítima. Seu coração enchia-se de imagens, gravadas a fogo, de uma mãe assistindo ao filho se afogar ou a um amante ser apunhalado.

O que a impedia de sair da cama era a desconfiança de que esses gritos tinham origem na própria Katy. Por isso ficava quieta na cama, apesar das mãos frias e do suor na fronte. Se fosse ela a gritar, por que ninguém acudiria? Ninguém jamais vinha. Transferira-se para o quarto ao lado do de Amberside. Nenhum deles acreditava em recatos antiquados e compartilhavam a mesma cama até certo dia, logo antes da cerimônia. Amberside sugerira quartos separados:

— Só agora. Para dar um toque de decoro.

— Está brincando? — perguntara Katy, mais do que ligeiramente ofendida.

Amberside — ele ainda achava difícil pensar em seu ex-senhorio como Terry — sorrira, pedindo que ela fizesse sua vontade. Cedera, mas quando seus sonhos se transformaram em pesadelos, cheios de gritos, ela ansiara por estar de volta à cama de Amberside. Não tocou no assunto, entretanto. Chegara finalmente à conclusão de que os gritos eram sonhados, se não teriam

acordado as duas empregadas que dormiam no serviço, contratadas por Amberside para ajudarem no casamento.
 Exausta pela falta de sono, Katy passava seus dias num estado estranho, meio aturdido.
 — As novas garotas são preocupação demais para você, querida — dissera Amberside. — Eu cuido delas. Não precisa nem pensar nisso.
 Então, Katy tornou-se um fantasma na casa de que deveria ser futuramente a dona. Contemplava as duas garotas pretas — do Quênia, achava ela — a lustrar a prata, espanar o consolo da lareira, varrer a escada, e dar de modo geral um lustre em tudo. Não que Amberside houvesse descuidado de sua casa. Era ele um impecável dono-de-casa.
 — Só relaxei quanto ao jardim — disse certa manhã, durante o café. — Mas é aí que entra Jasper. Ele me dá a impressão de que nasceu para podar hera e roseiras.
 — Eu gostaria tanto que você o mandasse embora. Detesto esse homem! — A voz de Katy estava carregada de paixão, mas Amberside parecia mais divertido do que alarmado pelo desabafo dela.
 — Detestar? Tosh, que motivos você poderia ter para isso? Jasper trabalha duro aqui, sem contar que a sorte tem sido madrasta com ele. Perdeu seu último emprego e saiu sem referência alguma. Bem, se com isso revelo um ponto fraco, espero que não fique zangada comigo por causa disso, querida.
 Katy aprendera que as mínimas afirmativas de seu prometido valiam como lei, e que não havia chance de ele mudar de opinião. A discussão sobre Jasper estava encerrada, a despeito do constrangimento que sentia toda vez que punha os olhos no novo jardineiro.
 A rua principal de Gramercy não oferecia muitas opções em termos de toda a parafernália para casamentos, a não ser uma loja que oferecia cartões de convite, e uma confeitaria de segunda categoria, quanto ao bolo. Amberside não quis aceitá-los, entretanto. Insistiu em levar Katy a Londres para que comprasse tudo. Em cada loja que iam, ele se revelava um detalhista doentio, e mesmo as menores coisas levavam horas para serem resolvidas. Se algum papel de convite não tivesse a cor ou o peso exatos, se as letras gravadas em itálico se inclinassem um pouco

mais à esquerda, ou à direita, ele descartava com repugnância a amostra. Saiu indignado de pelo menos meia dúzia de lojas de artigos de casamentos, que para Katy pareciam ótimas.

— Vamos — disse ele, antes de visitarem a última. — Só vou casar uma vez. Detesto relaxamento.

— Mas, Terry. Estou exausta. Será que este vestido não é bastante bonito? Não sei qual a sua implicância com ele. — Não teve a coragem de acrescentar: — Sou eu, afinal de contas, quem vai usá-lo. — Amberside estava pagando por tudo. Os pais dela mantinham distância, constrangidos porque se sustentavam em Hull com uma pequena pensão de policial (Katy seguira os passos do pai na polícia, quando sua mãe não tivera filhos homens).

Já era tarde quando finalmente Amberside aprovou um vestido, para grande alívio de Katy. Deus sabe que, àquela altura, ela já não tinha mais nenhuma satisfação em fazer compras, era toda nervosismo e ansiedade. A vendedora estava dobrando e pondo numa caixa a pilha de renda e de cetim cor de marfim, quando Amberside avistou um pequeno buquê de flores bordado no ombro.

— O que é isso? — perguntou ele, sua voz pingando desprezo.

— Lírios do vale, cavalheiro — respondeu a vendedora.

— Não serve. — E ele afastou a caixa.

Agarrando-a, Katy gritou:

— Querido, acho as flores tão bonitas e, além do mais, são tão pequenas. Por que tanta confusão?

— Confusão nenhuma. É só que não quero ver você parecida com uma putinha. — Katy corou profundamente diante da jovem vendedora, que ficou olhando boquiaberta. Amberside levantou a voz alto e bom som. — É um lixo.

— Não diga isso — sussurrou Katy, sentindo uma tonteira.

— Por que não? Você não é material usado. É uma bela moça. Eles podem encher os vestidos de bugingangas horríveis, se quiserem, não é da minha conta, mas não vou botar algo assim em você. — Sem mais delongas, ele saiu pisando duro da loja e fez sinal para um táxi.

O incidente poderia ter sido ridículo, não fosse tão humilhante. Katy mal conseguiu segui-lo de cabeça erguida ao saírem da loja, mas não era chegada a lágrimas. Voltou para casa calada, no trem. Dúvidas encheram sua cabeça. Começou a duvidar se Amberside tinha o menor respeito por seus sentimentos, o que já era um péssimo sinal. Mas para dizer a verdade, sua cabeça lutava contra uma possibilidade mais profunda, mais insidiosa. Seria o casamento deles um quebra-cabeças, até mesmo uma forma sutil de tortura? A complicada expedição para fazer compras, sua recusa em encontrar alguma coisa que estivesse à altura dela; seria apenas uma maneira encoberta de ridicularizá-la?

— Dou um tostão para saber o que está pensando, querida — disse Amberside, apertando com delicadeza o braço dela.

Katy acordou de suas divagações.

— Nada que valha um tostão. — De repente, o vagão deles de primeira classe pareceu intoleravelmente pequeno e abafado, fedendo a cigarros velhos. Ela estava a ponto de fugir, mas o toque dele acalmou-a. Ao olhar para o rosto dele, ela não conseguiu distinguir nem um vestígio de troça ou de subterfúgio.

— Eu estava apenas sendo boba — disse ela, encostando-se no corpo quente dele, em busca de consolo.

Era um despropósito duvidar dele. Ele a amava, amava-a durante muito tempo. Foi por isso que ela abandonara Artur, cujos ciúmes haviam se tornado intoleráveis. Uma noite a coisa explodiu numa terrível briga. Artur pulara da cama e estava do outro lado do quarto, só com as calças do pijama. E gritava, ele que nunca alteara a voz antes:

— Você está dando bola para ele. Não me diga que não está. Acha que sou bobo?

— Acalme-se, você anda imaginando coisas.

— Olhe só para você — disse ele, enojado.

— Qual é o problema com meu aspecto?

— Só falta você embrulhar a mercadoria e expô-la numa vitrine. Não tem vergonha?

— Não. Ninguém jamais falou assim comigo. Pare, Artur. Alguém pode escutar.

— Alguém? Quer dizer ele. — O rosto de Artur estava vermelho e contorcido. — Quem está ligando para a porra que ele possa ouvir? Por que ficamos nesta casa, por falar nisso? Para que você possa juntar os trapinhos com ele logo em seguida?

— Pare com isso. Falo sério.

— Pare você, pare você! Não banque a inocente comigo. Foi você que veio atrás de mim, lembra? Eu podia ter saído com qualquer outra, mas tive pena de você. — Ela recuou, chocada.

— Desculpe, eu não devia ter dito isso. — Mas quando ela olhou em seus olhos, viu que era verdade; a paixão que parecera uma resposta a suas orações se fora. Quando ela começou a chorar, Artur ficou andando para lá e para cá no assoalho, sem tocá-la. Sua desculpa parecia desleixada e fria. — É ele ou eu. Pular de uma cama para outra não é um esporte de que eu queira participar ou ser platéia.
— Vá embora! Vá embora! — Sua humilhação e mágoa explodiram num grito de raiva. E em seguida Artur apanhara algumas roupas, enfiara-as com raiva numa sacola, e partira sem dizer uma palavra.

Sempre que Katy pensava agora em Artur, aquela cena final lhe vinha à cabeça, apagando o amor que houvera antes. As coisas negras e odientas que ele dissera haviam-no envenenado. Aborrecida, ela se jogara na cama aquela noite. Não ouvira ninguém entrar, mas a seguir um toque delicado acordara-a.

— Querido, você voltou — pensou ela. Só que não era Artur. Era Amberside ali ao lado, de pijama, parecendo constrangido e preocupado. Seus olhos eram meigos, cheios de bondade.

— Não agüentei ouvir seu choro.

Katy sofria tanto que não pôde se controlar. Abriu os braços, estendendo-os em sua direção como uma criança amedrontada.

— Tem certeza? — sussurrou ele. — Há tanto tempo que a adoro.

Ela não estava ouvindo. Só ouvia sua profunda e magoada carência. A dor era insuportável. Amberside ficou a seu lado até que ela se acalmasse. Ele acariciou seus ombros e seios, fazendo-a sentir-se novamente desejável.

— Você é bonita — cochichou ele. — Ninguém devia chamá-la de feia. — Ela tremeu. De certo modo, ele adivinhara o pior temor dela, de não merecer o amor por não ser suficientemente bela, desejável ou boa.

Seu desespero foi substituído por um estranho êxtase de esquecimento. O amor que ele fez com ela trouxe-lhe não só o prazer, o alívio, mas o esquecimento — o bondoso, bondoso esquecimento. Amberside era o único capaz de fazê-la esquecer Artur, sem que o substituísse, mas fazendo-a esquecer culpa ou remorso. Em outra situação, isso a teria perturbado, já que ela ansiava por Artur da mesma maneira que Amberside dizia ansiar por ela. Quase que de um dia para outro, Artur dissolveu-se em sua memória como uma neblina rala, e na manhã seguinte mal conseguia se lembrar daquela terrível briga.

— Não sabe por que ele foi embora? — perguntou Amberside. E ele recapitulou para ela o que acontecera. Ouvira-o lá do fundo do corredor, por isso é evidente que devia ter razão. Artur realmente disse aquelas coisas medonhas.

Depois do incidente na loja de artigos de casamento, Katy insistiu em ir para casa. Mas durante os próximos dias, as coisas foram se suavizando, Amberside ficou mais flexível, seu fanatismo perdeu a agressividade. Até mesmo os pesadelos pareceram declinar, e Katy tinha a vaga impressão de que algo entrara em seus sonhos, uma presença suave que acalmava os nervos em frangalhos. Se pudesse apenas se lembrar quem, ou o que era, mas ela nunca fora muito capaz de lembrar seus sonhos.

O único outro acontecimento perturbador aconteceu na véspera da cerimônia, quando apareceu a polícia na casa, fazendo indagações. Katy estava muito animada. Ensaiava como usar seu véu, e correu para mostrá-lo a Amberside na sala de estar.

— Querido, querido, o que acha?

— O querido não está no momento. Foi buscar chá. — Ela levantou a renda branca ao reconhecer a voz de Westlake. — Como vai, Katy? Não dá azar deixar que o noivo a veja assim antes do casamento?

— Eu... O que o senhor está fazendo aqui? — gaguejou ela.

— Estou aqui para ver seu Sr. Amberside. Ele foi testemunha do incêndio aí da rua. Foi um incêndio criminoso, sabe, de acordo com o relatório e, talvez, de quebra, tentativa de assassinato. Ainda há uma pessoa na família cujo paradeiro desconhecemos. Você mesma sabe alguma coisa a respeito?

Antes que Katy pudesse responder, Amberside entrou na sala carregando uma bandeja de chá.

— Desculpe, não consegui achar o raio daquelas moças. Suponho que estejam de folga. — Descansou a bandeja, com um pequeno balançar da cabeça a título de saudação a Katy, sem parecer reparar no véu.

— Com licença, é melhor eu subir.

— Não é preciso. Afinal de contas você é uma policial — comentou friamente Westlake. — Dois cubinhos, sem leite, obri-

gado. — Pegando uma xícara, levou-a aos lábios e olhou para Katy sobre a borda. Depois de anos de experiência, Westlake não traía seus pensamentos. Ele poderia servir de modelo para um Buda queixudo, ou para o gato que comeu o queijo. Katy vacilava na porta.
  — Fique sim, querida — disse Amberside. — Trouxe mais uma xícara. — Ela arriou nervosamente o corpo no divã a seu lado e pegou uma xícara. — Bem, dê início ao interrogatório, inspetor, — disse Amberside simpaticamente. — Vou me casar amanhã e nada estimula tanto a circulação quanto ser suspeito de assassinato.
  — Não se trata de um interrogatório e você não é suspeito de nada. Certamente não de assassinato. — A voz de Westlake era seca, porém indulgente. — Na verdade, nosso relatório inicial sobre o incêndio dos Edgertons foi elaborado por um policial que disse tê-lo encontrado várias vezes, naquela noite, na cena do fogo. Parece que você foi uma peça-chave no auxílio à família.
  — Foi um prazer poder ajudar. São vizinhos, sabe? — respondeu modestamente Amberside.
  — Hum. Você não confraternizava com vizinhos como os Edgertons, não é verdade? Presumo que houvesse um grande abismo entre vocês. — Amberside resolveu ficar calado, levando a xícara a seus lábios. — Por exemplo, conhecia o garoto, como é mesmo seu nome?
  — Não tenho a menor idéia — respondeu Amberside sem uma hesitação.
  — Jerry. O garoto diz que o conhece. — Katy observou que Westlake prendera ligeiramente sua respiração. Ela o conhecia bastante bem para suspeitar que estivesse blefando.
  — Me conhece? Ele disse isso? Eu gostaria de encontrar o garoto e ouvi-lo repetir isso, porque, a não ser que ele tenha vindo aqui para quebrar vidraças, não me lembro absolutamente dele. — Amberside soava um tanto desdenhoso. Teria percebido a cilada? pensava Katy.
  — Está bem. Nesse caso, por que você agarrou Jerry Edgerton pelo colarinho perto da cena do fogo? O policial Callum relatou que você estava zangado com o garoto, e houve um conflito.
  — Apesar de se dirigir a Amberside, Westlake olhava agora diretamente para Katy, como uma serpente míope que houvesse perdido sua presa, mas achado outra. Ela sabia que ele notaria suas

mínimas reações à menção do nome de Artur. Adotou uma expressão vazia e ficou o mais imóvel possível.
— Agarrar o garoto dos Edgerton pelo colarinho? Queira me perdoar, mas considera Callum uma fonte confiável, inspetor? — Amberside virou-se para Katy. — Você não me disse, querida, que ele deu para imaginar coisas?
Katy hesitou.
— Como sabe, fomos companheiros na polícia — começou ela, vacilante.
Amberside interrompeu.
— Tenho certeza de que todos nós queremos usar de franqueza. Ele arrastava uma asa para Katy, sabe, e infelizmente abriguei-o sob meu teto durante algum tempo. Talvez ele mesmo tenha começado o incêndio.
Westlake ignorou essa farpa e ficou à espera. Katy disse, nervosa:
— Eu, isto é, meu marido e eu não temos visto Artur há bastante tempo. Ele reagiu ao nosso noivado, meu e de Terry, muito mal.
— Execravelmente, eu diria — declarou Amberside, pondo-se de pé. — Bem, há alguma outra coisa em que possa ajudá-lo? Esse negócio do incêndio dos Edgerton murchou um pouco.
Westlake apertou os lábios.
— É, parece que murchou, sim. A não ser, é claro, que achemos a espada que falta.
Katy não sabia se esse comentário era pura sorte ou um lance brilhante, mas ele acertou no alvo, já que Amberside não pôde disfarçar suas emoções conturbadas.
Os olhos de Westlake tornaram-se agora maliciosos.
— Você pode me dizer alguma coisa a esse respeito?
— Uma espada? — repetiu Amberside, recuperando um pouco a compostura. — Eu já perdera a esperança de jamais recuperá-la. Disse que o garoto dos Edgerton poderia ter andado rondando por aqui. Ele deve tê-la roubado.
— Estou meio confuso. Sabe, minha informação sobre essa espada é meio incompleta. Só achamos uma bainha entre as cinzas da casa dos Edgerton. De que tipo de espada se trata?
— Medieval, medieval muito antiga. Veio parar nas mãos de meu pai há muitos anos.

— É muito valiosa, então, eu suponho?
— Muito.
Westlake pareceu ponderar.
— Como acha que ela escapou do fogo? Foi antes ou depois? O garoto a pegou? Foi por isso que você o abordou na rua?
O rosto de Amberside corou um pouco, mas ele respondeu sem hesitar:
— Não, é claro que não. Já disse que isso foi fictício.
— Sim, já me disse.
Katy observava o jogo de gato e rato com crescente preocupação. Francamente, ela não tinha idéia de que questões estavam em jogo. A espada parecia inútil, já que Westlake nem sequer a vira. Por que ele levantara esse assunto? Tudo que ela podia dizer é que seus verdadeiros motivos para visitar a casa não haviam sido revelados. A revelação, caso estivesse prestes a ser exposta, jamais veio, porque Jasper escolheu aquele instante para entrar na sala.
— Sr. Amberside? Desculpe, mas eu estou procurando o ancinho?
— Agora não posso. Estou respondendo a algumas perguntas da polícia — respondeu secamente Amberside. A maneira como Jasper enrijeceu subitamente teria sido cômica, não fosse o verdadeiro medo demonstrado por ele.
Westlake virou-se para ele.
— E você, quem poderia ser?
Jasper implorou com os olhos a seu patrão, que explicou:
— Este é Jasper. Ele trabalha no jardim e mora aqui. Empreguei-o depois do incêndio. No dia seguinte, para dizer a verdade. — Westlake pigarreou bem baixo, significando uma aceitação de má vontade desses fatos inúteis. Jasper virou-se para ir embora.
— Lady Penelope dispensou-o por justa causa? — Westlake disparou a pergunta nas costas de Jasper.
A cabeça de Jasper virou-se rapidamente.
— Perdão?
— Sua ex-patroa, Lady Penelope Rees. Estou encarregado do caso Merlim. Tenho certeza de que você não desconhece totalmente o caso, já que está registrado que você foi dispensado de Emrys Hall três dias depois do desaparecimento de Sir Derek. Eu fiquei apenas imaginando por que foi dispensado. — A voz

do inspetor era lânguida e tranqüila. — Você não foi mordomo de lá por muitos anos? E ia bem, não é? Parece muito estranho, essa súbita despedida naquela época. — A serpente tinha velado seus olhos, pensou Katy, e estava em seu momento mais perigoso.
— Não sei o que o senhor quer dizer. — Jasper se virara, demonstrando no rosto uma máscara de pavor.
— Será a pergunta tão difícil assim de ser compreendida? Perguntei-lhe por que foi dispensado.
— Não fui dispensado. Demiti-me por conta própria. — Westlake esperou calado, e a tática funcionou. Jasper acrescentou numa voz desequilibrada: — Eu não fiz mal a ninguém, nem roubei nada.
— Não sabia que deram falta de mais alguma coisa, além de Sir Derek.
Jasper olhava nervoso do inspetor para Amberside. Lambeu os beiços, com uma língua pálida e pontuda e disse:
— Eu só quis dizer que sou honesto. Não havia motivo nenhum para me demitirem.
Amberside sorriu.
— Isto já basta, Jasper. Não tenha dúvida de que sua esplêndida compostura já convenceu o inspetor de que você cometeu todos os crimes nos cinco condados da vizinhança.
Westlake reagiu a essa tirada com um sorriso meio contrafeito, mas quando Katy riu, Jasper deu-lhe um olhar duro. Ela se contraiu na cadeira, ao ver o ódio nos olhos dele.
"Foi um comentário engraçado", queria ela dizer, mas Jasper adotara uma expressão petrificada, deixando a sala.
Katy levantou-se.
— Acho que eu também irei. Sinto-me meio tola permanecendo aqui com este véu.
— Besteira, você merece um retrato — exclamou Westlake, num galanteio nada sincero.
— Adorável — murmurou Amberside.
Quando ela se virou para sair, Westlake murmurou algo muito baixinho. Ela não pôde resistir a fazer a pergunta:
— O que foi?
— Parabéns. Estava desejando felicidade em seu casamento, tão próximo.
— Obrigada.

Subir até em cima foi um pequeno tormento. Ela tinha a impressão de que ambos os homens estavam rindo dela à socapa. Chegou a seu quarto e se sentou na cama, tirou os pinos que prendiam o véu e o segurou irrefletidamente. As perguntas de Westlake sobre o incêndio criminoso deixaram-na perturbada. Ela nunca soubera que Amberside estivesse sob suspeita. Por que agredira o menino? Devia estar mentindo ao negar aquilo. Ela percebeu que ele escondia muita coisa dela; toda sua vida como Mestre Ambrosius era algo que nunca comentara, por exemplo. Westlake não mostrara sua mão, mas ela sentiu que ele devia ter vindo para mandar-lhe uma mensagem. O Westlake que ela conhecia não estava acostumado a agir de modo espalhafatoso e, no entanto, ele bancara o policial desajeitado, cultivando a atuação farsesca de Amberside.

Você está em perigo.

Ela teve a impressão de saber exatamente qual era a mensagem. Mas quem devia temer? Jasper, talvez, se tivesse havido violência com relação ao desaparecimento de Derek Rees. Katy mal estivera suspensa três semanas e, no entanto, sua vida na polícia parecia distante, vaporosa, envolta em sombras.

Um carro deu a partida lá fora e entrou no estreito retorno diante da casa. Katy andou até a janela. O sedã da polícia de Westlake descia lentamente o caminho apertado. O que estaria pensando naquele momento? Ela não tinha idéia, mas quando olhou para as próprias mãos, viu que torcera o véu com tanta força que quase o estragara.

No momento em que se preparava para deitar naquela noite, ouviu uma batida na porta.

— Entre.

Era Amberside. Sua batida polida deve ter sido um de seus gestos de decoro, que ele tanto apreciava.

— Você parece cansada, querida. Estava preocupado. Que bom que vai deitar cedo.

Ela balançou a cabeça, ausente, sentindo surpreendentemente pouca alegria diante da perspectiva do dia seguinte. Estava sentada à sua penteadeira, tirando creme facial com um lenço de papel.

Amberside veio por trás dela e começou a acariciar seu cabelo.

— Nós evoluímos muito. Sabe que acho mesmo? Como mestre e discípulo, e não apenas marido e mulher. — Sua voz parecia divagar, quase sonhadora.

Ela parou de enxugar suas faces.
— Discípulo? Que coisa estranha de se dizer.
— Ah, não a tome tão literalmente. Há coisas que uma pessoa pode ensinar sem que a outra tome sequer consciência delas. Os casamentos são assim. Sabe o que lhe ensinei?
— Não.
— A se abandonar. Descobri um amor ardente em você, à espera de ser libertado. É isso que você ansiava, não era?
Ela corou ligeiramente.
— Eu não chamaria nossa relação de uma coisa louca, Terry.
— Não chamaria? Você apenas não enxerga o que eu enxergo. — Ele levantou os cabelos compridos dela com ambas as mãos, como alguém que levantasse a cauda de um vestido de noiva, para que não se sujasse em contato com a terra. Este gesto, que deveria demonstrar ternura, lembrou-a de um titeriteiro puxando seus cordões. Ela ficou muito quieta, esperando que ele a largasse. Em vez disso, Amberside enfiou o rosto no seu cabelo e inspirou profundamente.
— Eu... por favor, não faça isso.
Katy arrependeu-se imediatamente de ter deixado escapar aquelas palavras. Amberside levantou seu rosto e olhou para ela. Não ficara magoado. Não, graças a Deus, ficara apenas perplexo e preocupado.
— Você tem razão, eu estou cansada. — Katy ergueu seu rosto e ele o beijou antes de sair.
Ao entrar sob as cobertas, Katy esperava ter dificuldade de adormecer, mas não teve. Uma pesada sonolência dominou-a quase imediatamente. O último pensamento que ela teve foi de gratidão, ao escorregar pela discreta ladeira rumo à inconsciência.
As horas passaram sem que ela percebesse. Não houve pesadelos, mas ela recebeu uma visita da presença calmante que presidia recentemente seus sonhos. Só que dessa vez a visita foi mais concreta, quase como se a presença desejasse que ela se lembrasse. Iniciou-se um sonho em que Katy era um bicho numa terra escura, de faz-de-conta. O bicho era horroroso, um duende com cabeça de javali. Vivia sob uma ponte, refocilando na lama do rio, com presas curvas e amareladas.
O bicho era solitário. Os aldeões da vizinhança tinham tanto medo dele que só atravessavam a ponte à noite andando depressa, mantendo seus lampiões cobertos. Apesar do anseio de

conviver com as pessoas, o bicho não conseguia deixar seu esconderijo, porque certa vez ofendera muito uma poderosa feiticeira. Ela lançara um feitiço sobre as presas do animal, que cresciam tão depressa, que toda manhã curvavam-se para cima, alcançando seus olhos e ameaçando cegá-lo. O bicho ficava louco de medo ao ver quanto se aproximavam as pontas das presas, mas no momento em que aquela dor terrível parecia inevitável uma bela moça aparecia na ponte, carregando maçãs numa cesta de ouro. Ela jogava as maçãs para o bicho e, no momento que ele as comia, as presas se encolhiam, eliminando o perigo. Katy sentia-se distante quando ouvia essa história, mas ao mesmo tempo participava dela, sendo tanto o bicho quanto a moça.

A mesma cerimônia se repetia sem cessar, até que chegou o dia em que em vez de comer as maçãs, o bicho simplesmente ficou a contemplá-las, com lágrimas a escorrer do rosto.

— O que está fazendo? — gritou a moça. — Coma-as depressa, senão ficará cego.

— Não consigo mais — respondeu o bicho, sacudindo a cabeça.

— Por que não? — perguntou, triste, a moça. — Não tenho vindo todo dia, mais de mil vezes, para salvá-lo?

— Sim, é verdade, mas não adianta, porque não confio que venha no dia seguinte. — A moça foi embora em lágrimas. Ao vê-la partir, o bicho sabia que ele mentira. Na realidade, apaixonara-se pela moça, mas, com vergonha de sua feiúra, não tinha coragem de lhe confessar. O bicho deitou-se na lama do rio, pensando, "Melhor morrer assim do que ter meu coração despedaçado por ela".

Naquele momento, porém, a moça voltou correndo para a ponte.

— Eu te amo — gritou, e jogou a última maçã de sua cesta para ele. O coração do bicho deveria ter exultado de alegria, mas ele gemeu, incapaz de enxergar onde a maçã caíra. As presas haviam crescido rapidamente e, com um terrível relâmpago de dor, cegaram-no.

Devia ser quase ao amanhecer quando uma voz de homem surgiu do escuro. Katy se mexeu, sentindo que o peso do cobertor quadriculado estava sendo levantado de cima dela. Uma onda de ar frio envolveu seu corpo. Sonolenta, sentiu suas pernas esfriarem, sua camisola estava sendo puxada para cima.

— Eu não o ouvi — balbuciou ela. Os braços dele a abraçavam agora, sua boca colada em seus seios, por cima do pano.
— Deixe, ah, deixe.
A premência do corpo dele era pesada e forte. Uma onda quente de desejo também se espalhou pelo corpo dela, mas sem que ela quisesse acordar. Queria que tudo acontecesse naquele meio torpor, em que ela sabia ser bela. Não queria mais o casamento, nem ser coberta de vistoso branco. Bastava que seu amante viesse ter com ela no escuro e a deixasse ser bela.
Algo estava acontecendo, entretanto. A premência do homem começou a se transformar em algo brusco. As mãos dela empurraram seu afoito noivo, resistindo à rudeza de seu toque.
— Não. Espere — protestou ela, sonolenta. Katy abriu os olhos e uma mão tapou sua boca para impedir seus gritos.
— Não grite. Eu preciso fazer isso. — Jasper parecia ter medo dela, e no entanto o desejo brigava com o medo. A luz cinzenta de antes do amanhecer que entrava pela janela iluminou o rosto dele, revelando sua carência doentia e insaciável. Katy sacudiu violentamente a cabeça para os dois lados, tentando mordê-lo, tentando libertar seus gritos abafados. Estava agora inteiramente acordada, com a cabeça latejando.
— Jasper — disse ela asperamente. Ele se afastou, com o rosto traindo um medo intolerável. Ela estendeu uma mão e o arranhou no rosto. — Você está esquecendo seu lugar — disse ela numa estranha voz, sedutora e ao mesmo tempo metálica. — Você sabe de que eu sou capaz, se quiser.
A essa altura Jasper pulara da cama e vestia depressa suas roupas.
— Você não pode me fazer mal. Ele disse que não. — E recuara até a porta, que se escancarou.
— Imbecil. Já lhe disse para nunca ficar até o amanhecer.
Amberside estava na porta, coberto de sombras no lusco-fusco do amanhecer. Vestia o roupão desbotado de brocado que sempre punha quando se levantava para fazer o café da manhã dela. Katy abandonou seu corpo, de repente fraca e esgotada.
— Você? — disse quase inaudivelmente.
Amberside ignorou-a.
— Não acho que ela representará mais nenhum problema para você — disse ele num tom monótono.

Jasper remexeu-se nervosamente, voltando em seguida para a cama. Katy recuou, abrindo a boca para gritar.

— Ela nunca fez tanta confusão antes — disse ele, prendendo os braços dela contra a cama, e desta vez com facilidade.

— Não? — respondeu Amberside.

Katy não conseguia desgrudar os olhos da porta onde permanecia ele, com as mãos nos bolsos. Os olhos de Amberside brilhavam, e ela se deu conta da pura maldade de alguém que planejara, passo a passo, o insidioso jogo de matar sua alma.

— Acho que ela chegou a gritar das outras vezes — disse ele, virando-se para ir embora. — Mas a casa é grande e ninguém a ouviu.

VINTE E SETE

Heroísmos

Ao correr atabalhoadamente pela floresta, em pânico e com medo de perder a vida, a cabeça de Artur só fazia gritar uma palavra: "Covarde!" E repetia implacavelmente. "Covarde, covarde." Por que não ficara para lutar contra o dragão? Ele possuía uma espada mágica, era o que lhe disseram, e fora acolhido pela corte como seu herói há muito desaparecido. Não havia desculpa para a onda de pavor que o fizera deitar-se achatado contra o chão, cobrindo a cabeça para evitar o bafo de fogo do monstro, enquanto ele destruía o acampamento.

O primeiro jato do dragão levantara uma nuvem furiosa de cinzas e fumaça por toda a clareira. A mulher do chapéu de feltro estivera diretamente sob a enorme sombra da fera. E também Pen e Melquior. Todos eles haviam desaparecido atrás de uma cortina cinzenta, à medida que os olhos de Artur passaram a lacrimejar furiosamente. O vagabundo pegara sua mão, dizendo:

— Espere aqui! — Então ele também desaparecera. Alguns segundos mais tarde Artur sentiu o cabo de Excalibur ser enfiado em sua mão. — Peguei-a na carroça — gritou o vagabundo. — Acha que você pode...

Outro rugido abafou as palavras do vagabundo. *Acha que pode o quê?* pensou agora Artur, enquanto fugia. Manter sua posição e lutar? Salvar-nos? Fosse lá o que a corte dos milagres esperava dele, Artur fracassara. Num instante, a carroça onde passara a noite explodira numa bola de fogo. Apesar de não ter podido ver o monstro, Artur se pusera em pé de um pulo, segurando a espada com ambas as mãos. Quando a fumaça limpou um pouco, ele pôde enxergar o rosto do vagabundo, duro e áspero como granito.

— Suba nas minhas costas, eu o carregarei — gritara o vagabundo.

Artur sacudira a cabeça. Partiram num trote, ou algo mais parecido com um frenético cambalear de embriaguez, mas era o melhor que Artur podia fazer, tendo que arrastar o peso da espada. Os dois haviam visto Paddy Edgerton aquela manhã, de pé na borda do acampamento, trajando roupas úmidas e amarrotadas. Agora o andarilho gritava seu nome, mas sem resultado. Ele era enigmático, e uma nuvem de suspeita pairava sobre ele. Não havia tempo para pensar onde passara a noite e se provocara o ataque contra eles.

Artur tomara a dianteira, abrindo caminho desajeitadamente na mata com largos golpes de espada, olhando para trás vez por outra para ver se o vagabundo o seguia. Dentro em breve o terreno começou a ficar muito inclinado, e Artur precisou de toda atenção para manter-se em pé. Não olhou para trás talvez por uns cem metros e, quando o fez, o vagabundo desaparecera.

— Lancelot — gritara, usando pela primeira vez o nome do vagabundo. Ou será que o sujeito tinha um novo nome naquele lugar e naquela época? O eco que voltava era cavo e desolado. O andarilho parecia ter sido engolido de volta pela tessitura da lenda, tal como o resto da corte e o próprio dragão.

A mata não era profunda e Artur correra até seu limite em menos de meia hora. De onde estava agora sentado, num resto de tronco meio podre, podia ver uma pequena sede de fazenda a meia distância. Deveria ir até lá e pedir socorro? Era improvável que alguém fizesse muita fé em sua história despropositada.

— Lancelot — gritou ele, fazendo uma concha com as mãos em torno da boca. — Lancelot. — Parecia ridículo. Não havia nenhum Lancelot, não havia absolutamente ninguém para atestar que ele não era maluco. Artur levantou-se dolorosamente do toco podre. Suas canelas doíam em virtude de um choque com uma pedra aguda durante a fuga, e sentia fraqueza e tremor nos músculos.

Ele podia ver um trator John Deere desenhando sulcos retos num campo de cevada nova. Vacas malhadas mugiam no pasto logo acima da elevação, enquanto Artur começou a caminhar lentamente rumo à fazenda. Mil anos atrás, pensou ele com feroz hilariedade, ninguém teria duvidado de sua história. As costas de sua camisa estavam chamuscadas e seu cabelo emplastrado com uma quantidade suficiente de fuligem para provar que sobrevivera ao ataque de um dragão. Mas não estava ensangüentado. Com a exceção de algumas espetadas de samambaias e as equimoses nas canelas, não tinha um arranhão.

Com vergonhosa certeza, o pensamento que lhe atormentava voltara. Ele decepcionara a corte. E, por falar nisso, provavelmente também decepcionara Katy. Amberside haveria de casar com ela dentro de dois dias. Não, já se passara um dia, portanto seria amanhã. A ameaça que ele vislumbrara nos olhos de Katy, no bar, fez com que Artur sentisse um apertão no peito. Amberside a conquistara injustamente, não pelo amor, tampouco pela guerra.

Na fímbria, a mata onde se sentava Artur ia ficando rala, até não consistir em mais do que moitas de jovens e esguias bétulas. Suas folhas verdes e ásperas tremulavam na brisa, como se um dragão também as tivesse amedrontado. Artur sentiu um gosto de lanugem amarga na boca. A espada ficara cada vez mais pesada, à medida que ele a arrastava. Sem bainha e cinturão, não era possível carregar aquela coisa indefinidamente. Artur deixou cair a lâmina em cima da grama rala e falhada sob as árvores, olhando-a.

O que você quer de mim, afinal de contas?

A espada era mais do que um peso incômodo e inútil. Ela surgira dos destroços de um reino que ele jurara defender no passado. Mas o que isso significava agora? Artur não sabia. Ele olhou para a pequena fazenda bem organizada a sua frente e para o céu azul em cima, espantado de que ainda existissem coisas mundanas assim. Não, não existiam; não para ele. Ele agora convivia com dragões. Era isso que o destacava, e os escassos outros cujos rostos ele agora conhecia. O perigo que o ameaçava não fazia sentido se não se convivesse com dragões.

Artur levantou-se, com os joelhos duros e doendo, a lâmina relutante de volta a suas mãos. A única maneira de resolver a questão era seguir em frente, de modo que o que tivesse prioridade viesse primeiro. Ele não poderia muito bem ir direto até o John Deere e dizer:

— Oi, pode nos dar uma carona? Não ligue para isto. É Caladvwch, "relâmpago forte" mais conhecida como Excalibur.

— Até aí parecia evidente. Porém, a estrada de terra que levava à fazenda provavelmente desembocaria numa estrada asfaltada, mais à frente. Artur rumou para ela, contornando o campo de cevada nova, passando pelos limites da propriedade.

Sob o sol quente de maio, sentiu-se melhor; com uma fome incrível, mas melhor. Mal parecia possível que na noite anterior ele estivesse num bar, e se lamentava agora por ter gasto suas últimas moedas a beber. Os sapatos de Artur ficaram mais leves, à medida que se livraram do peso da lama, ao serem secados pelo sol. Dentro de poucos minutos ele escalou uma pequena elevação e avistou a rodovia a meio quilômetro de distância. De repente, um Escort vermelho aproximou-se dele por trás, provavelmente vindo da fazenda, ultrapassando-o. No volante estava uma senhora de meia-idade que olhava rigidamente para frente. Discreta, ele pensou. Qualquer pessoa capaz de ignorar a imagem de um homem a arrastar pela estrada uma espada de combate de quase vinte quilos, possuía uma notável discrição. Ao chegar à estrada, o asfalto luzia, emanando ondas de calor. Artur ficou na margem, pensando.

Casa. Westlake. Emrys Hall. Essas eram suas três alternativas, no final das contas. Casa era a mais segura, mas expunha sua mãe ao perigo. Westlake tinha o poder de iniciar algum tipo de investigação, até onde a polícia podia se intrometer. Além do mais, ele já queimara seus cartuchos nessa área. Amberside, recordava ele, falara no bar sobre arranjar um encontro com Westlake para reintegrar Katy. Westlake certamente mantivera seu ponto de vista de que Amberside era um respeitável cidadão, e não alguém que convivia com bruxas e invocava animais míticos.

Emrys Hall era a última e mais lógica alternativa. Ele poderia ficar escondido lá e talvez arranjar uma refeição, se conseguisse entrar. E também poderia ficar à espera de que a própria Pen resolvesse ir para casa. Talvez ela já tivesse voltado, se escapara viva do acampamento.

De pé ao lado da estrada, Artur esticou o pescoço em busca de pontos de referência que lhe informassem onde estava. O asfalto se estendia, neutro, em ambas as direções. Alguns carros passaram, em seguida um caminhão pesado. Um menino num dos carros riu e apontou para ele. Artur manteve-se no acostamento, de cabeça baixa. De repente uma ligeira lembrança deu o ar de sua graça. Ele olhou em volta. A estrada ainda continuava sem traços característicos, mas ele sentiu com uma súbita certeza que aquele era o mesmo trecho da rodovia onde eles haviam encontrado o corpo. Artur esperou que outro furgão passasse, em seguida atravessou correndo a estrada.

Aqui.

A grama que cobria a inclinação da vala crescera bastante desde que ele estivera ali pela última vez, apagando quaisquer vestígios de um crime. A faixa de grama cortada pela turma da estrada tinha apenas poucos metros de largura. "É possível que haja alguém aí em baixo", pensou Artur. Ele não tinha idéia de por que esta noção surgira em sua cabeça, mas resolveu ir lá dar uma olhada. A vala tinha cerca de vinte metros de largura e era muito profunda. Um filete de água corria no fundo, lembrava-se, ou talvez fosse chuva acumulada que fazia com que o solo ficasse molhado e esponjoso.

Ao chegar lá, Artur descobriu que tinha razão. Mesmo no tempo seco, a terra molhada no fundo da vala fazia ruídos de sucção em torno de seus sapatos. Aqui os juncos vinham quase até a cintura. Merlim — o corpo que eles haviam achado — não fora arremessado tão longe ladeira abaixo. Uma moita de arbustos margeava o outro lado, com uma fileira rala de amieiros e salgueiros logo atrás.

Artur começou a abrir caminho com as mãos entre a vegetação úmida, procurando aqui e ali no terreno pantanoso. Não exatamente o que esperava encontrar. Nada, mais provavelmente. Os juncos eram ásperos em contato com as mãos de Artur, e o capim-navalha infligia-lhe pequenos cortes invisíveis, como cortes no papel. Artur fez uma careta, notando uma depressão no capim dez metros adiante. Poderia ter sido provocada por qualquer coisa: pneus velhos atirados de algum carro que passava, um tronco caído. Mas ele sabia o que era, mesmo antes de se aproximar bastante para ver.

Paddy Edgerton jazia de cara para cima em seu leito de ervas úmidas. Seu rosto ficara da cor de tabatinga, e sua boca estava aberta, como também seus olhos apavorados. Artur inclinou-se para tocá-lo. O cadáver estava frio e não havia rasgão algum nas roupas. Pareciam úmidas e amarrotadas, tal como pareciam da última vez que Artur vira Paddy, naquela manhã, na beira do acampamento. Artur ergueu a vista para o céu; o sol passara um pouco de meio-dia, julgava ele. Fechou delicadamente os olhos fixos do morto e se levantou de novo.

Então, agora ele sabia mais alguma coisa sobre Mordred: tinha senso de humor. Divertia-o deixar outro cadáver para confundir a polícia. Ou teria sido premeditado que Artur o encontrasse? Ele olhou de novo para baixo. Não havia sangue em nenhum lugar, porém o ângulo inviável da cabeça lhe dizia que o pescoço de Paddy fora quebrado, tal como o de Merlim. Artur levantou as mãos, olhando com cuidado. Sim, ligeiros traços de tinta azul eram visíveis sob as unhas.

— Viu o que você fez? Espero que tenha ficado satisfeito.

— Eu não fiz nada. — Artur virou lentamente a cabeça. Com a mesma certeza que tivera a respeito do corpo, sabia agora que seu acusador seria o menino. Levou um instante para descobri-lo, meio escondido no capim alto. Jerry Edgerton estivera sentado ali por tempo indeterminado.

— Você roubou a espada — disse ele amarguradamente. — Chama isso não fazer nada? — Edgerton indicou silenciosamente Excalibur, que Artur enfiara na terra macia e que jazia agora como uma cruz ao lado do cadáver.

Artur se levantou e foi abrindo caminho pelos densos juncos em direção ao garoto.

— Você seguiu seu pai até aqui? — perguntou ele, olhando embaixo para Edgerton, que não se mexia.

— Eu não o segui, segui você. Estava por aqui, nesse trecho da estrada. Tive um palpite de que alguém viria. É onde acharam o corpo do velho, não foi?

— Sabia que seu pai estava aqui embaixo? — perguntou Artur ponderadamente. E estendeu a mão para pegar no ombro de Edgerton, mas o garoto recuou.

— Poupe-me sua piedade. Ele não valia mais nada para a gente, há muito tempo.

Artur tentou não ficar chocado com a insensibilidade do garoto. Sabia que nas famílias onde as coisas andam piores, não se viam muitas lágrimas. Conservando um tom objetivo, disse:

— Se não sabia que ele estava aqui embaixo, então presumo que não viu quem o matou? — Não podia deixar de interrogar o garoto, embora tentasse adocicar sua voz de tira.

Quando não houve resposta, os dois simplesmente ficaram onde estavam, Artur de pé sobre Edgerton, o garoto a fitar o cadáver. Pareciam guardar um estranho velório. Pelo ruído dos

pneus na estrada, sabiam que os carros passavam constantemente, mas nenhum parou. A vala era suficientemente profunda para escondê-los.
Artur quebrou o silêncio hostil.
— O que acha que devemos fazer?
— Eu pouco me importo. Deixe-o aqui. Será provavelmente mais fácil para minha mãe.
Artur sacudiu a cabeça.
— Não, não seria. Sempre preocupada, sem saber o que lhe acontecera; isso seria muito pior do que descobrir. — Ele parou, percebendo que a despeito de suas boas intenções, não podia na realidade notificar Edie Edgerton, porque implicava chamar a polícia, e ele não podia se arriscar a aparecer em público, ainda não.
O garoto intuiu alguma coisa.
— Você também está fugindo?
Artur ficou espantado.
— Eu diria que sim, embora não tenha feito nada errado, e não seja da polícia que estou fugindo, mas... — A frase ficou inacabada.
— Guarde a porra de seus segredos, eu não ligo. Vou embora. — O garoto partiu subitamente, subindo a ladeira íngreme cheia de capim.
— Espere, deveríamos ficar juntos. — Edgerton virou-se, hesitando por um instante. — O que quero dizer é que eu podia ajudá-lo e você podia me ajudar. Minha mãe tem uma casa na cidade. Poderia ficar lá. Uma vez que a gente estivesse em segurança, eu poderia chamar a polícia. Há uma pessoa lá em quem confio.
— E o que quer de mim? — perguntou desconfiado Edgerton.
Artur decidiu arriscar.
— Preciso que me mostre onde arranjou a espada. Eu não a roubei. Veio parar em minhas mãos de pleno direito.
— Você mente — cuspiu Edgerton.
— Acha que é sua, então?
— Fui eu que a achei. Veio ter às minhas mãos, e de mais ninguém. — O garoto mordeu o lábio, lamentando ter divulgado até este fragmento de informação.
— Então mostre-me onde achou. Alguém está atrás de mim, e eu preciso reunir pessoas que me possam ajudar. Neste

exato momento, elas estão espalhadas por aí e perdidas, mas se eu conseguir voltar pela trilha, tenho uma chance de localizá-las.
— Quem está atrás de você? — perguntou desconfiado Edgerton.
Artur respirou fundo, resolvendo arriscar ainda mais.
— Amberside. Você o conhece. É o sujeito que o agarrou pelo colarinho quando sua casa ardia. Você e eu suspeitamos que foi ele quem começou o incêndio, não é?
Edgerton não conseguiu disfarçar seu espanto.
— Achei que fosse meu pai.
Artur sacudiu a cabeça e disse delicadamente:
— Não, meu filho, seu pai estava do lado certo, não importa o que você ache. Ele rezou para que você não se machucasse no incêndio. — O garoto desviou o olhar. — Amberside quer a espada. É provável que ele já a tenha procurado em toda parte, tentando abordar quem quer que saiba alguma coisa sobre ela.
Edgerton olhou em volta.
— Você tem razão. Precisa da minha ajuda. — E afastou seu cabelo liso dos olhos.
— O negócio é que temos de trabalhar rápido. Sozinho não sou páreo para Amberside. Se existem outras pessoas que sabem sobre a espada, precisamos entrar em contato com elas. *Existe* mais alguém, não é? — Edgerton hesitou, em seguida balançou secamente a cabeça. O garoto não queria abrir mão do controle, percebeu Artur, mas sua resistência em cooperar parecia estar se abrandando.
— Está bem, eu lhe mostrarei — disse finalmente Edgerton. — Mas não preciso ficar na casa de sua mãe. — Ele emprestou a essas palavras um ligeiro toque de desdém.
— Você não sabe como isso é importante — disse Artur, grato. — Alguém que eu amo está correndo sério perigo, do mesmo modo que seu pai correu. Amberside não é simplesmente mau, ele possui um terrível poder sobre as pessoas. Tem poder sobre ela, minha amiga, quero dizer.
— O que podemos fazer a respeito?
Artur lutou contra uma onda de desânimo.
— Não sei. Não posso ficar simplesmente olhando, compreende? Eu também teria salvado seu pai, se pudesse.
O garoto se contraiu e seu olhar percorreu a encosta. Estava ansioso para sair dali.

— Antes de irmos, preciso fazer uma coisa — disse Artur, pegando no braço de Edgerton. O garoto deu de ombros, tendo cortado a comunicação entre eles. Artur arrancou a espada ereta do chão e deixou que a lâmina descansasse de leve, atravessada sobre o peito de Paddy Edgerton. Ele a ergueu de novo para tocar cada mão cinzenta e rígida, em seguida a testa pálida. "Eu não pude protegê-lo, e por isso peço perdão", pensou ele, "mas que esta morte seja um começo, e não um fim."

Em voz alta disse apenas:

— Eu o recomendo a Deus — lembrando-se vagamente das palavras dos serviços fúnebres.

Artur tinha a impressão de que Paddy Edgerton não fora apenas vítima de assassinato; ele escolhera a morte, aproximara-se dela voluntariamente. As circunstâncias eram veladas, mas mesmo assim Artur tinha certeza de que a coisa acontecera desse modo. Para alguns, a cura é um fardo demasiadamente pesado para suportar, e eles a devolvem, trocando-a pelo medo a que estão acostumados.

— Você reparou? Suas pernas estão esticadas. Eu o odiei por ter fugido, mas pelo menos ele obteve esse benefício. — Havia uma inusitada meiguice na voz de Edgerton, como se o tivessem trazido de volta de uma região fora de alcance.

— Você quer? — perguntou Artur com delicadeza, passando a espada para o garoto. Sem uma palavra, Edgerton ergueu-a, tocando com ela a fronte de seu pai.

Aquele momento fez Artur evocar uma cena esquecida desde seu tempo de criança, uma estampa colorida e desbotada de um livro sobre as lendas do rei Artur. Era uma cena triste, o rei Artur morrendo derrotado no campo de batalha. Ele jazia no chão, mortalmente ferido pelo seu filho natural, Mordred, que Artur havia matado, por seu turno. Com a lâmina de Excalibur ainda segura na mão, ele olhava para o cadáver do filho com um semblante trágico.

A página oposta contava a história dos últimos momentos de Artur. Um único cavaleiro, Sir Bedivere, sobreviveu para ficar ao lado do rei moribundo, finda a batalha. Artur virara-se para ele, dizendo:

— Estou morrendo. Pegue Excalibur e a jogue naquele lago que vê à distância. Em seguida volte, e me conte o que viu.

Bedivere passou com dificuldade pelos corpos caídos e mutilados, ignorando os gemidos dos moribundos. Ausentou-se uma hora e quando voltou, veio de mãos vazias.

— Fez o que mandei? — perguntou Artur. Bedivere balançou a cabeça. — E o que viu?

Sir Bedivere sacudiu a cabeça.

— Nada, Majestade, somente a espada a afundar na água.

O rosto de Artur se ensombreceu, e mesmo morrendo foi grande seu descontentamento.

— Não fez o que mandei. Volte.

Bedivere voltou ao lago onde escondera Excalibur entre as pedras, por não agüentar jogá-la n'água. O cavaleiro só tinha um braço, mas agora ele ergueu a espada, girou-a em volta da própria cabeça, e a arremessou dentro do lago. Ela foi caindo, girando em torno de si mesma, e em seguida um braço de mulher se estendeu da água, pegando a espada pelo seu cabo cheio de jóias. Espantado, Sir Bedivere observou a mão brandindo alto Excalibur por um instante, antes de puxá-la para as profundezas do lago. Ninguém lhe precisou dizer que o rei dera seu último suspiro.

Voltando a si, Artur percebeu que Edgerton ainda deixava a ponta da espada descansar delicadamente contra a fronte de seu pai. Artur olhou para o rosto triste de Edgerton e se deu conta do que estava assistindo. Na lenda, Bedivere, o último cavaleiro a ver Artur com vida, perambulara pelo mundo até morrer alquebrado, recluso, mas a teia do tempo o trouxera de volta.

De maneira estranha, todos eles tinham vindo ocupar seus lugares, representando os papéis de que o destino não os liberava. O garoto na vala à beira da estrada fora compelido a arremessar a alma do pai, do mesmo modo que Bedivere arremessara a alma de alguém que fora como um pai para ele. Artur não tinha como saber se os dois eram a mesma pessoa. Ele nem sequer sabia qual a verdade da história de Sir Bedivere, uma entre milhares de versões da infindável narrativa das lendas sobre o rei Artur.

E no entanto, o que exprimia aquela lenda no fundo, a não ser a triste glória da existência humana? De geração em geração, os filhos assistem à morte de seus pais e choram por não tê-los amado bastante, ou por bastante tempo, ou com bastante fidelida-

de. A glória viu-se entrelaçada com a tristeza, e as lições do mito e da mortalidade, fundindo-se entre si, permaneceriam uma verdade, até que a teia do tempo se abrisse e deixasse escapar seus prisioneiros.
De repente o garoto murmurou:
— Eu o ajudarei a passar pelo fogo. — Parecia dizer isso das profundezas de seu ser, como se fosse uma oração. O que quer que aquela frase significasse para ele, nada mais foi revelado. Agora não eram necessárias palavras. Edgerton devolveu Excalibur. O gesto foi lento, deliberado, em ritmo de ritual, além de qualquer coisa que Artur pudesse recordar, e não obstante mais adequado do que qualquer coisa que a memória pudesse fornecer.
Edgerton levantou os olhos.
— Podemos ir? Alguém está vindo. — Parecia tenso, com um olhar assombrado por pensamentos que Artur não conseguia decifrar. O garoto tinha razão: um sedã cinza parara na beira da vala, e a janela do lado do motorista começou a ser abaixada.
Artur se deteve, querendo compreender o momento sagrado que passara. Sabia haver nele uma pista, e o compreendeu em seguida. *Experimentaste o poder da espada. Agora procura jogá-la fora.* O menino dos Edgerton estava ali para mostrar-lhe isso. Por um momento, Artur e o garoto tinham se alçado a um lugar privilegiado em que os gestos cotidianos assumem dimensão mítica. Uma vez que a humanidade não consegue se alçar a esse lugar, ele é exaltado na lenda sob o nome de Camelot.
Artur conseguia enxergar o menino agora sob um novo ângulo, não como um personagem duvidoso cruzando a esmo seu caminho, mas como uma perfeita peça, num jogo perfeito. Vendo isso, e só ao vê-lo, foi possível sentir amor. O amor é a tapeçaria tecida pela perfeição, cada fio nela é tão precioso quanto todos os demais.
— Você não vem?
A pergunta ansiosa de Edgerton trouxe Artur de volta.
— Olhe, não se preocupe com o carro por enquanto. Quero lhe devolver isto. — Artur agarrou a mão de Edgerton e a fechou em torno do cabo da espada.
— O quê?
— Eu a dei a seu pai, mas ele não a quis. Foi destinada a ser sua.

O garoto abaixou os olhos, estupefato.
— Mas por quê?
— Para dar início a uma nova lenda, acredito. — Artur riu, e aliviou o peso da vergonha que ele sentira desde que fugira do dragão. Percebeu que seguira o exemplo de Merlim, dando a espada como um ato de amor. Era o primeiro passo, pequeno porém crucial, na construção do novo Camelot.
— Vamos embora — sussurrou Edgerton com urgência, com o rosto brilhando de excitação. Artur balançou a cabeça e se inclinou para melhor se ocultar atrás dos juncos altos. Seguido pelo menino, foi caminhando pela vala. A uns 15 metros adiante, podiam sair furtivamente dentro de uma moita, sem serem notados. Não esperaram que a porta do sedã cinzento se abrisse, e portanto nunca puderam ver o curioso observador descer para procurar no fundo da vala e realizar sua espantosa descoberta.

VINTE E OITO

A Antiga Rainha

O Mágico.
— Você é querido pelos velhos deuses, que o ajudarão a vencer em qualquer situação — murmurou Amberside para si mesmo. Estava sentado na cozinha, sentado à mesa de carvalho rústica que conhecera desde criança.
Ás de Varas.
— O conflito final está próximo.
A próxima carta encaixou-se com facilidade no padrão. Nove de Pentagramas.
— Uma carta de suprema satisfação. Seus esforços levaram-no à vitória. — Amberside sorriu, mais uma vez maravilhado com o poder do tarô, que espelhava milagrosamente o seu. Quase completara o padrão conhecido como a estrela. Seis cartas, irradiando-se como raios de um cubo, circundavam um vazio central para onde iria a última carta. Uma criança poderia enxergar nele um floco de neve. Amberside o via assim quando criança.
Lá fora a noite caía sob um céu plúmbeo. A escuridão era profunda na cozinha, mas Amberside não precisava ver o que estava fazendo. Esfregou os pés no pedaço gasto do linóleo, estrago que ele fizera há muitos anos, de tanto esfregar os pés à mesa de jantar.
Uma silhueta escura parecia se materializar das sombras perto da estufa.
— Vá embora — disse Amberside, irritado. Morgana Lé Fay o amolava há dias. Era quase impossível que ela mantivesse sua forma neste mundo a não ser que ele a ajudasse com sua vontade. Ela precisava dele até para penetrar em Katy. Tal como

outros magos, ela fora perdendo seus poderes à medida que o futuro avançava.
— Escute-me.
Amberside sacudiu a cabeça, tentando se concentrar nas cartas.
— Você precisa.
Ele deu um olhar furibundo em direção à estufa. Fazendo um profundo esforço, Fay projetou uma forma no recinto, que brilhava mortiçamente. Seu rosto revelava uma expressão de quem avisa.
— A última coisa de que preciso é de uma segunda mãe — pensou ele. A cozinha sempre fora domínio de sua mãe. Ela vivia se preocupando com a asma dele, evitando que tivesse contato com outras crianças. E sua mãe gostava, sobretudo, que ele lesse as cartas naquela mesma mesa.
— Terry, você será uma pessoa especial — dizia ela, enquanto enrolava bolinhas de marzipã para cobrir o bolo de frutas preto que fazia todos os feriados.
— Escute.
A voz de Fay estava agora desesperada, abafada e trêmula, como alguém tentando falar debaixo d'água. Amberside observou satisfeito o esforço dela. Aborrecia-o pensar que havia poderes maiores do que os seus. Não, enfurecia-o, razão pela qual jogara aquele jogo complicado com Merlim. Ele seria o primeiro dos magos a não ficar fraco com o tempo.
— Vá embora! — disse ele petulantemente. — Está tudo indo às mil maravilhas. Só preciso esperar. — O espectro de Morgana Lé Fay tremulava, mas persistia. Amberside tirava a carta que iria ser posta no centro da estrela, a chamada "nó da questão".
A Morte.
Amberside franziu a testa, recostando-se na cadeira. *A Morte?* Olhou fixamente para a representação de um cavaleiro de viseira abaixada, de capa preta, que avultava como um gigante sobre a paisagem. Três pessoas estavam ajoelhadas, suplicantes, segurando oferendas. No canto da cozinha, a forma de Morgana intensificou seu brilho, como se encorajada pela carta.
— Se não precisar de mim, vou me deitar cedo.
A cabeça de Amberside virou-se para ver quem o interrompera. De pé na porta, Katy recuara nervosamente.

— Espero não estar me intrometendo.
— É claro que está se intrometendo — disse Amberside, carrancudo. — Se tivesse chamado, me lembraria, não é?
— Eu só estava pegando uma mala do armário para arrumar minhas coisas. Gostaria de ver minha família, só por uns dias.
— Faça como quiser. Só não espere encontrar um lugar aqui para você quando voltar.
Katy parecia ainda mais nervosa.
— Não é pedir muito.
— Depende. Não gosto de deslealdade. O que vai fazer lá fora, afinal de contas, tentar provar que é capaz de voltar? Você é tão tola.
Katy abaixou a cabeça.
— É só por poucos dias — repetiu debilmente. Amberside não se deu ao trabalho de responder. Incapaz de pensar nada de novo, ela começou a repetir: — Assim, se você não precisar de mim...
— Idiota! — Amberside varreu com raiva as cartas da mesa. — Merda. Estragou o padrão. Pegue-as do chão.
Katy acendeu a luz e entrou na cozinha. O brilho mortiço perto da estufa bruxuleou e se extinguiu. Katy não reparara. Estava ajoelhada, recolhendo calada o baralho espalhado. Ela e Amberside sabiam ambos que isso era apenas um gesto de humilhação, um lembrete.
— Aí estão — disse ela, pondo a pilha na mesa.
— Falta uma.
Katy voltou a se pôr de joelhos, procurando agarrar às apalpadelas a carta que escorregara para baixo da bancada. Sem uma palavra, pô-la diante de Amberside, que a virou.
A Morte.
Amberside fitou-a numa fúria silenciosa, como se ela tivesse feito de propósito. Contudo, antes que pudesse explodir de raiva, Katy sumira, o que para ele vinha a calhar. Amberside refez com cuidado a estrela, em seguida procurou no baralho até achar o Mágico de novo. Pôs no centro, onde era seu lugar.
Depois de deixar a cozinha, Katy foi andando devagar pelo corredor que levava à capela. Por último, começara a freqüentá-la muito, principalmente porque Amberside evitava aquela parte da casa. Ela parou diante de uma grande janela de sacada que

dava para a rua. No crepúsculo, avistou uma mulher meio esfarrapada — uma dos sem-teto, talvez — em pé no meio-fio, do lado de fora dos portões. Katy fez um aceno, que lhe foi devolvido pela mulher, antes que ela descesse a rua.

Isso fazia parte do ritual delas. Todo dia essa mesma mulher ficava esperando, pelo tempo que fosse preciso, para que Katy aparecesse numa janela qualquer. Hoje, quando o quente sol de maio iniciava o lento processo de dar lugar à noite, seu traje contumaz, casaco e chapéu de feltro verde, parecia especialmente inadequado. Depois de acenar, a mulher ia sempre embora, sem fazer nenhum movimento em direção à casa. Nada além disso jamais ocorrera entre elas, mas de alguma forma Katy se dava conta de que essa era uma das únicas coisas de sua vida que Amberside não sabia.

Ao entrar na capela, Katy pensou em trancá-la e botar uma cadeira pesada contra a porta. O que adiantaria? Seu coração não parecia bater, seu peito estava apertado e frio. Tentara se rebelar. Naquela exata manhã ela reunira a coragem de telefonar à polícia, esperando conseguir falar com Westlake. Pegara devidamente o fone.

— Senhora? — dissera uma voz. Era Jasper.

— Eu... Eu... — gaguejara Katy.

— Eu estou telefonando para encomendar coisas do mercado. A senhora vai precisar da linha?

Ela desligara sem responder, e sua cabeça caíra para trás. Estava esgotada. De todos os espaços escuros de fantasia com que jamais sonhara, este era o último, de que não havia escapatória. O enfeitiçamento dos próprios medos dela se revelara o que havia de mais inescapável, e *ele* sabia.

Katy andou até a frente da capela e se ajoelhou atrás de um banco. *Pai, perdoa-me, porque tenho pecado contra Ti.*

Era uma oração seca, inútil. Katy deu um suspiro. Seus pulmões doíam de tanto chorar. Suas mãos estavam cortadas e mal enfaixadas, desde que quebrara os espelhos da casa. Amberside riu disso, mesmo quando ela destruiu o antigo espelho dourado ao pé da escada. Ele a deixava perambular pela casa como um espectro; não, como um espírito feminino agourento. Não eram eles que uivavam?

— Você não está presa, sabe? — dizia ele. — Aqui está a chave, a porta está aberta. Mandarei até Jasper trazer o carro.

Porém, a vergonha dela era como grilhões em volta de suas pernas, impedindo-a de sair. Sua última esperança era que alguém a resgatasse no dia marcado. Ela não esperava um casamento, é claro, mas de alguma forma desesperada os convites que escrevera à mão e pusera no correio talvez enviassem alguma mensagem para o mundo externo. O dia chegara, entretanto, e a capela ficara vazia. Jasper devia ter roubado os envelopes da caixa do correio antes de serem coletados.

Katy levantou os olhos para as altas janelas góticas em cima do púlpito. Um príncipe dos negócios, vitoriano, construíra a casa, e na sua caduquice acrescentara a capela para assegurar sua ligação com Deus. Isso fora há muito tempo. Agora havia buracos em muitos vidros enquadrados por chumbo. Vários santos e mártires haviam perdido um olho, ou um nariz, por culpa do tempo, deixando brechas por onde o vento entrava.

Salva-me, Jesu Christe. Jesu Domine, salva-me.

A oração com voz estrangulada surgiu a contragosto, e ela ficou imaginando por que surgira na língua antiga. Tal como um fio, o latim arrastou-a para outra época. Ela sentia ainda o chão frio de pedra contra seus joelhos, mas não tinha mais certeza de onde se encontrava. Pela janela, o relógio da cidade deu seis batidas, o que pareceu estranho. Os conventos não tinham relógios, não naquela época. O tempo era marcado pelos turnos de oração, que começavam antes do amanhecer.

Ela agora ouviu passos do lado de fora de sua cela, e de algum modo Katy soube que eram as outras irmãs. Não haveria mais relógios, à medida que ela se sentia transportada ao tempo antigo.

— Matinas, reverenda irmã — chamou uma voz tímida da porta.

— Já vou.

Katy sentiu-se a desdobrar os joelhos enrijecidos de anos de ritual. Depois de todo aquele tempo, ela ainda não se sentia segura. Ele sabia onde ela estava, mesmo tendo ela fugido do castelo com o copo amassado no seu alforje. Artur o trouxera para ela na véspera da queda de Camelot, carregando-o num saco de aniagem.

— Merlim não vai descer da sua torre, de modo que tudo que posso fazer para ajudá-la, é lhe dar isso. — Ele tocou seu rosto e falou carinhosamente seu nome: Guinevere.

Agora Katy chorava como uma criança. Ela viu a rainha recuar, confusa.

— Por que me deste isso, sire? Algo estará prestes a acontecer?

Artur evitou a pergunta.

— Apenas guarde-o. Ninguém sabe que o peguei e pus outro em seu lugar. Se formos separados, carregue isso com você em todo lugar que for, e espere por mim. Por esse sinal, seremos reunidos.

Guinevere chegara ao convento de Glastonbury na escuridão da noite, mas era impossível ocultar sua identidade. Ela patrocinara muitas irmãs. A abadessa, de início satisfeitíssima com a visita, tornou-se soturna ao ouvir a respeito da catástrofe.

— O mundo está muito distante de nós. Ninguém te achará atrás desses muros — jurou.

— Ninguém que possa imaginar — pensou Guinevere consigo mesma. As irmãs viviam a chamá-la de "Sua Majestade", até que ela as fez pararem com aquilo. — De agora em diante chamem-me de irmã Ginevra — dissera ela. — É bastante próximo de meu verdadeiro nome. — Ela teria preferido não ter nome algum, para melhor proteger o convento contra *ele*. Pousara o copo amassado no peitoril de sua janela, e ele a mantivera a salvo, mas não a tristeza e a amargura, embora *ele* jamais fosse capaz de entrar em sua cela. Certa noite ela fora furtivamente até as cocheiras e soltara seu cavalo, aquele que ela montara no castelo, batendo com uma vara na garupa, até que fugisse galopando pelos campos. Nenhuma dama de companhia ou pajem fugira com ela, porque nenhum sobrevivera.

Toda noite durante as vésperas, irmã Ginevra abençoava a memória de seu marido e recordava sua promessa de voltar para se reunir a ela. Só que nunca acontecera. Ela morrera antes que alguém viesse, e com ela morrera no país a memória da antiga rainha.

Vida após vida, ela voltava, cumprindo seu juramento de esperar. Katy às vezes se via como criança entre as freiras, às vezes como uma refugiada de guerra ou órfã cujos pais haviam morrido de inanição. Seu perseguidor era, no entanto, implacável. Ela jamais vira seu rosto, mas sentia que as guerras e as pestes que a perseguiam no decorrer da história eram seus meios de intimidá-la, de abaterem sua determinação.

As épocas iam e vinham, e a única coisa permanente era o copo amassado, que de algum modo nunca deixou seus cuidados.

Às vezes ela o encontrava acidentalmente enterrado num jardim de convento. Às vezes lhe era dado para guardar por um abade moribundo ou algum frade errante. Que maravilha, ela certa vez o encontrara na caverna de cristal; fora uma bela época, quando se sentira verdadeiramente ela mesma, e chegara a morar algum tempo no santuário de Merlim. Mas havia outras vidas que não deixaram recordações, e finalmente a vigília perpétua tornou-se seca e estéril, como suas orações. Chegou o dia em que ela deixou totalmente de reconhecer o Graal. Jogou-o fora num momento de desleixo, mal pensando a seu respeito.

Mordred percebeu sua chance.

Katy levantou-se, ciente de ter pela primeira vez pensado no nome dele. *E pensar que cheguei a amá-lo*. Ela levantou a cabeça e olhou o crepúsculo que se adensava do lado de fora das janelas da capela. Compreendia agora inteiramente sua posição. *Ele* a submeteria à tortura final. É isso que tivera o tempo todo em mente. Não seria tortura na fogueira ou no ecúleo (embora ela se desse conta agora de que ele nunca tivera escrúpulos de experimentar essas coisas nela). Ele haveria de torturá-la fingindo que eram casados, só isso. Seria muito comum e, no entanto, nos mais inesperados instantes, mais terrível que o inferno.

Um ruído de batidas veio do fundo da capela. Katy não sentiu nenhum ímpeto de se virar. Não importava se Amberside viera fazer troça dela.

— Katy?

A voz de Artur. Ela deixou escapar um risinho amargo. Amberside lhe ensinara tudo sobre ilusões. Ele era capaz de simular a presença de Artur, em pé debaixo da janela dela, à noite, ou de projetar o rosto de Artur no final de um longo corredor, a procurá-la ansiosamente. Esses encantos sempre se dissipavam, levando pedaços dela junto com eles.

— Você não me conhece, Katy?

Artur desceu a extensão da fria nave de pedra e tocou seu ombro. Tinha uma expressão carinhosa no rosto. Ela estremeceu, lembrando-se dos caninos que ele certa vez lhe mostrara à noite, quando aparecera ao lado de sua cama, inclinando-se para beijá-la.

— Escute. Levante-se, vamos embora. — Suas mãos estavam erguendo-a da posição de ajoelhada. Ela não pôde gritar, mas teve força suficiente para recuar, contorcendo-se como uma gata.

Ó divino Redentor, tem piedade de mim que sou indigna.
Artur também recuou. Parecia tenso, como se esperasse um intruso. Katy levantou o punho e desferiu um soco no peito dele. Amberside fizera um bom trabalho. Seus nós dos dedos enfaixados pareciam ter batido contra sólidos tecidos, e o gemido dos lábios de Artur fora realista, de cortar o coração. Ela caiu de novo na posição ajoelhada e avistou um besouro preto que se arrastava debaixo de um banco próximo. Por algum motivo, pareceu-lhe uma boa idéia pôr-se de rastros ali e comê-lo.
— Não.
Artur — ou era sua ilusão? — segurou-a e, quando levantou os olhos, mostrou um rosto vincado de sofrimento. — Dei-lhe a espada — disse em voz baixa. — Ele vai deixá-la sair. Mas não posso ter certeza de que ele manterá seu trato.
— Vocês não precisam conspirar, sabem? Foi bom me livrar dela.
Amberside entrara pelos fundos da capela. Artur se virara. O homem estava a vinte metros de distância, mas não teve dificuldade em escutar o que fora cochichado.
— Você prometeu que se manteria afastado.
Amberside deu de ombros.
— Estou tão interessado quanto você em fazê-la ir embora — disse displicentemente. — Ela é maluca, e teria de ser chutada, no final de contas. — Artur tentava convencer Katy a se levantar, mas ao ver Amberside, ela se agachou ainda mais, cobrindo a cabeça com as mãos.
— Eu lhe disse certa vez que você era o Bobo — disse Amberside, avançando pela nave. — Não leve a mal. É só meu passatempo, o tarô. E que ela era a Alta Sacerdotisa. Sabe o que essas cartas têm em comum?
— Deixe-nos em paz.
Amberside ignorou-os.
— Uma recusa a enfrentar a vida. É a melhor maneira de dizê-lo. Ambas as cartas significam um vício e dependência da fantasia. Não ponha a culpa em mim se ela se arrebentar de encontro à realidade. Precisava acontecer. No caso dela, não acho que agüente.
— Isso é da minha conta — disse Artur, carrancudo. Mas ao sentir o quanto ficara agitada, Katy imaginou se realmente enlouquecera.

Amberside segurava a espada nas mãos, examinando-a sob a declinante luz rosa-azulada dos vitrais.
— Esta arma é de sumo valor. Sofri muito para achá-la. E agora é minha. — De repente ele brandiu a lâmina diante do rosto de Artur, errando-o por um milímetro. — Está vendo? Deixo-os em paz, mas olhem só o que eu poderia fazer.
Amberside jogou a lâmina para cima, leve como um brinquedo, e a pegou pelo cabo. Estava de bom humor.
— Posso me dirigir a você como Bobo? — Sem olhar para ele, Artur conseguira que Katy se levantasse e a segurava de encontro ao peito. — Estou curioso, Bobo, é para saber o que sabe você sobre esta espada. Aumentou seu poder no decorrer do tempo, ou o perdeu? Nós realmente devíamos descobri-lo.
— Sei que matou gente em suas tentativas de obtê-la. E suponho que, não importa o que você tenha feito com Katy, também fazia parte disto.
— De certo modo. Eu não tinha um plano, mas recebi ajuda. Sabia que o nome de minha mãe era Fay? Ela gosta muito de mim e me consola poder tê-la de volta de vez em quando. Katy serviu muito bem. Era só questão de evocar um certo lado dela, como sabe. — As palavras de Amberside fizeram Katy sentir calafrios, ao retornarem as memórias da possessão. Amberside parou para pensar. — Mas você ainda não respondeu à minha pergunta. O que sabe a respeito da espada?
— Saia do meu caminho — disse Artur rispidamente. — Isso não faz parte do nosso trato.
Não importa o que Amberside fosse responder, foi cortado por Katy, que sussurrou:
— Você é real? — Ela olhava para cima, com um olhar esgazeado, para o rosto de Artur. A pergunta divertiu Amberside, que explodiu numa gargalhada: — Se você for real, me deixa morrer, não deixa?
— Um pedido muito ajuizado — comentou Amberside.
O clangor de cascos ferrados soou como um estrondo no pequeno recinto fechado. O áspero tinir de ferro contra a pedra quase abafou o grito de Katy.
— O que é? — perguntou Artur.
Um átimo em seguida veio a resposta, quando um enorme garanhão cinza arrebentou a porta atrás do púlpito, despedaçan-

do-a. Empinou, enfiando os cascos numa janela lateral, arremessando cacos de vidro colorido em todas as direções. Como se fosse um pesadelo em câmera-lenta, Katy viu sangue jorrar em volta das ventas do cavalo. O animal avultava, enorme na pequena capela. Katy se contorceu até se livrar dos braços de Artur, e estendeu a mão em direção a Amberside.
— Pare com isso — suplicou ela.
— Ela ainda parece precisar de mim — comentou tranqüilamente Amberside.
Artur ignorou-o.
— Venha aqui, Katy, você estará segura a meu lado.
Katy sacudiu violentamente a cabeça.
— Vá embora. Ele está fazendo com que tudo isso aconteça. É a única maneira.
Ela viu Artur hesitar, em seguida ele arrancou a espada da mão de Amberside.
— Pare! — gritou Artur, chamando a atenção do cavalo. Katy observou o animal dar meia-volta perfeita, fitar Artur com um olho preto arregalado, e arremeter. Não era uma arremetida louca, sem motivo, mas sim cheia de uma furiosa determinação. O pesadelo em câmera-lenta fazia com que tudo se tornasse claro como cristal. Katy viu o suor espumoso na garupa do cavalo e o tecido rosado no interior de suas narinas. De maneira estranha, esses detalhes ficaram registrados em sua mente antes que ela notasse a coisa mais óbvia e perigosa: o cavalo tinha um cavaleiro.
— Você pode parar com isso — implorou ela a Amberside.
— Deixe-o ir.
Amberside sacudiu a cabeça.
— Quero ver se a espada ainda é solidária a ele.
Artur se ajoelhava num joelho agora, erguendo a espada para golpear a barriga do cavalo, quando este saltou sobre ele. Um sorriso irônico aflorou em seus lábios, como se esperasse que Amberside aprontasse algo tão teatral quanto aquilo; um cavaleiro montado, de armadura completa, arremetendo contra ele. O cavaleiro estava com a viseira abaixada, e a lança que carregava a seu lado abaixada, apontando diretamente para a cabeça de Artur.
Katy olhou para o rosto impassível de Amberside e fechou os olhos.

— Pare! — tornou a gritar Artur. A contragosto, Katy abriu os olhos e viu o cavalo acercar-se de Artur. O cavaleiro em traje de malha espetou com a lança para baixo, enquanto Artur se desviava para a esquerda. Tarde demais. A ponta da lança penetrou no crânio de Artur, e a força do golpe levantou seu corpo no ar. Seu tórax caiu murcho, enquanto o casco do cavalo pisava de lado, esmagando uma de suas pernas esticadas.

— Bastante satisfatório — comentou Amberside. — Eu suspeitava que ela nunca fora realmente sua. — Artur já não ligava mais. Deixou um rastro de sangue atrás de si, enquanto escorregava pelo lado de um banco. Tirando a espada da mão esticada de Artur, Amberside disse a Katy. — Você tem razão, eu poderia tê-lo impedido.

Não havia adrenalina sobrando em seu corpo, nem um grito no fundo de sua garganta. Sentiu uma tremenda exaustão. Um véu preto que caía sobre seus olhos trouxe a libertação pela qual ansiava.

Quando Katy acordou, estava só e era de manhã. Uma noite inteira deveria ter se passado, embora Katy nada recordasse dela. Sentou-se na cama, sonolenta e confusa. Toda vez que Amberside lhe infligia um desses sonhos acordados, sentia-se atolada mais fundo no pântano, achando mais difícil se reorientar. No início ela ficara aflita para manter um contato firme com a realidade. Agora, uma parte dela ficava crescentemente grata pelos contornos borrados, porque se essas cenas atormentantes fossem mesmo verdadeiras, como poderia ela sobreviver?

Katy olhou para baixo, esperando encontrar o vestido que usara na capela, mas em vez disso trajava sua camisola de dormir.

Houve uma batida na porta.

— Artur? — sussurrou ela com a voz fraca.

A porta se abriu.

— Aqui está seu café da manhã, madame. — Jasper pousou a bandeja diante dela, ignorando a maneira como ela se crispava. Ele caminhou até o outro lado e abriu as cortinas. — Está meio frio esta manhã. Prefere que abra ou mantenha a janela fechada?

Ela olhou para ele, com medo e repugnância. Ele nunca mais voltara a seu quarto de noite, até onde ela sabia, mas detestava-o e àquela demonstração de familiaridade. Será que Jasper perambulava entre o sonho e a realidade, como ela?

— Vou abrir um pouco — disse ele consigo mesmo. — É tudo, madame?

Katy balançou lentamente a cabeça. Ele se foi, parando na porta para fazer um rápido gesto de respeito com a cabeça. Katy empurrou a bandeja da cama, e ela caiu no tapete turco. Um delicado açucareiro entornou seu conteúdo. Ela o pegou e arremessou contra a parede, estilhaçando a fina e translúcida porcelana, do mesmo modo que a cabeça de Artur fora arrebentada em seu sonho.

Outra batida na porta, e Amberside enfiou a cabeça para dentro.

— Tem uma feira de antigüidades do outro lado de Wells. Quer vir, querida? — Ela virou sua cabeça para o outro lado. — Ah, você está um pouco cansada. Fique na cama então. Eu estarei de volta lá pelo meio-dia. — Ignorando a porcelana quebrada e o açúcar derramado no chão, ele fechou a porta e ela ouviu seus passos firmes e discretos descendo o corredor.

Katy levantou-se e foi até a janela. Seu perseguidor afinal a pegara, e ela não tinha o menor poder para se defender. Não compreendia os métodos dos magos, mas sabia o bastante para perceber que *ele* manipulava momentos no tempo, elaborando uma prisão de ocorrências que a fizera dar voltas até perder o controle. Dentro em breve, ninguém se lembraria dela, ou se lembrassem, seria como a esposa inválida do Sr. Amberside, que nunca saía.

As lágrimas agora chegaram, quentes e salgadas, e elas poderiam tê-la cegado para tudo mais, não tivesse ela olhado para a rua e visto a mulher com chapéu e casaco de feltro verde. Ela nunca viera tão cedo antes, e em vez de procurar Katy em todas as janelas, fitava-a diretamente nos olhos.

Numa só arremetida, a alma de Katy voou até ela, como um pássaro se jogando contra as paredes da gaiola. A mulher lá embaixo sorriu e acenou, como fazia todo dia. Katy fechou os olhos desesperada. Sua alma não conseguia escapar. Ela estava onde estava. Mais para baixo na rua, a mulher fez outro aceno, espantada por não ter havido resposta, mas Katy ficou parada. Parecia inútil acenar de volta.

VINTE E NOVE

Dentro do Labirinto

Peg Callum enfiou a chave na fechadura e girou. Ou melhor, tentou girá-la, porém a fechadura estava enguiçada. O crepúsculo vinha chegando e o pórtico não tinha luz.
— Às vezes ela agarra — disse. Em seguida a luz acendeu e um rosto estranho, espantado porém calmo, surgiu. A porta se abriu.
— Sim, o que a senhora deseja?
Era uma mulher madura, mais ou menos da idade e da estatura de Peg. Ela limpava as mãos sujas de farinha no avental e fazia um grande esforço para não parecer inferiorizada.
— Quem é a senhora? — gaguejou Peg. Sentiu a mão de Derek em seu ombro.
— Perdão? Eu estava prestes a perguntar a mesma coisa à senhora. Vi alguém aí em pé na escada, e presumi que queria falar comigo. Ou seria com meu marido? — A mulher agia de maneira delicada, porém desconfiada.
Por cima dos ombros dela podia-se ver um homem escarrapachado numa poltrona assistindo à TV.
— É dos anúncios, Alice? — gritou, não querendo se levantar.
— Não. — A mulher voltou a se dirigir a Peg. — Achamos um gato perdido e pusemos um anúncio no jornal. Não é sobre isso que a senhora veio, é?
— Eu preciso entrar — disse abruptamente Peg, percebendo como isso devia ter parecido estranho. Derek fê-la recuar ligeiramente da porta. — Achamos que esta era a casa, Sra...?
A mulher não respondeu. Começava a olhá-los fixamente. Derek deu um olhar de aviso para trás, onde Sis e Tommy estavam prestes a saírem juntos do carro.

— Esperem — fez ele com um sinal. — Há algo errado.
Peg continuava a mexer com a chave na mão.
— Esta é minha casa, sabe? — disse ela num tom cauteloso e racional de voz.
— Sua casa? Archie! — A mulher no pórtico chamava agora reforços.
Seu marido veio se arrastando, com uma expressão aborrecida no rosto.
— O que é, afinal de contas, se não for o anúncio? É domingo, lembra? Um dia em que qualquer sujeito gosta de um pouco de paz no próprio lar.
Derek tomou a chave da mão trêmula de Peg.
— Disseram-nos que estava para alugar, na agência. Deram-nos a chave.
— Alugar? Isso é uma loucura. Veio para o endereço errado, companheiro. — O marido pegou a chave e experimentou-a na fechadura. — Está vendo? Não funciona — estão satisfeitos?
— Com toda a certeza. Desculpe incomodar. — Derek pegou Peg pelo braço e a guiou rapidamente até o banco traseiro do carro. Atrás dele, o homem os observava, montando guarda, esperando que partissem.
— Ora essa! — disse a mulher. E bateram a porta.
Peg parecia abalada e pálida.
— O que há de errado? — perguntou Sis quando ela voltou para o carro.
Derek abriu a porta traseira e fê-la entrar no lado dos meninos.
— Acho que estamos sendo riscados do mapa — respondeu Derek. — Ou talvez, o termo seja *obliterado*.
— Mas é minha casa — repetia Peg aturdida, como se dizer isso mudasse as coisas para o que eram antes. Derek entrou atrás do volante e deu a partida.
— Procure apenas pensar — Pen exortou sua irmã. — Você conseguiu olhar por cima dos ombros daquela mulher. Suas coisas estavam lá?
Peg sacudiu incrédula a cabeça.
— Eu não devia ter ido embora. Devia ter ficado lá de castigo.
— Acho que não teria feito nenhuma diferença — arriscou Derek. — Eu estive pensando como *ele* lidaria com a nossa volta. Poderia ter escolhido a violência. Deus sabe que não sente

nenhuma aversão por ela. Mas ele está sendo sutil desta vez, eu suponho, ou se divertindo. — O carro deixou Fellgate Lane. Peg não pôde resistir a olhar tristemente para trás.
— Você está bem? — perguntou Pen, estendendo o braço do banco dianteiro para pegar a mão de sua irmã.
— Não sei. Foi um abalo tão grande.
— Derek, precisamos encontrar um lugar para onde ir — disse ansiosamente Pen.
— Não posso prometer nada a essa altura — respondeu ele.
— O que isso significa é que fomos todos esquecidos. Presumo que seja esta a sua tática. Você descreveu a corte dos milagres como sendo composta daqueles que largaram tudo. Para ele isso deve ser ótimo, porque estamos sendo empurrados para um esquecimento forçado.
— Isso quer dizer que não darão falta de nós no colégio? — perguntou Tommy. — Ou nossas famílias?
— Sinto muito, mas acho que é exatamente isto que vai acontecer.
Ficaram todos sentados calados, enquanto as melancólicas e cinzentas ruas passavam. A tarde estava ficando nublada, e a luz enfraquecia as sombras, fundindo tudo numa mesma e uniforme insipidez. Dentro do carro havia uma impressão de ar abafado e de confinamento. Alguns minutos depois estavam de volta ao campo, mas isso nada fez para melhorar o ânimo deles.
— Está tudo acontecendo muito depressa, não está? — disse Pen, quebrando o silêncio. — Emrys Hall talvez já esteja em ruínas, eu suponho.
— Você quer ver? — perguntou Derek.
Pen sacudiu a cabeça e olhou de novo pela janela.
— Sinto-me invisível. Tenho uma fantasia de que poderíamos descer a rua principal sem que ninguém nos notasse. Engraçado, quando se pensa com quanto empenho andaram nos procurando.
Derek parou num posto de gasolina, onde a impressão de Pen pareceu ser confirmada. O frentista mal olhou para eles enquanto punha combustível, pegando as notas da mão de Derek e devolvendo o troco, tudo em silêncio.
— É uma mágica e tanto, não é? — disse Tommy, ao voltarem para a estrada. — Ele nos transformou em fantasmas, sem nos haver matado antes.

— Vamos atrás de Merlim — sugeriu Sis. — Ele não permitirá que isso aconteça conosco.
— Por que não? — respondeu amargamente Tommy. — Deixou que todo o resto acontecesse. Esta é maneira como o jogo foi armado. Ele não está presente, e não há garantia de que jamais esteja.
— Eu diria que se trata de uma enorme implicância — comentou Peg. As duas irmãs se entreolharam e Pen pensou: — Ela está percebendo que não existe caminho de volta. — Lembrava Peg criancinha, no colo de sua mãe. Como Pen era muito mais velha, não sentiu ciúmes. Gostava de ficar contemplando o bebê, que parecia um anjo caído na terra por engano. No decorrer dos anos, quando crescera, Peg tornara-se mais distante, mais desadaptada.

Ela era uma dessas pessoas, pensava Pen, com enorme dificuldade de se dar bem com o mundo. Precisava de muito esforço para aceitar o fato de que a vida implicava sofrimento, para fazer uma trégua com a morte e a doença e todos os horrores menores da vida cotidiana. Gente assim, quando consegue criar uma rocha para a fé, jamais duvida de Deus ou amaldiçoa o destino, mas, por outro lado, jamais consegue aceitar as coisas. Depois de anos de esforços nesse sentido, Peg estava sendo esmagada. Parecia perdida e perplexa, a olhar pela janela os espaços vazios e cinzentos. Os campos e as cercas vivas pareciam estranhos sob o céu plúmbeo. Aquilo ali não era mais a pátria deles, da mesma maneira que as casas anônimas não eram mais seus lares.

De repente Sis gritou do banco traseiro.
— Pare, pare.
Derek olhou pelo espelho retrovisor.
— O que é?
— Eu vi alguém. Você não viu, Tommy? — Tommy negou com a cabeça. — Era Joey, bem lá atrás. — O pequeno garoto abaixou o vidro da janela e se inclinou para fora. — É preciso parar, senão o perderemos.

Uma fila de carros bloqueava o caminho em ambas as direções, e levou algum tempo para que Derek pudesse encostar fora da estrada, esperar a oportunidade de dar a volta e retornar.
— *Tem* alguém. Posso vê-lo — disse Tommy, excitado. Uma figura solitária caminhava no acostamento, de costas para

eles, de modo que não era possível distinguir nada a seu respeito, a não ser que usava roupas amarfanhadas e andava com o pescoço encolhido.
— Quem é Joey? — perguntou Derek.
— Joey Jenkins — o sujeito que cuida da fornalha no colégio — respondeu Tommy. — Foi o primeiro a encontrar a espada, mas ficou com medo de nos ajudar.
O grupo sentiu um renascer da esperança. A figura no acostamento deve tê-los pressentido, porque virou a cabeça e eles puderam dar uma olhada em seu rosto.
— Ah — exclamou Sis, obviamente decepcionado.
Tommy sacudiu a cabeça.
— É só um mendigo — disse soturnamente.
Derek começou a acelerar, mas Pen pôs a mão em seu braço.
— Pare. Preciso vê-lo.
Encostaram perto do mendigo que, longe de se afastar, veio andando até a frente do carro e colou seu rosto no pára-brisa. Ao ver a barba ruiva desgrenhada, Pen sacudiu a cabeça.
— Não é ele.
O mendigo mantinha o rosto colado ao vidro, olhando para dentro curiosamente. Deu um sorriso, revelando falhas nos dentes amarelados.
— Carona? — pediu ele em voz alta, mas Derek já jogara marcha à ré no carro. Os pneus giraram na lama, e o mendigo se afastou assustado. Dentro de poucos segundos, Derek já tinha voltado com o Rolls para a estrada. O encontro deixara todo mundo abalado.
— Pensei que fosse ele — disse Pen debilmente. Ninguém respondeu. O rosto pálido colado ao pára-brisa parecera perdido e fantasmagórico. Veio à mente de todos a imagem perturbadora de eles mesmos não terem um teto.
De repente Tommy disse:
— Leve-nos de volta ao colégio.
Derek levantou os olhos até o espelho retrovisor.
— Para St. Justin?
— Sim. Andei pensando. Não encontramos um lugar seguro para onde ir, e talvez encontremos lá Joey. Isso poderia ter sido uma pista.
— O que o faz pensar que o colégio é um lugar seguro? — perguntou Pen.

— Não sei. Talvez não seja. Mas mesmo se todo mundo nos esqueceu, não acredito que seja o caso de Joey. Até agora, é a única pessoa que conhecemos que resistiu a Mordred.
— É seu amigo? — perguntou Derek.
— Tentamos fazer amizade com ele. Mas Joey está com medo. Ele encontrou a espada sob a flecha quebrada que enterramos na floresta. Não é significativo?
Derek balançou a cabeça em dúvida.
— Seu medo teve bastante tempo para atuar mais sobre ele. Mas uma coisa é certa, uma sala de fornalha é quente, e nós precisamos de um lugar. — A possibilidade de achar um aliado esvaziou um pouco a melancolia dentro do carro. Alguns minutos depois, St. Justin avultava na névoa. O prédio colossal jamais parecera convidativo aos meninos, mas agora se transformara quase num farol de esperança.
— Vire aqui, há um caminho pelos fundos — instruiu Tommy, ao chegarem ao portão de ferro forjado da entrada. Derek evitou os prédios principais, encaminhando-se em direção à área de serviço nos fundos. Não havia ninguém por ali, a não ser alguns garotos jogando futebol num campo distante. — Os caminhões de entrega vêm por aqui — disse Tommy, apontando em direção à cozinha e à lavanderia. — É arriscado demais estacionar. Entre na parte que está nas sombras, o mais rápido possível. — E indicou o labirinto de passagens, que ficara na sombra depois que o sol abandonara sua posição a pino. Derek desceu com o carro o caminho calçado mais próximo. O motor ribombava no espaço apertado, e alguns pombos empoleirados voaram em debandada.
— Quer esperar aqui? — perguntou Tommy. — Posso ir na frente e encontrá-lo.
Derek saiu do carro, pisando na passagem sombria e claustrofóbica.
— Não, vamos permanecer juntos.
Tommy balançou a cabeça, esperando pelos outros.
— Parece meio fantasmagórico, mas conheço este lugar muito bem.
Ele e Sis foram andando na frente, só parando para se orientarem toda vez que uma passagem decrépita encontrava outra. As duas irmãs e Derek perderam rápido seu senso de orientação, e numa ocasião os garotos haviam se adiantado muito.

— Onde estão vocês? — chamou Derek, o mais alto que ousava. As paredes vazias, que os contemplavam, devolveram o eco como se fossem um desfiladeiro.
Depois de um instante, a voz de Tommy respondeu.
— Estamos logo aqui à direita. Venham. — Um grande monturo de lixo escondia a esquina, que não ficava a mais de três metros adiante. Derek e as duas mulheres dobraram-na, encontrando Tommy e Sis, imóveis, no alto de uma escada de pedra que mergulhava num porão.
— O que há lá embaixo? — perguntou Derek. — Chegamos?
Os dois garotos levantaram os olhos, com os rostos pálidos como cera. Não fizeram nenhuma tentativa de falar. Derek e as mulheres se aproximaram mais e viram do que se tratava: uma impressão palmar sangrenta, impressa nitidamente na parede, sem borrões de qualquer espécie.
— Que terrível — exclamou Pen em voz baixa. Devido a seu pegajoso brilho, sabiam que devia ser recente.
— Joey tinha uma idêntica — informou Tommy. — Só que gravada a fogo nas costas. Serviço de Mordred.
De repente Sis falou em voz alta:
— Joey não fez nada errado. Tinha medo de nos ajudar, mas não fez nada errado.
— Não era preciso — disse Derek soturnamente. Eles perscrutavam o vão da escada. No fundo, a porta estava aberta, mas além dela só havia uma negra escuridão. Tommy começou a descer, mas Derek deteve-o.
— É perigoso demais.
— Então, fique aqui — respondeu incisivamente Tommy, libertando-se de Derek. Antes que alguém o pudesse impedir, ele desceu correndo as escadas, sumindo de vista. Em alguns instantes, ele chamou.
— Ele está aqui. Não deixe Sis descer. Só você.
Derek abanou a cabeça, e Pen abraçou o pequeno garoto.
— Todos vocês, fiquem aqui — disse Derek.
Lá embaixo, em meio à escuridão, era quase impossível se ver. A fornalha estava desligada, e o quarto parecia uma caverna, frio. Quando os olhos de Derek se adaptaram, distinguiu Tommy agachado à luz de uma pequena janela em cima. Derek avançou, descobrindo que Tommy estava agachado sobre um corpo.

— É Joey?

Tommy fez que sim com a cabeça.

— Seu pescoço foi quebrado. Quase chegamos aqui a tempo.

— Não, acho que não. Isso foi sincronizado para que o víssemos — disse Derek compenetradamente. Ele ajudou o garoto a se levantar, afastando-o dali. A cabeça do homem preto estava virada para o lado, num ângulo esquisito, com as pernas dobradas sob ele. Por um segundo, Derek viu a si mesmo, atirado como um boneco quebrado ao lado da estrada. — Não poderíamos tê-lo impedido. É bem a maneira *dele*. Sempre assim, adiantado à gente. Ele está enrolando o fio e nos puxando para ele.

Tommy levantou os olhos.

— Pensei que tivesse dito que ele nos estava obliterando.

Derek sacudiu os ombros. Olhou em volta, descobrindo uma lona jogada por cima de algumas peças velhas de maquinário. Pegou-a e estendeu sobre o corpo, mas a lona não era bastante grande e ficou sobrando um punho fechado de um lado.

— Eu não achava que nos obliterar era tudo que Mordred tinha em mente. Mas talvez ainda não tenha chegado nossa vez.

Ouviram ruídos em cima, vozes e o arrastar de pés. Tommy se endireitou, alerta.

— Sis? — chamou. Não houve resposta, mas os ruídos aumentaram, e de repente uma cabeça tapou a pequena janela em cima. Eles apertaram os olhos, tentando distinguir o que era, mas quem quer que fosse, desaparecera, e quase imediatamente um barulho de passos apressados desceu escada abaixo.

— Não venha aqui — avisou Derek, mas as figuras bem conhecidas de Pen, Peg e Sis já entravam no quarto escuro. Mais duas pessoas os acompanhavam.

— É Artur — exclamou Peg, com a voz trêmula de excitação. — Não está vendo? Tudo dará certo, ele voltou.

Artur Callum largou a mão da mãe.

— O que foi? O que acharam?

Antes que Derek pudesse responder, sentiu Tommy crispar-se a seu lado.

— Não o deixe entrar aqui — dizia Tommy numa voz áspera. E apontava para a outra figura, um garoto mais ou menos da sua idade, que estava na escada, logo atrás de Artur.

— Vocês devem todos voltar — disse Derek, tentando tapar

a vista deles. Mas eles haviam parado por conta própria, chocados, reduzidos ao silêncio.
— O pescoço dele está quebrado, não está? — perguntou Edgerton.
Artur fez um gesto para os outros permanecerem onde estavam e se aproximou.
— Deixe-me ver. — Ele levantou a lona num canto, enfiou a mão por baixo para mexer um pouco com a cabeça e se levantou. — É difícil acreditar que o encontrei, mas o senhor deve ser nosso homem. Nosso Merlim.
Derek balançou sombriamente a cabeça.
— Fala em nome da polícia?
Artur sacudiu a cabeça.
— Acho que estamos todos de acordo que esse assunto agora extrapola de muito a polícia.
Um brilho amarelado espocou acima de sua cabeça. Edgerton encontrara um interruptor, que acendia uma única lâmpada nua, pendente. Peg perdeu a respiração e em seguida deu um grito. As paredes estavam cobertas com mais impressões palmares encarnadas, mas desta vez borradas, como se quem as tivesse feito desejasse fugir depressa.
Edgerton se encaminhou até o cadáver. Pela primeira vez, Tommy reparou que ele estava com a espada na mão.
— O que vai fazer? — indagou ele.
Edgerton continuava a avançar.
— Vou trazê-lo de volta.
Todo mundo se encontrava por demais abalado para impedi-lo. As marcas das mãos, sangrentas e frescas, pareciam testemunhar tudo.
Edgerton se colocara agora sobre o corpo de Joey, erguendo a lâmina até a altura de seu peito.
— Eu já senti o poder desta espada. Foi aqui neste quarto. — Sua voz era arrastada, cerimoniosa. — Esta morte não devia ter acontecido. A espada não a permitirá.
Tommy teve uma fugaz noção de que Edgerton enlouquecera, ou tentava passar a perna neles. Os olhos do menino brilhavam, e seu rosto estava impassível de concentração, enquanto se punha de joelhos e estendia a espada atravessada por cima do

peito de Joey. De olhos fechados, os lábios de Edgerton se moviam numa silenciosa prece.
De repente Peg deu um grito. O punho fechado de Joey, que estava sobrando da lona, abriu-se. Todos viram, mas antes que alguém pudesse demonstrar qualquer reação, a mão se moveu depressa, acertando um soco na cabeça de Edgerton. Ele recebeu o golpe de lado, e caiu murcho para trás, com os olhos arregalados.
— Afaste-se! — gritou Artur. Edgerton rolara de lado, evitando assim, por pura sorte, o golpe de aço que visara seu pescoço. A mão de Joey agarrara a espada, golpeando com um clangor o chão de cimento, a alguns centímetros de onde estivera a cabeça de Edgerton. A lona se mexeu, à medida que o corpo lutava para se soerguer.
— Para cima, todos vocês — ordenou Derek.
Artur já erguera o atordoado Edgerton, e o empurrava cambaleando em direção ao pé da escada. Pen e Peg pegaram Sis, guiando-o de volta em direção à luz fraca. Somente Derek e Tommy ficaram um instante ao pé da escada, pregados onde estavam. Joey deu um grito estrangulado e jogou para um lado o resto da lona. Seu rosto demonstrava uma ira feroz, mas havia alegria em seus olhos.
— Voltou! Você voltou! — gritou ele, enquanto dava um frenético beijo no lado da lâmina, que cortou profundamente seus lábios. Ignorando o sangue que escorria, ele girou a espada acima da sua cabeça, arrebentando a lâmpada. E deu um pulo para frente, enquanto os cacos da lâmpada voavam em todas as direções, afiados como navalhas.
Se Derek não tivesse antecipado o gesto, a lâmina nas mãos de Joey teria atravessado Tommy, mas o instinto fez com que puxasse o garoto para trás. Eles bateram em retirada escada acima, e, por algum motivo, não foram seguidos pelo foguista. Seus rugidos se transformaram agora em gargalhadas, embriagado como estava por seu triunfo.
— Todos vocês são bobos. Acreditaram em mim — gritava.
— *Ele* me disse que acreditariam. "Pegue-os, Joey", disse ele, e foi o que Joey fez. — Suas palavras jorravam num delirante discurso, mas ninguém as ouvia.
Ao fugir de volta pelo labirinto o grupo se espalhara numa linha desigual. As duas irmãs não haviam esperado quando che-

garam com Sis em cima, mergulhando imediatamente na passagem, com o garoto atrás.
— Espere, vamos nos perder — suplicou ele, mas elas não lhe deram ouvidos. Artur e Edgerton podiam ser ouvidos alguns metros atrás, seus sapatos martelando as pedras quebradas do calçamento. Tommy e Derek deviam vir na retaguarda, embora tivessem ficado muito para trás para serem vistos. O labirinto engoliu todos, mas espantosamente, depois de cinco minutos a correr por becos sem saída, buracos escancarados, e montes de lixo, viram-se descendo a última passagem que dava para o ar livre.
— Tommy — chamou Sis, assim que recuperou o fôlego.
— Aqui.
O pequeno garoto voltou-se, quase histérico de alívio. Tommy correu a agarrá-lo.
— Não se preocupe, nós conseguimos, todos nós.
Era verdade. Os olhos de Sis olharam em volta, dando conta de cada rosto.
— O que aconteceu? — perguntou ofegante, incapaz de articular a explosão de ocorrências lá no quarto da fornalha.
— Mordred não está mais descuidando da gente — respondeu soturnamente Tommy. — Ele está começando a virar as coisas a seu modo, usando seus poderes. — A mão de Tommy que antes estivera agarrando tranqüilizadoramente a de Sis, mostrou-se úmida de sangue, que fazia uma mancha em volta do colarinho da camisa de Sis. — Não se assuste. Você sofreu um pequeno corte. Acho que um caco de vidro arremessado deve ter pegado você.
Pen entregou a Tommy um lenço, que ele apertou para estancar o sangramento. Sis mantinha-se imóvel, ofegante porém calmo. À medida que os outros começaram a se recompor, constataram que cacos da lâmpada também haviam ferido a testa de Artur e as costas da mão direita de Derek. Edgerton saíra ileso, mas se deixara cair ao solo, mal parecendo prestar atenção ao que os outros faziam, aparentemente em estado de choque.
Tommy virou suas mãos, à procura de cortes.
— Olha! Onde você arranjou isso? — exclamou Sis, indicando uma mancha azul que cobria ambas as mãos de seu amigo. Era do mesmo azul que a essa altura todos já conheciam.

Tommy ficou olhando atordoado, dizendo em seguida:
— Apalpei o pescoço quebrado de Joey, antes que Derek descesse. — Ele olhou para Artur, que estendeu suas mãos, tão azuis quanto as do garoto. — Você também o apalpou.
— Tinta azul — murmurou Derek. — Houve uma época em que achei que compreendia, mas agora não tenho tanta certeza. Achei que fazia parte do jogo deixar traços de azul em todo o canto.
Artur abanou a cabeça.
— É a mesma tinta que encontrei em sua casa. Você saíra planejando se fantasiar de druida, não foi?
Derek sacudiu a cabeça.
— Isso é que estou querendo dizer. Não faz sentido. Eu tinha um pote dessa tinta, é verdade. Mas ainda está em casa. Você se lembra, não lembra, querida? — Pen confirmou com a cabeça. — Há anos fomos convidados para uma festa, Pen e eu, e realmente me fantasiei de druida nessa ocasião. Pensei que seria divertido, devido ao tipo de livros que eu escrevia, mas não obstante, senti-me um tolo, e escondi a tinta na manhã seguinte. Desde então nunca saiu de seu esconderijo.
Tommy examinou suas mãos, perplexo.
— Então, o que significa isso?
— Não significa nada — respondeu Derek. — É só para despistar ou talvez signifique que alguém *azulou*.
Sua débil tentativa de humor soava discordante no meio do pavor que sentiam. Por um instante ninguém falou mais.
— Não acredito — disse Tommy. — Não pode deixar de ter um significado. Você não deve se lembrar, mas quando era Merlim lá na floresta, disse se tratar de uma pista. E se for o sinal de Merlim? E se ele quisesse nos dar a conhecer que estávamos seguindo a pista certa? A tinta azul não surgia sempre quando a gente achava que não fazia sentido continuar? Era assim que ela funcionava na floresta.
— É certo que estamos nos sentindo perdidos agora — disse Pen. Todos eles compartilhavam esse sentimento. Será que Merlim conhecia a situação difícil deles? A possibilidade de que ele pudesse ouvir a súplica deles, mesmo de sua posição invisível, era animadora.
Artur disse:

— Não há nenhuma maneira, nenhuma maneira normal pela qual Joey pudesse aplicar essa tinta. Precisamos voltar. — Ele olhou para Edgerton, o mais abalado. — Você foi o primeiro a achar a espada naquele quarto. Mordred sabia que você voltaria, sabia sobre todos nós. Por isso tentou nos afugentar de medo.
— Por que se daria a esse trabalho? — balbuciou Edgerton.
— Ele poderia simplesmente matar-nos todos.
Artur sacudiu a cabeça.
— Esta é a questão. Todos nós presumimos que possa nos matar quando bem entender. E se não puder? E se sua única alternativa for nos amedrontar até perdermos o juízo, de modo que não reparemos em mais nada? — Essas palavras criaram uma comoção que varreu o grupo, tangendo cordas profundas da verdade. Enquanto falava, Artur sentiu que ele mesmo era sugado para as profundezas de um poço cheio de verdades compreendidas pela metade. Eram sobre dragões, algo que Merlim lhe contara há muito tempo na caverna de cristal.
— Os dragões são sempre possíveis.
Lembrava-se que os dois estavam sentados ao lado da fogueira, quando Merlim viera com essa conversa, sem preâmbulos.
— O que quer dizer? — perguntara o menino, erguendo a cabeça. Artur estivera à beira de adormecer.
— Esta é uma lição sobre dragões, só isso. Como disse, eles são possíveis, sempre possíveis. É claro que nenhum dragão foi visto na história recente, desde que foram banidos pelos magos.
Artur sabia que as aldeias agrupadas na periferia na Floresta da Procura, não temiam mais que suas plantações fossem arrasadas. A terra que já fora calcinada pelos antigos predadores tornara-se verde com o limo que cobria as sepulturas de suas vítimas. O terror, que antigamente voava à noite, fora esquecido.
— Como podem os dragões voltar, se foram mortos por você? — perguntou Artur.
— Mortos? Eu não falei nada a respeito de matá-los. Os dragões continuam possíveis enquanto os mortais se recusarem a aprender de onde vêm eles. Poderia liderar uma expedição até seus ninhos nojentos e arrebentar todos os seus ovos, é claro. As raposas e os gatos selvagens comeriam suas gemas, mesmo se os filhotes já tivessem desenvolvido escamas e couro, como embriões. Mas os mortais jamais permitiriam isso. O segredo dos

dragões é que *eles são o que as pessoas desejam*, do mesmo modo como todo mal.
   Artur estava calado e perplexo.
   — Como pode o mal ser aquilo que as pessoas desejam? Você quer dizer as pessoas más?
   Merlim sacudiu a cabeça.
   — Não, o mal é uma necessidade que todas as pessoas sentem, boa ou má.
   — Por quê?
   — Uma vez eu lhe disse que este mundo é pura ilusão. Parece real, mas o primeiro passo na sabedoria que o mago precisa aprender é não confiar em seus sentidos. Olhe para o mundo a sua volta, e o que vê? A luz ser seguida pela escuridão, a alegria pela dor, a vida pela morte. Se isso for verdade, então a busca do mago pela vida eterna jamais terá êxito, jamais.
   — Talvez este mundo não seja o lugar para a vida eterna.
   — É o que parece. O ciclo da vida e da morte continua para sempre, mas somente à luz dos sentidos. E se fosse tudo uma ilusão? E se a morte somente existisse porque as pessoas acreditam ter nascido, porque isso lhes foi dito por outras pessoas. Na realidade, ninguém consegue se lembrar de verdade de uma época em que não estivesse vivo. Você lembra de você mesmo antes de ter nascido?
   Artur sacudiu a cabeça, pensando o que aquilo tudo tinha a ver com dragões.
   — Então talvez você estivesse sempre vivo, e o nascimento seria simplesmente um lapso. — Merlim estava esquentando o assunto, e quando fazia isso um matiz de tristeza coloria com freqüência sua voz. — Por que os aldeões nos temem? Por que sou amaldiçoado por padres burros e fanáticos em nome do Todo-poderoso? Porque o que os homens mais temem é o desmoronar da ilusão. São capazes de ir a qualquer extremo para não acreditar na verdade. E o que é a verdade?
   O mago estendeu a palma de sua mão, línguas de fogo azulada emanaram dela.
   — *Luz! É tudo luz.* — O menino ficou espantado. O rosto de Merlim era uma máscara de concentração total. — A luz é tudo, e a luz só contém uma coisa: a vida eterna. Não pode ser criada ou destruída. O mago não teme andar na sombra, na realidade precisa fazê-lo porque é aí que morrem as ilusões.

— Os padres alegam que você trabalha com as sombras.
— Nós trabalhamos é com a eternidade. O mago olha a sua volta e encontra o eterno em todas as direções. Sua única opção é o que fazer com ele. A luz é algo com que se brinca e modela, é a alegria de nossa existência. Também constitui uma alegria passar pela ilusão e encontrar a fonte do trabalho criador.
— Como podem os mortais aprender isso?
— Já o fazem, só que não sabem. A ilusão foi criada por eles e agora acreditam nela em demasia. Utilizam seu poder para criar uma encenação de nascimento e morte, de alegria e dor. Não os culpe, é a dança deles. Na realidade, as sombras não têm mais poder do que eles lhes emprestam. — Merlim pôs seu rosto bem perto do rosto do garoto. — Vou lhe contar um segredo para derrotar o mal. *Você é o mal.* Quando você consegue enfrentar isso, todos os monstros se dissolvem na névoa.
— Inclusive dragões?
— Sim. Eu lhe disse que os mortais se recusam a ver de onde vêm os dragões. Todos os monstros moram num lugar escuro onde os mortais enfiam seus medos, sua vergonha e culpa. É um armário lamentavelmente pequeno e suficientemente escuro para caber isso tudo e, conforme a necessidade, pulam dele coisas que vão espalhar o terror.
— Mas os dragões matam as pessoas. Isso não é real?
Merlim encolheu os ombros.
— Ninguém acreditaria nas ilusões se elas fossem baratas. Se você jamais encontrar um dragão, ficará espantado com sua aparência crível. — Sua voz era agora divertida e simpática. — Eu mal poderia fazer um serviço melhor. — Ele estendeu sua mão, deixando o garoto contemplar por um momento a chama azul que dançava sobre sua palma, antes que ela começasse a falhar e se extinguisse.

Ao voltar a si na entrada do labirinto, Artur olhou para a mancha azul na sua palma, que parecia brilhar.

— Nós não podemos ser eternamente enganados — disse ele em voz alta. Os outros olharam para ele, perplexos, mas sem dar outra palavra, ele se encaminhou para o labirinto. Depois de um momento de hesitação, os outros formaram uma fila desigual e o seguiram. Logo estavam de volta no alto da escada.

A ameaça os envolvia como uma neblina.

— Vocês *o* sentem? — perguntou Tommy. Sis balançou a cabeça. Artur crispou-se, sem saber o que faria em seguida. Sentia que de certo modo o labirinto os havia trazido para o passado. Permaneciam ali, exatamente como haviam permanecido antes. Então percebeu um pequeno detalhe: a impressão palmar encarnada desaparecera.

— Olha — disse ele, a apontar. Alguém lavara o signo maligno. A porta lá embaixo ainda estava aberta, e como antes, dava para a escuridão, só que desta vez havia um ligeiro brilho.

— É melhor você descer logo aqui, garoto — falou uma voz.
— Nós dois sabíamos que você voltaria mais cedo ou mais tarde.

Era a voz de Joey, ligeiramente de troça, parecendo chamar Edgerton. O grupo sentiu uma onda de apreensão. Seria loucura?

— Olha, deixem ajudá-los a descer.

A mão do foguista apareceu na porta, fazendo um gesto para que eles descessem.

— Vá em frente — disse Artur. O grupo desceu lentamente, em fila, a escada, Edgerton na frente. Quando ele entrou no quarto, a fornalha estava acesa, projetando um brilho quente. Joey permanecia perto dela, jogando preguiçosamente lá dentro pedaços de carvão. Inclinou-se e estendeu alguma coisa.

— Você esqueceu isto — disse displicentemente. Edgerton pegou calado a espada, enquanto os outros se agrupavam em volta.

— Majestade — murmurou Joey, ao pôr os olhos em Artur.
— O senhor deve ir buscar o que o espera ali.

A voz de Joey mudara, era mais respeitosa e seu tom mais grave. Todos os vestígios da ira demoníaca haviam desaparecido, como também o sotaque cantado jamaicano, e foi isso que provocou um calafrio na espinha de Artur.

— Tem algo aqui para mim? — E ele olhou nervosamente para um canto onde a lona cobria uma pilha de peças de maquinário. Não fora tocada, e ele podia sentir seu peito formigando sob a camisa.

— Ah, nunca me disseram que o senhor era tão tímido, mas também o senhor é bem jovem — disse Joey reflexivamente. Sua voz ainda era grave, mas não mais tão respeitosa. Uma mão forte agarrou o antebraço de Artur e ele se viu arrastado para o centro do quarto por uma força irresistível.

— Acalme-se — aconselhou Joey. — Não há nada que lhe fará mal aqui. — De certo modo o jeito tranqüilizador funcionara. Artur sentiu-se relaxar. — Diga-me, o que você vê? — sussurrou Joey.

Artur olhou em volta.

— Nada. O que deveria ver? — Um rosnado grave saiu da garganta de Joey. Artur deu um pulo. — Está escuro demais para se ver qualquer coisa.

Os olhos de Joey brilhavam e ele sacudiu a cabeça.

— Eu lhe disse que aqui não havia perigo. Não olhe para mim. Olhe para o quarto.

Artur fez mecanicamente o que ele lhe dissera. Não viu nada, mas sentiu ligeiras náuseas, como se seu corpo não agüentasse a tensão daquele teste. Não tinha escolha, entretanto, estavam todos acuados por dragões. Como se houvessem adivinhado este pensamento, os outros se agruparam em torno dele, à luz projetada pela sibilante fornalha.

— Se você partir, estaremos perdidos — disse Joey. — O momento é este. — Artur sentia-se mais calmo, mas viu-se na pele de um equilibrista de corda bamba, pisando no fio mais fino da graça, rumo a alguma imensa promessa, a não ser que caísse, e então sua queda seria catastrófica.

— Eu não deveria estar aqui — sussurrou ele.

As palavras interromperam o transe, e os demais pareceram murchar, desapontados. Artur queria fugir correndo, mas antes que pudesse fazê-lo, Joey segurou-o pelo pescoço, com uma mão de aço. Dominou-o novamente a ira.

— Você! — exclamou ele, e de repente lá estava Mordred a conspurcar a cena, com sua malignidade.

— Solte-me — gritou Artur, sem fôlego. Joey não lhe dava ouvidos, e os outros não se mexiam para ajudar.

— Ele está certo — disse de repente Derek. — O momento é este. — Ele apontava para a parede, onde as marcas das mãos começavam a reaparecer, como tinta invisível sobre a chama de uma vela. Artur se contorcia, lutando contra Joey.

— Não faça isso — avisou Pen. Artur estendeu os braços, pedindo socorro. Tommy começou a se mexer, mas recuou. De repente, entenderam que dentro daquele círculo se travava um combate de vontades, mas não de vontades humanas. Os magos haviam escolhido aquele momento para ser o pivô do tempo. Ninguém assistiria a seu combate, porque aqueles combatentes eram invisíveis, além dos limites humanos.

Joey obrigara Artur a se ajoelhar agora, e a dor em seu pescoço era como a queimadura de uma descarga elétrica.

Mostre-me a espada, pensou Artur desesperado.

Atendendo-o, Edgerton deu um passo à frente e ergueu Excalibur. Artur esperava um sinal. Nenhum veio. A mão em sua garganta tornou-se duplamente poderosa, com mais força do que o próprio Joey jamais poderia ter, e Artur percebeu que Mordred comandava o jogo. Merlim se continha, haveria sempre de se conter. Não desprezara ele o jogo como uma ilusão o tempo todo?

O corpo de Artur lutava contra a morte, resistindo desesperadamente à capitulação. Olhou para sua querida Excalibur. *Mate meus dragões* — rezou ele. — *Ou se for eu o dragão, mate-me.*

— Sabia estar correndo um tremendo risco, pois havia bastante dragões nas pessoas para que o mundo continuasse a sofrer durante mais dez milênios. E no entanto, sabia ser essa também a única saída.

Inesperadamente, a capitulação veio. Artur sentiu um novo ímpeto, que era o riso. O polegar de Joey afundou-se na sua garganta à procura da traquéia, mas Artur não sentia dor nenhuma. Fora uma piada, tudo uma piada. Não havia morte, não havia Mordred. Havia apenas uma dança que se desenrolava contra o fundo de uma sorridente e paciente eternidade, cujo espírito era Merlim.

O grande segredo veio à tona. Merlim não desejava lutar contra Mordred de novo, porque sabia que *Mordred era ele mesmo.* A face do mal era apenas uma das facetas de um ser infinito que existia para além da luz e da escuridão, da vida e da morte. Merlim sempre soubera isso, aceitara-o, e Artur tornara-se seu discípulo para descobrir a mesma coisa. Passou-se um segundo, e a mão de Joey afrouxou-se.

— Perdoe-me, perdoe-me — murmurava o foguista. Sua voz era humilde e contrita.

À medida que a garganta de Artur se recuperava, ele foi capaz de falar.

— Quero prestar-lhes serviço. O que desejam de mim?

Joey olhou para ele com indisfarçável ansiedade.

— Só olhe, senhor. Quero que olhe.
Artur sentia-se calmo. Se a realidade fosse um sonho, era seu sonho agora. Seus pés carregaram-no alguns passos para dentro da luz da fornalha. E ele ouviu um grito angustiado do homem preto, um grito que parecia lutar contra um tremendo esforço para abafá-lo. Séculos de desespero estavam contidos no grito, como se fossem milhões a uivarem para serem redimidos. Estava além da capacidade de Artur compreendê-lo, mas, no entanto, ele sabia. Seu pé bateu em alguma coisa, e ele estendeu o braço para não tropeçar.
Inclinou-se à meia luz e apanhou um objeto. Estava imundo, mas seus dedos descobriram uma metal liso, frio. O objeto tinha uma empunhadura, como um castiçal — não, era um copo alto. Era aquilo mesmo, um copo antigo e sujo preenchia a mão de Artur.
Ao levantá-lo, observou seus contornos simples e curvos, e seu discreto brilho. Ele enxergou através da sujeira, e o copo era como se metade do sol tivesse caído na palma da sua mão. Foi dominado pela alegria, quase instantaneamente substituída pela tristeza. Ele visualizou o ouro brunido por incontáveis lágrimas, à medida que o cheiro de fermento de vinho novo penetrava em suas narinas.
Joey permanecia a alguns metros de distância, de costas. Uma tremenda onda de serenidade e confiança fluiu por Artur. Emanava de sua mão direita, que segurava o copo, fluindo sob a forma de ondas quentes por seu braço e diretamente até o coração.
— Olhem.
O mundo ficou suspenso no ar. Joey se virou. Não podia falar, mas seus olhos se derretiam de gratidão. Levantou a mão para tocar no copo, em seguida parou.
— Sabe o que você tem aqui? — perguntou em voz baixa.
Artur não respondeu. Ele mal conseguia distinguir os rostos dos demais, mal conseguia perceber suas diversas reações.
Edgerton e Tommy estavam de joelhos, Sis estava ligeiramente boquiaberto, com os olhos esbugalhados de espanto. Pen e Derek seguravam a mão um do outro, até que Pen se lembrou e estendeu a mão também para Peg.
Então caiu o manto da veneração, e Joey sacudiu-se.
— Venham para a luz. Está muito mal-assombrado aqui embaixo.

O grupo seguiu-o para cima. Nas mãos de Artur o copo brilhava nos últimos raios alaranjados do pôr-do-sol.
— Posso tocá-lo também — perguntou Sis. — Está imundo, mas como é belo, não é? — Todos queriam tocá-lo agora.
— Acha que é ouro? — perguntou Tommy.
— Para a gente, é — respondeu Derek, e em seguida ninguém mais falou. Todos se sentiam seguros, todos fora do alcance de Mordred, não importando que tipo de teste ainda teriam de enfrentar no futuro.
— Devo guardá-lo? — perguntou Artur, olhando para Joey.
— A procura foi sua, afinal de contas. — Olhou dentro dos olhos de Joey, esperando reconhecer um olhar que recordava. — de Galahad, talvez, ou de Percival, ou de Gawain. Contudo, nenhuma alma individual retribuiu seu olhar, mas as almas de milhares. Era impossível dar um nome a todos aqueles que haviam buscado o Graal.
— Certo, guarde-o — disse Joey, com um sorriso largo. — E seja lá o que faça, não o empenhe. — Artur teria rido, mas o encantamento ainda o dominava com muita força. Joey já estava se afastando, sumindo no labirinto de caminhos. — Se precisar encontrar Joey de novo, é só assobiar por ele. Ele está sempre com um ouvido virado para o vento, se é que me entende.
Os olhos deles seguiram-no enquanto se afastava.
— Talvez a gente tenha uma chance — disse Pen.
— Sim.
Artur não sabia dizer quem demonstrara concordância no grupo. Deviam ter todos concordado, em nome da corte dos milagres.
— Vamos, antes que escureça — disse ele. A realização deles viera como todos os milagres, sob uma forma totalmente inesperada. Quem teria procurado o Graal nas passagens decrépitas de St. Justin, quem teria esperado que a revelação mergulhasse em cima deles, rápida e esquiva como as andorinhas no pôr-do-sol?
Artur olhou para cima, para a nesga de céu safira que escurecia. Na realidade havia andorinhas agora, mergulhando atrás de insetos por cima das cabeças deles. Os passarinhos davam gorjeios leves e etéreos, e pareciam feitos de luz, pura luz capaz de se sustentar para sempre no ar.

O fim de suas perambulações não acontecera naquela noite, ainda não. A corte dos milagres levou muito tempo para planejar a maneira de combater Mordred. Reunidos na caverna de cristal, discutiam que linha de ação tomar, e finalmente foi a opinião da mulher do chapéu de feltro verde que prevaleceu.

— Só existe uma pessoa que possa nos ensinar o que precisamos saber — disse, e foi ela quem liderou a busca pelo país atrás de Melquior. Levaram meses cruzando os campos, até que o inverno chegou e a esperança começou a se esgotar.

— Ele poderia ter sido morto pelo dragão — especulou Artur.

— É possível, mas precisamos confiar em sua educação como mago — disse a mulher.

— Acho que ele está tentando voltar para onde Merlim talvez esteja — refletiu o vagabundo — só que lhe faltam forças para se transformar de novo na sua forma. — Uma sensação de desânimo tomou conta deles, ao pensar nos milhares de formas em que o aprendiz poderia ter se transformado.

Quando chegaram as primeiras tempestades de inverno, a expedição de busca acampou numa falda de colina no País de Gales, discutindo para onde ir em seguida. Sis, sentindo-se inquieto, saíra para andar, explorando à toa uma campina gelada. A neve profunda era uma imagem espantosa para um menino criado num clima mais ameno. Ele se deitou e fez um anjo nas ondulações da neve que caía. Em seguida algo chamou-lhe a atenção na paisagem pedregosa — uma extensão baixa de pedra nua. Sis aproximou-se curioso. A neve não fora varrida pelo vento ou derretera. Ali, a áspera pedra calcária estava limpa e seca, como se, desde o início, não tivesse caído neve nenhuma sobre ela.

O pequeno garoto se inclinou e perscrutou uma fenda. Lá no fundo, entre as sombras, jazia enrodilhada uma pequena serpente escarlate. Ele enfiou delicadamente a mão lá dentro e a puxou para fora. A serpente estava quente, o que o surpreendeu, e não reagiu ao manuseio. Descansando contra os dedos de Sis, sua respiração ia e vinha suavemente. Quando ele a trouxe de volta para os outros, Derek ficou encantado.

— Eu não sabia direito para onde ir — disse ele — mas se você me der este animal, sei a que lugar pertence. — E Derek aninhou a serpente dentro do bolso de seu casaco, enrolada em volta da Alkahest, para que ela se mantivesse quente.

Sis perguntava freqüentemente para onde iam.

— Tintagel — lembrou-lhe Tommy. Sis nunca fora à Cornualha, mas lá havia uma caverna à beira do mar que Derek conhecia. Foi só no meio de dezembro que chegaram lá, e a maresia terrivelmente gelada dificultava a descida deles pelos penhascos, até a entrada da caverna lavada pelo mar. Seu piso era de pedra preta da Cornualha, alisada por séculos de desgaste.

Derek enfiou a mão no bolso e tirou a serpente, ainda enrolada em torno da pedra. O rugido do vento e do mar reverberava em toda a volta deles. Ao ser posta no chão, aquela tira escarlate não se mexeu. O arremesso de uma onda entre os pés de Derek quase levou a serpente embora, não fosse Tommy, que deu uma corrida e realizou um rápido salvamento.

— O que devemos fazer? — gritou ele, acima do fragor do mar.
— Não sei. Talvez isso não tenha sido acertado — respondeu Derek.

Mas a serpente se contorcia violentamente nas mãos de Tommy, e ele tornou a botá-la no chão. Erguendo sua pequenina cabeça com formato de diamante, a serpente pôs a língua para fora para testar o ar. O grupo contemplava a cabeça indo e vindo, e se esperava ver Merlim surgir caminhando do mar, ou emergir do corpo da serpente, sua esperança foi por água abaixo. Sis teve a idéia de colocar a Alkahest no chão ao lado do animal, para ajudá-lo a se transfigurar, mas não deu resultado.

O grupo manteve uma vigília na caverna lavada pelo mar, até o cair da noite. A maré haveria de enxotá-los dentro em breve, mas eles não queriam abrir mão da esperança. Somente quando as ondas começaram a molhar os últimos espaços secos, é que Derek disse:

— Não adianta ficarmos. Eu pensei que ele viesse.

Pen disse:

— Acho que Merlim deve estar cumprindo sua promessa de não intervir, mesmo em benefício de um dos seus. — A serpente escarlate, num estupor gelado, fora devolvida à bolsa de veludo, junto com a pedra.

Derek sacudiu a cabeça.

— Eu ainda não compreendo. Se a promessa ainda está de pé, por que Merlim tomou posse do meu corpo? Por que deixou a Alkahest no labirinto e vestígios de tinta azul como pistas?

— Talvez não tenha feito isso. — A voz de Artur furou a escuridão.

— O que quer dizer? — perguntou Derek.

— Desde que achamos um corpo numa vala — respondeu Artur — presumimos que você não tinha o poder de provocar todas aquelas coisas que aconteceram. Mas se *você* fosse Merlim?

— Derek pareceu espantado, mas antes que pudesse protestar, Artur prosseguiu: — Fazemos todos parte de Merlim, em certo sentido, parte de seu sonho. Esta caverna também, tenho certeza.

Tommy levantou-se, de repente excitado.

— Quando estávamos no lado de lá — recordou ele a Derek —, você contou para mim e Sis que os magos viviam de trás para diante no tempo, inclusive Merlim. Talvez você seja uma versão mais recente dele, tal como Amberside é uma versão mais recente de Mordred. Talvez vocês dois tenham quase os mesmos poderes. Isso poderia até fazer parte do jogo.

Artur balançou a cabeça.

— Isso explicaria por que Mordred não teve bastante poder para arrancar de você a pedra; ela é sua de direito. Ele nem sequer conseguiu entrar no círculo atrás de você. Você mesmo disse. — Incapaz de responder, Derek tirou da bolsa a Alkahest, que ainda tinha gravada as palavras *Clas Myrddin*.

— Se eu fosse Merlim — disse ele finalmente numa voz conturbada — por que haveria de enredar a mim mesmo nessa caçada sem pé nem cabeça, sem falar em todos vocês? Por que haveria de permitir tanta violência e tantos assassinatos?

— Você não saberá isso até a decifração da pedra.

Todo o grupo virou-se conjuntamente para encarar quem falava e, para espanto deles, Melquior saiu andando das trevas e penetrou na névoa do mar que enchia a boca da caverna.

— Vocês me trouxeram de volta — disse ele, inclinando a cabeça. — Vocês são meu Merlim. — Uma onda de alegria varreu o grupo, e um a um eles se adiantaram para abraçar o aprendiz, ou timidamente tocar sua mão.

— O Mestre está aqui conosco — disse-lhes Melquior. — Minha busca não podia terminar até que cada um de vocês reclamasse sua parte no espírito do Mestre. — Então ficaram sabendo que o destino da corte dos milagres era se transformar em Merlim, e que sua longa ausência não fora um abandono, mas um passo necessário no destino deles.

— Vocês não têm muita razão em dizer que o Mestre é mais

fraco nesta época, não importa quão escura ela seja — disse Melquior. — Ele simplesmente não foi reconhecido. Mordred vem acumulando o máximo de poder possível para que o tempo não o desgaste. O Mestre sabia que o futuro não poderia ter salvação se seu poder não estivesse em todos. Sozinhos, vocês teriam permanecido vítimas de Mordred, mas juntos podem arrebatar o mundo das mãos dele.

— Como? — perguntou Derek.

— Cada ocorrência é como um novo fio tecido na teia do tempo, e esses fios vêm de vocês. — O aprendiz colocou um dedo contra o peito de Derek. —Não existe nada lá fora que não tenha sido sonhado primeiro cá dentro. Mordred ditou as linhas de ocorrências que vocês chamam de realidade, mas ainda restam infinitas possibilidades. Recuperem seu poder; ninguém pode sonhar um mundo de amor e paz, a não ser vocês.

— Acho — disse lentamente Derek — que chegou a hora de devolvermos aquilo que nos foi dado, ou melhor, aquilo que nos foi dado para guardar. — E pôs a Alkahest aos pés de Melquior, seguida do Graal e da espada, trazidos por Artur e Edgerton. — Estes vieram de um mago. E se tiverem de ser reclamados por algum mago, que seja por você.

Os objetos sagrados formavam um círculo, cada um deles recebendo um pouco do brilho da lua refletido pelo mar. Melquior tocou em cada um deles, em seguida devolveu a pedra a Pen.

— Para o futuro — disse ele, chamando-os para um terreno mais elevado. Numa fila silenciosa, seguiram-no a subir pela face do penhasco. Não havia praia do lado de fora da caverna de Merlim, só camadas inclinadas de pedra cinzenta, sobre as quais eles estiveram encarapitados. A maré alta deixava as pedras secas, mas tão logo a espada, a pedra e o Graal haviam sido postos lá, o mar começou a rugir em suas profundezas.

Ao olhar para baixo, eles viram o mar se encapelar em ondas cada vez mais altas, que lavavam o paredão de pedra, não gulosamente, mas num abraço englobante. Num momento os objetos brilhantes, a espada e o copo estavam lá, e no momento seguinte, um movimento da espuma lavava o paredão vazio.

— Não desesperem — disse Melquior. — Essas coisas nunca foram herança de vocês. Eram sinais de uma herança que precisam reclamar por si mesmos. — Sentado no penhasco, Melquior continuou a falar pela noite adentro.

Quando terminou, Artur levantou-se no momento em que os raios do amanhecer tocaram nas pedras.

— Esta verdade constitui a realização do meu coração, mas há alguém faltando. Até que eu a ache, estamos incompletos. — Dentro de uma hora ele estava de partida e, sem debater nada, os outros se prepararam para segui-lo, todos salvo Melquior, que permanecia tranqüilamente por ali.

— Para onde vai? — perguntou Derek, no momento em que estavam prestes a partir.

— Por sobre o mar e além, entrando e tornando a sair do vento.

Ninguém entendeu Melquior totalmente, mas lhe desejaram felicidades, sabendo que sua viagem não poderia ser compartilhada. As últimas imagens que tiveram foram de um rapaz ao lado dos penhascos sobre o mar, embrulhado numa longa túnica azul, muito semelhante ao modo como permanecera de pé sobre os baluartes de Camelot.

TRINTA
O Círculo da Paz

O inverno prometia ser severo em todo canto naquele ano. No início de novembro, todas as árvores em Mogg Street já tinham perdido suas folhas, a não ser pelo carvalho retorcido diante da casa de Amberside. Como uma murcha esperança, sua folhagem retorcida e marrom permanecia segura nos galhos, semanas depois da primeira grande geada. Certa noite no final de dezembro, Amberside ficou espantado ao ver luzes azuis giratórias a brilhar através da copa do carvalho. Por que um carro de patrulha estacionara na sua entrada?

A aldrava da porta da frente bateu com força.

— O que é? — indagou ele, não abrindo mais do que uma pequena fresta da porta para o policial corpulento, que estava ali bem agasalhado contra o frio.

Hamish McPhee recuou, largando a pesada argola de ferro.

— Polícia. Podemos entrar?

Amberside perscrutou a escuridão. Começara a cair uma neve ligeira, brilhando como diamantes esmagados sob a luz do poste. Atrás do policial, ele divisou duas outras silhuetas na sombra dos galhos estendidos do carvalho.

— Entrar? — repetiu ele lamuriosamente. — Só depois de vocês dizerem o assunto.

Uma das outras figuras se adiantou. Era Westlake.

— Recebemos um chamado de urgência deste endereço.

— Urgência? Isso é ridículo.

— Sinto muito, mas não é. Gostaríamos de dar uma olhada, — respondeu, tranqüilo, Westlake. Ele caminhou em direção à porta e seu companheiro o acompanhou. Quando Amberside viu o rosto de Artur Callum iluminado sob a luz do pórtico, crispou-

se. Os três policiais bateram os pés para tirarem a neve e atravessaram o portal. — O chamado chegou mais ou menos às sete e quinze — afirmou Westlake. — Como era o nome?
— Jasper — informou Hamish McPhee. — Não sabemos seu nome próprio.
— Ele era jardineiro de meio expediente e biscateiro, da última vez em que o vi aqui — disse Artur.
— Bem, ele deve estar aí dentro agora — comentou Westlake. — Teve acesso ao telefone.
— Isso não é verdade — disse finalmente Amberside. — Estive ao lado do telefone a tarde inteira.
O relógio de Dresden no patamar bateu meia hora. Amberside inclinou a cabeça, aturdido, mas antes que pudesse acrescentar alguma coisa, Westlake apontava para a escada.
— Eu gostaria de ver seu Jasper agora, se não se importa. Ele mora lá em cima?
— Sim, na parte mais alta — admitiu Amberside a contragosto, prestando atenção em Artur, que não devolveu seu olhar. Westlake fez um movimento com a cabeça, e McPhee subiu, desaparecendo depois de dobrar a curva do patamar da escada.
— Presumo que você tenha sido reintegrado — disse Amberside secamente.
Artur balançou laconicamente a cabeça.
— Esta manhã.
Amberside adotou sua maneira mais insolente.
— Fico muito espantado de terem-no aceito de volta. Você fez uma confusão danada por um caso que já estava terminando sozinho, e ainda por cima queria arrastar Katy lá para baixo consigo, até que ela se casou comigo.
— Se não se importar — interrompeu Westlake — eu gostaria que não se misturassem assuntos pessoais com o trabalho.
— Todos se calaram. Amberside não convidou suas visitas para sentarem, mas as deixou em pé na entrada da sala de estar. A voz de McPhee mal era audível, ao chamar por cima da balaustrada.
— Certo, então, vamos subir — ordenou Westlake.
Os dois policiais subiram a escada até a plataforma mais alta, com Amberside atrás. Uma porta se encontrava entreaberta no final do corredor.
— Aqui, chefe, dê uma olhada — disse McPhee numa voz tensa, afastando-se de lado, para que o inspetor pudesse entrar no

quarto de Jasper. Uma grande cama de ferro tomava quase todo o espaço apertado, e um uniforme de mordomo estava jogado em cima de uma cadeira simples, virada. Amarrada no pesado pau em cima da janela, havia uma corda de cortina, do qual pendia um corpo inerte.

Artur aproximou-se por trás de Westlake e, ao ver o que havia dentro, inspirou violentamente.

— O que é? — indagou Amberside, não tendo ainda chegado suficientemente perto para ver.

Era o corpo de uma mulher.

— Baixe-a — berrou Westlake. Apesar de profundamente abalado, Artur atravessou o quarto e tentou puxar a corda em cima para tirar um pouco de peso dela, mas Katy Kilbride balançava morbidamente, fora do alcance deles.

— Ajude-o — ordenou Westlake. McPhee empurrou a pesada cama para mais perto e subiu em cima dela, enquanto Artur abraçava o corpo, fazendo o possível para levantá-lo. Amberside entrara agora, mas não abriu a boca.

McPhee começou a desatar o nó, que estava apertado, mas podia sentir a carne fria sob a corda.

— Meu Deus, pobre Katy, está difícil de tirar.

— Não tem uma faca, ou alguma coisa por aí? — perguntou Artur com a voz desesperada. Amberside não respondeu. Parecia estar refletindo sobre a cena diante dele, sem estar triste, nem chocado.

— Espere, agora peguei — exclamou McPhee. A corda da cortina afrouxou, e ele tirou o laço de Katy, cujo corpo arriou inteiramente nos braços de Artur. O jovem policial cambaleou, e Westlake correu para ampará-lo.

Arriaram cuidadosamente o peso morto no chão. Então, como se algum fio interno tivesse arrebentado, Artur jogou-se na cama, com o rosto entre as mãos.

— Deveríamos telefonar, ou primeiro dar uma busca no recinto? — perguntou McPhee, mal conseguindo controlar sua emoção.

— Não toque nada neste quarto. A perícia vai querê-lo exatamente como está, mas dê uma olhada. — Westlake virou-se para Amberside. — Pode identificar essa mulher como sua esposa?

— Sim, é claro — respondeu bruscamente Amberside. — Você mesmo a viu aqui. — A pergunta obviamente o exasperou, mas exceto isso não demonstrara ainda nenhuma emoção.

— Pode explicar este terrível negócio? — perguntou Westlake.
Amberside hesitou um segundo.
— Não.
Westlake foi até onde estava Artur, perguntando se ele queria sair e esperar lá embaixo. O jovem policial, claramente comovido, sacudiu a cabeça.
— Vamos ver então. — Westlake inclinou-se sobre o cadáver, apalpando o pescoço, onde estava pálido, em seguida endireitou-se de novo. — Existe uma contusão sob a corda, mas o pescoço não está quebrado, como de fato não poderia estar, no caso de uma pessoa que cai de menos de sessenta centímetros. Nestes casos, o enforcamento provoca a morte por estrangulamento.
— Mas isso leva muito mais tempo — interrompeu McPhee.
— Sim — concordou Westlake. — O Sr. Jasper, cujo paradeiro ainda não sabemos, nos ligou há menos de vinte minutos atrás para denunciar uma emergência. Ainda precisamos calcular se houve tempo suficiente para esta infeliz moça ajeitar esta parafernália bastante complicada, completar o gesto, e morrer de estrangulamento. Tenho minhas dúvidas.
Amberside hesitava ao lado da porta.
— Certo — disse Westlake, fechando seu bloco de notas.
— McPhee, encontre o telefone e chame uma ambulância. Avise também alguém da perícia para vir até aqui depressa. Callum, vigie este andar. Eu ficarei com o térreo. Se encontrar esse sujeito Jasper, traga-o com tranqüilidade. Se não, mande um comunicado de alerta geral. Precisamos fazer uma busca em todos os quartos e depois lacrar o recinto.
Amberside abriu a boca para protestar, mas Westlake interrompeu-o, ordenando a McPhee:
— Vamos lá. A gente se encontra na porta da frente dentro de dez minutos. — O inspetor virou-se rapidamente para ir embora, mas não sem antes dar um olhar de apoio em direção a Artur.
Quando ele e Artur ficaram sozinhos no quarto, Amberside se encostou no pé da cama de ferro:
— Eu não sabia que você gostava tanto de melodrama.
— Há muita coisa a meu respeito que você não sabe — disse Artur, levantando-se. Seu rosto estava calmo, totalmente des-

pido da angústia que demonstrara momentos antes. Era uma notável transformação. — Levei algum tempo para descobrir que tipo de maldade você andava aprontando. — Ele falou tranqüilamente, com um toque de desafio na voz.
— E agora sabe? — perguntou Amberside, erguendo as sobrancelhas.
— Acho que sim. Você não quer a espada, nunca quis. Você nos quer. — Artur encaminhou-se até a janela e afastou as cortinas. Sob o poste mais perto, um grupo de cantores de Natal se agrupara na neve, que cobria rapidamente a cidade de Gramercy com um manto amarrotado. Só que não cantavam. O pequeno grupo de homens e mulheres, acompanhados de dois meninos, permanecia em silêncio, olhando para a casa.
— Ah, reforços. Ficou com medo de seu esquema policial não lhe dar bastante proteção?
Artur deu de ombros.
— Se fosse apenas a mim que você quisesse, teria empregado a violência, como fez com outros. Pensei muito a respeito. As pessoas que você achou dispensáveis — Derek Rees, Paddy Edgerton e Joey Jenkins — tinham algo em comum. Não faziam parte da corte dos milagres. Por isso, é a corte que você deve temer.
— Temer? — Amberside sorria.
— Aliás, você fracassou em eliminar duas de suas vítimas. Derek e Joey ainda estão vivos.
— É uma mentira! — A ira de Amberside faiscou no quarto, mas só por um instante, antes de ele retomar sua máscara impassível. — Você realmente devia continuar a fazer trabalho de polícia. A atividade de detetive lhe calha bem. Não que eu mesmo não tenha feito um pouco desse trabalho. Você se importa? — Ele se levantou e fechou as cortinas, tapando de vista o grupo. — Eu te concedo uma coisa: vocês são capazes de surpreender a gente. Eu não esperava esta cena de ação secundária — e Amberside apontou para o cadáver de Katy no chão.
— Não se preocupe, é só provisório.
Os músculos do pescoço de Amberside se crisparam antes de ele recuperar a compostura.
— Fascinante.
— A corte dos milagres andou fugindo de você esse tempo todo, e isso foi o erro deles. Você tinha a iniciativa da caçada, e

enquanto eles corriam, perdiam o xis da questão. Este jogo não foi sobre uma espada, ou uma pedra, nem mesmo sobre um copo, não é? Amberside deu uma gargalhada.
— Excelente.
— Que bom que ache. Agora você pode dizer o que deseja de nós.
— Não tenho certeza se todos vocês compreenderão. Pouca gente me compreende, sabe? — A voz de Amberside ficou empolada, como um ator se esquentando para um monólogo. — Toda esta questão não envolve mortais, nunca envolveu. Vocês são como camundongos nos lambris, sempre apreensivos, mas sem sequer reparar que a casa pertence a outra pessoa.
— Aos magos?
— O que contém um nome? Digamos que existam seres que levantem o véu das aparências e descubram que a realidade não é aquilo que aparenta. Já pensou o que este mundo realmente é? Eu já. Para todo lugar que olho, vejo reflexos de mim mesmo.
— Merlim me ensinou mais ou menos a mesma coisa na caverna de cristal. "Olhe para o espelho do mundo e verá você mesmo." Mas isso propicia uma grande tentação, não é, de manipular as coisas egoisticamente, para seus fins.
— Tentação? Eu diria que se trata de uma oportunidade madura. Que benefícios teria o mundo em ser apenas eu, se também não fosse *meu*?
— Por isso buscou o poder, e precisava da corte dos milagres para testar os limites do seu poder.
— Como diria? Vocês eram meus companheiros de esgrima.
— Entretanto, o jogo não lhe tem favorecido sempre. O tempo está começando a acertar contas com você, e o mundo que tem controlado com tanto sucesso está escapando de seu controle, de maneira lenta porém segura.
Amberside franziu a testa.
— Nada está saindo de meu controle.
Ignorando-o, Artur prosseguiu.
— De repente você começa a temer o futuro. Chegará o dia, você percebe, quando será confinado a um corpo mortal, e aí não será melhor que os demais mortais, a não ser por sua pretensão à maldade. Só que não poderá mais pô-la em prática, não da mesma maneira.

Artur aproximou mais seu rosto do de Amberside.
— Como é se sentir sumindo? Deve ter sido danado de difícil descobrir o que fazer. O tempo ia lhe reduzir a pó. E aí você percebeu que não podia acontecer. Você estava se encaminhando para a morte, mas devido ao fato de os magos viverem de trás para diante no tempo, a morte seria também seu renascimento. Em vez de chegar ao fim, o tempo se curvaria para o passado, levando-o junto. Bravo, foi uma dedução brilhante, e tudo que você precisava fazer era manter os mortais distraídos de modo a não descobrirem como você se tornara realmente fraco.

Amberside olhava fixamente, com ódio no olhar, mas não disse nada. Artur levantou-se e se encaminhou para a porta.

— Onde você pensa que vai? — perguntou Amberside, assustado.

— Vou cumprir minhas tarefas. Sou um policial e recebi ordens. — Artur saiu do quarto e Amberside hesitou. Olhou para o tapete gasto em cima do qual fora colocado o corpo de Katy. Estava vazio. Por um segundo a onda de pânico começou a crescer, mas Amberside se levantou de um pulo e saiu para o corredor, forçando-se a agir. Agarrou Artur, virou-o e levantou sua mão.

— O que está acontecendo aqui? — Era Westlake subindo laboriosamente a escada. — Eu lhe disse que não queria nada pessoal interferindo com o nosso trabalho. — Amberside recuou.

— O que achou neste andar?

Artur encarou Westlake com tranqüilidade.

— Nada. O quarto no final do corredor está trancado. Pedi ao senhor Amberside para me entregar a chave, mas ele se recusou.

— Você está mentindo — exclamou Amberside, erguendo seu punho de novo. Westlake estendeu a mão para pegar seu braço. — Não me toque — disse Amberside sibilante, e se agachou de repente, com os olhos brilhando, cruzando os braços sobre o peito. À luz fraca do corredor, Westlake viu-os se transformarem em asas palmadas. Surgiram escamas no rosto que deixara de ser humano, e que se encompridara, transformando-se em alguma coisa maciça, reptiliana — um focinho. Westlake olhou para Artur, que parecia impassível e em seguida piscou. Amberside ainda estava ali, tremendo de ódio contido.

Westlake deu um suspiro.

— Vamos lá — disse a Amberside, como se não tivesse visto nada incomum.

— Precisamos da chave daquele quarto de guardados. Vamos descer e pegá-la juntos, está bem? — Amberside foi na frente, calado.

Artur ficou ouvindo os passos deles a descerem para o térreo, antes de ele mesmo descer correndo. Era um pequeno lance até o patamar seguinte, mas seu coração batia forte. Um combate invisível pelo poder — o último teste — começara. Artur quase sentiu náuseas de excitação.

— Ela deve estar aí — pensou ele. Mordred elaborara o futuro segundo sua vontade. Artur já forçara uma brecha nele, porém quando um ovo racha não se pode dizer que seja igual ao nascimento. O que ele precisava fazer em seguida jamais fora feito antes. Um mortal tinha que bater um mago no terreno do sonho.

Ao alcançar o segundo andar, Artur dirigiu-se ao final do corredor e abriu a porta.

— Katy? — falou delicadamente para dentro do quarto escuro. Por um instante seus olhos distinguiram apenas um ligeiro brilho, em seguida ele viu uma figura esguia em pé ao lado da janela, muito quieta. A neve se empilhava silenciosamente do lado de fora, no peitoril. Qual seria o aspecto dela? Artur teve que expulsar antigas imagens de sua mente, banindo o terror e a mágoa que as acompanhavam. Esperava uma reação de Katy, mas o pivô de cristal do tempo não queria se mexer. Ele sentiu um impulso de empurrar, porém uma intuição lhe disse, *Largue, permita, e será sua.*

Fechou os olhos e se deixou afundar no cerne de paz dentro de si mesmo, e que chamara de Graal. Então, Katy voltou seu rosto para ele. Ela parecia pálida, mas não com a palidez da morte. Seu rosto estava luminoso, brilhando como um floco de neve contra a escuridão aveludada do céu lá fora.

— Estive esperando — disse ela, e parecia que pequenos diamantes haviam surgido no canto de seus olhos.

Amada.

A palavra surgiu na mente de Artur como o mais leve dos sussurros, antes de seus pensamentos se entregarem mais uma vez ao silêncio. Ele se adiantou, lavado por uma onda de paz contra as marés do tempo. Uma ponte de delicadeza fora construída sobre o abismo, e eles permaneciam um de cada lado.

— Você não precisa esperar mais — disse ele. — Voltei.

Katy estendeu seus braços. Os brilhantes em seus olhos rolavam agora pela face abaixo, abrindo um caminho de pureza. E então eles se encontraram enlaçados um nos braços do outro, como se fosse pela primeira vez, a inocência enlaçada pela inocência.

— Eu não compreendi — balbuciou Artur, com a voz cedendo. — Eu não sabia pelo que você estava passando.

Ele queria pedir-lhe perdão, mas estavam além de pedir qualquer coisa um ao outro. Ele viu nos olhos dela. Ela estava com ele no pequeno quarto, mas ao mesmo tempo muito além, num estado de exaltação.

Ela conseguiu. Guinevere chegou primeiro. Ele se ajoelhou e curvou sua cabeça contra suas pequenas e pálidas mãos. O olhar dela se desviou ligeiramente, mas ela não se mexeu, permanecendo apenas ali, uma rainha em sua redenção, antes que o encantamento se partisse.

— Detesto isso aqui — disse ela, e a voz pertencia a Katy.

— Podemos ir?

Artur levantou-se, beijando-a agora.

— Sim, tenho certeza que podemos.

Podiam-se ouvir movimentos lá embaixo, e vozes abafadas discutiam. Katy olhou em volta, pensando se levaria alguma coisa.

— Estou pronta.

Do patamar da escada, Artur olhou para baixo e viu Westlake e Amberside, um diante do outro.

— Vá embora! — gritou Amberside.

— Você é maluco, houve uma morte aqui, talvez um assassinato. — Westlake estava contido, porém furioso.

— Não, não houve — retrucou Amberside, com a voz trêmula. E fechou os olhos, como desejando que o inspetor sumisse.

— Cuidado, o senhor está lidando com um dos mágicos mais malignos da história da humanidade — disse Artur de cima da escada.

Westlake deu-lhe um olhar furioso.

— Vocês todos ficaram malucos? — rosnou ele.

A porta da frente se abriu, empurrada pelo vento, trazendo uma lufada de flocos brancos. Amberside tremia na rajada de ar gelado.

— Vão embora! — gritou ele de novo, mas desta vez sua ira se dirigia ao grupo de cantores de Natal na porta.

Eles entraram, para grande espanto de Westlake. Ele tirou sua identidade.
— Sinto muito, isto aqui é assunto de polícia. Estou encarregado, e vocês devem ir embora.
Como se ele não tivesse falado, uma mulher atarracada, de chapéu e casaco de feltro verde, adiantou-se olhando Amberside.
— Você quase conseguiu — disse ela calmamente. E tirou uma pedra lisa e redonda de baixo do casaco.
Amberside recuperou sua compostura.
— Você verá, se consegui ou não.
— Conseguiu o quê? — perguntou Westlake. — Será que alguém vai começar a falar coisa com coisa por aqui? — Mal reparou que o policial McPhee entrara correndo na sala, altamente excitado.
— Ele está lá fora. Olhe. — McPhee apontou para as janelas altas que ladeavam a porta da frente, em que se via um rosto pálido a olhar do outro lado.
Reconhecendo Jasper, Westlake gritou:
— Pegue-o! — Porém, o rosto sumira como um fantasma, ou como um escravo subitamente liberto de seus grilhões. McPhee saiu correndo para a calçada, vendo apenas Jasper desaparecer dobrando a esquina, sua fuga abafada pela espessa camada de neve que cobria a rua como um manto.
— Quer que eu o persiga? — perguntou McPhee ao voltar para a sala, mas sua pergunta ficou suspensa no ar como um irrelevante despropósito.
Amberside fora cercado pelos cantores, que formaram um círculo em torno dele. A mulher do chapéu de feltro erguia um tipo qualquer de luminária. McPhee olhou de novo: Não era uma lâmpada, mas uma pedra redonda que parecia iluminada de dentro. Amberside se crispava todo como se a luz lhe causasse dor. McPhee olhou de relance para Westlake, que parecia grudado onde estava, e em seguida deu um pulo quando uma voz às suas costas disse:
— Você é um homem sortudo por estar aqui.
Um mendigo molhado, com o cabelo preto encrespado, entrara na sala. Deixara a porta aberta, permitindo que o inverno entrasse atrás dele. Depois disso, McPhee ficou incapaz de falar ou se mexer, podendo apenas testemunhar calado o que acontecia.

O mendigo se encaminhou até o círculo, e abriram espaço para ele. Artur levara Katy Kilbride para o lado oposto.
— Mordred — disse o mendigo em voz alta. Estamos aqui para decifrar a pedra.

Ao som de seu nome, a forma de Mordred, o rapaz de ouro que envergonhara o rei, começou a emergir da forma de Amberside. As feições aquilinas arrogantes se dissolveram como betume, revelando o jovem e belo nobre.
— Quem são vocês? — perguntou Mordred, com uma voz orgulhosa e sem medo. — Quem ousa falar comigo dessa maneira?
— Somos Merlim — respondeu o mendigo.
— Impossível. Merlim não pode vir aqui.
— Ele não precisava. Foi esse o seu erro.

De repente a mulher do chapéu de feltro verde ergueu mais alto a pedra. Ela se tornou transparente e começou a emitir um feixe de luz branco-azulada. Um brilho opalescente fundiu-se na luz, que começou a projetar-se um ondas móveis sobre as paredes.
— Se vocês são Merlim — exigiu Mordred —, então se mostrem.
— Nós *estamos* nos mostrando — respondeu o mendigo. Quase sem serem notadas, outras pessoas vinham entrando na casa pela porta aberta. Formaram silenciosamente um segundo círculo em volta do primeiro. A luz da pedra brilhava mais forte à medida que mais pessoas entravam abrindo cada vez mais o círculo da paz.

Mordred começou a andar para lá e para cá. Tremia de raiva quando Tommy se adiantou, colocando alguma coisa a seus pés. O mago olhou fixamente. Uma flecha quebrada jazia no chão. Mordred berrou, percebendo horrorizado: ele caíra um ponto no tecido do tempo, e isso significara sua desgraça. Ali estava a flecha que deveria ter matado Ulwin, que nesse caso jamais teria encontrado a espada ou agrupado a corte dos milagres.

Mordred inclinou a cabeça para trás, mas no lugar de outro grito, deixou escapar uma única palavra:
— Mãe! — Meio uivo, meio ordem, a palavra de início não causou reação alguma, mas em seguida uma forma sombria apareceu no canto da sala. Brilhava mortiçamente, bruxuleando, à beira de desaparecer. — Por favor — sussurrou Mordred.

O brilho mortiço bruxuleou com mais intensidade, e Morgana Lé Fay se aproximou do círculo.

— Fui convocada. É típico de você esperar até ficar desesperado. — Ela lançou um olhar fulminante à mulher do chapéu de feltro. — Não pense que me engana. Você ultrapassou seu poder. — A feiticeira levantou sua mão e um tremor baixo sacudiu o assoalho. — Solte-o — disse, com suas palavras abafadas por uma explosão ensurdecedora. O círculo da paz se abriu, enquanto uma grande parte do teto desmoronou, ao mesmo tempo que o trabalho decorativo de alvenaria em volta do consolo da lareira cedia, e a chaminé desabava. Antes que qualquer um pudesse reagir, as paredes ruíram por toda a volta.

— Juntem-se, juntem-se — a mulher do chapéu de feltro gritava. Escorria sangue de sua testa, onde fora atingida por um tijolo, e ela estendia suas mãos tentando recompor o círculo rompido, mas ninguém estava ali para pegá-las.

Morgana Lé Fay correu até o centro.

— Venha! — ordenou ela. Mordred sorriu e se deixou conduzir para fora do círculo. Ao passar pela mulher do chapéu de feltro, golpeou-a com sua mão aberta. Sem um ruído, ela caiu morta no chão.

— Não! — gritou o mendigo. Apanhado pela queda da chaminé, desmaiara momentaneamente. Levantou-se com dificuldade, mas teve o caminho bloqueado por Mordred.

— Chegou tarde demais para salvar seu rei, Lancelot, e agora isso. Tenho pena de você. — Mas a boca trocista do rapaz não demonstrava nenhuma pena.

A casa estava em ruínas, aberta à rua. Os sobreviventes do círculo da paz andavam perdidos para lá e para cá. Muitos estavam feridos; todos pareciam aturdidos.

— Seria bastante agradável matá-los, senhoras e senhores — disse Mordred —, porém acho que o futuro já será bastante divertido.

Ele começou a dar passadas sobre os destroços, quando Morgana chamou:

— Espere, me dê atenção. — Mordred virou-se. Sua mãe estava dobrada para a frente, com o rosto pálido. — Demais — disse ela sem fôlego. — Foi preciso demais para salvá-lo. — E de fato sua forma carnal começava a tremeluzir, acabando por se dissolver diante dos olhos dele.

— Você vem ou não vem? — perguntou impacientemente Mordred.

Morgana deu-lhe um olhar suplicante.

— Meu filho — sussurrou com grande esforço, para em seguida, totalmente esgotada, deixar que seus lábios formassem silenciosamente a palavra *socorro*.

— Repita isso de novo. Não ouvi bem. — Mordred sorria, enquanto sua mãe, trêmula, voltava a chamá-lo debilmente. — Quer que eu me aproxime? Não sei. Os momentos finais podem ser bastante repugnantes. Bem, é dever de filho. — Ele se encaminhou até ela e olhou para baixo. Morgana Lé Fay desfaleceu murcha, levantando uma mão ossuda para acariciar o rosto dele. Seu olhar não era acusatório, mas de admiração e amor. Mordred permitiu que a mão tocasse sua face. Um jato corrosivo de ácido sulfúrico jorrou dos dedos dela, queimando a carne dele.

— Não, não! — gritou, pulando para trás, à medida que o ácido queimava, provocando lesões vermelhas em suas belas feições. Deve ter sido um ácido diabólico, porque as lesões se espalharam numa teia de mutilações. — Como pode? — gemeu ele.

— Como pude? Como pode você? A pergunta é essa. — A cabeça desfalecida se erguera, não no formato da de Morgana, mas na mais inesperada forma: a de Albrig, rei dos elementais. Todos os vestígios de feminilidade haviam sido substituídos pela figura corcunda do medonho anão. — Truque por truque, feitiço por feitiço. Porém você jamais me pagou.

O anão caminhou até Mordred, que estava agachado no chão, escondendo o rosto entre as mãos.

— Ou será que aquilo que chama pagamento seja cortar a cabeça de meu capitão e jogá-lo naquele poço, hein? Com dedos de aço, Albrig forçou as mãos de Mordred a se abrirem. — Nada mal. Seria considerado até bem bonitinho se quisesse ir para casa comigo. — Mordred voltou a se encolher de dor e de mágoa, escondendo de novo suas cicatrizes. — O problema com magos — disse Albrig — é que você tem que esperar muito tempo para acertar contas com eles. Mas sou paciente. — Endireitou-se e olhou em volta para os demais, com um olhar realesco; todo mundo assistira boquiaberto àquela cena de acerto de contas. — Merlim! — gritou ele.

De início não houve resposta, mas em seguida, com uma lenta cerimônia, a senhora de chapéu de feltro verde mexeu-se e se levantou. Sacudiu-se, como alguém que é acordado do sono,

tocando em seguida levemente sua testa. O ferimento desapareceu e todos os vestígios de sangue junto com ele.
— Você! — disse o andarilho, quase sem fala.
— Bem, não durante algum tempo. Eu me mantive realmente afastado, conforme prometera. Só que agora ele perdeu, não é, e com isso o jogo termina. — A mulher sorriu e ergueu a mão, e o círculo da paz recomeçou a se formar. Aqueles que haviam sido feridos se levantaram, com seus ferimentos curados, e um por um os membros do grupo tomaram seus lugares. Katy, Artur, Pen, Peg, Edgerton, Sis, Tommy e Derek estavam no primeiro círculo, e em volta deles todos os recém-chegados.
— Tão apropriado. Muito apropriado. — Os olhos da mulher brilhavam magicamente, transmitindo a satisfação de um mestre dramaturgo quanto à cena final de sua melhor comédia, mas com um toque de compaixão que somente raras comédias têm. Em volta da mulher formou-se uma auréola iluminada, e por alguns segundos projetou-se a silhueta inconfundível de um mago alto, de chapéu e capa.

Se Merlim permaneceu mais algum tempo, ninguém notou, entretanto. A atenção de todos estava concentrada em outro lugar. Como as paredes e o teto da casa haviam desmoronado, as pessoas ali juntas podiam ver o céu. A neve ainda caía, porém as estrelas estavam aparentes. Mordred berrou de novo, praguejando contra almas de todos os presentes. Agachou-se no chão, com o corpo contraído na forma de um montículo. A neve começou a cobri-lo silenciosamente, enquanto o círculo se alargava, se alargava.

Passaram-se horas, e no entanto o círculo continuava e se ampliava mais ainda, à medida que as pessoas continuavam a chegar para engrossá-lo. Era como se uma luz surgisse no mundo e todo mundo que sonhara com uma nova Camelot acordasse. Cada um compreendeu a mensagem extraída da decifração da pedra: *Este é o mundo que sonharam a partir da pureza de seus corações*. O nascimento do novo reino não dependia de todo mundo acordar. Milhões continuavam seu sono, mas um número suficiente escutava. A pedra de Merlim criara uma música no ar, sinos cujas notas líquidas ressoavam pelo mundo todo.

Quando chegou a aurora, não havia mais destroços nem rua, somente um campo aberto com um pequeno relevo na neve, marcando o lugar onde estivera Mordred. Ele não desaparecera para sempre, mas seu sono seria prolongado. Uma nova realidade caíra sobre a terra, como neve a cair das estrelas. No amanhecer hibernal, o sol desprendia um calor que não era próprio da estação. McPhee se sacudiu, capaz pela primeira vez de se mexer. Olhou em volta à procura de Westlake, que ainda estava em pé a alguns metros de distância, obrigando-se a acordar. Somente os dois permaneceram no lugar.

— Eles estão indo embora — disse McPhee, apontando para Artur e para os demais, agora apenas uma linha móvel na distância. A linha ondulava sobre os campos, encaminhando-se para o amplo horizonte.

Quando haviam desaparecido, Westlake disse:
— Precisamos voltar. — McPhee concordou com a cabeça. Ouviram os ruídos dos carros na rodovia, o que lhes dava um sentido de orientação.

Levou algum tempo para eles caminharem com dificuldade pelo obstáculo da neve, mas finalmente conseguiram chegar a um lugar que reconheceram, um trevo que seguia para a cidade. Westlake parou num telefone público para pedir um carro.

— O que vamos dizer? — perguntou McPhee, oferecendo um cigarro a seu chefe.

— Não, obrigado — disse Westlake em voz baixa. O policial tirou uma caixa de fósforos, ligeiramente espantado de suas mãos não estarem tremendo. Westlake olhou para os carros que passavam. — Acho que não devemos dizer nada. A vida precisa continuar.

McPhee contemplava a multidão de pessoas dirigindo-se para o trabalho. Um ônibus passou roncando, espirrando a lama suja das poças em que a neve rapidamente se transformava ao se derreter. Dentro em breve chegava um carro da polícia, e McPhee pisou na sua guimba de cigarro antes de entrar. O motorista não fez nenhum comentário, e logo os tetos de Gramercy podiam ser vistos adiante.

Meio distraído, McPhee olhou pelo retrovisor. Enquadrada no pequeno retângulo via-se a imagem de um castelo, com estandartes desfraldados nos baluartes. Quis dar um grito, mas em vez disso, olhou para trás. O castelo avultava enorme sobre a copa das árvores, perfeito e luzidio. Num dos lados erguia-se uma impressionante torre, escura e no entanto polida para refletir os raios orientais do sol. Lá no alto da torre havia uma janela com formato de seteira. O carro da polícia aproximara-se do trevo, e alguns segundos mais tarde mergulhara na rua principal de Gramercy, tapando a imagem de vista.

McPhee ainda sentia alguma coisa, que passava por uma intensa alegria, que para ele era novidade. Não sabia se ela persistiria, mas esperava que sim. Não, esperava que ela se espalhasse e se tornasse a centelha de todas as coisas que fossem novas.

— Chefe — murmurou ele, mas Westlake não respondeu, absorto na meada de seus sentimentos. McPhee hesitou. Ele queria tanto perguntar a Westlake se havia visto alguma coisa — as muralhas a prumo do castelo, os estandartes, ou a barba branca com duas pontas que esvoaçava pela janela da torre.

Post Scriptum

Uma queda de neve não conseguia transformar St. Justin num país de fadas. As paredes encardidas e instáveis ainda pareciam indescritivelmente melancólicas, mas pelo menos à distância, os colossais tetos inclinados cobertos de branco eram bonitos. Lembravam a Sis um bolo de aniversário.

— Será que vamos simplesmente voltar andando?

Tommy balançou a cabeça.

— Não sei exatamente como funcionará, mas não terão dado falta da gente. — As altas cornijas do prédio principal estavam engrinaldadas com neve recém-caída, a cobrir as caretas nos rostos das gárgulas.

A neve ia até o joelho dos garotos. Haviam atravessado os campos vizinhos à colina de St. Justin, achando difícil acreditar que o trigo da primavera já havia crescido, amadurecido e sido colhido, desde a manhã em que partiram. O pôr-do-sol de dezembro era claro e frio, mas desde a decifração da pedra, sentiam-se aquecidos por dentro. Fora logo depois do meio-dia quando o grupo de Artur chegara a uma encruzilhada; um caminho levava a oeste, o outro de volta a Gramercy. Ninguém falara a respeito, mas havia a questão de se os garotos deviam prosseguir.

— Lá atrás tem alguma coisa boa para vocês. — Derek não quis entrar em detalhes, e Sis achou difícil imaginar qualquer coisa que contrabalançasse a tristeza de deixar todo mundo. Os rostos conhecidos significavam ainda mais do que o círculo da paz, e os garotos ficaram gratos por uma última fogueira de acampamento juntos. Ao brilho das brasas, todos os adultos haviam cochilado, deixando que Tommy e Sis contemplassem os

rostos que amavam, em repouso — Pen, Peg, Derek, Artur. Na manhã seguinte Edgerton também resolveu se separar deles, mas não para voltar para St. Justin. Ele queria partir em busca do local de nascença de Excalibur, nos confins selvagens do País de Gales. Para ele, o canto da espada ainda era forte. Os outros viajariam com Artur.
— Não é como me evadir — garantiu ele aos meninos. — Isso já passou. Mas quero sentir novamente esta terra. — Todo mundo sabia o que ele queria dizer. A corte dos milagres não se encontrava mais banida, e a simples alegria de viver no meio da paisagem era maravilhosa. Um rei a recuperar o que era seu.
Assim o grupo partiu, deixando os dois garotos para trás, para que voltassem pela estrada. Não tiveram pressa. Que tipo de recepção os esperaria? Depois de fazerem hora nos campos até o anoitecer, pularam novamente a janela do dormitório de Tommy.
— Quem está aí? — perguntou uma voz sonolenta, quando o caixilho velho e enferrujado da janela rangeu alto.
— Só eu. Fui até a cidade — respondeu Tommy.
— Que sorte.
— Volte para a cama.
O garoto deu um resmungo pró-forma antes de enfiar a cabeça no travesseiro. Sis ficou à espera, enquanto Tommy despia seu casaco e o pendurava no armário alto, tomando cuidado para não fazer barulho com os cabides de arame. Abriu com cuidado a porta divisória que dava para o dormitório de Sis. O luar era suficientemente forte para poderem enxergar sua cama, feita direita, com suas coisas arrumadas na mesinha-de-cabeceira. Sis hesitou.
— Qual é o problema?
— Não quero entrar aí — sussurrou Sis ferozmente.
— Por que não?
— Porque quando eu for dormir, esquecerei tudo, não é?
Tommy não podia prometer-lhe que não seria assim, mas depois de um instante Sis fechou a porta atrás de si e desapareceu.
Tommy acordou na manhã seguinte com alguém sacudindo-o.
— O quê?
Era McGregor, um dos bedéis.
— Está na hora do culto de Natal na capela e você está atrasado.

Tommy enfiou com dificuldade suas roupas e correu pelo pátio deserto e gelado. O céu estava baixo e cinzento. Ele ainda conseguia enxergar seu bafo de fumaça quando entrou pela porta de trás da antiga capela normanda, onde se realizavam os cultos. Todo o colégio estava ali sentado nos bancos, seguindo uma ordem de acordo com as séries. Ao se esgueirar para seu assento, deu graças a Deus porque a quinta série tinha ficado quase na traseira.

A um sinal, os meninos se levantaram e começaram a cantar um hino, um *Hodie*. Tommy olhou para os galhos de pinheiro amarrados nos caibros com fitas vermelhas. Grossas velas de cera de abelha queimavam no altar. Seria mesmo dia de Natal? Tommy sentiu-se confuso. Olhou para os meninos, de ambos os lados, que o ignoraram. Os serviços na capela sempre induziam a um atordoamento protetor, mas quando todos já tinham saído para o ar livre, Tommy começou a sentir com maior nitidez. Sim, era capaz de lembrar de tudo agora. Sorriu, atravessando o pátio sob as rajadas de neve que começavam a cair.

Alguns meninos de sua série quase o derrubaram ao passarem correndo.

— Vamos Ashcroft — gritaram. — Você vai perdê-lo. — Ele correu automaticamente, achando que eles queriam se referir ao treino de futebol, mas não, o campo estava sólido, branco e gelado. Não havia explicação para a multidão de garotos a se empurrarem, a sua frente. A turma estava engrossando depressa.

— Vocês aí, voltem para dentro — gritou um professor de uma porta ali perto. Ignoraram-no. Tommy empurrava devagar, passando pelos corpos apertados, até se aproximar e ver o que era.

Sobre a cabeça dos garotos erguia-se uma espada, com o cabo a uns dois metros e meio no ar. A lâmina fora enterrada numa bigorna, que, por sua vez, descansava em cima de um enorme bloco de pedra.

— Meu Deus — sussurrou Tommy consigo mesmo.

— É por nossa causa, não é?

Tommy olhou para baixo e viu Sis, corado e excitado a seu lado.

— Não sei. Já aconteceu uma vez assim, antes.

Uma leve poeira branca de neve se acumulava sobre a pedra, mas a espada enfiada na bigorna, continuava a brilhar, em toda sua pureza. Tommy se deu conta então de que era a manhã do dia de Natal, o mesmo dia em que um garoto desdenhado e desconhecido assombrara toda a Inglaterra, conquistando um trono. Só que dessa vez não haveria uma multidão londrina a se apinhar em torno da milagrosa aparição. O rei não decretara uma justa, e o ar se encontrava vazio de estandartes e galardões desfraldados sobre tendas multicoloridas. Em vez da centena de cavaleiros querendo se adiantar para arrancar a espada, não havia nenhum.

— O que está fazendo? — perguntou Sis, quando Tommy arremeteu para a frente, empurrando para o lado todos os garotos que bloqueavam seu caminho até a pedra.

— O que acha que estou fazendo? — sorria Tommy, muito mais feliz do que jamais havia sido em qualquer momento de sua vida. Não conseguia compreender por quê, mas lhe fora dada uma segunda oportunidade de sacudir a teia do tempo. Pôs a palma da mão no cabo, em seguida pensou em algo.

— Sis — gritou. Sem conseguir abrir aos empurrões caminho entre os meninos mais velhos, Sis foi rastejando entre suas pernas, até conseguir passar. Tommy o ergueu e pôs a mão do pequeno colegial em volta do cabo, logo abaixo da sua.

— Puxe — disse ele, retesando-se em seguida, com o rosto erguido contra a luz do firmamento.

Este livro foi impresso na Editora JPA Ltda.,
Av. Brasil, 10.600 – Rio de Janeiro – RJ,
para a Editora Rocco Ltda.